U0812199

吉米多维奇

Борис Павлович Демидович

数学分析习题集题解

总主编　郭柏灵　张天德
主　编　栾世霞

（第5版）

4

山东科学技术出版社
·济南·

图书在版编目（CIP）数据

吉米多维奇数学分析习题集题解. 4 / 栾世霞主编. 5 版. -- 济南 : 山东科学技术出版社, 2024. 7.
ISBN 978-7-5723-2102-3

Ⅰ. O17-44

中国国家版本馆 CIP 数据核字第 2024YB3794 号

吉米多维奇数学分析习题集题解　4

JIMIDUOWEIQI SHUXUE FENXI XITIJI TI JIE　4

责任编辑：段　琰　王炳花
装帧设计：孙　佳

主管单位：山东出版传媒股份有限公司
出 版 者：山东科学技术出版社
地址：济南市市中区舜耕路517号
邮编：250003　电话：(0531) 82098088
网址：www.lkj.com.cn
电子邮件：sdkj@sdcbcm.com
发 行 者：山东科学技术出版社
地址：济南市市中区舜耕路517号
邮编：250003　电话：(0531) 82098067
印 刷 者：山东华立印务有限公司
地址：山东省济南市莱芜高新区钱塘江街019号
邮编：271100　电话：(0531) 76216033

规格： 16 开（184 mm × 260 mm）
印张： 16.5　**字数：** 410千
版次： 2024年7月第5版　**印次：** 2024年7月第19次印刷
定价： 28.00元

序

在数学的广袤天地中，数学分析占据着举足轻重的地位。它是数学专业的基础课程之一，对于学习后续课程如复变函数、实变函数与泛函分析、微分方程、微分几何、计算方法、概率论与数理统计发挥着重要的基础作用。它更是深入研究工程力学、物理、经济等众多学科不可或缺的工具。在科研方面，数学和其他许多相关学科的新思想和新应用都源于对数学分析的深入研究。因此，数学分析不仅是数学研究的重要基础，也是其他自然科学领域研究的关键工具。

众所周知，学好数学需要通过不断的练习和思考，才能真正掌握其精髓。科学地做题不仅节省时间，而且能事半功倍。在这样一个背景下，一本优质的数学分析习题集就显得尤为重要。

我读大学时，全国的数学系学生做《吉米多维奇数学分析习题集》蔚然成风。这本书对培养人的数学思维功不可没，甚至可以说不亚于当年数学专业学生几乎人手一套的多卷本课外参考书、苏联数学家菲赫金哥尔茨的《微积分学教程》。在大学4年里，我做了逾2万道题，其中就包含了《吉米多维奇数学分析习题集》全部的4462道题。至今我仍清楚地记得，书中约有四分之一的题难度相当大，我和我的同窗们也正是通过攻下这些难题而逐步练就出解决数学分析难题的真功夫，为以后从事数学研究打下坚实的基础。如今我已经从教40年，在我的学生当中有被誉为“北京大学数学黄金一代”的80后数学家，也有新近在国际数学界脱颖而出的90后数学家，他们很多人都做过《吉米多维奇数学分析习题集》，可见理解和做完这本习题集中题目的价值和作用。

1980年，《吉米多维奇数学分析习题集题解》首版由山东科学技术出版社出版，当时是国内第一次对《吉米多维奇数学分析习题集》中的全部习题进行了一一解答。历经40余年，这套图书仍受到大家的喜爱，很令人欣喜。得知出版社近期对这套图书做了改版，增加了新的内容，希望能赋予这套图书新的活力，更好地适应现在的教育教学模式。

我衷心地希望各位读者能够从本书中受益，并在攀登数学分析这座山峰的旅途中取得更好的成绩和更大的进步！

中国科学院院士

2024年7月于北京大学怀宁园

第5版前言

《吉米多维奇数学分析习题集》是国内外高校最为经典的数学分析习题集之一，作者是白俄罗斯籍数学家吉米多维奇（Б.П.ДЕМИДОВИЧ）。本书自20世纪50年代引进以来，对我国数学分析、高等数学和微积分的教与学产生了重大影响。从事高等数学教学的教师，常以该书中的习题，作为检验学生是否掌握高等数学基本知识和基本技能的一项重要手段。长久以来，该书只有习题，没有解答，让不少初学者望而却步。

山东科学技术出版社于1980年策划出版了《吉米多维奇数学分析习题集题解》，对《吉米多维奇数学分析习题集》中的4462道习题逐一进行解答，成为国内第一套数学分析题解类图书，受到了广大读者的喜爱，先后于1999年、2005年和2012年三次再版，陪伴数以百万计的数学爱好者走过了四十余载春秋。从《吉米多维奇数学分析习题集》到《吉米多维奇数学分析习题集题解》，虽然只有两字之差，但后者包含了一代代数学大师们无数的心血，也让该书在数学分析、高等数学和微积分领域牢牢占据一席之地。

加强基础研究是建设科技强国和教育强国的关键要素。2023年4月，教育部启动了包括数学在内的基础学科“101计划”。为响应国家号召，助力核心课程建设，加之《吉米多维奇数学分析习题集题解》第4版出版距今已十余年，书中不少解题方法已不适用于现代教学，为此，山东科学技术出版社启动《吉米多维奇数学分析习题集题解》再版工作。

在多位专家的悉心指导和广大读者的热情支持下，第5版的再版工作得以顺利完成。我们深知，每一次更新迭代都是对知识深度和广度的双重挑战，因此，我们始终秉承对知识的敬畏和对读者的承诺，在再版过程中倾注大量心血，不断精益求精，力求将最完美的解答过程和最容易让读者理解的解题方法，呈现给热爱数学的读者，确保本书能够继续作为数学分析学习的黄金标准。

今天，我们荣幸地推出《吉米多维奇数学分析习题集题解》第5版，这不仅是对经典的传承，更是对未来的展望。根据读者反馈和实际教学中发现的问题，本书较第4版改动较大，主要体现在以下几个方面：

1. 对全书4462道习题进行了重新验算和解答，答题步骤、方法更贴合日常教学和考研标准，并在部分题目中增加了一题多解、方法总结等有助于读者发散思维的点拨。

2. 每章增加了本章概括和知识图谱，以帮助读者更好地把握整章知识脉络，在更高的维度上理解知识的前后逻辑关系。

3. 每节增加了知识点预览和知识拓展。知识点预览介绍本节知识点对应的题目序号，能够让读者快速检索题目所在的位置；知识拓展则可以帮助读者回忆类型题目所用到的公式、定理，为解题打下良好基础。

4. 题目按知识点模块化。将原有题目顺序进行微调，按照知识点重新分类，将同类题目模块化，有助于读者更清晰地了解每个知识点的考查方式和难易程度，更准确地查找相应题目进行练习，从而更有效地进行教学和复习。

5. 题目和解答字号大小有别。题目字号适当放大，解答字号则保持不变，使题目和解答可以明显区分开来，这样的改动方便读者先看题目、自己验算，再对照解答进行验证、勘误。

6. 每册图书最后增加各高校考研真题和解析，方便读者进行过关检测，在夯实知识的同时，保证学以致用、学有所得。

本书不仅适用于数学专业数学分析的学习，也同样适用于非数学专业理工科学生学习高等数学及微积分等科目。在历届大学生数学竞赛、硕士研究生招生入学考试中不乏出现本书原题，比如2019年全国硕士研究生入学招生考试数学一中第17题，即为本书第2410题的原题复现。

华东交通大学费定晖教授、山东大学周学圣教授对前4版的编写做出了突出贡献，对此深表感谢。清华大学邹文明教授，中国科学院数学与系统科学研究院丁彦恒研究员，中国科学技术大学李平教授，曲阜师范大学栾世霞教授、孙钦福副教授，海军航空大学刘波副教授为本书再版工作倾注了很多心血，在此一并表示感谢。感谢许多阅读了本书，并向我们分享见解的读者们，以及为本书付出努力的审稿专家和编辑们，谢谢你们！

本书虽然历经40余年的反复修订，但因规模庞大，编者水平有限，书中难免有错误和不当之处，敬请各位专家、同仁和广大读者批评指正，不胜感激。

中国科学院院士 郭柏灵

山东大学数学学院教授 张天德

2024年6月

第4版前言

本书自1980年出版发行以来，历经30多个春秋，一直畅销不衰，深得读者厚爱。在郭大钧教授的帮助和指导下，我们本着对读者高度负责的态度，对全书不断进行修订和补充，力求本书一直保持其先进性、完整性和准确性。读者通过学习本书，在掌握数学分析的基本知识、基础理论和基本技能方面，感到获益匪浅，赞誉其为学习数学分析“不可替代”之图书，对此我们倍感欣慰，鞭策我们为读者做出更多的奉献。

这次受山东科学技术出版社的邀请，并在郭大钧教授的大力支持下，我们进行本书第4版的改版工作，主要包括以下几方面：

第一，为全书4462题中的近三成的习题，根据题型的不同，在原题解的前面或给出提示，或给出解题思路，或给出证明思路。希望能启发读者怎样分析该题，怎样下手求解；启发读者怎样总结解题的规律；启发读者怎样正确使用有关的数学公式、概念和理论，开拓视野，活跃思路；帮助读者逐步解决学习中的困难，为他们在学习过程中提供一个良师益友。这是本次改版的主要工作。

第二，根据当前的语言习惯，对全书的文字做了较多的润色，使其表述更加准确，更加简洁。

第三，改正了第3版中的个别印刷错误，修正了函数图像中的个别问题和个别习题的答案。

第四，根据国家相关标准，规范了有关术语和数学公式的表达，并对全书使用的外国人名按照现行标准或通用译法重新翻译。

第五，对全书的版面和开本进行了调整，使其更富有时代的色彩。

我们殷切期望使用本书的读者，懂得只有通过个人的独立思考，加上勤学苦练才能取得成功。读者使用本书最好是不要先看题解，而是自己先对照教材中的有关概念、公式和理论独立进行思考，必要时可参照书中的提示、解题思路或证明思路独立完成解题，然后再查看书中是怎样解答的，比较自己的解答和书中解答的异同，从中找出差距，找出自己的问题所在，甚至找出书中解答的错误和不足之处，进而找到更为简洁的解答。只有这样才能提高自己的思维能力和创造才能，任何削弱独立思考的做法都是违背我们出版本书的初衷的。

山东科学技术出版社颜秀锦、宋德万、胡新蓉等老一代资深编辑为本书前三版的出版和发行付出了艰辛努力，责任编辑宋涛为本书第4版怎样提高质量倾注了不少心血，在此我们一并表示感谢。同时感谢山东大学、华东交通大学、山东师范大学等兄弟学校对本书出版的支持。感谢社会各界同仁对本书的支持。虽然历经30余年的反复修订，面对如此庞大的图书，限于作者水平，书中难免有错误和不当之处，敬请各位专家、同仁和广大读者批评指正，不胜感激。

编者

2012年5月

第3版前言

这套书自1980年出版发行以来，20余年一直畅销不衰，读者称其为学习数学分析“不可替代”之图书，我们对此倍感欣慰。

本次改版主要做了如下改动：

第一，修正了部分题目的解法，使其更加注重科学性、规范性和简明性。

第二，改正了第2版的个别印刷错误。

第三，在文字上进行了些润色，力求文字更加准确。

第四，对版面和开本进行了调整，突出了时代感。

本次改版得到山东科学技术出版社的大力支持，责任编辑宋德万、胡新蓉等对该书的再版付出了艰辛的劳动，在此深表感谢。

在第3版修改过程中由费定晖逐章逐题予以校阅，不当之处恳请指正。

编者

2005年1月

第2版前言

《吉米多维奇数学分析习题集》一书内容丰富，覆盖面广泛，是数学分析的经典之作。从事数学分析教学的老师也常以《吉米多维奇数学分析习题集》中的题目，作为检验学生掌握数学分析基本知识和基本技能的一项重要手段。

《吉米多维奇数学分析习题集》共4462道题目，涵盖了数学分析的全部主题，为了适应我国广大数学爱好者学习，我们将全书4462道题目一一解答，编写了《吉米多维奇数学分析习题集题解》，分六册出版。本书自1980年出版以来，一直畅销不衰，读者称其为学习数学分析“不可替代”之图书，我们对此倍感欣慰。

第2版较第1版主要做了如下改动：

第一，修正了部分题目的解法，使其更加注重了科学性、规范性和简明性。

第二，改正了个别印刷错误。

第三，在文字上进行润色，力求表述更加准确。

本次再版得到山东科学技术出版社的大力支持，在此深表感谢。

编者

1999年3月

首版前言

《吉米多维奇数学分析习题集》一书的中译本，自20世纪50年代初在我国翻译出版以来，在全国各大高校师生中引起巨大反响。凡从事数学分析教学的老师，常以该习题集中的习题，作为检验学生是否掌握数学分析基本知识和基本技能的一项重要手段。二十多年来，对我国数学分析的教学工作是甚为有益的。

该书四千多道习题，数量多，内容丰富，由浅入深，部分题目难度大。内容涉及函数与极限，单变量函数的微分学，不定积分，定积分，级数，多变量函数的微分学，带参变量积分以及重积分与曲线积分、曲面积分等等，涵盖了数学分析的全部主题。当前，我国广大读者，特别是肯于刻苦自学的广大数学爱好者，处在为四个现代化而勤奋学习的热潮中，迫切需要对一些疑难习题有一个较明确的回答。鉴于此，我们将全书4462题一一解答，汇辑成书，分六册出版。本书可以作为高等院校的教学参考用书，同时也可作为广大读者在自学数学分析过程中的参考用书。

众所周知，《吉米多维奇数学分析习题集》中所涉及的题目数量众多，其中不少习题如果认真习作的话，既可以深刻地巩固我们所学到的基本概念，又可以有效地提高我们的运算能力，特别是有些难题还可以使我们学会综合分析的思维方法。正由于这样，我们殷切期望初学数学分析的读者，一定要刻苦钻研，千万不要轻易查抄本书的解答，因为任何削弱独立思索的做法，都是违背我们出版此书的本意。何况作者所作解答并非标准解法，仅作参考而已。如有某些误解、差错也在所难免，恳请读者指正，不胜感谢。

本书承蒙潘承洞教授对部分难题进行了审校。特请郭大钧教授、邵品琮副教授对全书做了仔细审校。其中相当数量的高难度习题，是由郭大钧、邵品琮亲自作解。

楼世拓、姚琦、陈兆宽同志参加了本书的审校工作，黄春朝同志参加了本书的编演工作。本书在编审过程中，还得到山东大学、山东工学院、山东师范学院和曲阜师范学院的领导和同志们的大力支持，特在此一并致谢。

编者

1979年4月

目录

第5章　级　数

第1节　数项级数、同号级数收敛性的判别法（习题2546—2655）……………2

知识点1　数项级数收敛的一般概念……………………………………………2

知识点2　正项级数收敛判别法………………………………………………8

第2节　交错级数收敛性的判别法（习题2656—2705）……………………36

知识点1　级数的绝对收敛与条件收敛………………………………………36

知识点2　级数收敛判别法……………………………………………………40

第3节　级数的运算（习题2706—2715）……………………………………58

知识点　级数的运算……………………………………………………………58

第4节　函数项级数（习题2716—2811）……………………………………63

知识点1　收敛域和和函数……………………………………………………63

知识点2　一致收敛……………………………………………………………71

知识点3　一致收敛的判别法…………………………………………………83

知识点4　函数项级数的性质…………………………………………………91

知识点5　一致收敛函数列的性质……………………………………………97

第5节　幂级数（习题2812—2935）…………………………………………100

知识点1　收敛区间……………………………………………………………100

知识点2　幂级数的泰勒展开…………………………………………………112

知识点3　幂级数的运算………………………………………………………121

知识点4　复数域内的幂级数…………………………………………………136

知识点5　泰勒展开式余项$R_n(x)$的表示……………………………………137

第6节　傅里叶级数（习题2936—2985）…… 146
知识点1　展开定理 …… 146
知识点2　傅里叶级数的积分法 …… 166
知识点3　完全性条件 …… 168
第7节　级数求和法（习题2986—3033）…… 170
知识点1　直接求和法 …… 170
知识点2　阿贝尔方法 …… 176
知识点3　三角级数求和法 …… 182
第8节　利用级数求定积分（习题3034—3050）…… 191
知识点　利用级数求定积分 …… 192
第9节　无穷乘积（习题3051—3110）…… 197
知识点1　无穷乘积的收敛性 …… 197
知识点2　无穷乘积收敛的条件 …… 201
知识点3　绝对收敛性 …… 209
知识点4　函数的无穷乘积展开 …… 214
第10节　斯特林公式（习题3111—3220）…… 221
知识点　斯特林公式 …… 221
第11节　用多项式逼近连续函数（习题3121—3135）…… 223
知识点1　拉格朗日插值公式 …… 223
知识点2　伯恩斯坦多项式 …… 226
过关检测 …… 233
过关检测题 …… 233
答案解析 …… 241

第5章 级 数

本章概括

本章为级数，包括《吉米多维奇数学分析习题集》中与级数相关的590道习题，涵盖了函数项级数的性质、应用及敛散性判定等知识点，从离散的角度以极限为基本工具，研究函数的解析性质.

级数的本质是用无穷项数列之和表示一个函数(实数为常数函数)，前提条件是级数收敛，本章习题用大量篇幅、多种方法研究了级数的敛散性. 级数理论作为分析学的一个重要分支，在理论和实际应用中都处于重要地位. 一方面，级数是表示函数，特别是非初等函数的一个重要工具，例如微分方程的解(非初等函数)就常用级数表示；另一方面，可以将函数表示为级数，借助级数去研究函数，例如用幂级数和傅里叶级数研究非初等函数以及进行近似计算等.

知识图谱

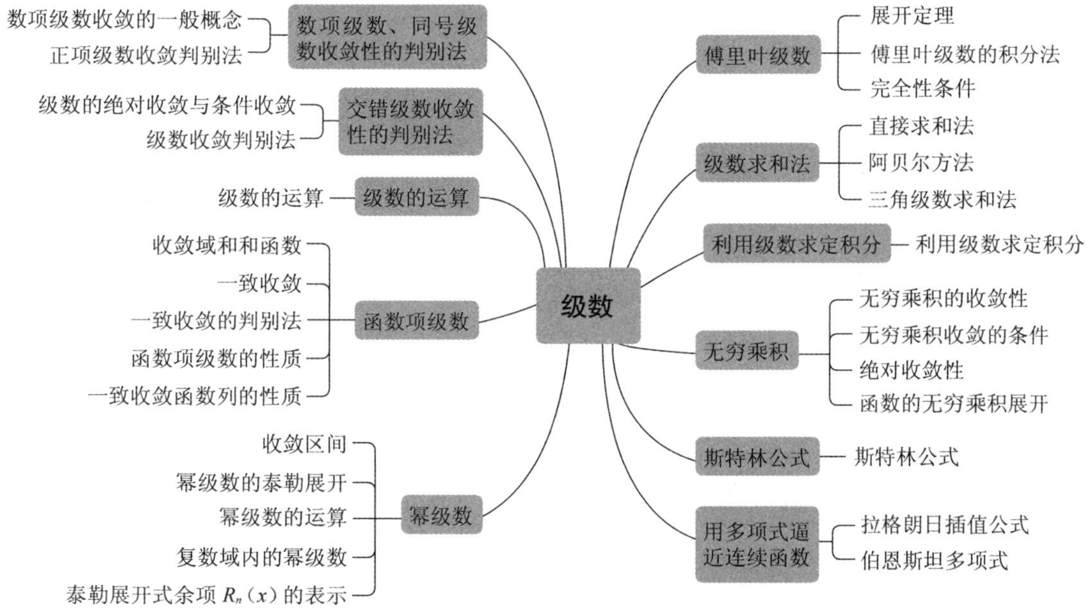

第1节 数项级数、同号级数收敛性的判别法（习题2546—2655）

知识点预览

序号	知识点	题目序号	所在页码
1	数项级数收敛的一般概念	2546—2566	P2
2	正项级数收敛判别法	2567—2655	P8

知识点1 数项级数收敛的一般概念

1. 数项级数收敛的概念 对于数项级数

$$\sum_{n=1}^{\infty} a_n = a_1 + a_2 + \cdots + a_n + \cdots,$$

若部分和 $S_n = a_1 + a_2 + \cdots + a_n$ 组成的数列 $\{S_n\}$ 收敛于 S(即 $\lim\limits_{n\to\infty} S_n = S$)，则称级数 $\sum\limits_{n=1}^{\infty} a_n$ 收敛，称 S 为级数 $\sum\limits_{n=1}^{\infty} a_n$ 的和，记作

$$S = a_1 + a_2 + \cdots + a_n + \cdots \text{ 或 } S = \sum_{n=1}^{\infty} a_n.$$

若 $\{S_n\}$ 是发散数列，则称级数 $\sum\limits_{n=1}^{\infty} a_n$ 发散.

2. 柯西收敛准则 级数 $\sum\limits_{n=1}^{\infty} a_n$ 收敛的充分必要条件为：$\forall \varepsilon > 0, \exists N = N(\varepsilon) \in \mathbf{N}_+$，当 $n > N$ 时，对 $\forall p \in \mathbf{N}_+$，都有

$$|S_{n+p} - S_n| = |a_{n+1} + a_{n+2} + \cdots + a_{n+p}| < \varepsilon.$$

3. 级数收敛的必要条件 若级数 $\sum\limits_{n=1}^{\infty} a_n$ 收敛，则 $\lim\limits_{n\to\infty} a_n = 0$.

习题 2546—2559 级数收敛的定义

【直接证明下列级数的收敛性并求它们的和(2546—2552)】

【2546】 $1 - \frac{1}{2} + \frac{1}{4} - \frac{1}{8} + \cdots + \frac{(-1)^{n-1}}{2^{n-1}} + \cdots.$

解 由于

$$S_n = 1 - \frac{1}{2} + \frac{1}{4} - \frac{1}{8} + \cdots + \frac{(-1)^{n-1}}{2^{n-1}} = \frac{1 - \frac{(-1)^n}{2^n}}{1 + \frac{1}{2}},$$

故

$$S=\lim_{n\to\infty}S_n=\frac{1}{1+\frac{1}{2}}=\frac{2}{3},$$

即所给级数收敛，且其和为$\frac{2}{3}$.

【2547】 $\left(\frac{1}{2}+\frac{1}{3}\right)+\left(\frac{1}{2^2}+\frac{1}{3^2}\right)+\cdots+\left(\frac{1}{2^n}+\frac{1}{3^n}\right)+\cdots$.

解 由于

$$S_n=\left(\frac{1}{2}+\frac{1}{3}\right)+\left(\frac{1}{2^2}+\frac{1}{3^2}\right)+\cdots+\left(\frac{1}{2^n}+\frac{1}{3^n}\right)$$

$$=\left(\frac{1}{2}+\frac{1}{2^2}+\cdots+\frac{1}{2^n}\right)+\left(\frac{1}{3}+\frac{1}{3^2}+\cdots+\frac{1}{3^n}\right)=\frac{1}{2}\cdot\frac{1-\frac{1}{2^n}}{1-\frac{1}{2}}+\frac{1}{3}\cdot\frac{1-\frac{1}{3^n}}{1-\frac{1}{3}},$$

故

$$S=\lim_{n\to\infty}S_n=\frac{1}{2}\cdot\frac{1}{1-\frac{1}{2}}+\frac{1}{3}\cdot\frac{1}{1-\frac{1}{3}}=\frac{3}{2},$$

即所给级数收敛，且其和为$\frac{3}{2}$.

【2548】 $\frac{1}{2}+\frac{3}{2^2}+\frac{5}{2^3}+\cdots+\frac{2n-1}{2^n}+\cdots$.

解 由于

$$S_n=\frac{1}{2}+\frac{3}{2^2}+\frac{5}{2^3}+\cdots+\frac{2n-1}{2^n},\qquad ①$$

从而有

$$\frac{1}{2}S_n=\frac{1}{2^2}+\frac{3}{2^3}+\cdots+\frac{2n-3}{2^n}+\frac{2n-1}{2^{n+1}},\qquad ②$$

①－② 得

$$\frac{1}{2}S_n=\frac{1}{2}+\frac{2}{2^2}+\cdots+\frac{2}{2^n}-\frac{2n-1}{2^{n+1}}$$

$$=\frac{1}{2}\left(1+1+\cdots+\frac{1}{2^{n-2}}-\frac{2n-1}{2^n}\right)=\frac{1}{2}\left(1+\frac{1-\frac{1}{2^{n-1}}}{1-\frac{1}{2}}-\frac{2n-1}{2^n}\right),$$

故

$$S=\lim_{n\to\infty}S_n=1+\frac{1}{1-\frac{1}{2}}=3,$$

即所给级数收敛，且其和为 3.

【2549】 $\frac{1}{1\cdot2}+\frac{1}{2\cdot3}+\frac{1}{3\cdot4}+\cdots+\frac{1}{n(n+1)}+\cdots$.

解 由于

$$S_n=\frac{1}{1\cdot2}+\frac{1}{2\cdot3}+\frac{1}{3\cdot4}+\cdots+\frac{1}{n(n+1)}=\left(1-\frac{1}{2}\right)+\left(\frac{1}{2}-\frac{1}{3}\right)+\cdots+\left(\frac{1}{n}-\frac{1}{n+1}\right)=1-\frac{1}{n+1},$$

故

$$S=\lim_{n\to\infty}S_n=1,$$

即所给级数收敛，且其和为 1.

【2550】 $\frac{1}{1\cdot 4}+\frac{1}{4\cdot 7}+\cdots+\frac{1}{(3n-2)(3n+1)}+\cdots$.

解 由于

$$S_n=\frac{1}{1\cdot 4}+\frac{1}{4\cdot 7}+\cdots+\frac{1}{(3n-2)(3n+1)}=\frac{1}{3}\sum_{k=1}^{n}\left(\frac{1}{3k-2}-\frac{1}{3k+1}\right)=\frac{1}{3}\left(1-\frac{1}{3n+1}\right),$$

故

$$S=\lim_{n\to\infty}S_n=\frac{1}{3},$$

即所给级数收敛，且其和为$\frac{1}{3}$.

【2551】 (1)$q\sin\alpha+q^2\sin 2\alpha+\cdots+q^n\sin n\alpha+\cdots(|q|<1)$；

(2)$q\cos\alpha+q^2\cos 2\alpha+\cdots+q^n\cos n\alpha+\cdots(|q|<1)$.

提示 令 $z=q(\cos\alpha+i\sin\alpha)=qe^{i\alpha}$，其中 $i^2=-1$. 注意$\sum_{n=0}^{\infty}z^n=\frac{1}{1-z}(|z|<1)$及利用棣莫弗公式.

解 令 $z=q(\cos\alpha+i\sin\alpha)=qe^{i\alpha}$，其中 $i^2=-1$，则 $|z|=|q|<1$，且

$$\sum_{n=0}^{\infty}z^n=\sum_{n=0}^{\infty}q^n\cos n\alpha+i\sum_{n=0}^{\infty}q^n\sin n\alpha \tag{①}$$

及

$$\sum_{n=0}^{\infty}z^n=\frac{1}{1-z}=\frac{1}{1-q\cos\alpha-iq\sin\alpha}=\frac{(1-q\cos\alpha)+iq\sin\alpha}{1-2q\cos\alpha+q^2}. \tag{②}$$

比较 ①② 两式的实部及虚部，即

(1)$\sum_{n=1}^{\infty}q^n\sin n\alpha=\sum_{n=0}^{\infty}q^n\sin n\alpha=\frac{q\sin\alpha}{1-2q\cos\alpha+q^2}$；

(2)$\sum_{n=1}^{\infty}q^n\cos n\alpha=\sum_{n=0}^{\infty}q^n\cos n\alpha-1=\frac{1-q\cos\alpha}{1-2q\cos\alpha+q^2}-1=\frac{q\cos\alpha-q^2}{1-2q\cos\alpha+q^2}$.

【2552】 $\sum_{n=1}^{\infty}(\sqrt{n+2}-2\sqrt{n+1}+\sqrt{n})$.

解 由于

$$\sqrt{n+2}-2\sqrt{n+1}+\sqrt{n}=\sqrt{n+2}-\sqrt{n+1}-(\sqrt{n+1}-\sqrt{n})=\frac{1}{\sqrt{n+2}+\sqrt{n+1}}-\frac{1}{\sqrt{n+1}+\sqrt{n}},$$

$$S_n=\frac{1}{\sqrt{3}+\sqrt{2}}-\frac{1}{\sqrt{2}+\sqrt{1}}+\frac{1}{\sqrt{4}+\sqrt{3}}-\frac{1}{\sqrt{3}+\sqrt{2}}+\frac{1}{\sqrt{5}+\sqrt{4}}-\frac{1}{\sqrt{4}+\sqrt{3}}+\cdots+$$
$$\frac{1}{\sqrt{n+2}+\sqrt{n+1}}-\frac{1}{\sqrt{n+1}+\sqrt{n}}=\frac{1}{\sqrt{n+2}+\sqrt{n+1}}-\frac{1}{\sqrt{2}+1},$$

故

$$S=\lim_{n\to\infty}S_n=1-\sqrt{2},$$

即所给级数收敛，且其和为 $1-\sqrt{2}$.

【研究下列级数的收敛性(2553—2556)】

【2553】 $1-1+1-1+1-1+\cdots$.

解 由 $a_n=(-1)^{n-1}$，且$\lim\limits_{n\to\infty}a_n=\lim\limits_{n\to\infty}(-1)^{n-1}$ 不存在，故级数$\sum_{n=1}^{\infty}(-1)^{n-1}$ 发散.

【2554】 $0.001+\sqrt{0.001}+\sqrt[3]{0.001}+\cdots$.

解 由于$\lim\limits_{n\to\infty} a_n=\lim\limits_{n\to\infty}\sqrt[n]{0.001}=1\neq 0$，故级数$\sum\limits_{n=1}^{\infty}\sqrt[n]{0.001}$发散.

【2555】 $1+\frac{2}{3}+\frac{3}{5}+\cdots+\frac{n}{2n-1}+\cdots$.

解 由于$\lim\limits_{n\to\infty} a_n=\lim\limits_{n\to\infty}\frac{n}{2n-1}=\frac{1}{2}\neq 0$，故级数$\sum\limits_{n=1}^{\infty}\frac{n}{2n-1}$发散.

【2556】 $\frac{1}{1!}+\frac{1}{2!}+\frac{1}{3!}+\cdots+\frac{1}{n!}+\cdots$.

解 由

$$\lim_{n\to\infty}\left(1+\frac{1}{1!}+\frac{1}{2!}+\cdots+\frac{1}{n!}\right)=\mathrm{e},$$

从而

$$\lim_{n\to\infty}S_n=\lim_{n\to\infty}\left(1+\frac{1}{1!}+\frac{1}{2!}+\cdots+\frac{1}{n!}\right)-1=\mathrm{e}-1,$$

故级数$\sum\limits_{n=1}^{\infty}\frac{1}{n!}$收敛，且其和为$\mathrm{e}-1$.

【2557】 研究级数$\sum\limits_{n=1}^{\infty}\sin nx$的收敛性.

解 记$x=k\pi$. 若k为整数，则级数$\sum\limits_{n=1}^{\infty}\sin nx$收敛，且其和为零.

若k为非整数，下证$\lim\limits_{n\to\infty}\sin nx\neq 0$，从而级数$\sum\limits_{n=1}^{\infty}\sin nx$发散. 利用反证法，设

$$\lim_{n\to\infty}\sin nx=0,$$

则$\lim\limits_{n\to\infty}\sin(n+1)x=0$. 再由

$$\sin(n+1)x=\sin nx\cos x+\cos nx\sin x,$$

可得$\lim\limits_{n\to\infty}\cos nx\sin x=0$. 又$k$不为整数$\sin x=\sin k\pi\neq 0$，故

$$\lim_{n\to\infty}\cos nx=0.$$

于是

$$\sin^2 nx+\cos^2 nx\to 0, n\to\infty,$$

此与$\sin^2 nx+\cos^2 nx=1$矛盾. 故级数$\sum\limits_{n=1}^{\infty}\sin nx$发散.

【2558】 证明：若级数$\sum\limits_{n=1}^{\infty}a_n$收敛，则把级数各项在不变更先后次序的情况下分别组合，所得级数

$$\sum_{n=1}^{\infty}A_n\left(\text{其中 }A_n=\sum_{i=p_n}^{p_{n+1}-1}a_i, p_1=1, p_1<p_2<\cdots\right)$$

收敛且和相同. 反之不真，举出反例.

证 设级数$\sum\limits_{n=1}^{\infty}A_n$的部分和数列为$l_1,l_2,\cdots,l_n,\cdots$，则$l_n=\sum\limits_{k=1}^{n}A_k=\sum\limits_{k=1}^{p_{n+1}-1}a_k$.

由于级数$\sum\limits_{n=1}^{\infty}a_n$收敛，故部分和数列$\{S_n\}$收敛于$S$，因此

$$\lim_{n\to\infty}l_n=\lim_{n\to\infty}S_{p_{n+1}-1}=S,$$

即级数$\sum\limits_{n=1}^{\infty}A_n$收敛，且与级数$\sum\limits_{n=1}^{\infty}a_n$的和相同.

反之不真. 例如，级数

$$1-1+1-1+\cdots+(-1)^{n-1}+\cdots$$

发散,但按下述方法组成的级数

$$(1-1)+(1-1)+\cdots+(1-1)+\cdots$$

收敛.

【2559】 证明:若正项级数 $\sum_{n=1}^{\infty} a_n$ 各项分别组合得到的级数 $\sum_{n=1}^{\infty} A_n$ 是收敛的,则原级数 $\sum_{n=1}^{\infty} a_n$ 也收敛.

证 因 $\sum_{n=1}^{\infty} A_n$ 收敛,记其和为 S. 考虑原级数的部分和 $S_n=\sum_{k=1}^{n} a_k$,又 $a_k>0(k\in\mathbf{N}_+)$,故 $\exists n_0\in\mathbf{Z}_+$,使

$$S_n=\sum_{k=1}^{n} a_k<\sum_{l=1}^{n_0} A_l<S.$$

显然 $S_n<S_{n+1}$,且 $\{S_n\}$ 单增有上界,因此极限 $\lim\limits_{n\to\infty} S_n$ 存在,即原级数 $\sum_{n=1}^{\infty} a_n$ 收敛.

习题 2560—2566 利用柯西收敛准则,判定级数的敛散性

【2560】 证明:若单调递减的正项级数 $\sum_{n=1}^{\infty} a_n$ 收敛,则 $\lim\limits_{n\to\infty} na_n=0$.

证 由 $\sum_{n=1}^{\infty} a_n$ 收敛及柯西收敛准则知,$\forall\varepsilon>0$,$\exists N\in\mathbf{N}_+$,当 $n>N$ 时,有

$$a_{n+1}+a_{n+2}+\cdots+a_{2n}<\frac{\varepsilon}{2}.$$

又由 $\{a_n\}$ 非负单调递减,从而当 $n>N$ 时,有

$$0\leqslant na_{2n}\leqslant a_{n+1}+a_{n+2}+\cdots+a_{2n}<\frac{\varepsilon}{2},\text{即 } 0\leqslant 2na_{2n}<\varepsilon.$$

故 $\lim\limits_{n\to\infty} 2na_{2n}=0$. 又 $a_{2n+1}\leqslant a_{2n}$,于是

$$0\leqslant(2n+1)a_{2n+1}\leqslant(2n+1)a_{2n}=2na_{2n}\cdot\frac{2n+1}{2n}\to 0(n\to\infty).$$

故 $\lim\limits_{n\to\infty}(2n+1)a_{2n+1}=0$. 因此 $\lim\limits_{n\to\infty} na_n=0$.

【2561】 当 $p=1,2,3,\cdots$ 时,$\lim\limits_{n\to\infty}(a_{n+1}+a_{n+2}+\cdots+a_{n+p})=0$,级数 $\sum_{n=1}^{\infty} a_n$ 是否收敛?

解 当 $p=1,2,3\cdots$ 时,

$$\lim_{n\to\infty}(a_{n+1}+a_{n+2}+\cdots+a_{n+p})=0, \qquad ①$$

级数 $\sum_{n=1}^{\infty} a_n$ 不一定收敛. 例如,取 $a_n=\frac{1}{n}$,显然级数 $\sum_{n=1}^{\infty}\frac{1}{n}$ 发散,但

$$0<a_{n+1}+a_{n+2}+\cdots+a_{n+p}=\frac{1}{n+1}+\frac{1}{n+2}+\cdots+\frac{1}{n+p}<\frac{p}{n+1}.$$

由 $\lim\limits_{n\to\infty}\frac{p}{n+1}=0$,故 $\forall p\in\mathbf{N}_+$,① 式成立.

结论与柯西收敛准则并不矛盾,因为在柯西收敛准则中,对于 $\forall\varepsilon>0$,$\exists N=N(\varepsilon)$,当 $n>N$ 和 $p>0$ 时,不等式

$$|a_{n+1}+a_{n+2}+\cdots+a_{n+p}|<\varepsilon$$

成立，则级数 $\sum_{n=1}^{\infty} a_n$ 收敛，其中的 N 只依赖于 ε，与 p 无关.

注 本题的叙述中，条件并没有排除 N 与 p 无关.

【利用柯西收敛准则，证明下列正项级数的收敛性(2562—2566)】

【2562】 $a_0+\frac{a_1}{10}+\cdots+\frac{a_n}{10^n}+\cdots(|a_n|<10)$.

证 $\forall\varepsilon>0$，由于

$$|S_{n+p}-S_n|=\left|\frac{a_n}{10^n}+\frac{a_{n+1}}{10^{n+1}}+\cdots+\frac{a_{n+p-1}}{10^{n+p-1}}\right|\leqslant\frac{|a_n|}{10^n}+\frac{|a_{n+1}|}{10^{n+1}}+\cdots+\frac{|a_{n+p-1}|}{10^{n+p-1}}$$
$$<\frac{1}{10^{n-1}}\left(1+\frac{1}{10}+\cdots+\frac{1}{10^{p-1}}\right)<\frac{1}{10^{n-1}}\cdot\frac{1}{1-\frac{1}{10}}<\frac{2}{n}.$$

要使 $|S_{n+p}-S_n|<\varepsilon$，只要 $\frac{2}{n}<\varepsilon$，即 $n>\frac{2}{\varepsilon}$，取 $N=\left[\frac{2}{\varepsilon}\right]$，则当 $n>N$ 时，对 $\forall p\in\mathbf{N}_+$ 有

$$|S_{n+p}-S_n|<\varepsilon,$$

由柯西收敛准则知级数 $\sum_{n=0}^{\infty}\frac{a_n}{10^n}$ 收敛.

【2563】 $\frac{\sin x}{2}+\frac{\sin 2x}{2^2}+\cdots+\frac{\sin nx}{2^n}+\cdots$.

证 $\forall\varepsilon>0$，由于

$$|S_{n+p}-S_n|=\left|\frac{\sin(n+1)x}{2^{n+1}}+\cdots+\frac{\sin(n+p)x}{2^{n+p}}\right|\leqslant\frac{1}{2^{n+1}}+\cdots+\frac{1}{2^{n+p}}$$
$$=\frac{\frac{1}{2^{n+1}}-\frac{1}{2^{n+p+1}}}{1-\frac{1}{2}}=\frac{1}{2^n}-\frac{1}{2^{n+p}}<\frac{1}{2^n}<\frac{1}{n}.$$

要使 $|S_{n+p}-S_n|<\varepsilon$，只要 $\frac{1}{n}<\varepsilon$，即 $n>\frac{1}{\varepsilon}$. 取 $N=\left[\frac{1}{\varepsilon}\right]+1$，当 $n>N$ 时，对 $\forall p\in\mathbf{N}_+$，有

$$|S_{n+p}-S_n|<\varepsilon.$$

从而 $\sum_{n=1}^{\infty}\frac{\sin nx}{2^n}$ 收敛.

【2564】 $\frac{\cos x-\cos 2x}{1}+\frac{\cos 2x-\cos 3x}{2}+\cdots+\frac{\cos nx-\cos(n+1)x}{n}+\cdots$.

证 $\forall\varepsilon>0$，由于

$$|S_{n+p}-S_n|=\left|\sum_{i=n+1}^{n+p}\frac{\cos ix-\cos(i+1)x}{i}\right|$$
$$=\left|\frac{\cos(n+1)x}{n+1}-\sum_{i=n+1}^{n+p-1}\left(\frac{1}{i}-\frac{1}{i+1}\right)\cos(i+1)x-\frac{\cos(n+p+1)x}{n+p}\right|$$
$$\leqslant\frac{1}{n+1}+\sum_{i=n+1}^{n+p-1}\left(\frac{1}{i}-\frac{1}{i+1}\right)+\frac{1}{n+p}=\frac{2}{n+1}<\frac{2}{n},$$

要使 $|S_{n+p}-S_n|<\varepsilon$，只要 $\frac{2}{n}<\varepsilon$. 取 $N=\left[\frac{2}{\varepsilon}\right]+1$，当 $n>N$ 时，对 $\forall p\in\mathbf{N}_+$，有

$$|S_{u+p}-S_n|<\varepsilon,$$

即 $\sum_{n=1}^{\infty}\frac{\cos nx-\cos(n+1)x}{n}$ 收敛.

【利用柯西收敛准则,证明下列级数发散(2565—2566)】

【2565】 $1+\frac{1}{2}+\frac{1}{3}+\cdots+\frac{1}{n}+\cdots$.

证 取 $\varepsilon_0=\frac{1}{2}$, $\forall N\in\mathbf{N}_+$,取 $n_0=N+1>N$,取 $p_0=N+1$,则

$$|S_{n_0+p_0}-S_{n_0}|=\frac{1}{n_0+1}+\frac{1}{n_0+2}+\cdots+\frac{1}{2n_0}>\underbrace{\frac{1}{2n_0}+\cdots+\frac{1}{2n_0}}_{n_0\text{个}}=\frac{1}{2}=\varepsilon_0.$$

由柯西收敛准则知级数 $\sum_{n=1}^{\infty}\frac{1}{n}$ 发散.

【2566】 $1+\frac{1}{2}-\frac{1}{3}+\frac{1}{4}+\frac{1}{5}-\frac{1}{6}+\cdots$.

证 取 $\varepsilon_0=\frac{1}{6}$, $\forall N\in\mathbf{N}_+$,取 $n_0=3N>N$,取 $p_0=3n_0$,则

$$\begin{aligned}|S_{n_0+p_0}-S_{n_0}|&=\frac{1}{3N+1}+\frac{1}{3N+2}-\frac{1}{3N+3}+\cdots+\frac{1}{6N-2}+\frac{1}{6N-1}-\frac{1}{6N}\\&>\frac{1}{3N+3}+\frac{1}{3N+3}-\frac{1}{3N+3}+\cdots+\frac{1}{6N}+\frac{1}{6N}-\frac{1}{6N}\\&=\frac{1}{3}\left(\frac{1}{N+1}+\frac{1}{N+2}+\cdots+\frac{1}{2N}\right)>\frac{1}{3}\left(\underbrace{\frac{1}{2N}+\frac{1}{2N}+\cdots+\frac{1}{2N}}_{N\text{个}}\right)\\&=\frac{1}{6}=\varepsilon_0.\end{aligned}$$

由柯西收敛准则知级数 $\sum_{n=0}^{\infty}\left(\frac{1}{3n+1}+\frac{1}{3n+2}-\frac{1}{3n+3}\right)$ 发散.

知识点2 正项级数收敛判别法

1. 比较判别法(Ⅰ) 正项级数 $\sum_{n=1}^{\infty}a_n$ 和 $\sum_{n=1}^{\infty}b_n$,若 $\exists N\in\mathbf{N}_+$,当 $n>N$ 时,有 $a_n\leqslant b_n$,则

(1) 若级数 $\sum_{n=1}^{\infty}b_n$ 收敛,则级数 $\sum_{n=1}^{\infty}a_n$ 收敛;

(2) 若级数 $\sum_{n=1}^{\infty}a_n$ 发散,则级数 $\sum_{n=1}^{\infty}b_n$ 发散.

比较判别法(Ⅰ)的极限形式 设 $\sum_{n=1}^{\infty}a_n$ 和 $\sum_{n=1}^{\infty}b_n$ 都是正项级数,若 $\lim_{n\to\infty}\frac{a_n}{b_n}=q$,则

(1) 当 $0<q<+\infty$ 时,级数 $\sum_{n=1}^{\infty}a_n$ 和 $\sum_{n=1}^{\infty}b_n$ 同时收敛或同时发散;

(2) 当 $q=0$ 且级数 $\sum_{n=1}^{\infty}b_n$ 收敛时,级数 $\sum_{n=1}^{\infty}a_n$ 也收敛;

(3) 当 $q=+\infty$ 且级数 $\sum_{n=1}^{\infty}b_n$ 发散时,级数 $\sum_{n=1}^{\infty}a_n$ 也发散.

2. 比较判别法(Ⅱ) 若 $a_n=O^*\left(\frac{1}{n^p}\right)$,即 $\lim_{n\to\infty}\frac{a_n}{\frac{1}{n^p}}=A\neq0$,则

(1) 当 $p>1$ 时,级数$\sum_{n=1}^{\infty} a_n$ 收敛;

(2) 当 $p\leqslant 1$ 时,级数$\sum_{n=1}^{\infty} a_n$ 发散.

3. 达朗贝尔判别法 设$\sum_{n=1}^{\infty} a_n$ 是正项级数,且 $\exists N \in \mathbf{N}_+$ 及常数 $q(0<q<1)$,则

(1) 若 $\forall n>N$,都有$\frac{a_{n+1}}{a_n}\leqslant q$,则级数$\sum_{n=1}^{\infty} a_n$ 收敛;

(2) 若 $\forall n>N$,都有$\frac{a_{n+1}}{a_n}\geqslant 1$,则级数$\sum_{n=1}^{\infty} a_n$ 发散.

推论 1 若$\sum_{n=1}^{\infty} a_n$ 为正项级数,且$\lim\limits_{n\to\infty}\frac{a_{n+1}}{a_n}=q$,则

(1) 当 $q<1$ 时,级数$\sum_{n=1}^{\infty} a_n$ 收敛;(2) 当 $q>1$ 时,级数$\sum_{n=1}^{\infty} a_n$ 发散.

推论 2 设$\sum_{n=1}^{\infty} a_n$ 为正项级数,则

(1) 若$\overline{\lim\limits_{n\to\infty}}\frac{a_{n+1}}{a_n}=q<1$,则级数$\sum_{n=1}^{\infty} a_n$ 收敛;

(2) 若$\underline{\lim\limits_{n\to\infty}}\frac{a_{n+1}}{a_n}=q>1$,则级数$\sum_{n=1}^{\infty} a_n$ 发散.

4. 柯西判别法 设$\sum_{n=1}^{\infty} a_n$ 是正项级数,且 $\exists N \in \mathbf{N}_+$ 及常数 q,则

(1) 若 $\forall n>N$,都有 $\sqrt[n]{a_n}\leqslant q<1$,则级数$\sum_{n=1}^{\infty} a_n$ 收敛;

(2) 若 $\forall n>N$,都有 $\sqrt[n]{a_n}\geqslant 1$,则级数$\sum_{n=1}^{\infty} a_n$ 发散.

推论 1(柯西判别法的极限形式) 设$\sum_{n=1}^{\infty} a_n$ 是正项级数,且$\lim\limits_{n\to\infty}\sqrt[n]{a_n}=q$,则

(1) 当 $q<1$ 时,级数$\sum_{n=1}^{\infty} a_n$ 收敛;(2) 当 $q>1$ 时,级数$\sum_{n=1}^{\infty} a_n$ 发散.

推论 2 设$\sum_{n=1}^{\infty} a_n$ 为正项级数,且$\overline{\lim\limits_{n\to\infty}}\sqrt[n]{a_n}=q$,则

(1) 当 $q<1$ 时,则级数$\sum_{n=1}^{\infty} a_n$ 收敛;(2) 当 $q>1$ 时,则级数$\sum_{n=1}^{\infty} a_n$ 发散.

5. 拉贝判别法 设$\sum_{n=1}^{\infty} a_n$ 为正项级数,且 $\exists N \in \mathbf{N}_+$ 及常数 p,则

(1) 若 $\forall n>N$,都有 $n\left(\frac{a_n}{a_{n+1}}-1\right)\geqslant p>1$,则级数$\sum_{n=1}^{\infty} a_n$ 收敛;

(2) 若 $\forall n>N$,都有 $n\left(\frac{a_n}{a_{n+1}}-1\right)<1$,则级数$\sum_{n=1}^{\infty} a_n$ 发散.

拉贝判别法的极限形式 设$\sum_{n=1}^{\infty} a_n$ 为正项级数,且$\lim\limits_{n\to\infty} n\left(\frac{a_n}{a_{n+1}}-1\right)=p$,则

(1) 当 $p>1$ 时,级数 $\sum\limits_{n=1}^{\infty} a_n$ 收敛;(2) 当 $p<1$ 时,级数 $\sum\limits_{n=1}^{\infty} a_n$ 发散.

6. 高斯判别法 设 $\sum\limits_{n=1}^{\infty} a_n$ 为正项级数,且 $\dfrac{a_n}{a_{n+1}}=\lambda+\dfrac{\mu}{n}+\dfrac{\theta_n}{n^{1+\varepsilon}}$,其中 $|\theta_n|<C,\varepsilon>0$,则

(1) 当 $\lambda>1$ 时,级数 $\sum\limits_{n=1}^{\infty} a_n$ 收敛; (2) 当 $\lambda<1$ 时,级数 $\sum\limits_{n=1}^{\infty} a_n$ 发散;

(3) 当 $\lambda=1$ 时,若 $\mu>1$ 则级数 $\sum\limits_{n=1}^{\infty} a_n$ 收敛;若 $\mu\leqslant 1$,则级数 $\sum\limits_{n=1}^{\infty} a_n$ 发散.

7. 柯西积分判别法 若 $f(x)$ 为 $[1,+\infty)$ 上的非负递减函数,则级数 $\sum\limits_{n=1}^{\infty} f(n)$ 与积分 $\int_1^{+\infty} f(x)\mathrm{d}x$ 同时收敛或同时发散.

习题 2567—2581 用比较判别法判定级数的敛散性

【研究下列级数的收敛性(2567—2575)】

【2567】 $1+\dfrac{1}{3}+\dfrac{1}{5}+\dfrac{1}{7}+\cdots+\dfrac{1}{2n-1}+\cdots$.

解 由于 $\dfrac{1}{2n-1}>\dfrac{1}{2n}>0$,且 $\sum\limits_{n=1}^{\infty}\dfrac{1}{2n}$ 发散,故 $\sum\limits_{n=1}^{\infty}\dfrac{1}{2n-1}$ 也发散.

【2568】 $\dfrac{1}{1\,001}+\dfrac{1}{2\,001}+\dfrac{1}{3\,001}+\cdots+\dfrac{1}{1\,000n+1}+\cdots$.

解 由于 $\dfrac{1}{1\,000n+1}\geqslant\dfrac{1}{1\,001n}$,且 $\sum\limits_{n=1}^{\infty}\dfrac{1}{1\,001n}$ 发散,故 $\sum\limits_{n=1}^{\infty}\dfrac{1}{1\,000n+1}$ 也发散.

【2569】 $1+\dfrac{1}{3^2}+\dfrac{1}{5^2}+\cdots+\dfrac{1}{(2n-1)^2}+\cdots$.

解 由于 $0<\dfrac{1}{(2n-1)^2}\leqslant\dfrac{1}{n^2}$,且 $\sum\limits_{n=1}^{\infty}\dfrac{1}{n^2}$ 收敛,故 $\sum\limits_{n=1}^{\infty}\dfrac{1}{(2n-1)^2}$ 也收敛.

【2570】 $\dfrac{1}{\sqrt{2}}+\dfrac{1}{2\sqrt{3}}+\dfrac{1}{3\sqrt{4}}+\cdots+\dfrac{1}{n\sqrt{n+1}}+\cdots$.

解 由于 $0<\dfrac{1}{n\sqrt{n+1}}<\dfrac{1}{n^{\frac{3}{2}}}$,且 $\sum\limits_{n=1}^{\infty}\dfrac{1}{n^{\frac{3}{2}}}$ 收敛,故 $\sum\limits_{n=1}^{\infty}\dfrac{1}{n\sqrt{n+1}}$ 也收敛.

【2571】 $\dfrac{1}{\sqrt{1\cdot 3}}+\dfrac{1}{\sqrt{3\cdot 5}}+\cdots+\dfrac{1}{\sqrt{(2n-1)(2n+1)}}+\cdots$.

解 由于 $\dfrac{1}{\sqrt{(2n-1)(2n+1)}}>\dfrac{1}{2n}>0$,且 $\sum\limits_{n=1}^{\infty}\dfrac{1}{2n}$ 发散,故 $\sum\limits_{n=1}^{\infty}\dfrac{1}{\sqrt{(2n-1)(2n+1)}}$ 也发散.

【2572】 $\sum\limits_{n=1}^{\infty}\dfrac{n^{n+\frac{1}{n}}}{\left(n+\dfrac{1}{n}\right)^n}$.

提示 注意通项 $\dfrac{n^{n+\frac{1}{n}}}{\left(n+\dfrac{1}{n}\right)^n}\geqslant\left(1+\dfrac{1}{n}\right)^{-n}\sqrt[n]{n}\to \mathrm{e}^{-1}(n\to+\infty)$,并利用比较判别法.

解
$$\frac{n^{n+\frac{1}{n}}}{\left(n+\dfrac{1}{n}\right)^n}\geqslant\frac{n^n\cdot n^{\frac{1}{n}}}{(n+1)^n}=\left(1+\frac{1}{n}\right)^{-n}\sqrt[n]{n}>0.$$

由于$\lim\limits_{n\to\infty}\left(1+\frac{1}{n}\right)^{-n}\sqrt[n]{n}=\mathrm{e}^{-1}\neq 0$，故$\sum\limits_{n=1}^{\infty}\left(1+\frac{1}{n}\right)^{-n}\sqrt[n]{n}$ 发散. 从而原级数发散.

【2573】 $\sum\limits_{n=1}^{\infty}\dfrac{n^2}{\left(2+\frac{1}{n}\right)^n}$.

解 由于

$$\lim_{n\to\infty}\sqrt[n]{\frac{n^2}{\left(2+\frac{1}{n}\right)^n}}=\lim_{n\to\infty}\frac{\sqrt[n]{n}\sqrt[n]{n}}{2+\frac{1}{n}}=\frac{1}{2}<1,$$

故由柯西判别法可知，级数$\sum\limits_{n=1}^{\infty}\dfrac{n^2}{\left(2+\frac{1}{n}\right)^n}$ 收敛.

【2574】 $\sum\limits_{n=2}^{\infty}\dfrac{1}{\sqrt[n]{\ln n}}$.

解 当 $n\geqslant 2$ 时，$\ln n<n$. 从而

$$\frac{1}{\sqrt[n]{\ln n}}>\frac{1}{\sqrt[n]{n}}>0,$$

由$\lim\limits_{n\to\infty}\dfrac{1}{\sqrt[n]{n}}=1\neq 0$，知$\sum\limits_{n=2}^{\infty}\dfrac{1}{\sqrt[n]{n}}$ 发散. 因此，由比较判别法知原级数也发散.

【2575】 $\sum\limits_{n=1}^{\infty}\dfrac{n^{n-1}}{(2n^2+n+1)^{\frac{n+1}{2}}}$.

解 **方法一** 由于

$$0<\frac{n^{n-1}}{(2n^2+n+1)^{\frac{n+1}{2}}}<\frac{n^{n-1}}{(n^2)^{\frac{n+1}{2}}}=\frac{1}{n^2},$$

且级数$\sum\limits_{n=1}^{\infty}\dfrac{1}{n^2}$ 收敛，故原级数也收敛.

方法二 利用达朗贝尔判别法，由

$$\begin{aligned}\lim_{n\to\infty}\frac{a_{n+1}}{a_n}&=\lim_{n\to\infty}\frac{(n+1)^n}{n^{n-1}}\cdot\frac{(2n^2+n+1)^{\frac{n+1}{2}}}{(2n^2+5n+4)^{\frac{n+2}{2}}}\\&=\lim_{n\to\infty}\left[\left(1+\frac{1}{n}\right)^n\cdot\frac{n}{(2n^2+5n+4)^{\frac{1}{2}}}\cdot\left(\frac{2n^2+n+1}{2n^2+5n+4}\right)^{\frac{n+1}{2}}\right]\\&=\mathrm{e}\cdot\frac{1}{\sqrt{2}}\cdot\frac{1}{\mathrm{e}}=\frac{1}{\sqrt{2}}<1,\end{aligned}$$

故原级数收敛.

【2576】 证明：由等差级数各项的倒数组成的级数发散.

证 设等差级数为$\sum\limits_{n=1}^{\infty}[a+(n-1)d]$，其中 d 为公差. 下证$\sum\limits_{n=1}^{\infty}\dfrac{1}{a+(n-1)d}$ 发散.

当 $d>0$ 时，$\exists n_0\in\mathbf{N}_+$，使 $a<(n_0-1)d$. 当 $n\geqslant n_0$ 时，有 $a+(n-1)d<2(n-1)d$. 从而

$$\frac{1}{a+(n-1)d}>\frac{1}{2(n-1)d}>\frac{1}{2nd}>0.$$

由于级数$\sum\limits_{n=1}^{\infty}\dfrac{1}{2nd}$ 发散，因而由比较判别法可知级数$\sum\limits_{n=1}^{\infty}\dfrac{1}{a+(n-1)d}$ 也发散.

当 $d=0$ 时，$a\neq 0$，则级数$\dfrac{1}{a}+\dfrac{1}{a}+\cdots+\dfrac{1}{a}+\cdots$ 显然发散；

当 $d<0$ 时，$-d>0$，显然级数也发散.

综上所述，$\forall d \in \mathbf{R}$，级数$\sum_{n=1}^{\infty}\frac{1}{a+(n-1)d}$均发散.

【2577】 证明：若级数$\sum_{n=1}^{\infty}a_n(A)$及$\sum_{n=1}^{\infty}b_n(B)$皆收敛且$a_n \leqslant c_n \leqslant b_n(n=1,2,\cdots)$，则级数$\sum_{n=1}^{\infty}c_n(C)$收敛. 若级数$(A)$与$(B)$皆发散，则$(C)$发散或收敛.

证 当级数(A)及(B)收敛时，由于$a_n \leqslant c_n \leqslant b_n$，故$0 \leqslant c_n - a_n \leqslant b_n - a_n$. 因为级数$\sum_{n=1}^{\infty}(b_n - a_n)$收敛，故级数$\sum_{n=1}^{\infty}(c_n - a_n)$也收敛. 从而级数$\sum_{n=1}^{\infty}[a_n + (c_n - a_n)] = \sum_{n=1}^{\infty}c_n$也收敛.

若级数(A)与(B)皆发散，则级数(C)可能收敛，可能发散. 例如，级数

$$-1-1-1-\cdots \text{ 及 } 1+1+1+\cdots$$

皆发散，而级数$\sum_{n=1}^{\infty}c_n$当$c_n = 0(-1<c_n<1)$时收敛；当$c_n = \frac{1}{2}(-1<c_n<1)$时发散.

【2578】 设非负级数$\sum_{n=1}^{\infty}a_n$与$\sum_{n=1}^{\infty}b_n$发散，讨论下列级数的收敛性.

(1) $\sum_{n=1}^{\infty}\min\{a_n, b_n\}$； (2) $\sum_{n=1}^{\infty}\max\{a_n, b_n\}$.

解 (1) $\sum_{n=1}^{\infty}\min\{a_n, b_n\}$可能收敛，也可能发散. 例如，级数$\sum_{n=1}^{\infty}\frac{1+(-1)^n}{2}$及$\sum_{n=1}^{\infty}\frac{1-(-1)^n}{2}$皆发散，但$\sum_{n=1}^{\infty}\min\{a_n, b_n\} = 0+0+\cdots+0+\cdots$收敛.

级数$\sum_{n=1}^{\infty}\frac{1}{n}$及$\sum_{n=1}^{\infty}\frac{1}{2n}$皆发散，$\sum_{n=1}^{\infty}\min\{a_n, b_n\} = \sum_{n=1}^{\infty}\frac{1}{2n}$发散.

(2) $\sum_{n=1}^{\infty}\max\{a_n, b_n\}$发散. 显然$\max\{a_n, b_n\} \geqslant a_n \geqslant 0$，而级数$\sum_{n=1}^{\infty}a_n$发散，故级数$\sum_{n=1}^{\infty}\max\{a_n, b_n\}$发散.

【2579】 证明：若级数$\sum_{n=1}^{\infty}a_n(a_n \geqslant 0)$收敛，则级数$\sum_{n=1}^{\infty}a_n^2$也收敛. 逆命题不成立，举出反例.

证 由于$\sum_{n=1}^{\infty}a_n$收敛，故$\lim\limits_{n\to\infty}a_n = 0$，于是$\exists n_0 \in \mathbf{N}_+$，当$n \geqslant n_0$时，有$0 \leqslant a_n < 1$. 从而，当$n \geqslant n_0$时，有$0 \leqslant a_n^2 < a_n$. 由于级数$\sum_{n=1}^{\infty}a_n$收敛，故由比较判别法可知级数$\sum_{n=1}^{\infty}a_n^2$收敛.

反之不真. 例如$a_n = \frac{1}{n}$，级数$\sum_{n=1}^{\infty}a_n^2$收敛，而级数$\sum_{n=1}^{\infty}a_n$却发散.

【2580】 证明：若级数$\sum_{n=1}^{\infty}a_n^2$及$\sum_{n=1}^{\infty}b_n^2$都收敛，则级数$\sum_{n=1}^{\infty}|a_nb_n|$，$\sum_{n=1}^{\infty}(a_n+b_n)^2$，$\sum_{n=1}^{\infty}\frac{|a_n|}{n}$收敛.

证 由于$0 \leqslant 2|a_nb_n| \leqslant a_n^2 + b_n^2$，且级数$\sum_{n=1}^{\infty}(a_n^2 + b_n^2)$收敛，故级数$\sum_{n=1}^{\infty}|a_nb_n|$收敛.

其次，由于$(a_n+b_n)^2 = a_n^2 + b_n^2 + 2a_nb_n$，且级数$\sum_{n=1}^{\infty}a_n^2$，$\sum_{n=1}^{\infty}b_n^2$及$\sum_{n=1}^{\infty}a_nb_n$皆收敛，故级数$\sum_{n=1}^{\infty}(a_n+b_n)^2$收敛.

最后，由于$0 \leqslant \frac{|a_n|}{n} \leqslant \frac{1}{2}\left(a_n^2 + \frac{1}{n^2}\right)$，且级数$\sum_{n=1}^{\infty}\left(a_n^2 + \frac{1}{n^2}\right)$收敛，故级数$\sum_{n=1}^{\infty}\frac{|a_n|}{n}$收敛.

【2581】 证明:若$\lim\limits_{n\to\infty} na_n = a \neq 0$,则级数$\sum\limits_{n=1}^{\infty} a_n$发散.

证 不妨设$a > 0$. 则$\exists N$,当$n > N$时,$a_n > 0$. 故可视$\sum\limits_{n=1}^{\infty} a_n$为正项级数.

由$\lim\limits_{n\to\infty} na_n = a \neq 0$,则$\lim\limits_{n\to\infty} \dfrac{a_n}{\dfrac{1}{n}} = a \neq 0$. 由级数$\sum\limits_{n=1}^{\infty} \dfrac{1}{n}$发散,故级数$\sum\limits_{n=1}^{\infty} a_n$发散.

习题 2582—2595 达朗贝尔判别法、柯西判别法、比较判别法的应用

【运用达朗贝尔判别法、柯西判别法或比较判别法,研究下列级数的收敛性(2582—2590)】

说明:为方便,记每题所给级数通项均为a_n.

【2582】 $\dfrac{1\ 000}{1!} + \dfrac{1\ 000^2}{2!} + \dfrac{1\ 000^3}{3!} + \cdots + \dfrac{1\ 000^n}{n!} + \cdots$.

解 由于

$$\lim_{n\to\infty} \frac{a_{n+1}}{a_n} = \lim_{n\to\infty} \frac{\dfrac{1\ 000^{n+1}}{(n+1)!}}{\dfrac{1\ 000^n}{n!}} = \lim_{n\to\infty} \frac{1\ 000}{n+1} = 0 < 1,$$

故由达朗贝尔判别法知级数$\sum\limits_{n=1}^{\infty} \dfrac{1\ 000^n}{n!}$收敛.

【2583】 $\dfrac{(1!)^2}{2!} + \dfrac{(2!)^2}{4!} + \cdots + \dfrac{(n!)^2}{(2n)!} + \cdots$.

解 由于

$$\lim_{n\to\infty} \frac{a_{n+1}}{a_n} = \lim_{n\to\infty} \frac{[(n+1)!]^2(2n)!}{(2n+2)!(n!)^2} = \lim_{n\to\infty} \frac{n+1}{2(2n+1)} = \frac{1}{4} < 1,$$

故由达朗贝尔判别法知级数$\sum\limits_{n=1}^{\infty} \dfrac{(n!)^2}{(2n)!}$收敛.

【2584】 $\dfrac{1!}{1^1} + \dfrac{2!}{2^2} + \dfrac{3!}{3^3} + \cdots + \dfrac{n!}{n^n} + \cdots$.

解 由于

$$\lim_{n\to\infty} \frac{a_{n+1}}{a_n} = \lim_{n\to\infty} \frac{\dfrac{(n+1)!}{(n+1)^{n+1}}}{\dfrac{n!}{n^n}} = \lim_{n\to\infty} \left(\frac{n}{n+1}\right)^n = \lim_{n\to\infty} \left[\left(1+\frac{1}{n}\right)^n\right]^{-1} = \mathrm{e}^{-1} < 1,$$

故由达朗贝尔判别法知级数$\sum\limits_{n=1}^{\infty} \dfrac{n!}{n^n}$收敛.

【2585】 (1) $\dfrac{2 \cdot 1!}{1^1} + \dfrac{2^2 \cdot 2!}{2^2} + \dfrac{2^3 \cdot 3!}{3^3} + \cdots + \dfrac{2^n n!}{n^n} + \cdots$;

(2) $\dfrac{3 \cdot 1!}{1^1} + \dfrac{3^2 \cdot 2!}{2^2} + \dfrac{3^3 \cdot 3!}{3^3} + \cdots + \dfrac{3^n n!}{n^n} + \cdots$.

解 (1) **方法一** 由于

$$\lim_{n\to\infty} \frac{a_{n+1}}{a_n} = \lim_{n\to\infty} \frac{\dfrac{2^{n+1}(n+1)!}{(n+1)^{n+1}}}{\dfrac{2^n n!}{n^n}} = \lim_{n\to\infty} 2\left(1+\frac{1}{n}\right)^{-n} = \frac{2}{\mathrm{e}} < 1,$$

故由达朗贝尔判别法知级数$\sum_{n=1}^{\infty}\frac{2^n n!}{n^n}$收敛.

方法二 由于

$$\lim_{n\to\infty}\sqrt[n]{a_n}=\lim_{n\to\infty}\sqrt[n]{\frac{2^n n!}{n^n}}=2\lim_{n\to\infty}\frac{\sqrt[n]{n!}}{n}=2\mathrm{e}^{\lim\limits_{n\to\infty}\frac{1}{n}\sum\limits_{k=1}^{n}\ln\frac{k}{n}}=2\mathrm{e}^{\int_0^1\ln x\mathrm{d}x}=\frac{2}{\mathrm{e}}<1,$$

故由柯西判别法知级数$\sum_{n=1}^{\infty}\frac{2^n n!}{n^n}$收敛.

(2) **方法一** 由于

$$\lim_{n\to\infty}\frac{a_{n+1}}{a_n}=\lim_{n\to\infty}\frac{\frac{3^{n+1}(n+1)!}{(n+1)^{n+1}}}{\frac{3^n n!}{n^n}}=\lim_{n\to\infty}3\left(1+\frac{1}{n}\right)^{-n}=\frac{3}{\mathrm{e}}>1,$$

故由达朗贝尔判别法知级数$\sum_{n=1}^{\infty}\frac{3^n n!}{n^n}$发散.

方法二 由于

$$\lim_{n\to\infty}\sqrt[n]{a_n}=\lim_{n\to\infty}\sqrt[n]{\frac{3^n n!}{n^n}}=3\lim_{n\to\infty}\frac{\sqrt[n]{n!}}{n}=3\mathrm{e}^{\lim\limits_{n\to\infty}\frac{1}{n}\sum\limits_{k=1}^{n}\ln\frac{k}{n}}=3\mathrm{e}^{\int_0^1\ln x\mathrm{d}x}=\frac{3}{\mathrm{e}}>1,$$

故由柯西判别法知级数$\sum_{n=1}^{\infty}\frac{3^n n!}{n^n}$发散.

【2586】 $\frac{(1!)^2}{2}+\frac{(2!)^2}{2^4}+\frac{(3!)^2}{2^9}+\cdots+\frac{(n!)^2}{2^{n^2}}+\cdots.$

解 由于

$$\lim_{n\to\infty}\frac{a_{n+1}}{a_n}=\lim_{n\to\infty}\frac{[(n+1)!]^2 2^{n^2}}{2^{(n+1)^2}(n!)^2}=\lim_{n\to\infty}\frac{(n+1)^2}{2^{2n+1}}=0<1,$$

故由达朗贝尔判别法知级数$\sum_{n=1}^{\infty}\frac{(n!)^2}{2^{n^2}}$收敛.

【2587】 $\frac{1\ 000}{1}+\frac{1\ 000\cdot 1\ 001}{1\cdot 3}+\frac{1\ 000\cdot 1\ 001\cdot 1\ 002}{1\cdot 3\cdot 5}+\cdots.$

解 由于

$$\lim_{n\to\infty}\frac{a_{n+1}}{a_n}=\lim_{n\to\infty}\frac{1\ 000+n}{2n+1}=\frac{1}{2}<1,$$

故由达朗贝尔判别法知级数$\sum_{n=0}^{\infty}\frac{1\ 000\cdot 1\ 001\cdots(1\ 000+n)}{1\cdot 3\cdot 5\cdots(2n+1)}$收敛.

【2588】 $\frac{4}{2}+\frac{4\cdot 7}{2\cdot 6}+\frac{4\cdot 7\cdot 10}{2\cdot 6\cdot 10}+\cdots.$

解 由于

$$\lim_{n\to\infty}\frac{a_{n+1}}{a_n}=\lim_{n\to\infty}\frac{3n+4}{4n+2}=\frac{3}{4}<1,$$

故由达朗贝尔判别法知级数$\sum_{n=0}^{\infty}\frac{4\cdot 7\cdot 10\cdots(3n+4)}{2\cdot 6\cdot 10\cdots(4n+2)}$收敛.

【2589】 $\sum_{n=1}^{\infty}(\sqrt{2}-\sqrt[3]{2})(\sqrt{2}-\sqrt[5]{2})\cdots(\sqrt{2}-\sqrt[2n+1]{2}).$

解 由于

$$\lim_{n\to\infty}\frac{a_{n+1}}{a_n}=\lim_{n\to\infty}(\sqrt{2}-\sqrt[2n+3]{2})=\sqrt{2}-1<1,$$

故由达朗贝尔判别法知级数$\sum_{n=1}^{\infty}(\sqrt{2}-\sqrt[3]{2})(\sqrt{2}-\sqrt[5]{2})\cdots(\sqrt{2}-\sqrt[2n+1]{2})$收敛.

【2590】 $\sqrt{2}+\sqrt{2-\sqrt{2}}+\sqrt{2-\sqrt{2+\sqrt{2}}}+\sqrt{2-\sqrt{2+\sqrt{2+\sqrt{2}}}}+\cdots$.

提示 注意$\sqrt{2}=2\cos\frac{\pi}{4}=2\sin\frac{\pi}{4}$，用数学归纳法，可证通项$a_n=2\sin\frac{\pi}{2^{n+1}}$，并利用达朗贝尔判别法.

解 **方法一** 注意到
$$\sqrt{2}=2\cos\frac{\pi}{4}=2\sin\frac{\pi}{4},$$
则
$$\sqrt{2-\sqrt{2}}=\sqrt{2-2\cos\frac{\pi}{4}}=2\sin\frac{\pi}{8},$$
$$\sqrt{2-\sqrt{2+\sqrt{2}}}=\sqrt{2-\sqrt{2+2\cos\frac{\pi}{4}}}=\sqrt{2-2\cos\frac{\pi}{8}}=2\sin\frac{\pi}{16}.$$
利用数学归纳法，可证通项为$a_n=2\sin\frac{\pi}{2^{n+1}}$. 由于
$$\lim_{n\to\infty}\frac{a_{n+1}}{a_n}=\lim_{n\to\infty}\frac{2\sin\frac{\pi}{2^{n+2}}}{2\sin\frac{\pi}{2^{n+1}}}=\lim_{n\to\infty}\frac{\frac{\pi}{2^{n+2}}}{\frac{\pi}{2^{n+1}}}=\frac{1}{2}<1,$$
故由达朗贝尔判别法知级数收敛.

方法二
$$\sqrt{2-\sqrt{2}}=\frac{\sqrt{2-\sqrt{2}}\sqrt{2+\sqrt{2}}}{\sqrt{2+\sqrt{2}}}=\frac{\sqrt{2}}{\sqrt{2+\sqrt{2}}},$$
$$\sqrt{2-\sqrt{2+\sqrt{2}}}=\frac{\sqrt{2-\sqrt{2+\sqrt{2}}}\sqrt{2+\sqrt{2+\sqrt{2}}}}{\sqrt{2+\sqrt{2+\sqrt{2}}}}=\frac{\sqrt{2-\sqrt{2}}}{\sqrt{2+\sqrt{2+\sqrt{2}}}}.$$
利用数学归纳法，可证
$$\sqrt{2-\underbrace{\sqrt{2+\sqrt{2+\cdots+\sqrt{2}}}}_{n\text{重根号}}}=\frac{1}{\sqrt{2+\underbrace{\sqrt{2+\sqrt{2+\cdots+\sqrt{2}}}}_{n\text{重根号}}}}\sqrt{2-\underbrace{\sqrt{2+\sqrt{2+\cdots+\sqrt{2}}}}_{n-1\text{重根号}}}.$$
由于数列$\left\{\sqrt{2+\underbrace{\sqrt{2+\sqrt{2+\cdots+\sqrt{2}}}}_{n\text{重根号}}}\right\}$单调递增有上界，从而收敛，且极限为2. 故
$$\lim_{n\to\infty}\frac{a_{n+1}}{a_n}=\lim_{n\to\infty}\frac{1}{\sqrt{2+\underbrace{\sqrt{2+\sqrt{2+\cdots+\sqrt{2}}}}_{n\text{重根号}}}}=\frac{1}{2},$$
故由达朗贝尔判别法知级数收敛.

【2591】 $\sum_{n=1}^{\infty}\frac{2+(-1)^n}{2^n}$.

解 由于$\lim_{n\to\infty}\sqrt[n]{a_n}=\lim_{n\to\infty}\frac{\sqrt[n]{2+(-1)^n}}{2}=\frac{1}{2}<1$，故由柯西判别法知级数$\sum_{n=1}^{\infty}\frac{2+(-1)^n}{2^n}$收敛.

【2592】 证明：若$\lim_{n\to\infty}\frac{a_{n+1}}{a_n}=q(a_n>0)$，则$a_n=o(q_1^n)$，其中$q_1>q$.

证 由于$\lim_{n\to\infty}\frac{a_{n+1}}{a_n}=q$，故由76题知$\lim_{n\to\infty}\sqrt[n]{a_n}=q$. 取$\varepsilon=\frac{1}{2}(q_1-q)>0$，$\exists N\in\mathbf{N}_+$，当$n\geqslant N$时，

有$\left|\sqrt[n]{a_n}-q\right|<\varepsilon$,从而有

$$\sqrt[n]{a_n}<q+\varepsilon=\lambda q_1(n\geqslant N),$$

其中$\lambda=\dfrac{q_1+q}{2q_1}<1$. 利用$\lambda^n=o(1)$,则$a_n=\lambda^n q_1^n=o(q_1^n)$.

【2593】 证明:若$\overline{\lim\limits_{n\to\infty}}\dfrac{a_{n+1}}{a_n}=q<1\ (a_n>0)$,则级数$\sum\limits_{n=1}^{\infty}a_n$收敛. 逆命题不成立. 研究$\dfrac{1}{2}+\dfrac{1}{3}+\dfrac{1}{2^2}+\dfrac{1}{3^2}+\dfrac{1}{2^3}+\dfrac{1}{3^3}+\cdots$.

证 取$\varepsilon\in(0,1-q)$,由于$\overline{\lim\limits_{n\to\infty}}\dfrac{a_{n+1}}{a_n}=q<1$,故$\exists N\in\mathbf{N}_+$,当$n\geqslant N$时,有

$$\frac{a_{n+1}}{a_n}<q+\varepsilon=l<1.$$

从而$0<a_n\leqslant a_N l^{n-N}(n\geqslant N)$. 由级数$\sum\limits_{n=1}^{\infty}l^{n-N}$收敛,故由比较判别法知级数$\sum\limits_{n=1}^{\infty}a_n$收敛.

反之不真. 例如,级数$\dfrac{1}{2}+\dfrac{1}{3}+\dfrac{1}{2^2}+\dfrac{1}{3^2}+\dfrac{1}{2^3}+\dfrac{1}{3^3}+\cdots$显然收敛. 但

$$\frac{a_{n+1}}{a_n}=\begin{cases}\left(\dfrac{2}{3}\right)^{m+1}, & n=2m+1,\\ \dfrac{1}{2}\left(\dfrac{3}{2}\right)^m, & n=2m,\end{cases}$$

故$\overline{\lim\limits_{n\to\infty}}\dfrac{a_{n+1}}{a_n}=+\infty$.

【2594】 证明:若对于级数$\sum\limits_{n=1}^{\infty}a_n(a_n>0)$,存在极限

$$\lim_{n\to\infty}\frac{a_{n+1}}{a_n}=q, \qquad ①$$

则

$$\lim_{n\to\infty}\sqrt[n]{a_n}=q. \qquad ②$$

逆命题不成立:若极限②存在,则极限①可以不存在. 研究反例$\sum\limits_{n=1}^{\infty}\dfrac{3+(-1)^n}{2^{n+1}}$.

证 利用76题结论,本题前半部分得证.

反之不真. 例如,对于级数$\sum\limits_{n=1}^{\infty}\dfrac{3+(-1)^n}{2^{n+1}}$,有

$$\lim_{n\to\infty}\sqrt[n]{a_n}=\lim_{n\to\infty}\frac{\sqrt[n]{3+(-1)^n}}{2\sqrt[n]{2}}=\frac{1}{2}.$$

但

$$\frac{a_{n+1}}{a_n}=\frac{3+(-1)^{n+1}}{2[3+(-1)^n]}=\begin{cases}\dfrac{1}{4}, & n\text{为偶数},\\ 1, & n\text{为奇数},\end{cases}$$

故$\lim\limits_{n\to\infty}\dfrac{a_{n+1}}{a_n}$不存在.

【2595】 证明:若$\overline{\lim\limits_{n\to\infty}}\sqrt[n]{a_n}=q(a_n\geqslant0)$,则(1)$q<1$时级数$\sum\limits_{n=1}^{\infty}a_n$收敛;(2)$q>1$时级数发散(柯西判别法的推广).

证 (1) 取$\varepsilon\in\left(0,\dfrac{1}{2}(1-q)\right)$,由$\overline{\lim\limits_{n\to\infty}}\sqrt[n]{a_n}=q$,故$\exists N\in\mathbf{N}_+$,当$n\geqslant N$时,有

$$0<\sqrt[n]{a_n}<q+\varepsilon.$$

从而 $0<\sqrt[n]{a_n}<\frac{q+1}{2}\ (n\geqslant N)$ 或 $0<a_n<\left(\frac{q+1}{2}\right)^n\ (n\geqslant N)$.

由于 $0\leqslant q<1$，故 $0<\frac{q+1}{2}<1$，从而级数 $\sum\limits_{n=1}^{\infty}\left(\frac{q+1}{2}\right)^n$ 收敛. 由比较判别法知级数 $\sum\limits_{n=1}^{\infty}a_n$ 收敛.

(2) 由于 $q>1$，故数列 $\{a_n\}$ 存在无穷多个 a_n，使不等式 $\sqrt[n]{a_n}>1$ 成立，从而存在无穷多个 $a_n>1$. 于是 $\lim\limits_{n\to\infty}a_n\neq 0$，故级数 $\sum\limits_{n=1}^{\infty}a_n$ 发散.

习题 2596—2597 综合利用各种判别法判断级数的敛散性

【研究下列级数的收敛性(2596—2597)】

【2596】 $\sum\limits_{n=1}^{\infty}\frac{n\cos^2\frac{n\pi}{3}}{2^n}$.

解 显然

$$0<\frac{n\cos^2\frac{n\pi}{3}}{2^n}\leqslant\frac{n}{2^n}.$$

对于级数 $\sum\limits_{n=1}^{\infty}\frac{n}{2^n}$，由于

$$\lim_{n\to\infty}\sqrt[n]{a_n}=\lim_{n\to\infty}\frac{\sqrt[n]{n}}{2}=\frac{1}{2}<1,$$

故由柯西判别法知级数 $\sum\limits_{n=1}^{\infty}\frac{n}{2^n}$ 收敛，从而由比较判别法知级数 $\sum\limits_{n=1}^{\infty}\frac{n\cos^2\frac{n\pi}{3}}{2^n}$ 收敛.

【2597】 $\sum\limits_{n=1}^{\infty}\frac{n^3[\sqrt{2}+(-1)^n]^n}{3^n}$.

解 显然

$$0<\frac{n^3[\sqrt{2}+(-1)^n]^n}{3^n}\leqslant\frac{n^3(\sqrt{2}+1)^n}{3^n}.$$

对于级数 $\sum\limits_{n=1}^{\infty}\frac{n^3(\sqrt{2}+1)^n}{3^n}$，由于

$$\lim_{n\to\infty}\frac{a_{n+1}}{a_n}=\lim_{n\to\infty}\frac{\sqrt{2}+1}{3}\left(1+\frac{1}{n}\right)^3=\frac{\sqrt{2}+1}{3}<1,$$

由达朗贝尔判别法知级数 $\sum\limits_{n=1}^{\infty}\frac{n^3(\sqrt{2}+1)^n}{3^n}$ 收敛，从而由比较判别法知级数 $\sum\limits_{n=1}^{\infty}\frac{n^3[\sqrt{2}+(-1)^n]^n}{3^n}$ 收敛.

习题 2598—2606 利用拉贝判别法和高斯判别法判别级数的敛散性

【利用拉贝判别法和高斯判别法，研究下列级数的收敛性(2598—2605)】

【2598】 $\left(\frac{1}{2}\right)^p+\left(\frac{1\cdot 3}{2\cdot 4}\right)^p+\left(\frac{1\cdot 3\cdot 5}{2\cdot 4\cdot 6}\right)^p+\cdots$.

解 $\frac{a_n}{a_{n+1}}=\left(\frac{2n+2}{2n+1}\right)^p$. 由于

$$\lim_{n\to\infty} n\left(\frac{a_n}{a_{n+1}}-1\right)=\lim_{n\to\infty}\frac{\left(\frac{2n+2}{2n+1}\right)^p-1}{\frac{1}{n}}=\lim_{n\to\infty}\frac{1+\frac{p}{2n+1}+o\left(\frac{1}{n}\right)-1}{\frac{1}{n}}=\frac{p}{2},$$

故由拉贝判别法知,当$\frac{p}{2}>1$,即 $p>2$ 时,级数$\sum\limits_{n=1}^{\infty}\left[\frac{(2n-1)!!}{(2n)!!}\right]^p$ 收敛.

【2599】 $\frac{a}{b}+\frac{a(a+d)}{b(b+d)}+\frac{a(a+d)(a+2d)}{b(b+d)(b+2d)}+\cdots(a>0,b>0,d>0)$.

解 $\frac{a_n}{a_{n+1}}=\frac{b+nd}{a+nd}$. 由于

$$\lim_{n\to\infty} n\left(\frac{a_n}{a_{n+1}}-1\right)=\lim_{n\to\infty} n\left(\frac{b+nd}{a+nd}-1\right)=\lim_{n\to\infty}\frac{(b-a)n}{a+nd}=\frac{b-a}{d},$$

故由拉贝判别法知,当$\frac{b-a}{d}>1$时,级数$\sum\limits_{n=1}^{\infty}\frac{a(a+d)\cdots[a+(n-1)d]}{b(b+d)\cdots[b+(n-1)d]}$ 收敛.

【2600】 $\sum\limits_{n=1}^{\infty}\frac{n!\mathrm{e}^n}{n^{n+p}}$.

解 $\frac{a_n}{a_{n+1}}=\frac{\frac{n!\mathrm{e}^n}{n^{n+p}}}{\frac{(n+1)!\mathrm{e}^{n+1}}{(n+1)^{n+1+p}}}=\frac{1}{\mathrm{e}}\left(\frac{n+1}{n}\right)^{n+p}$. 由于

$$\lim_{n\to\infty} n\left(\frac{a_n}{a_{n+1}}-1\right)=\lim_{n\to\infty}\frac{\frac{1}{\mathrm{e}}\left(\frac{n+1}{n}\right)^{n+p}-1}{\frac{1}{n}}=\lim_{n\to\infty}\frac{\frac{1}{\mathrm{e}}\left(1+\frac{1}{n}\right)^{n+p}-1}{\frac{1}{n}}$$

$$=\lim_{n\to\infty}\frac{\frac{1}{\mathrm{e}}\mathrm{e}^{(n+p)\ln\left(1+\frac{1}{n}\right)}-1}{\frac{1}{n}}=\lim_{n\to\infty}\frac{\frac{1}{\mathrm{e}}\mathrm{e}^{1+\left(p-\frac{1}{2}\right)\frac{1}{n}+o\left(\frac{1}{n}\right)}-1}{\frac{1}{n}}$$

$$=\lim_{n\to\infty}\frac{\left(p-\frac{1}{2}\right)\frac{1}{n}+o\left(\frac{1}{n}\right)}{\frac{1}{n}}=p-\frac{1}{2},$$

故由拉贝判别法知,当 $p-\frac{1}{2}>1$,即 $p>\frac{3}{2}$ 时,级数$\sum\limits_{n=1}^{\infty}\frac{n!\mathrm{e}^n}{n^{n+p}}$ 收敛.

【2601】 $\sum\limits_{n=1}^{\infty}\frac{\sqrt{n!}}{(2+\sqrt{1})(2+\sqrt{2})\cdots(2+\sqrt{n})}$.

解 $\frac{a_n}{a_{n+1}}=\frac{2+\sqrt{n+1}}{\sqrt{n+1}}$. 由于

$$\lim_{n\to\infty} n\left(\frac{a_n}{a_{n+1}}-1\right)=\lim_{n\to\infty} n\left(\frac{2+\sqrt{n+1}}{\sqrt{n+1}}-1\right)=\lim_{n\to\infty}\frac{2n}{\sqrt{n+1}}=+\infty,$$

故由拉贝判别法知级数$\sum\limits_{n=1}^{\infty}\frac{\sqrt{n!}}{(2+\sqrt{1})(2+\sqrt{2})\cdots(2+\sqrt{n})}$ 收敛.

【2602】 $\sum\limits_{n=1}^{\infty}\frac{n!n^{-p}}{q(q+1)\cdots(q+n)}(p>0,q>0)$.

解 $\frac{a_n}{a_{n+1}}=\left(\frac{n+1}{n}\right)^p\left(1+\frac{q}{n+1}\right)$. 由于

$$\lim_{n\to\infty} n\left(\frac{a_n}{a_{n+1}}-1\right)=\lim_{n\to\infty} n\left[\left(1+\frac{1}{n}\right)^p\left(1+\frac{q}{n+1}\right)-1\right],$$

且

$$\lim_{x\to 0}\frac{(1+x)^p\left(1+\frac{qx}{1+x}\right)-1}{x}\xlongequal{\text{洛必达法则}}\lim_{x\to 0}\left[p(1+x)^{p-1}\left(1+\frac{qx}{1+x}\right)+q(1+x)^{p-2}\right]=p+q,$$

由归结原则

$$\lim_{n\to\infty}n\left(\frac{a_n}{a_{n+1}}-1\right)=p+q,$$

故由拉贝判别法知，当 $p+q>1$ 时，级数 $\sum_{n=1}^{\infty}\frac{n!n^{-p}}{q(q+1)\cdots(q+n)}$ 收敛.

【2603】 $\sum_{n=1}^{\infty}\frac{p(p+1)\cdots(p+n-1)}{n!}\cdot\frac{1}{n^q}(p>0,q>0)$.

解 $\frac{a_n}{a_{n+1}}=\left(\frac{n+1}{n}\right)^q\frac{1+n}{p+n}$. 由于

$$\lim_{n\to\infty}n\left(\frac{a_n}{a_{n+1}}-1\right)=\lim_{n\to\infty}n\left[\left(1+\frac{1}{n}\right)^q\frac{1+n}{p+n}-1\right],$$

且

$$\lim_{x\to 0}\frac{\frac{(1+x)^{q+1}}{1+px}-1}{x}=\lim_{x\to 0}\frac{(1+x)^{q+1}-(1+px)}{x(1+px)}\xlongequal{\text{洛必达法则}}\lim_{x\to 0}\frac{(q+1)(1+x)^q-p}{1+2px}=q+1-p,$$

由归结原则

$$\lim_{n\to\infty}n\left(\frac{a_n}{a_{n+1}}-1\right)=q+1-p,$$

故由拉贝判别法知，当 $q+1-p>1$，即 $q>p$ 时，级数 $\sum_{n=1}^{\infty}\frac{p(p+1)\cdots(p+n-1)}{n!}\cdot\frac{1}{n^q}$ 收敛.

【2604】 $\sum_{n=1}^{\infty}\left[\frac{1\cdot 3\cdot 5\cdots(2n-1)}{2\cdot 4\cdot 6\cdots(2n)}\right]^p\cdot\frac{1}{n^q}$.

解 $\frac{a_n}{a_{n+1}}=\left(\frac{2n+2}{2n+1}\right)^p\left(\frac{n+1}{n}\right)^q$. 由于

$$\lim_{n\to\infty}n\left(\frac{a_n}{a_{n+1}}-1\right)=\lim_{n\to\infty}n\left[\left(\frac{2n+2}{2n+1}\right)^p\left(\frac{n+1}{n}\right)^q-1\right],$$

且

$$\lim_{x\to 0}\frac{\left(\frac{2+2x}{2+x}\right)^p(1+x)^q-1}{x}\xlongequal{\text{洛必达法则}}\lim_{x\to 0}\left[p\left(\frac{2+2x}{2+x}\right)^{p-1}\frac{2(1+x)^q}{(2+x)^2}+q\left(\frac{2+2x}{2+x}\right)^p(1+x)^{q-1}\right]=q+\frac{p}{2},$$

由归结原则

$$\lim_{n\to\infty}n\left(\frac{a_n}{a_{n+1}}-1\right)=q+\frac{p}{2},$$

故由拉贝判别法知，当 $q+\frac{p}{2}>1$ 时，级数 $\sum_{n=1}^{\infty}\left[\frac{(2n-1)!!}{(2n)!!}\right]^p\cdot\frac{1}{n^q}$ 收敛.

【2605】 $\sum_{n=1}^{\infty}\frac{1}{n^p}\left(1-\frac{x\ln n}{n}\right)^n(p>0)$.

解 令 $a_n=\frac{1}{n^p}\left(1-\frac{x\ln n}{n}\right)^n$. 由于 $\lim_{n\to\infty}\frac{x\ln n}{n}=0$，故当 n 充分大时，$a_n>0$.

当 $x=0$ 时，级数为 $\sum_{n=1}^{\infty}\frac{1}{n^p}$. 当 $p>1$ 时收敛，当 $p\leqslant 1$ 时发散.

当 $x\neq 0$ 时，有

$$\ln(a_n n^{p+x})=x\ln n+n\ln\left(1-\frac{x\ln n}{n}\right)=nu_n+n\ln(1-u_n)=nu_n^2\cdot\frac{u_n+\ln(1-u_n)}{u_n^2},$$

其中 $u_n=\dfrac{x\ln n}{n}$，$u_n\neq 0(n>1)$，$u_n\to 0$，$nu_n^2\to 0(n\to\infty)$. 由洛必达法则，得

$$\lim_{t\to 0}\frac{t+\ln(1-t)}{t^2}=\lim_{t\to 0}\frac{1-\frac{1}{1-t}}{2t}=\lim_{t\to 0}\frac{1}{2(t-1)}=-\frac{1}{2},$$

由归结原则

$$\lim_{n\to\infty}\frac{u_n+\ln(1-u_n)}{u_n^2}=-\frac{1}{2},$$

故

$$\lim_{n\to\infty}\ln(a_n n^{p+x})=0\text{ 或}\lim_{n\to\infty}\frac{a_n}{\frac{1}{n^{p+x}}}=1.$$

由此可知，级数 $\sum\limits_{n=1}^{\infty}a_n$ 与 $\sum\limits_{n=1}^{\infty}\dfrac{1}{n^{p+x}}$ 有相同的敛散性. 故当 $p+x>1$ 时，级数 $\sum\limits_{n=1}^{\infty}a_n$ 收敛，当 $p+x\leqslant 1$ 时，级数 $\sum\limits_{n=1}^{\infty}a_n$ 发散.

综上所述，级数 $\sum\limits_{n=1}^{\infty}a_n$ 仅当 $x>1-p$ 时收敛.

【2606】 证明：若 $a_n>0(n=1,2,\cdots)$，且 $\lim\limits_{n\to\infty}n\left(\dfrac{a_n}{a_{n+1}}-1\right)=p$，则 $a_n=o\left(\dfrac{1}{n^{p-\varepsilon}}\right)(\varepsilon>0)$.

证 记 $\alpha_n,\alpha'_n,\beta_n,\beta'_n,\beta''_n,\varepsilon_n$ 为无穷小量，即

$$\alpha_n=o(1),\alpha'_n=o(1),\beta_n=o(1),\beta'_n=o(1),\beta''_n=o(1),\varepsilon_n=o(1)(n\to\infty).$$

由 $\lim\limits_{n\to\infty}n\left(\dfrac{a_n}{a_{n+1}}-1\right)=p$，则

$$\frac{a_n}{a_{n+1}}=1+\frac{p}{n}+\frac{\alpha_n}{n}.$$

取对数，则

$$\ln a_n-\ln a_{n+1}=\ln\left(1+\frac{p}{n}+\frac{\alpha_n}{n}\right)=\frac{p}{n}+\frac{\alpha_n}{n}+O\left(\frac{1}{n^2}\right)=\frac{1}{n}(p+\alpha'_n).$$

对上式从 1 到 $n-1$ 求和，则

$$\ln a_1-\ln a_n=\sum_{k=1}^{n-1}\frac{1}{k}(p+\alpha'_k).$$

由 156 题(Stolz 定理，在其中令 $x_n=\sum\limits_{k=1}^{n-1}\dfrac{\alpha'_k}{k}$，$y_n=\sum\limits_{k=1}^{n-1}\dfrac{1}{k}$) 知

$$\lim_{n\to\infty}\frac{\sum\limits_{k=1}^{n-1}\frac{\alpha'_k}{k}}{\sum\limits_{k=1}^{n-1}\frac{1}{k}}=\lim_{n\to\infty}\alpha'_n=0.$$

由 118 题知 $\sum\limits_{k=1}^{n-1}\dfrac{1}{k}=C+\ln(n-1)+\varepsilon_n$，其中 C 是欧拉常数，$\lim\limits_{n\to\infty}\varepsilon_n=0$. 令

$$\beta_n=\frac{\sum\limits_{k=1}^{n-1}\frac{\alpha'_k}{k}}{\sum\limits_{k=1}^{n-1}\frac{1}{k}},$$

则

$$\ln a_1-\ln a_n=(p+\beta_n)\sum_{k=1}^{n-1}\frac{1}{k}=(p+\beta_n)[C+\ln(n-1)+\varepsilon_n]=(p+\beta_n)\ln(n-1)+K+\beta'_n,$$

其中 $K=Cp$ 为常数. 从而

$$\ln a_n = -(p+\beta_n)\ln(n-1) + K' - \beta'_n,$$

其中 $K' = \ln a_1 - K$ 为常数. 故

$$a_n = e^{K'-\beta_n}(n-1)^{-(p+\beta_n)} = e^{K'-\beta_n}\left(\frac{n-1}{n}\right)^{-(p+\beta_n)} n^{\beta''_n} n^{-p},$$

其中$\beta''_n = -\beta_n$. 由于$\beta''_n = o(1)$，则 $\forall \varepsilon > 0$，当 n 充分大时，有 $|\beta''_n| < \frac{\varepsilon}{2}$，从而 $n^{\beta''_n} < n^{\frac{\varepsilon}{2}}$.

由

$$\lim_{n\to\infty}\left(\frac{n-1}{n}\right)^{-(p+\beta_n)} = 1,$$

即当 n 充分大时，有

$$0 < a_n \leqslant K'' n^{\frac{\varepsilon}{2}} n^{-p} = O\left(\frac{1}{n^{p-\frac{\varepsilon}{2}}}\right),$$

其中K'' 是常数. 故 $a_n = o\left(\frac{1}{n^{p-\varepsilon}}\right)$.

习题 2607—2614 比较判别法(Ⅱ)

【求出通项 a_n 减小的阶，从而研究级数$\sum\limits_{n=1}^{\infty} a_n$ 的收敛性(2607—2614)】

【2607】 $a_n = \dfrac{n^p + a_1 n^{p-1} + \cdots + a_p}{n^q + b_1 n^{q-1} + \cdots + b_q}$，其中 $n^q + b_1 n^{q-1} + \cdots + b_q > 0$.

解 由于 $a_n = O^*\left(\frac{1}{n^{q-p}}\right)$，故当 $q-p>1$，即 $q > 1+p$ 时，级数收敛.

【2608】 $a_n = \dfrac{1}{n^p}\sin\dfrac{\pi}{n}$.

解 由于 $a_n \geqslant 0$，且

$$\lim_{n\to\infty}\frac{\frac{1}{n^p}\sin\frac{\pi}{n}}{\frac{1}{n^{p+1}}} = \pi \text{ 即 } a_n = O^*\left(\frac{1}{n^{p+1}}\right),$$

故仅当 $1+p>1$，即 $p>0$ 时，级数收敛.

【2609】 $a_n = (\sqrt{n+1}-\sqrt{n})^p \ln\dfrac{n-1}{n+1}(n>1)$.

解 由于 $a_n < 0$，且

$$a_n = \left(\frac{1}{\sqrt{n+1}+\sqrt{n}}\right)^p \ln\left(1-\frac{2}{n+1}\right) = O^*\left(\frac{1}{n^{\frac{p}{2}+1}}\right),$$

故仅当$\frac{p}{2}+1>1$，即 $p>0$ 时，级数收敛.

【2610】 $a_n = \ln^p\left(\sec\dfrac{\pi}{n}\right)$.

解 由于 $a_n > 0(n>2)$，且当 $n\to\infty$ 时，

$$a_n = \frac{1}{2^p}\ln^p\left(1+\tan^2\frac{\pi}{n}\right) \sim \frac{1}{2^p}\tan^{2p}\frac{\pi}{n} \sim \frac{1}{2^p}\left(\frac{\pi}{n}\right)^{2p} = O^*\left(\frac{1}{n^{2p}}\right),$$

故仅当 $2p>1$，即 $p>\frac{1}{2}$ 时，级数收敛.

【2611】 $a_n = \log_{b^n}\left(1+\dfrac{\sqrt[n]{a}}{n}\right)$ $(a>0, b>0)$.

解 显然 $b\neq 1$. 当 $n\to\infty$ 时,

$$a_n=\frac{\ln\left(1+\frac{\sqrt[n]{a}}{n}\right)}{n\ln b}\sim\frac{1}{\ln b}\cdot\frac{\sqrt[n]{a}}{n^2}=O^*\left(\frac{1}{n^2}\right),$$

故级数收敛.

【2612】 $a_n=\left[\mathrm{e}-\left(1+\frac{1}{n}\right)^n\right]^p$.

解 $$\left(1+\frac{1}{n}\right)^n=\mathrm{e}^{n\ln\left(1+\frac{1}{n}\right)}=\mathrm{e}^{n\left[\frac{1}{n}-\frac{1}{2n^2}+O^*\left(\frac{1}{n^3}\right)\right]}=\mathrm{e}^{1-\frac{1}{2n}+O^*\left(\frac{1}{n^2}\right)}.$$

由于 $a_n>0$,且当 $n\to\infty$ 时,有

$$a_n=\left[\mathrm{e}\left(1-\mathrm{e}^{-\frac{1}{2n}+O^*\left(\frac{1}{n^2}\right)}\right)\right]^p\sim\mathrm{e}^p\left[\frac{1}{2n}+O^*\left(\frac{1}{n^2}\right)\right]^p=O^*\left(\frac{1}{n^p}\right),$$

故仅当 $p>1$ 时,级数收敛.

【2613】 $a_n=\frac{1}{n^{1+\frac{k}{\ln n}}}$.

解 由于 $a_n=n^{-\left(1+\frac{k}{\ln n}\right)}=\mathrm{e}^{-\left(1+\frac{k}{\ln n}\right)\ln n}=\mathrm{e}^{-(\ln n+k)}=\frac{1}{n}\mathrm{e}^{-k}=O^*\left(\frac{1}{n}\right)$,故级数显然发散.

【2614】 $a_n=\frac{1}{n^{1+\frac{1}{n}}}$.

解 由于 $a_n=\frac{1}{n\sqrt[n]{n}}=O^*\left(\frac{1}{n}\right)$,故级数发散.

习题 2615—2618 利用对数判别法判断级数的敛散性

【2615】 证明:设 $\sum\limits_{n=1}^{\infty}a_n$ 为正项级数,若 $\exists\alpha>0$,当 $n\geqslant n_0$ 时,有 $\frac{\ln\frac{1}{a_n}}{\ln n}\geqslant 1+\alpha$,则级数 $\sum\limits_{n=1}^{\infty}a_n$ 收敛;若 $n\geqslant n_0$ 时,有 $\frac{\ln\frac{1}{a_n}}{\ln n}\leqslant 1$,则级数 $\sum\limits_{n=1}^{\infty}a_n$ 发散(对数判别法).

证 若 $\frac{\ln\frac{1}{a_n}}{\ln n}\geqslant 1+\alpha$,则 $\frac{1}{a_n}\geqslant n^{1+\alpha}$,或 $a_n\leqslant\frac{1}{n^{1+\alpha}}$. 由于级数 $\sum\limits_{n=1}^{\infty}\frac{1}{n^{1+\alpha}}$ 收敛,故级数 $\sum\limits_{n=1}^{\infty}a_n$ 收敛. 若 $\frac{\ln\frac{1}{a_n}}{\ln n}\leqslant 1$,则 $\frac{1}{a_n}\leqslant n$,或 $a_n\geqslant\frac{1}{n}$. 由于级数 $\sum\limits_{n=1}^{\infty}\frac{1}{n}$ 发散,故级数 $\sum\limits_{n=1}^{\infty}a_n$ 发散.

【利用对数判别法研究具有如下通项的级数的收敛性(2616—2618)】

【2616】 $a_n=n^{\ln x}(x>0)$.

解 由于

$$\frac{\ln\frac{1}{a_n}}{\ln n}=\frac{-\ln x\ln n}{\ln n}=-\ln x,$$

故由对数判别法,即知仅当 $-\ln x>1$,即 $x<\frac{1}{\mathrm{e}}$ 时,级数收敛.

【2617】 $a_n=\frac{1}{(\ln\ln n)^{\ln n}}(n>1)$.

解 $\dfrac{\ln\dfrac{1}{a_n}}{\ln n}=\ln[\ln(\ln n)]$. $\forall\alpha>0$，$\exists n_0$，当 $n\geqslant n_0$ 时，有 $\ln[\ln(\ln n)]\geqslant 1+\alpha$，故由对数判别法知级数收敛.

【2618】 $a_n=\dfrac{1}{(\ln n)^{\ln\ln n}}(n>1)$.

解 $\dfrac{\ln\dfrac{1}{a_n}}{\ln n}=\dfrac{(\ln\ln n)^2}{\ln n}$. 由

$$\lim_{x\to+\infty}\frac{(\ln\ln x)^2}{\ln x}=\lim_{x\to+\infty}\frac{2\ln\ln x}{\ln x}=\lim_{x\to+\infty}\frac{2}{\ln x}=0,$$

故 $\lim\limits_{n\to\infty}\dfrac{(\ln\ln n)^2}{\ln n}=0$，从而 $\exists n_0$，当 $n\geqslant n_0$ 时，有 $\dfrac{\ln\dfrac{1}{a_n}}{\ln n}<1$，故级数发散.

习题 2619—2624 利用柯西积分判别法判定级数的敛散性

【利用柯西积分判别法，研究具有如下通项的级数的收敛性(2619—2620)】

【2619】 $a_n=\dfrac{1}{n\ln^p n}$.

解 $\forall p\in\mathbf{R}$，当 x 充分大时，$\dfrac{1}{x\ln^p x}$ 是非负减函数，且

$$\int_2^{+\infty}\frac{\mathrm{d}x}{x\ln^p x}=\begin{cases}\left.\dfrac{1}{(1-p)\ln^{p-1}x}\right|_2^{+\infty}, & p\neq 1,\\ \left.\ln\ln x\right|_2^{+\infty}, & p=1,\end{cases}$$

故级数当 $p>1$ 时收敛.

【2620】 $a_n=\dfrac{1}{n(\ln n)^p(\ln\ln n)^q}\ (n>2)$.

解 $\forall p,q\in\mathbf{R}$，$f(x)=\dfrac{1}{x(\ln x)^p(\ln\ln x)^q}$ 在 x 充分大时是非负减函数.

若 $p=1$，则

$$\int_3^{+\infty}\frac{\mathrm{d}x}{x\ln x(\ln\ln x)^q}=\begin{cases}\left.\dfrac{1}{(1-q)(\ln\ln x)^{q-1}}\right|_3^{+\infty}, & q\neq 1,\\ \left.\ln\ln\ln x\right|_3^{+\infty}, & q=1.\end{cases}$$

当 $q>1$ 时，积分收敛，$q\leqslant 1$ 时，积分发散，故原级数当 $p=1,q>1$ 时收敛，当 $p=1,q\leqslant 1$ 时发散.

若 $p\neq 1$，令 $\ln x=t$，则

$$\int_3^{+\infty}\frac{\mathrm{d}x}{x(\ln x)^p(\ln\ln x)^q}=\int_{\ln 3}^{+\infty}\frac{\mathrm{d}t}{t^p(\ln t)^q}.$$

当 $p>1$ 时，取 $\eta>0$，使得 $p-\eta>1$，由

$$\lim_{t\to+\infty}t^{p-\eta}\frac{1}{t^p(\ln t)^q}=\lim_{t\to+\infty}\frac{1}{t^\eta(\ln t)^q}=0,$$

故积分 $\displaystyle\int_{\ln 3}^{+\infty}\frac{\mathrm{d}t}{t^p(\ln t)^q}$ 收敛，从而原级数收敛；当 $p<1$ 时，取 $\tau>0$，使得 $p+\tau<1$，由

$$\lim_{t\to+\infty}t^{p+\tau}\frac{1}{t^p(\ln t)^q}=\lim_{t\to+\infty}\frac{t^\tau}{(\ln t)^q}=+\infty,$$

故积分$\int_{\ln 3}^{+\infty}\frac{\mathrm{d}t}{t^p(\ln t)^q}$发散，从而原级数发散.

综上所述，原级数在 $p>1,q\in\mathbf{R}$ 或 $p=1,q>1$ 时收敛.

【2621】 研究级数$\sum\limits_{n=2}^{\infty}\frac{1}{\ln(n!)}$的收敛性.

解 由于 $\ln(n!)=\sum\limits_{k=1}^{n}\ln k<n\ln n$，故$\frac{1}{\ln(n!)}>\frac{1}{n\ln n}>0$. 由级数$\sum\limits_{n=2}^{\infty}\frac{1}{n\ln n}$发散，故级数$\sum\limits_{n=2}^{\infty}\frac{1}{\ln(n!)}$发散.

【2622】 证明：设正项级数$\sum\limits_{n=1}^{\infty}a_n$的通项单调递减，则级数$\sum\limits_{n=1}^{\infty}a_n$与级数$\sum\limits_{n=1}^{\infty}2^na_{2^n}$的敛散性相同.

证 设 $S_{2^n}=a_1+a_2+\cdots+a_{2^n}$，由 $a_1>a_2>\cdots>a_{2^n}>a_{2^n+1}>\cdots>0$，则

$$0<S_{2^n}<a_1+(a_2+a_3)+\cdots+(a_{2^n}+\cdots+a_{2^{n+1}-1})<a_1+2a_2+\cdots+2^na_{2^n},\qquad ①$$

且

$$S_{2^n}=a_1+a_2+(a_3+a_4)+\cdots+(a_{2^{n-1}+1}+\cdots+a_{2^n})>\frac{1}{2}a_1+a_2+2a_4+\cdots+2^{n-1}a_{2^n}$$

$$=\frac{1}{2}(a_1+2a_2+2^2a_{2^2}+\cdots+2^na_{2^n})>0.\qquad ②$$

由 ① 式得知：若$\sum\limits_{n=1}^{\infty}2^na_{2^n}$收敛，则$\sum\limits_{n=1}^{\infty}a_n$收敛；由 ② 式得知：若$\sum\limits_{n=1}^{\infty}2^na_{2^n}$发散，则$\sum\limits_{n=1}^{\infty}a_n$发散.

注 在此命题中，级数$\sum\limits_{n=1}^{\infty}2^na_{2^n}$可替换为级数$\sum\limits_{n=1}^{\infty}m^na_{m^n}$，其中 $m\in\mathbf{N}_+$. 证法类似.

【2623】 设正函数 $f(x)$ 单调不增. 证明：若$\sum\limits_{n=1}^{\infty}f(n)$收敛，则余项 $R_n=\sum\limits_{k=n+1}^{\infty}f(k)$ 满足估计：

$$\int_{n+1}^{+\infty}f(x)\mathrm{d}x<R_n<f(n+1)+\int_{n+1}^{+\infty}f(x)\mathrm{d}x.$$

利用此式，求级数$\sum\limits_{n=1}^{\infty}\frac{1}{n^3}$的和，精确到 0.01.

解 由级数$\sum\limits_{n=1}^{\infty}f(n)$收敛，则积分$\int_1^{+\infty}f(x)\mathrm{d}x$收敛. 由于 $f(x)$ 单调不增，故

$$f(n+k+1)\leqslant\int_{n+k}^{n+k+1}f(x)\mathrm{d}x\leqslant f(n+k),k=1,2,3,\cdots.$$

从而

$$\sum_{k=1}^{\infty}f(n+k+1)\leqslant\int_{n+1}^{+\infty}f(x)\mathrm{d}x\leqslant\sum_{k=1}^{\infty}f(n+k),$$

即

$$R_n-f(n+1)\leqslant\int_{n+1}^{+\infty}f(x)\mathrm{d}x\leqslant R_n,$$

或

$$\int_{n+1}^{+\infty}f(x)\mathrm{d}x\leqslant R_n\leqslant f(n+1)+\int_{n+1}^{+\infty}f(x)\mathrm{d}x.\qquad ①$$

结论成立.

取 $n=8$，则

$$R_8 \leqslant \frac{1}{9^3} + \int_9^{+\infty} \frac{\mathrm{d}x}{x^3} < 0.008,$$

故取 $\sum_{k=1}^{8} \frac{1}{k^3} \approx 1.20$ 作为级数和的近似值，即可保证误差不超过 0.01.

注 原题中将①中的"$\leqslant$"误写为"$<$"，这是不对的，例如，令 $f(x) = \frac{1}{n^2}$，当 $n \leqslant x < n+1$ 时($n = 1,2,\cdots$)，则不等式①中左端的"$\leqslant$"号成为"$=$"号：

$$\int_{n+1}^{+\infty} f(x)\mathrm{d}x = R_n = \frac{1}{(n+1)^2} + \frac{1}{(n+2)^2} + \cdots;$$

令 $f(x) = \frac{1}{n^2}$，当 $n < x \leqslant n+1$ 时($n = 1,2,\cdots$)，则不等式①中右端的"$\leqslant$"号成为"$=$"号：

$$R_n = f(n+1) + \int_{n+1}^{+\infty} f(x)\mathrm{d}x = \frac{1}{n^2} + \frac{1}{(n+1)^2} + \cdots.$$

【2624】 证明叶尔马科夫判别法：设正函数 $f(x)$ 单调递减，且

$$\lim_{x \to +\infty} \frac{\mathrm{e}^x f(\mathrm{e}^x)}{f(x)} = \lambda,$$

则 $\lambda < 1$ 时，级数 $\sum_{n=1}^{\infty} f(n)$ 收敛，$\lambda > 1$ 时，级数 $\sum_{n=1}^{\infty} f(n)$ 发散.

证 由 $\lim_{x \to +\infty} \frac{\mathrm{e}^x f(\mathrm{e}^x)}{f(x)} = \lambda$，则 $\forall \varepsilon > 0, \exists M > 0$，当 $x > M$ 时，有

$$\mathrm{e}^x f(\mathrm{e}^x) < (\lambda + \varepsilon) f(x).$$

当 $\lambda < 1$ 时，取 ε 满足 $\lambda + \varepsilon = \rho < 1$，则 $\mathrm{e}^x f(\mathrm{e}^x) < \rho f(x)$. 故 $m > M$ 时，有

$$\int_M^m \mathrm{e}^x f(\mathrm{e}^x)\mathrm{d}x < \rho \int_M^m f(x)\mathrm{d}x,$$

即 $\int_{\mathrm{e}^M}^{\mathrm{e}^m} f(x)\mathrm{d}x < \rho \int_M^m f(x)\mathrm{d}x$，即

$$(1-\rho)\int_{\mathrm{e}^M}^{\mathrm{e}^m} f(x)\mathrm{d}x < \rho \int_M^m f(x)\mathrm{d}x - \rho \int_{\mathrm{e}^M}^{\mathrm{e}^m} f(x)\mathrm{d}x = \rho \int_M^{\mathrm{e}^M} f(x)\mathrm{d}x - \rho \int_m^{\mathrm{e}^m} f(x)\mathrm{d}x.$$

由 M 充分大，且 $m > M$，故 $m < \mathrm{e}^m$. 由 $f(x) > 0$，则 $\int_m^{\mathrm{e}^m} f(x)\mathrm{d}x > 0$. 从而

$$(1-\rho)\int_{\mathrm{e}^M}^{\mathrm{e}^m} f(x)\mathrm{d}x < \rho \int_M^{\mathrm{e}^M} f(x)\mathrm{d}x, \text{即} \int_{\mathrm{e}^M}^{\mathrm{e}^m} f(x)\mathrm{d}x < \frac{\rho}{1-\rho}\int_M^{\mathrm{e}^M} f(x)\mathrm{d}x.$$

固定 M，令 $m \to +\infty$，则

$$\int_{\mathrm{e}^M}^{+\infty} f(x)\mathrm{d}x \leqslant \frac{\rho}{1-\rho}\int_M^{\mathrm{e}^M} f(x)\mathrm{d}x = C.$$

从而级数 $\sum_{n=1}^{\infty} f(n)$ 收敛.

当 $\lambda > 1$ 时，取 M 充分大，则

$$\mathrm{e}^x f(\mathrm{e}^x) \geqslant f(x)(x > M).$$

从而 $\int_M^m \mathrm{e}^x f(\mathrm{e}^x)\mathrm{d}x \geqslant \int_M^m f(x)\mathrm{d}x$，即

$$\int_{\mathrm{e}^M}^{\mathrm{e}^m} f(x)\mathrm{d}x \geqslant \int_M^m f(x)\mathrm{d}x,$$

故

$$\int_m^{\mathrm{e}^m} f(x)\mathrm{d}x \geqslant \int_M^{\mathrm{e}^M} f(x)\mathrm{d}x(m > M).$$

设 $e_0 = M+1, e_1 = e^{e_0}, e_2 = e^{e_1}, \cdots, e_{k+1} = e^{e_k}, \cdots$，并分别取 $m = e_0, e_1, e_2, \cdots$，则

$$\int_{e_0}^{e_1} f(x)\mathrm{d}x \geqslant \int_M^{e^M} f(x)\mathrm{d}x, \int_{e_1}^{e_2} f(x)\mathrm{d}x \geqslant \int_M^{e^M} f(x)\mathrm{d}x, \cdots, \int_{e_k}^{e_{k+1}} f(x)\mathrm{d}x \geqslant \int_M^{e^M} f(x)\mathrm{d}x, \cdots$$

故

$$\int_{e_0}^{+\infty} f(x)\mathrm{d}x = \lim_{n\to\infty}\sum_{k=1}^{n}\int_{e_{k-1}}^{e_k} f(x)\mathrm{d}x \geqslant \lim_{n\to\infty} n\int_M^{e^M} f(x)\mathrm{d}x = +\infty,$$

即 $\int_{e_0}^{+\infty} f(x)\mathrm{d}x$ 发散，从而级数 $\sum_{n=1}^{\infty} f(n)$ 发散.

习题 2625—2654　比较判别法的综合应用

【2625】 证明罗巴切夫斯基判别法：若正项级数 $\sum_{n=1}^{\infty} a_n$ 通项单调趋于零，则级数 $\sum_{n=1}^{\infty} a_n$ 与级数 $\sum_{m=1}^{\infty} p_m 2^{-m}$ 的敛散性相同，其中 p_m 是满足不等式

$$a_n \geqslant 2^{-m} (n = 1, 2, \cdots, p_m)$$

的最大的序号.

证 设 p_m 是满足不等式 $a_n \geqslant 2^{-m}$ 的最大序号，则

$$\frac{1}{2^m} \leqslant a_{p_{m-1}+1} < \frac{1}{2^{m-1}}, \frac{1}{2^m} \leqslant a_{p_{m-1}+2} < \frac{1}{2^{m-1}}, \cdots, \frac{1}{2^m} \leqslant a_{p_m} < \frac{1}{2^{m-1}}, a_{p_m+1} < \frac{1}{2^m},$$

故

$$a_{p_{m-1}+1} + a_{p_{m-1}+2} + \cdots + a_{p_m} \geqslant (p_m - p_{m-1})\frac{1}{2^m},$$

$$a_{p_{m-1}+1} + a_{p_{m-1}+2} + \cdots + a_{p_m} < (p_m - p_{m-1})\frac{1}{2^{m-1}}.$$

上式分别对 m 从 1 到 N 求和（$N \in \mathbf{N}_+$），得

$$\sum_{m=1}^{N}(a_{p_{m-1}+1} + \cdots + a_{p_m}) \geqslant \sum_{m=1}^{N}(p_m - p_{m-1})\frac{1}{2^m}, \qquad ①$$

$$\sum_{m=1}^{N}(a_{p_{m-1}+1} + \cdots + a_{p_m}) < \sum_{m=1}^{N}(p_m - p_{m-1})\frac{1}{2^{m-1}}, \qquad ②$$

显然级数 $\sum_{n=p_0+1}^{\infty} a_n$ 与级数 $\sum_{m=1}^{\infty}(p_m - p_{m-1})\frac{1}{2^{m-1}}$ 的敛散性相同，因此，如果级数 $\sum_{m=1}^{\infty}(p_m - p_{m-1})\frac{1}{2^{m-1}}$ 与级数 $\sum_{m=1}^{\infty} p_m 2^{-m}$ 的敛散性相同，则命题获证.

由 $\sum_{m=1}^{\infty} p_m 2^{-m}$ 收敛则 $\sum_{m=1}^{\infty}(p_m - p_{m-1})\frac{1}{2^{m-1}}$ 收敛.

反之，若级数 $\sum_{m=1}^{\infty}(p_m - p_{m-1})\frac{1}{2^{m-1}}$ 收敛，则 $\sum_{m=1}^{\infty} p_m 2^{-m}$ 收敛. 事实上，记 $A = \sum_{m=1}^{\infty}(p_m - p_{m-1})\frac{1}{2^{m-1}}$，由于 $p_m - p_{m-1} \geqslant 0 (m = 1, 2, \cdots)$，故当 $n > m$ 时，有

$$A \geqslant \sum_{m=1}^{n}(p_m - p_{m-1})\frac{1}{2^{m-1}} = \sum_{m=1}^{n} p_m \frac{1}{2^{m-1}} - \sum_{m=1}^{n} p_{m-1}\frac{1}{2^{m-1}} = \sum_{m=1}^{n} p_m \frac{1}{2^{m-1}} - \sum_{l=0}^{n-1} p_l \frac{1}{2^l}$$

$$= \frac{1}{2^{n-1}} p_n + \sum_{m=1}^{n-1} p_m \left(\frac{1}{2^{m-1}} - \frac{1}{2^m}\right) - p_0 = \sum_{m=1}^{n-1} p_m 2^{-m} + \frac{1}{2^{n-1}} p_n - p_0.$$

记 $S_n = \sum_{m=1}^{n-1} p_m 2^{-m}$，则

$$S_n=\sum_{m=1}^{n}(p_m-p_{m-1})\frac{1}{2^{m-1}}+p_0-\frac{1}{2^{n-1}}p_n\leqslant p_0+\sum_{m=1}^{n}(p_m-p_{m-1})\frac{1}{2^{m-1}}\leqslant p_0+A.$$

因而数列$\{S_n\}$单调递增且有界，故$\lim\limits_{n\to\infty}S_n$存在，即级数$\sum\limits_{m=1}^{\infty}p_m2^{-m}$收敛.

【研究下列级数的收敛性(2626—2645)】

【2626】 $\sum\limits_{n=2}^{\infty}\dfrac{\sqrt{n+2}-\sqrt{n-2}}{n^a}$.

解 由于$0<\dfrac{\sqrt{n+2}-\sqrt{n-2}}{n^a}=\dfrac{4}{n^a(\sqrt{n+2}+\sqrt{n-2})}$，且

$$\lim_{n\to\infty}\frac{\dfrac{4}{n^a(\sqrt{n+2}+\sqrt{n-2})}}{\dfrac{1}{n^{a+\frac{1}{2}}}}=2,$$

注意到级数$\sum\limits_{n=1}^{\infty}\dfrac{1}{n^{a+\frac{1}{2}}}$仅当$a+\dfrac{1}{2}>1\left(a>\dfrac{1}{2}\right)$时收敛，即知原级数仅当$a>\dfrac{1}{2}$时 收敛.

【2627】 $\sum\limits_{n=1}^{\infty}(\sqrt{n+a}-\sqrt[4]{n^2+n+b})$.

解 $\sqrt{n+a}-\sqrt[4]{n^2+n+b}=\dfrac{(2a-1)n+a^2-b}{(\sqrt{n+a}+\sqrt[4]{n^2+n+b})(n+a+\sqrt{n^2+n+b})}$.

$\forall a\in\mathbf{R}$，当n充分大时，上式右端定号，故原级数为正项级数. 若$a=\dfrac{1}{2}$，由于

$$\lim_{n\to\infty}\frac{\dfrac{a^2-b}{(\sqrt{n+a}+\sqrt[4]{n^2+n+b})(n+a+\sqrt{n^2+n+b})}}{\dfrac{1}{n^{\frac{3}{2}}}}=\frac{a^2-b}{4},$$

而级数$\sum\limits_{n=1}^{\infty}\dfrac{1}{n^{\frac{3}{2}}}$收敛，故原级数收敛；若$a\neq\dfrac{1}{2}$，由于

$$\lim_{n\to\infty}\frac{\dfrac{(2a-1)n+a^2-b}{(\sqrt{n+a}+\sqrt[4]{n^2+n+b})(n+a+\sqrt{n^2+n+b})}}{\dfrac{1}{\sqrt{n}}}=\frac{2a-1}{4}\neq 0,$$

而级数$\sum\limits_{n=1}^{\infty}\dfrac{1}{\sqrt{n}}$发散，故原级数发散.

【2628】 $\sum\limits_{n=1}^{\infty}\left(\cot\dfrac{n\pi}{4n-2}-\sin\dfrac{n\pi}{2n+1}\right)$.

解 $\sum\limits_{n=1}^{\infty}\left(\cot\dfrac{n\pi}{4n-2}-\sin\dfrac{n\pi}{2n+1}\right)=\sum\limits_{n=1}^{\infty}\left[\left(\cot\dfrac{n\pi}{4n-2}-1\right)+\left(1-\sin\dfrac{n\pi}{2n+1}\right)\right]$.

分别考虑级数

$$\sum_{n=1}^{\infty}\left(1-\cot\frac{n\pi}{4n-2}\right)和\sum_{n=1}^{\infty}\left(1-\sin\frac{n\pi}{2n+1}\right),$$

它们都是正项级数. 由于

$$\lim_{n\to\infty}\frac{1-\cot\dfrac{n\pi}{4n-2}}{\dfrac{1}{n}}=\frac{\pi}{4},\lim_{n\to\infty}\frac{1-\sin\dfrac{n\pi}{2n+1}}{\dfrac{1}{n^2}}=\frac{\pi^2}{32},$$

而级数$\sum\limits_{n=1}^{\infty}\dfrac{1}{n}$发散，级数$\sum\limits_{n=1}^{\infty}\dfrac{1}{n^2}$收敛，故级数$\sum\limits_{n=1}^{\infty}\left(1-\cot\dfrac{n\pi}{4n-2}\right)$发散，级数$\sum\limits_{n=1}^{\infty}\left(1-\sin\dfrac{n\pi}{2n+1}\right)$收敛，从

而,级数$\sum\limits_{n=1}^{\infty}\left(\cot\frac{n\pi}{4n-2}-\sin\frac{n\pi}{2n+1}\right)$发散.

【2629】 $\sum\limits_{n=1}^{\infty}\left[\frac{1}{\sqrt{n}}-\sqrt{\ln\frac{n+1}{n}}\right]$.

解 $\ln\frac{n+1}{n}=\ln\left(1+\frac{1}{n}\right)<\frac{1}{n}$, $\ln\frac{n+1}{n}=-\ln\frac{n}{n+1}=-\ln\left(1-\frac{1}{n+1}\right)>\frac{1}{n+1}$,

即

$$\frac{1}{n+1}<\ln\frac{n+1}{n}<\frac{1}{n}.$$

故

$$0<\frac{1}{\sqrt{n}}-\sqrt{\ln\frac{n+1}{n}}<\frac{1}{\sqrt{n}}-\frac{1}{\sqrt{n+1}}=\frac{\frac{1}{n}-\frac{1}{n+1}}{\frac{1}{\sqrt{n}}+\frac{1}{\sqrt{n+1}}}<\frac{\frac{1}{n(n+1)}}{\frac{2}{\sqrt{n+1}}}<\frac{1}{2n^{\frac{3}{2}}}.$$

由级数$\sum\limits_{n=1}^{\infty}\frac{1}{n^{\frac{3}{2}}}$收敛知,原级数收敛.

【2630】 $\sum\limits_{n=1}^{\infty}\frac{\ln(n!)}{n^a}$.

解 设$a>2$. 利用斯特林公式$n!=\sqrt{2\pi n}n^n e^{-n+\frac{\theta_n}{12n}}(0<\theta_n<1)$,即得

$$\frac{\ln(n!)}{n^a}=\frac{\ln 2\pi}{2n^a}+\frac{\ln n}{2n^a}+\frac{\ln n}{n^{a-1}}+\frac{\theta_n}{12n^{a+1}}-\frac{1}{n^{a-1}}.$$

显然,当$a>2$时,级数$\sum\limits_{n=1}^{\infty}\frac{1}{n^a}$,$\sum\limits_{n=1}^{\infty}\frac{\ln n}{n^a}$,$\sum\limits_{n=1}^{\infty}\frac{\ln n}{n^{a-1}}$,$\sum\limits_{n=1}^{\infty}\frac{\theta_n}{n^{a+1}}$以及$\sum\limits_{n=1}^{\infty}\frac{1}{n^{a-1}}$均收敛,故原级数$\sum\limits_{n=1}^{\infty}\frac{\ln(n!)}{n^a}$收敛.

设$a\leqslant 2$. 由于$\lim\limits_{n\to\infty}\frac{\sum\limits_{k=1}^{n}\ln k}{n}=+\infty$,则

$$\lim_{n\to\infty}\frac{\frac{\ln(n!)}{n^a}}{\frac{1}{n^{a-1}}}=\lim_{n\to\infty}\frac{\sum\limits_{k=1}^{n}\ln k}{n}=+\infty.$$

注意到$\sum\limits_{n=1}^{\infty}\frac{1}{n^{a-1}}$发散,则原级数$\sum\limits_{n=1}^{\infty}\frac{\ln(n!)}{n^a}$发散.

【2631】 $\sum\limits_{n=1}^{\infty}e^{-\sqrt[3]{n}}$.

解 **方法一** 当t充分大时,$e^t\geqslant t^4$. 故$\exists n_0\in\mathbf{N}_+$,当$n\geqslant n_0$时,$e^{\sqrt[3]{n}}\geqslant n^{\frac{4}{3}}$. 故

$$e^{-\sqrt[3]{n}}\leqslant n^{-\frac{4}{3}}.$$

而级数$\sum\limits_{n=1}^{\infty}n^{-\frac{4}{3}}$收敛,故原级数收敛.

方法二 利用拉贝判别法.

$$n\left(\frac{a_n}{a_{n+1}}-1\right)=n(e^{\sqrt[3]{n+1}-\sqrt[3]{n}}-1)=\frac{e^{\sqrt[3]{n+1}-\sqrt[3]{n}}-1}{\sqrt[3]{n+1}-\sqrt[3]{n}}\cdot n(\sqrt[3]{n+1}-\sqrt[3]{n}).$$

由于

$$\lim_{n\to\infty}(\sqrt[3]{n+1}-\sqrt[3]{n})=\lim_{n\to\infty}\frac{1}{\sqrt[3]{(n+1)^2}+\sqrt[3]{n(n+1)}+\sqrt[3]{n^2}}=0,$$

$$\lim_{n\to\infty}n(\sqrt[3]{n+1}-\sqrt[3]{n})=\lim_{n\to\infty}\frac{n}{\sqrt[3]{(n+1)^2}+\sqrt[3]{n(n+1)}+\sqrt[3]{n^2}}=+\infty,$$

则$\lim\limits_{n\to\infty} n\left(\dfrac{a_n}{a_{n+1}}-1\right)=+\infty$，故级数$\sum\limits_{n=1}^{\infty} e^{-\sqrt[3]{n}}$ 收敛.

【2632】 $\sum\limits_{n=1}^{\infty} n^2 e^{-\sqrt{n}}$.

解 当t充分大时，有$e^t \geqslant t^7$. 故 $\exists n_0 \in \mathbf{N}_+$，当$n \geqslant n_0$ 时，有

$$n^2 e^{-\sqrt{n}} \leqslant n^2 \cdot (\sqrt{n})^{-7} = n^{-\frac{3}{2}}.$$

而级数$\sum\limits_{n=1}^{\infty} n^{-\frac{3}{2}}$ 收敛，故原级数收敛.

【2633】 $\sum\limits_{n=1}^{\infty} \left(n^{\frac{1}{n^2+1}}-1\right)$.

解 $a_n = \sqrt[n^2+1]{n}-1 = e^{\frac{\ln n}{n^2+1}}-1 \sim \dfrac{\ln n}{n^2+1} \sim \dfrac{\ln n}{n^2}(n\to\infty)$. 又由于 $\exists n_0$，当$n \geqslant n_0$ 时，有

$$0 < \frac{\ln n}{n^2} \leqslant n^{-\frac{3}{2}}.$$

级数$\sum\limits_{n=1}^{\infty} n^{-\frac{3}{2}}$ 收敛，故级数$\sum\limits_{n=1}^{\infty} \dfrac{\ln n}{n^2}$ 收敛，从而级数$\sum\limits_{n=1}^{\infty}\left(n^{\frac{1}{n^2+1}}-1\right)$收敛.

【2634】 $\sum\limits_{n=1}^{\infty} e^{\frac{a\ln n+b}{c\ln n+d}}$.

解 若$c \neq 0$，由于$\lim\limits_{n\to\infty} e^{\frac{a\ln n+b}{c\ln n+d}} = e^{\frac{a}{c}} \neq 0$，故级数发散.

若$c=0, d\neq 0$，应用拉贝判别法，

$$\lim_{n\to\infty} n\left(\frac{a_n}{a_{n+1}}-1\right)=\lim_{n\to\infty}\left[\frac{e^{-\frac{a\ln\left(1+\frac{1}{n}\right)}{d}}-1}{-\frac{a}{d}\ln\left(1+\frac{1}{n}\right)}\cdot\left(-\frac{a}{d}\right)\cdot\frac{\ln\left(1+\frac{1}{n}\right)}{\frac{1}{n}}\right]=-\frac{a}{d}.$$

如果$-\dfrac{a}{d}>1$，即$\dfrac{a}{d}<-1$，则级数收敛；如果$-\dfrac{a}{d}<1$，即$\dfrac{a}{d}>-1$，则级数发散；若$-\dfrac{a}{d}=1$，则$a_n = \dfrac{C}{n}$($C>0$是常数)，从而级数发散.

综上，当$c=0$，$\dfrac{a}{d}<-1$时，级数收敛.

【2635】 $\sum\limits_{n=1}^{\infty} \dfrac{1}{\ln^2\left(\sin\dfrac{1}{n}\right)}$.

解 由于$\dfrac{\dfrac{1}{\ln^2\dfrac{1}{n}}}{\dfrac{1}{\ln^2\left(\sin\dfrac{1}{n}\right)}} = \left(\dfrac{\ln\sin\dfrac{1}{n}}{\ln\dfrac{1}{n}}\right)^2$，及$\lim\limits_{x\to0^+}\dfrac{\ln\sin x}{\ln x}=\lim\limits_{x\to0^+}\dfrac{\frac{\cos x}{\sin x}}{\frac{1}{x}}=1$，

则

$$\lim_{n\to\infty}\frac{\ln\sin\frac{1}{n}}{\ln\frac{1}{n}}=1.$$

故

$$\frac{1}{\ln^2\left(\sin\frac{1}{n}\right)} \sim \frac{1}{\ln^2\frac{1}{n}} = \frac{1}{\ln^2 n}(n\to\infty).$$

从而级数$\sum\limits_{n=2}^{\infty}\frac{1}{\ln^2\frac{1}{n}}$和原级数有相同的敛散性. 当 $n>1$ 时,$0<\ln n<\sqrt{n}$,故$\frac{1}{\ln^2 n}>\frac{1}{n}$. 由于级数$\sum\limits_{n=1}^{\infty}\frac{1}{n}$发散,故级数$\sum\limits_{n=2}^{\infty}\frac{1}{\ln^2 n}$发散,从而原级数发散.

【2636】 $\sum\limits_{n=1}^{\infty}\left(\cos\frac{a}{n}\right)^{n^3}$.

解 设 $a_n=\left(\cos\frac{a}{n}\right)^{n^3}$. 若 $a=0$,级数显然发散.

若 $a\neq 0$,由于

$$\lim_{n\to\infty}\sqrt[n]{a_n}=\lim_{n\to\infty}\left(\cos\frac{a}{n}\right)^{n^2}=\lim_{n\to\infty}e^{n^2\ln\cos\frac{a}{n}}=\lim_{n\to\infty}e^{n^2\ln\left[1-\frac{a^2}{2n^2}+o\left(\frac{1}{n^4}\right)\right]}$$
$$=\lim_{n\to\infty}e^{n^2\left[-\frac{a^2}{2n^2}+o\left(\frac{1}{n^4}\right)\right]}=e^{-\frac{a^2}{2}}<1,$$

故级数$\sum\limits_{n=1}^{\infty}\left(\cos\frac{a}{n}\right)^{n^3}$在 $a\neq 0$ 时收敛.

【2637】 $\sum\limits_{n=1}^{\infty}\ln\left(\frac{\operatorname{ch}\frac{\pi}{n}}{\cos\frac{\pi}{n}}\right)$.

解 $a_n=\ln\left(\frac{\operatorname{ch}\frac{\pi}{n}}{\cos\frac{\pi}{n}}\right)=\frac{\operatorname{ch}\frac{\pi}{n}-\cos\frac{\pi}{n}}{\cos\frac{\pi}{n}}\ln\left[1+\left(\frac{\operatorname{ch}\frac{\pi}{n}}{\cos\frac{\pi}{n}}-1\right)\right]^{\frac{\cos\frac{\pi}{n}}{\operatorname{ch}\frac{\pi}{n}-\cos\frac{\pi}{n}}}$,

由于

$$\lim_{n\to\infty}\left(\frac{\operatorname{ch}\frac{\pi}{n}}{\cos\frac{\pi}{n}}-1\right)=0,\lim_{n\to\infty}\left[1+\left(\frac{\operatorname{ch}\frac{\pi}{n}}{\cos\frac{\pi}{n}}-1\right)\right]^{\frac{\cos\frac{\pi}{n}}{\operatorname{ch}\frac{\pi}{n}-\cos\frac{\pi}{n}}}=e,$$
$$\lim_{x\to 0^+}\frac{\operatorname{ch}\pi x-\cos\pi x}{x^2}=\lim_{x\to 0^+}\frac{\pi\operatorname{sh}\pi x+\pi\sin\pi x}{2x}=\pi^2,$$

则

$$\lim_{n\to\infty}\frac{a_n}{\frac{1}{n^2}}=\lim_{n\to\infty}\frac{\frac{\operatorname{ch}\frac{\pi}{n}-\cos\frac{\pi}{n}}{\cos\frac{\pi}{n}}}{\frac{1}{n^2}}=\pi^2.$$

由级数$\sum\limits_{n=1}^{\infty}\frac{1}{n^2}$收敛,则原级数收敛.

【2638】 $\sum\limits_{n=1}^{\infty}\frac{n!}{n^{\sqrt{n}}}$.

解 由 115 题可得 $n!>\left(\frac{n}{e}\right)^n$,故有$\frac{n!}{n^{\sqrt{n}}}>\frac{1}{e^n}n^{n-\sqrt{n}}=b_n$. 但

$$\lim_{n\to\infty}\sqrt[n]{b_n}=\frac{1}{e}\lim_{n\to\infty}n^{1-\frac{1}{\sqrt{n}}}=+\infty>1,$$

因此由柯西判别法知,级数$\sum\limits_{n=1}^{\infty}b_n$发散,从而原级数发散.

【2639】 $\sum_{n=2}^{\infty}\frac{n^{\ln n}}{(\ln n)^n}$.

解 $$a_n=\frac{n^{\ln n}}{(\ln n)^n}=\frac{e^{(\ln n)^2}}{e^{n\ln(\ln n)}}=e^{-[n\ln(\ln n)-\ln^2 n]}.$$

由于 $\lim_{n\to\infty}\frac{n\ln(\ln n)-\ln^2 n}{n}=+\infty$,故

$$\lim_{n\to\infty}\sqrt[n]{a_n}=\lim_{n\to\infty}e^{-\frac{n\ln(\ln n)-\ln^2 n}{n}}=0<1.$$

于是由柯西判别法知,级数 $\sum_{n=2}^{\infty}\frac{n^{\ln n}}{(\ln n)^n}$ 收敛.

【2640】 $\sum_{n=1}^{\infty}\left(a^{\frac{1}{n}}-\frac{b^{\frac{1}{n}}+c^{\frac{1}{n}}}{2}\right)(a>0,b>0,c>0)$.

解 $$\lim_{n\to\infty}\frac{a^{\frac{1}{n}}-\frac{b^{\frac{1}{n}}+c^{\frac{1}{n}}}{2}}{\frac{1}{n}}=\lim_{n\to\infty}\left[\frac{a^{\frac{1}{n}}-1}{\frac{1}{n}}-\frac{1}{2}\left(\frac{b^{\frac{1}{n}}-1}{\frac{1}{n}}+\frac{c^{\frac{1}{n}}-1}{\frac{1}{n}}\right)\right]$$

$$=\ln a-\frac{1}{2}(\ln b+\ln c)=\ln\frac{a}{\sqrt{bc}}.$$

当 $a\neq\sqrt{bc}$ 时,$\ln\frac{a}{\sqrt{bc}}\neq 0$,故级数 $\sum_{n=1}^{\infty}\left(a^{\frac{1}{n}}-\frac{b^{\frac{1}{n}}+c^{\frac{1}{n}}}{2}\right)$ 发散.

当 $a=\sqrt{bc}$ 时,级数为 $-\sum_{n=1}^{\infty}\frac{(b^{\frac{1}{2n}}-c^{\frac{1}{2n}})^2}{2}$. 由于

$$\lim_{n\to\infty}\frac{\frac{(b^{\frac{1}{2n}}-c^{\frac{1}{2n}})^2}{2}}{\frac{1}{n^2}}=\frac{1}{8}(\ln b-\ln c)^2,$$

且级数 $\sum_{n=1}^{\infty}\frac{1}{n^2}$ 收敛,故级数 $-\sum_{n=1}^{\infty}\frac{(b^{\frac{1}{2n}}-c^{\frac{1}{2n}})^2}{2}$ 收敛,即当 $a=\sqrt{bc}$ 时,原级数收敛.

【2641】 $\sum_{n=1}^{\infty}(n^{n^{\alpha}}-1)$.

解 设 $a_n=n^{n^{\alpha}}-1$,当 $\alpha\geqslant 0$ 时,由于 $\lim_{n\to\infty}a_n=\lim_{n\to\infty}(n^{n^{\alpha}}-1)=+\infty\neq 0$,故级数发散.

当 $-1\leqslant\alpha<0$ 时,由于

$$\lim_{x\to+\infty}\frac{x^{x^{\alpha}}-1}{\frac{1}{x^{|\alpha|}}}=\lim_{x\to+\infty}\frac{e^{x^{\alpha}\ln x}-1}{\frac{1}{x^{|\alpha|}}}=\lim_{x\to+\infty}\frac{x^{\alpha}\ln x}{\frac{1}{x^{|\alpha|}}}=+\infty,$$

故

$$\lim_{n\to\infty}\frac{a_n}{\frac{1}{n^{|\alpha|}}}=+\infty.$$

因此,由级数 $\sum_{n=1}^{\infty}\frac{1}{n^{|\alpha|}}$ 发散可知,当 $-1\leqslant\alpha<0$ 时,原级数发散.

当 $\alpha<-1$ 时,取 β 满足 $\alpha<\beta<-1$,则 $|\alpha|>|\beta|>1$. 由于

$$\lim_{x\to+\infty}\frac{x^{x^{\alpha}}-1}{\frac{1}{x^{|\beta|}}}=\lim_{x\to+\infty}\frac{e^{x^{\alpha}\ln x}-1}{\frac{1}{x^{|\beta|}}}=\lim_{x\to+\infty}\frac{x^{\alpha}\ln x}{\frac{1}{x^{|\beta|}}}=0,$$

故有 $\lim_{n\to\infty}\frac{a_n}{\frac{1}{n^{|\beta|}}}=0$,由级数 $\sum_{n=1}^{\infty}\frac{1}{n^{|\beta|}}$ 收敛可知,当 $\alpha<-1$ 时,原级数收敛.

【2642】 $\sum_{n=1}^{\infty}\left[\ln\frac{1}{n^a}-\ln\left(\sin\frac{1}{n^a}\right)\right]$.

解 记 $a_n=\ln\frac{1}{n^a}-\ln\left(\sin\frac{1}{n^a}\right)$. 设 $a\geqslant 0$.

当 $a=0$ 时，$a_n=-\ln\sin 1>0(n=1,2,\cdots)$，级数发散.

当 $a>0$ 时，

$$a_n=\ln\frac{\frac{1}{n^a}}{\sin\frac{1}{n^a}}=\ln\left[1+\left(\frac{\frac{1}{n^a}}{\sin\frac{1}{n^a}}-1\right)\right]\sim\frac{\frac{1}{n^a}}{\sin\frac{1}{n^a}}-1(n\to\infty).$$

由于

$$\lim_{x\to 0}\frac{\frac{x^a}{\sin x^a}-1}{x^{2a}}=\lim_{y\to 0}\frac{\frac{y}{\sin y}-1}{y^2}=\lim_{y\to 0}\frac{y-\sin y}{y^2\sin y}=\lim_{y\to 0}\frac{y-\sin y}{y^3}=\frac{1}{6},$$

则

$$\lim_{n\to\infty}\frac{a_n}{\frac{1}{n^{2a}}}=\frac{1}{6}.$$

故当 $2a>1$，即 $a>\frac{1}{2}$ 时，级数 $\sum_{n=1}^{\infty}a_n$ 收敛；当 $2a\leqslant 1$，即 $a\leqslant\frac{1}{2}$ 时，级数 $\sum_{n=1}^{\infty}a_n$ 发散.

【2643】 $\sum_{n=1}^{\infty}a^{-(b\ln n+c\ln^2 n)}(a>0)$.

解 记 $a_n=a^{-(b\ln n+c\ln^2 n)}$. 当 $a=1$ 时，显然 $a_n=1$，因而级数发散.

当 $a\neq 1$ 时，考虑

$$\frac{\ln\frac{1}{a_n}}{\ln n}=(b+c\ln n)\ln a.$$

利用对数判别法.

(1) 当 $c=0$，$b\ln a>1$，即 $a^b>\mathrm{e}$ 时，原级数收敛；当 $c=0$，$b\ln a\leqslant 1$，即 $a^b\leqslant\mathrm{e}$ 时，原级数发散.

(2) 当 $c\neq 0$，$c\ln a>0$，即 $a^c>1$ 时，原级数收敛；当 $c\neq 0$，$c\ln a<0$ 即 $a^c<1$ 时，原级数发散.

综上所述，仅当 $c=0$，$a^b>\mathrm{e}$ 及 $a^c>1$ 时，原级数收敛.

【2644】 $\sum_{n=1}^{\infty}\frac{n^{2n}}{(n+a)^{n+b}(n+b)^{n+a}}(a>0,b>0)$.

解 由于

$$\lim_{n\to\infty}\frac{\frac{n^{2n}}{(n+a)^{n+b}(n+b)^{n+a}}}{\frac{1}{n^{a+b}}}=\lim_{n\to\infty}\frac{n^{2n+a+b}}{(n+a)^{n+b}(n+b)^{n+a}}=\lim_{n\to\infty}\frac{1}{\left(1+\frac{a}{n}\right)^{n+b}\left(1+\frac{b}{n}\right)^{n+a}}=\mathrm{e}^{-(a+b)},$$

故当 $a+b>1$ 时，级数收敛；当 $a+b\leqslant 1$ 时，级数发散.

【2645】 $\sum_{n=1}^{\infty}\frac{[(n+1)!]^n}{2!\cdot 4!\cdots(2n)!}$.

解 $a_n=\frac{[(n+1)!]^n}{2!\cdot 4!\cdots(2n)!}$. 由于

$$\frac{a_{n+1}}{a_n}=\frac{(n+2)^n}{(n+3)\cdots(2n+2)}<\left(\frac{n+2}{n+3}\right)^n\to\frac{1}{\mathrm{e}}<1(n\to\infty),$$

于是 $\overline{\lim_{n\to\infty}}\frac{a_{n+1}}{a_n}<\frac{1}{\mathrm{e}}<1$，故原级数收敛.

【研究级数$\sum\limits_{n=1}^{\infty}u_n$的收敛性,其通项如下(2646—2652)】

【2646】 $u_n=\int_0^{\frac{1}{n}}\frac{\sqrt{x}\,dx}{1+x^2}$.

解 **方法一** $0<u_n\leqslant\int_0^{\frac{1}{n}}\sqrt{x}\,dx\leqslant\int_0^{\frac{1}{n}}n^{-\frac{1}{2}}dx=n^{-\frac{3}{2}}$,且级数$\sum\limits_{n=1}^{\infty}n^{-\frac{3}{2}}$收敛,故级数$\sum\limits_{n=1}^{\infty}u_n$收敛.

方法二 由于

$$0<u_n\leqslant\int_0^{\frac{1}{n}}\sqrt{x}\,dx=\frac{2}{3}n^{-\frac{3}{2}}<n^{-\frac{3}{2}},$$

且级数$\sum\limits_{n=1}^{\infty}n^{-\frac{3}{2}}$收敛,故级数$\sum\limits_{n=1}^{\infty}u_n$收敛.

【2647】 $u_n=\dfrac{1}{\int_0^n\sqrt[4]{1+x^4}\,dx}$.

解 由于$0<u_n\leqslant\dfrac{1}{\int_0^n x\,dx}=\dfrac{2}{n^2}$,且级数$\sum\limits_{n=1}^{\infty}\dfrac{1}{n^2}$收敛,故级数$\sum\limits_{n=1}^{\infty}u_n$收敛.

【2648】 $u_n=\int_{n\pi}^{(n+1)\pi}\frac{\sin^2x}{x}dx$.

解 由于$u_n\geqslant\dfrac{1}{(n+1)\pi}\int_{n\pi}^{(n+1)\pi}\sin^2x\,dx=\dfrac{1}{2(n+1)}>0$,且级数$\sum\limits_{n=1}^{\infty}\dfrac{1}{n+1}$发散,故级数$\sum\limits_{n=1}^{\infty}u_n$发散.

【2649】 $u_n=\int_n^{n+1}e^{-\sqrt{x}}dx$.

解 显然$0<u_n\leqslant e^{-\sqrt{n}}$. 由$\lim\limits_{n\to\infty}\dfrac{e^{-\sqrt{n}}}{\frac{1}{n^2}}=\lim\limits_{n\to\infty}\dfrac{n^2}{e^{\sqrt{n}}}=0$,则$\sum\limits_{n=1}^{\infty}e^{-\sqrt{n}}$收敛,故由比较判别法可知$\sum\limits_{n=1}^{\infty}u_n$收敛.

【2650】 $u_n=\int_0^{\frac{\pi}{n}}\frac{\sin^3x}{1+x}dx$.

解 由

$$0\leqslant u_n\leqslant\sin^3\frac{\pi}{n}\cdot\frac{\pi}{n}\leqslant\left(\frac{\pi}{n}\right)^4(n\geqslant2),$$

而级数$\sum\limits_{n=1}^{\infty}\dfrac{1}{n^4}$收敛,故级数$\sum\limits_{n=1}^{\infty}u_n$收敛.

【2651】 $u_n=\dfrac{1!+2!+\cdots+n!}{(2n)!}$.

解 由于

$$0<u_n\leqslant\frac{n\cdot n!}{n!(n+1)\cdots(2n)}=\frac{n}{(n+1)\cdots(2n)}<\frac{1}{(2n-1)\cdot2n}(n\geqslant2),$$

且级数$\sum\limits_{n=1}^{\infty}\dfrac{1}{(2n-1)\cdot2n}$收敛,故级数$\sum\limits_{n=1}^{\infty}u_n$收敛.

【2652】 $u_n=\dfrac{\sum\limits_{k=1}^{n}\ln^2k}{n^\alpha}$.

解 首先证明:当$\alpha>2$时,级数$\sum\limits_{n=1}^{\infty}u_n$收敛. 事实上,

$$0<u_n\leqslant\frac{n\ln^2n}{n^\alpha}=\frac{\ln^2n}{n^{\alpha-1}}.$$

取 $\delta>0$，满足 $\alpha-1-\delta>1$，由于

$$\lim_{n\to\infty}\frac{\frac{\ln^2 n}{n^{\alpha-1}}}{\frac{1}{n^{\alpha-1-\delta}}}=\lim_{n\to\infty}\frac{\ln^2 n}{n^{\delta}}=0,$$

级数 $\sum\limits_{n=1}^{\infty}\frac{1}{n^{\alpha-1-\delta}}$ 收敛，故当 $\alpha>2$ 时，级数 $\sum\limits_{n=1}^{\infty}u_n$ 收敛.

其次证明：当 $\alpha\leqslant 2$ 时，级数 $\sum\limits_{n=1}^{\infty}u_n$ 发散. 事实上，$\exists n_0\in\mathbf{N}_+$，当 $n>n_0$ 时，有

$$u_n\geqslant\frac{\sum\limits_{k=1}^{n}\ln k}{n^2}=\frac{\ln n!}{n^2}.$$

由 $(n!)^2\geqslant n^n$，则

$$u_n\geqslant\frac{\ln n^{\frac{n}{2}}}{n^2}=\frac{\ln n}{2n}>\frac{1}{n}>0(n\geqslant n_0),$$

从而级数 $\sum\limits_{n=1}^{\infty}u_n$ 发散.

【用相应的级数来代替数列 $x_n(n=1,2,\cdots)$，然后研究其收敛性(2653—2654)】

【2653】 $x_n=1+\frac{1}{\sqrt{2}}+\cdots+\frac{1}{\sqrt{n}}-2\sqrt{n}$.

解
$$x_{n+1}-x_n=\frac{1}{\sqrt{n+1}}-2\sqrt{n+1}+2\sqrt{n}=\frac{1}{\sqrt{n+1}}-\frac{2}{\sqrt{n+1}+\sqrt{n}}$$
$$=\frac{\sqrt{n}-\sqrt{n+1}}{\sqrt{n+1}(\sqrt{n+1}+\sqrt{n})}=-\frac{1}{\sqrt{n+1}(\sqrt{n+1}+\sqrt{n})^2}=O\left(\frac{1}{n^{\frac{3}{2}}}\right).$$

由于级数 $\sum\limits_{n=1}^{\infty}\frac{1}{n^{\frac{3}{2}}}$ 收敛，故级数 $\sum\limits_{k=2}^{\infty}(x_k-x_{k-1})$ 收敛. 记 $x_0=0$，故 $x_n=\sum\limits_{k=1}^{n}(x_k-x_{k-1})$. 当 $n\to\infty$ 时极限存在，即数列 $\{x_n\}$ 收敛.

【2654】 $x_n=\sum\limits_{k=1}^{n}\frac{\ln k}{k}-\frac{(\ln n)^2}{2}$.

解
$$x_n-x_{n-1}=\frac{\ln n}{n}-\frac{1}{2}\{(\ln n)^2-[\ln(n-1)]^2\}=\frac{\ln n}{n}-\frac{1}{2}\ln\frac{n}{n-1}\cdot\ln[n(n-1)]$$
$$=\frac{\ln n}{n}+\frac{1}{2}\ln\left(1-\frac{1}{n}\right)\left[\ln n^2+\ln\left(1-\frac{1}{n}\right)\right]$$
$$=\frac{\ln n}{n}+\frac{1}{2}\left[-\frac{1}{n}+O\left(\frac{1}{n^2}\right)\right]\left[2\ln n-\frac{1}{n}+O\left(\frac{1}{n^2}\right)\right]$$
$$=\frac{\ln n}{n}+\left[-\frac{\ln n}{n}+O\left(\frac{\ln n}{n^2}\right)\right]=O\left(\frac{\ln n}{n^2}\right).$$

考虑级数 $\sum\limits_{n=2}^{\infty}(x_n-x_{n-1})$. 由级数 $\sum\limits_{n=2}^{\infty}\frac{\ln n}{n^2}$ 收敛可知级数 $\sum\limits_{n=2}^{\infty}(x_n-x_{n-1})$ 收敛，故

$$x_n=\sum_{k=2}^{n}(x_k-x_{k-1}),$$

当 $n\to\infty$ 时极限存在，即数列 $\{x_n\}$ 收敛.

习题 2655—2655 误差估计

【2655】 对于下列级数

(1) $\sum\limits_{n=1}^{\infty}\frac{1}{n^2}$； (2) $\sum\limits_{n=1}^{\infty}\frac{2^n}{(n+1)!}$； (3) $\sum\limits_{n=1}^{\infty}\frac{1}{(2n-1)!}$，

大约应取多少项来求级数的和方可精确到 10^{-5}.

解 (1) 余项

$$R_n=\sum_{k=n+1}^{\infty}\frac{1}{k^2}<\sum_{k=n+1}^{\infty}\frac{1}{k(k-1)}=\sum_{k=n+1}^{\infty}\left(\frac{1}{k-1}-\frac{1}{k}\right)=\frac{1}{n}.$$

令 $\frac{1}{n}<10^{-5}$，则 $n>10^5=100\ 000$.

(2) 余项 $R_n=\sum\limits_{k=n+1}^{\infty}\frac{2^k}{(k+1)!}$. 利用 115 题的不等式 $k!>\left(\frac{k}{\mathrm{e}}\right)^k(k=1,2,\cdots)$，于是，当 $k\geqslant n+1$，有

$$\frac{2^k}{(k+1)!}<2^k\left(\frac{\mathrm{e}}{k+1}\right)^{k+1}=\frac{\mathrm{e}}{k+1}\left(\frac{2\mathrm{e}}{k+1}\right)^k\leqslant\frac{\mathrm{e}}{n+2}\left(\frac{2\mathrm{e}}{n+2}\right)^k=\frac{1}{2}\left(\frac{2\mathrm{e}}{n+2}\right)^{n+2}\left(\frac{2\mathrm{e}}{n+2}\right)^{k-(n+1)}.$$

因此得

$$R_n<\frac{1}{2}\left(\frac{2\mathrm{e}}{n+2}\right)^{n+2}\sum_{k=n+1}^{\infty}\left(\frac{2\mathrm{e}}{n+2}\right)^{k-(n+1)}=\frac{1}{2}\left(\frac{2\mathrm{e}}{n+2}\right)^{n+2}\sum_{l=0}^{\infty}\left(\frac{2\mathrm{e}}{n+2}\right)^{l}.$$

取 $n\geqslant 4$，则 $\frac{2\mathrm{e}}{n+2}<1$，故

$$R_n<\frac{1}{2}\left(\frac{2\mathrm{e}}{n+2}\right)^{n+2}\frac{1}{1-\frac{2\mathrm{e}}{n+2}}.$$

取 $n=11$，则 $R_{11}<\frac{1}{2}\left(\frac{2\mathrm{e}}{13}\right)^{13}\frac{1}{1-\frac{2\mathrm{e}}{13}}=\Delta_{11}$. 由

$$\Delta_{11}\leqslant\frac{13}{15.126\mathrm{e}}\left(\frac{2\mathrm{e}}{13}\right)^{13}\approx 10^{-5.42266}<10^{-5},$$

即此级数取 $n\geqslant 11$ 可保证精确到 10^{-5}.

(3) 余项 $R_n=\sum\limits_{k=n+1}^{\infty}\frac{1}{(2k-1)!}$. 仍用不等式 $k!>\left(\frac{k}{\mathrm{e}}\right)^k(k=1,2,\cdots)$，则有

$$R_n<\sum_{k=n+1}^{\infty}\left(\frac{\mathrm{e}}{2k-1}\right)^{2k-1}\leqslant\sum_{k=n+1}^{\infty}\left(\frac{\mathrm{e}}{2n+1}\right)^{2k-1}=\left(\frac{\mathrm{e}}{2n+1}\right)^{2n+1}\sum_{l=0}^{\infty}\left(\frac{\mathrm{e}}{2n+1}\right)^{2l}.$$

取 $n\geqslant 1$，则 $\frac{\mathrm{e}}{2n+1}<1$，故

$$R_n<\left(\frac{\mathrm{e}}{2n+1}\right)^{2n+1}\frac{1}{1-\left(\frac{\mathrm{e}}{2n+1}\right)^2}.$$

取 $n=5$，则

$$R_n<\left(\frac{\mathrm{e}}{11}\right)^{11}\frac{121}{113.614}\approx 10^{-6.6374}<10^{-5},$$

则此级数取 $n=5$ 可保证精确到 10^{-5}.

第2节 交错级数收敛性的判别法(习题2656—2705)

知识点预览

序号	知识点	题目序号	所在页码
1	级数的绝对收敛与条件收敛	2656—2663	P36
2	级数收敛判别法	2664—2705	P40

知识点1 级数的绝对收敛与条件收敛

1. 绝对收敛 若级数$\sum_{n=1}^{\infty}|a_n|$收敛,称级数$\sum_{n=1}^{\infty}a_n$绝对收敛.这时级数$\sum_{n=1}^{\infty}a_n$收敛.绝对收敛级数的和与各项相加的顺序无关.

要确定级数$\sum_{n=1}^{\infty}a_n$的绝对收敛性,只需把同号级数收敛性的判别法应用于$\sum_{n=1}^{\infty}|a_n|$即可.

2. 条件收敛 若$\sum_{n=1}^{\infty}a_n$收敛,$\sum_{n=1}^{\infty}|a_n|$发散,称级数$\sum_{n=1}^{\infty}a_n$条件收敛(非绝对收敛).

通过改变各项的顺序,可使条件收敛级数的和等于任何数(黎曼定理).

习题 2656—2663 重排级数的敛散性

【2656】 证明:可把非绝对收敛级数的各项在不改变顺序的情况下分别组合,所得新级数绝对收敛.

证 设级数$\sum_{n=1}^{\infty}a_n$收敛而非绝对收敛.利用柯西准则,有

给定$\varepsilon_1=\frac{1}{2}$,$\exists N_1$,$\forall m_1\in\mathbf{Z}_+$,$|a_{N_1+1}+\cdots+a_{N_1+m_1}|<\varepsilon_1$.

给定$\varepsilon_2=\frac{1}{2^2}$,$\exists N_2$(可取$N_2>N_1$),使$\forall m_2\in\mathbf{Z}_+$,$|a_{N_2+1}+\cdots+a_{N_2+m_2}|<\varepsilon_2$.

$$\vdots$$

给定$\varepsilon_k=\frac{1}{2^k}$,$\exists N_k$(可取$N_k>N_{k-1}$),使$\forall m_k\in\mathbf{Z}_+$,$|a_{N_k+1}+\cdots+a_{N_k+m_k}|<\varepsilon_k$.

$$\vdots$$

令

$$A_0=a_1+a_2+\cdots+a_{N_1},$$
$$A_1=a_{N_1+1}+a_{N_1+2}+\cdots+a_{N_2},$$
$$\vdots$$
$$A_k=a_{N_k+1}+a_{N_k+2}+\cdots+a_{N_{k+1}},$$
$$\vdots$$

则 $|A_k| < \varepsilon_k = \frac{1}{2^k}(k=1,2,\cdots)$，且 $\sum_{k=0}^{\infty} A_k$ 是原级数在不改变顺序的情况下分别组合所得新级数. 由于 $\sum_{k=1}^{\infty}\varepsilon_k = \sum_{k=1}^{\infty}\frac{1}{2^k}$ 收敛，故级数 $\sum_{k=1}^{\infty}|A_k|$ 收敛，即级数 $\sum_{k=0}^{\infty}A_k$ 绝对收敛.

【2657】 设级数 $\sum_{n=1}^{\infty} a_n$，若：(1) $\lim_{n\to\infty} a_n = 0$；(2) 在不改变顺序的情况下分别组合，所得级数 $\sum_{n=1}^{\infty} A_n$ 收敛；(3) 在 $A_n = \sum_{i=p_n}^{p_{n+1}-1} a_i (1 = p_1 < p_2 < \cdots)$ 中 a_i 的项数有界，证明：级数 $\sum_{n=1}^{\infty} a_n$ 收敛.

证 设 A_n 中项数不超过固定正整数 m，即

$$p_{n+1} - p_n \leqslant m (n = 1,2,\cdots).$$

$\forall \varepsilon > 0$，取 $\varepsilon_1 = \frac{\varepsilon}{2m+1} > 0$. 由 $\lim_{n\to\infty} a_n = 0$，则 $\exists N'$，当 $n \geqslant N'$ 时，有 $|a_n| < \varepsilon_1$. 由 $\sum_{n=1}^{\infty} A_n$ 收敛，则 $\exists N_1 \geqslant N'$，当 $n \geqslant N_1$，$\forall p \in \mathbf{Z}_+$，有

$$|A_n + A_{n+1} + \cdots + A_{n+p}| < \varepsilon_1.$$

取 $N = p_{N_1}$，当 $n \geqslant N$ 时，$\forall s \in \mathbf{Z}_+$，令 $\Delta_{n,s} = a_n + a_{n+1} + \cdots + a_{n+s}$. 由 $a_i \in A_k$，记 A_n 内各项 a_i 元素的集合为 $\widetilde{A}_n$，当 $i < j$ 时，若 $a_i \in \widetilde{A}_k$，$a_j \in \widetilde{A}_l$，则 $k \leqslant l$. 显然 $a_n \in \widetilde{A}_{N_1+r}(r \geqslant 0)$，且

$$\Delta_{n,s} = B + A_{N_1+r+1} + \cdots + A_{N_1+r+q} + B',$$

其中 $B = a_n + \cdots + a_{p_{N_1+r+1}} - 1$，$B' = a_{p_{N_1+r+q+1}} + \cdots + a_{n+s}$. 显然，$B$ 是 A_{N_1+r} 中部分项之和，B' 是 $A_{N_1+r+q+1}$ 中部分项之和，于是(注意 $n \geqslant N \geqslant N_1 \geqslant N'$)

$$|B| \leqslant (p_{N_1+r+1} - p_{N_1+r})\varepsilon_1 \leqslant m\varepsilon_1,$$

$$|B'| \leqslant (p_{N_1+r+q+2} - p_{N_1+r+q+1})\varepsilon_1 \leqslant m\varepsilon_1,$$

$$|A_{N_1+r+1} + \cdots + A_{N_1+r+q}| < \varepsilon_1,$$

从而($n \geqslant N$, $\forall s \in \mathbf{Z}_+$)

$$|\Delta_{n,s}| \leqslant |B| + |A_{N_1+r+1} + \cdots + A_{N_1+r+q}| + |B'| < (2m+1)\varepsilon_1 = \varepsilon.$$

根据柯西收敛准则，级数 $\sum_{n=1}^{\infty} a_n$ 收敛.

【2658】 证明：将收敛级数的各项重排，使每一项离开原有位置的个数不超过 m 个(m 给定)，则级数的和不变.

证 设原收敛级数为 $\sum_{n=1}^{\infty} a_n$，则 $\lim_{n\to\infty} a_n = 0$. 记重排新级数为 $\sum_{n=1}^{\infty} b_n$，记 $\sum_{n=1}^{\infty} a_n$ 的前 n 项部分和为 $S_n = \sum_{k=1}^{n} a_k$，记 $\sum_{n=1}^{\infty} b_n$ 的前 n 项部分和为 $\sigma_n = \sum_{k=1}^{n} b_k$. 故 $\lim_{n\to\infty} S_n = S$. 下证 $\lim_{n\to\infty}\sigma_n = S$.

令 $\Delta_n = \sigma_n - S_n$. $\forall \varepsilon > 0$，取 $\varepsilon_1 = \frac{\varepsilon}{2m} > 0$，则 $\exists N_1$，当 $n \geqslant N_1$ 时，有 $|a_n| < \varepsilon_1$. 取 $n \geqslant N_1 + 2m$，记 S_n 内各 a_k 项元素集合为 $\widetilde{S}_n$，记 σ_n 内各 b_k 项元素集合为 $\widetilde{\sigma}_n$，则

$$\Delta_n = \sum_{b_k \in \widetilde{\sigma}_n} b_k - \sum_{a_k \in \widetilde{S}_n} a_k.$$

由 a_i 重排成 b_j 时，i 与 j 的标号差不超过 m，则 a_i 总可以在 b_i 的前后各不超过 m 个元素内找到 $b_j = a_i$. 反之 b_j 总可以在 a_j 的前后各不超过 m 个元素内找到 $a_i = b_j$，但也可能且只有那种可能：最后一段不超过 m 个元素的 a_i，即 $a_n, a_{n-1}, \cdots, a_{n-m}$ 之内若干个元素可能被迁到 b_n 之后，从而，在 $\widetilde{\sigma}_n$ 内找不到搬迁元素，但个数(设为 r 个)不超过 m. 同样，也有可能最后一段不超过 m 个元素的 b_j，即 $b_n, b_{n-1}, \cdots, b_{n-m}$ 之内若干个元素在 $\widetilde{S}_n$ 内找不到搬迁元素，但个数(设为 s 个)不超过 m. 除此之外均有对应的搬迁元素且一一对应. 于是

$$|\Delta_n| = \left|\sum_{b_k\in\bar{\sigma}_n, b_k\notin\tilde{S}_n} b_k - \sum_{a_k\in\tilde{S}_n, a_k\in\bar{\sigma}_n} a_k\right| \leqslant \sum_{b_k\in\bar{\sigma}_n, b_k\notin\tilde{S}_n} |b_k| + \sum_{a_k\in\tilde{S}_n, a_k\in\bar{\sigma}_n} |a_k| < s\varepsilon_1 + r\varepsilon_1 \leqslant m\varepsilon_1 + m\varepsilon_1 = \varepsilon,$$

其中 a_k 的下标 $k \geqslant N_1 + m > N_1$，故 $|a_k| < \varepsilon$. 由 b_k 的下标 $k \geqslant N_1 + m$，则 $i \geqslant N_1$，故 $|b_k| = |a_i| < \varepsilon_1$. 由极限定义知

$$\lim_{n\to\infty}\Delta_n = 0，即 \lim_{n\to\infty}\sigma_n = \lim_{n\to\infty} S_n = S.$$

命题得证.

【证明下列级数的收敛性并求和(2659—2661)】

【2659】 $1 - \frac{3}{2} + \frac{5}{4} - \frac{7}{8} + \cdots.$

解 记 $S_n = 1 - \frac{3}{2} + \frac{5}{2^2} - \frac{7}{2^3} + \cdots + (-1)^{n-1}\frac{2n-1}{2^{n-1}}$，则

$$\frac{1}{2}S_n = \frac{1}{2} - \frac{3}{2^2} + \frac{5}{2^3} - \cdots + (-1)^{n-2}\frac{2n-3}{2^{n-1}} + (-1)^{n-1}\frac{2n-1}{2^n},$$

将上面两式相加，得

$$\frac{3}{2}S_n = 1 - \frac{2}{2} + \frac{2}{2^2} - \frac{2}{2^3} + \cdots + (-1)^{n-1}\frac{2}{2^{n-1}} + (-1)^{n-1}\frac{2n-1}{2^n}.$$

于是

$$\lim_{n\to\infty} 3S_n = \lim_{n\to\infty}\left[2 - 2 + \frac{2}{2} - \frac{2}{2^2} + \cdots + (-1)^{n-1}\frac{2}{2^{n-2}} + (-1)^{n-1}\frac{2n-1}{2^{n-1}}\right]$$

$$= \lim_{n\to\infty}\left[\frac{1-\left(-\frac{1}{2}\right)^{n-2}}{1-\left(-\frac{1}{2}\right)} + (-1)^{n-1}\frac{2n-1}{2^{n-1}}\right] = \frac{2}{3}.$$

故 $\lim\limits_{n\to\infty} S_n = \frac{2}{9}$. 因此原级数收敛，且其和为 $\frac{2}{9}$.

【2660】 $1 + \frac{1}{2} - \frac{1}{4} + \frac{1}{8} + \frac{1}{16} - \frac{1}{32} + \cdots.$

解 显然级数绝对收敛，从而收敛. 记其和为 S，则

$$S_{3n} = \left(1 + \frac{1}{2^3} + \frac{1}{2^6} + \cdots + \frac{1}{2^{3n-3}}\right) + \left(\frac{1}{2} + \frac{1}{2^4} + \cdots + \frac{1}{2^{3n-2}}\right) - \left(\frac{1}{2^2} + \frac{1}{2^5} + \cdots + \frac{1}{2^{3n-1}}\right)$$

$$= \frac{1-\frac{1}{2^{3n}}}{1-\frac{1}{2^3}} + \frac{1}{2}\cdot\frac{1-\frac{1}{2^{3n}}}{1-\frac{1}{2^3}} - \frac{1}{2^2}\cdot\frac{1-\frac{1}{2^{3n}}}{1-\frac{1}{2^3}} = \left(1 + \frac{1}{2} - \frac{1}{2^2}\right)\frac{1-\frac{1}{2^{3n}}}{1-\frac{1}{2^3}} = \frac{5}{4}\cdot\frac{1-\frac{1}{2^{3n}}}{1-\frac{1}{2^3}},$$

故 $S = \lim\limits_{n\to\infty} S_{3n} = \frac{5}{4}\cdot\frac{1}{1-\frac{1}{2^3}} = \frac{10}{7}.$

【2661】 $1 - \frac{1}{2} + \frac{1}{3} - \frac{1}{4} + \frac{1}{5} - \frac{1}{6} + \cdots.$

解 **方法一** 考虑部分和 $\{S_n\}$，则

$$S_{2n} = 1 - \frac{1}{2} + \frac{1}{3} - \frac{1}{4} + \cdots + \frac{1}{2n-1} - \frac{1}{2n} = \left(1 + \frac{1}{3} + \cdots + \frac{1}{2n-1}\right) - \left(\frac{1}{2} + \frac{1}{4} + \cdots + \frac{1}{2n}\right)$$

$$= \left(1 + \frac{1}{2} + \frac{1}{3} + \cdots + \frac{1}{2n}\right) - 2\left(\frac{1}{2} + \frac{1}{4} + \cdots + \frac{1}{2n}\right) = \frac{1}{n+1} + \frac{1}{n+2} + \cdots + \frac{1}{n+n},$$

所以

$$\lim_{n\to\infty} S_{2n} = \lim_{n\to\infty}\left(\frac{1}{n+1} + \frac{1}{n+2} + \cdots + \frac{1}{n+n}\right) = \lim_{n\to\infty}\sum_{k=1}^{n}\frac{1}{n+k} = \lim_{n\to\infty}\sum_{k=1}^{n}\left[\frac{1}{1+\frac{k}{n}}\cdot\frac{1}{n}\right] = \int_0^1\frac{1}{1+x}\,dx = \ln 2.$$

又

$$\lim_{n\to\infty} S_{2n+1} = \lim_{n\to\infty}\left(S_{2n} + \frac{1}{2n+1}\right) = \ln 2,$$

故有$\lim\limits_{n\to\infty} S_n = \ln 2$，即原级数收敛，且其和为 $\ln 2$.

方法二 考虑部分和$\{S_n\}$，则

$$S_{2n} = 1 - \frac{1}{2} + \frac{1}{3} - \frac{1}{4} + \cdots + \frac{1}{2n-1} - \frac{1}{2n} = \left(1 + \frac{1}{3} + \cdots + \frac{1}{2n-1}\right) - \left(\frac{1}{2} + \frac{1}{4} + \cdots + \frac{1}{2n}\right)$$

$$= \left(1 + \frac{1}{2} + \frac{1}{3} + \cdots + \frac{1}{2n}\right) - 2\left(\frac{1}{2} + \frac{1}{4} + \cdots + \frac{1}{2n}\right)$$

$$= C + \ln 2n + \varepsilon_{2n} - 2\cdot\frac{1}{2}(C + \ln n + \varepsilon_n) = \ln 2 + \varepsilon_{2n} - \varepsilon_n = \ln 2 + O\left(\frac{1}{n}\right).$$

故

$$\lim_{n\to\infty} S_{2n} = \ln 2.$$

又

$$\lim_{n\to\infty} S_{2n+1} = \lim_{n\to\infty}\left(S_{2n} + \frac{1}{2n+1}\right) = \ln 2,$$

则$\lim\limits_{n\to\infty} S_n = \ln 2$，即原级数收敛，且其和为 $\ln 2$.

方法三 幂级数法.

$$\ln(1+x) = x - \frac{1}{2}x^2 + \frac{1}{3}x^3 - \frac{1}{4}x^4 + \cdots, -1 < x \leqslant 1,$$

取 $x = 1$，则

$$\ln 2 = 1 - \frac{1}{2} + \frac{1}{3} - \frac{1}{4} + \frac{1}{5} - \frac{1}{6} + \cdots.$$

故级数收敛，和为 $\ln 2$.

注 方法二用到 118 题的结果.

【2662】 已知$\sum\limits_{n=1}^{\infty} \dfrac{(-1)^{n+1}}{n} = \ln 2$. 将级数各项重排，得到新级数：

(1)$1 + \frac{1}{3} - \frac{1}{2} + \frac{1}{5} + \frac{1}{7} - \frac{1}{4} + \cdots$； (2)$1 - \frac{1}{2} - \frac{1}{4} + \frac{1}{3} - \frac{1}{6} - \frac{1}{8} + \cdots$.

求新级数的和.

解 (1) 考虑部分和 S_m. 当 $m = 3n$ 时，有

$$S_{3n} = 1 + \frac{1}{3} - \frac{1}{2} + \frac{1}{5} + \frac{1}{7} - \frac{1}{4} + \cdots + \frac{1}{4n-3} + \frac{1}{4n-1} - \frac{1}{2n}$$

$$= \left(1 + \frac{1}{3} + \frac{1}{5} + \cdots + \frac{1}{4n-3} + \frac{1}{4n-1}\right) - \left(\frac{1}{2} + \frac{1}{4} + \cdots + \frac{1}{2n}\right)$$

$$= \left(1 + \frac{1}{2} + \frac{1}{3} + \cdots + \frac{1}{4n-1} + \frac{1}{4n}\right) - \frac{1}{2}\left(1 + \frac{1}{2} + \cdots + \frac{1}{2n}\right) - \left(\frac{1}{2} + \frac{1}{4} + \cdots + \frac{1}{2n}\right).$$

记

$$\sigma_n = 1 + \frac{1}{2} + \cdots + \frac{1}{n}, l_n = 1 - \frac{1}{2} + \frac{1}{3} - \frac{1}{4} + \cdots + (-1)^{n-1}\frac{1}{n},$$

则 $l_{2n} = \sigma_{2n} - \sigma_n, l_{4n} = \sigma_{4n} - \sigma_{2n}$，且

$$S_{3n} = \sigma_{4n} - \frac{1}{2}\sigma_{2n} - \frac{1}{2}\sigma_n = (\sigma_{4n} - \sigma_{2n}) + \frac{1}{2}(\sigma_{2n} - \sigma_n) = l_{4n} + \frac{1}{2}l_{2n}.$$

由于

$$\lim_{n\to\infty} l_{4n} = \lim_{n\to\infty} l_{2n} = \ln 2,$$

故

$$\lim_{n\to\infty} S_{3n} = \ln 2 + \frac{1}{2}\ln 2 = \frac{3}{2}\ln 2.$$

易证，当 $m = 3n+1$ 及 $m = 3n+2$ 时，有

$$S_{3n+1} = S_{3n} + O\left(\frac{1}{n}\right), S_{3n+2} = S_{3n} + O\left(\frac{1}{n}\right).$$

令 $n \to \infty$，则 $\lim\limits_{n\to\infty} S_n = \frac{3}{2}\ln 2$，即原级数收敛，且其和为 $\frac{3}{2}\ln 2$.

(2) 部分和

$$\begin{aligned}
S_{3n} &= 1 - \frac{1}{2} - \frac{1}{4} + \frac{1}{3} - \frac{1}{6} - \frac{1}{8} + \cdots + \frac{1}{2n-1} - \frac{1}{4n-2} - \frac{1}{4n} \\
&= \left(1 + \frac{1}{3} + \cdots + \frac{1}{2n-1}\right) - \left(\frac{1}{2} + \frac{1}{4} + \cdots + \frac{1}{4n}\right) \\
&= \left(1 + \frac{1}{2} + \frac{1}{3} + \cdots + \frac{1}{2n-1} + \frac{1}{2n}\right) - \left(\frac{1}{2} + \frac{1}{4} + \cdots + \frac{1}{2n}\right) - \left(\frac{1}{2} + \frac{1}{4} + \cdots + \frac{1}{4n}\right) \\
&= \sigma_{2n} - \frac{1}{2}\sigma_n - \frac{1}{2}\sigma_{2n} = \frac{1}{2}(\sigma_{2n} - \sigma_n) = \frac{1}{2}l_{2n},
\end{aligned}$$

于是 $\lim\limits_{n\to\infty} S_{3n} = \frac{1}{2}\ln 2$. 同理

$$S_{3n+1} = S_{3n} + O\left(\frac{1}{n}\right), S_{3n+2} = S_{3n} + O\left(\frac{1}{n}\right).$$

令 $n \to \infty$，则 $\lim\limits_{n\to\infty} S_n = \frac{1}{2}\ln 2$，即原级数收敛，且其和为 $\frac{1}{2}\ln 2$.

【2663】 将收敛级数 $\sum\limits_{n=1}^{\infty} \frac{(-1)^{n+1}}{\sqrt{n}}$ 各项重排成为发散级数.

解 先取两个正项，再取一个负项，则

$$1 + \frac{1}{\sqrt{3}} - \frac{1}{\sqrt{2}} + \frac{1}{\sqrt{5}} + \frac{1}{\sqrt{7}} - \frac{1}{\sqrt{4}} + \cdots + \frac{1}{\sqrt{4n-3}} + \frac{1}{\sqrt{4n-1}} - \frac{1}{\sqrt{2n}} + \cdots. \qquad ①$$

将上述重排后所得的级数 ① 每相邻三项结合而得一个新级数，如果它发散，当然上述重排后所得的级数也发散. 由于

$$\frac{1}{\sqrt{4n-3}} > \frac{1}{\sqrt{4n}}, \frac{1}{\sqrt{4n-1}} > \frac{1}{\sqrt{4n}},$$

则

$$\frac{1}{\sqrt{4n-3}} + \frac{1}{\sqrt{4n-1}} > \frac{2}{\sqrt{4n}} = \frac{1}{\sqrt{n}},$$

因而

$$\frac{1}{\sqrt{4n-3}} + \frac{1}{\sqrt{4n-1}} - \frac{1}{\sqrt{2n}} > \frac{\sqrt{2}-1}{\sqrt{2}} \cdot \frac{1}{\sqrt{n}} > 0 (n = 1, 2, \cdots).$$

由级数 $\sum\limits_{n=1}^{\infty} \left(\frac{\sqrt{2}-1}{\sqrt{2}}\right)\frac{1}{\sqrt{n}}$ 发散，故 $\sum\limits_{n=1}^{\infty} \left(\frac{1}{\sqrt{4n-3}} + \frac{1}{\sqrt{4n-1}} - \frac{1}{\sqrt{2n}}\right)$ 发散. 从而，重排后所得级数 ① 发散.

知识点 2 级数收敛判别法

1. 莱布尼茨判别法 若交错级数 $\sum\limits_{n=1}^{\infty} (-1)^{n-1} u_n (u_n > 0)$ 满足条件：(1) $u_n \geqslant u_{n+1} (n = 1, 2, \cdots)$；(2) $\lim\limits_{n\to\infty} u_n = 0$，则级数 $\sum\limits_{n=1}^{\infty} (-1)^{n-1} u_n$ 收敛. 余项为

$$R_n = (-1)^n u_{n+1} + (-1)^{n+1} u_{n+2} + \cdots,$$

满足估计

$$R_n = (-1)^n \theta_n u_{n+1} (0 \leqslant \theta_n \leqslant 1).$$

2. 阿贝尔判别法 若(1)级数$\sum\limits_{n=1}^{\infty} a_n$收敛；(2)数列$\{b_n\}$单调有界，则级数$\sum\limits_{n=1}^{\infty} a_n b_n$收敛.

3. 狄利克雷判别法 若(1)级数$\sum\limits_{n=1}^{\infty} a_n$的部分和数列$A_n = \sum\limits_{i=1}^{n} a_i$有界；(2)数列$\{b_n\}$单调递减，且$\lim\limits_{n \to \infty} b_n = 0$，则级数$\sum\limits_{n=1}^{\infty} a_n b_n$收敛.

习题 2664—2674 交错级数的敛散性

【研究下列交错级数的收敛性(2664—2673)】

【2664】 $\sum\limits_{n=1}^{\infty} \dfrac{(-1)^{\frac{n(n-1)}{2}}}{2^n}$.

解 由于$\left| \dfrac{(-1)^{\frac{n(n-1)}{2}}}{2^n} \right| = \dfrac{1}{2^n}$且级数$\sum\limits_{n=1}^{\infty} \dfrac{1}{2^n}$收敛，故级数$\sum\limits_{n=1}^{\infty} \dfrac{(-1)^{\frac{n(n-1)}{2}}}{2^n}$绝对收敛，从而收敛.

【2665】 $\sum\limits_{n=1}^{\infty} (-1)^n \left(\dfrac{2n+100}{3n+1} \right)^n$.

解 设$a_n = (-1)^n \left(\dfrac{2n+100}{3n+1} \right)^n$. 由于

$$\lim_{n \to \infty} \sqrt[n]{|a_n|} = \lim_{n \to \infty} \frac{2n+100}{3n+1} = \frac{2}{3} < 1,$$

故级数$\sum\limits_{n=1}^{\infty} (-1)^n \left(\dfrac{2n+100}{3n+1} \right)^n$绝对收敛，从而收敛.

【2666】 $1 + \dfrac{1}{2} + \dfrac{1}{3} - \dfrac{1}{4} - \dfrac{1}{5} - \dfrac{1}{6} + \dfrac{1}{7} + \dfrac{1}{8} + \dfrac{1}{9} - \cdots$.

解 将此级数每相邻三项结合构造新级数，显然为交错级数，满足莱布尼茨判别法的条件. 因而收敛. 利用 2657 题的结果，即原级数收敛. 显然此级数为条件收敛.

【2667】 $\sum\limits_{n=1}^{\infty} \dfrac{\ln^{100} n}{n} \sin \dfrac{n\pi}{4}$.

解 $\exists n_0 \in \mathbf{N}_+$，当$n \geqslant n_0$时，$\left\{ \dfrac{\ln^{100} n}{n} \right\}$单调下降，且$\lim\limits_{n \to \infty} \dfrac{\ln^{100} n}{n} = 0$. 又

$$\left| \sum_{k=1}^{n} \sin \frac{k\pi}{4} \right| = \left| \frac{\cos \frac{\pi}{8} - \cos\left(n + \frac{1}{2}\right)\frac{\pi}{4}}{2\sin \frac{\pi}{8}} \right| \leqslant \frac{1}{\sin \frac{\pi}{8}},$$

由狄利克雷判别法知，级数$\sum\limits_{n=1}^{\infty} \dfrac{\ln^{100} n}{n} \sin \dfrac{n\pi}{4}$收敛.

【2668】 $\sum\limits_{n=1}^{\infty} (-1)^n \dfrac{\sin^2 n}{n}$.

解 由

$$(-1)^n \frac{\sin^2 n}{n} = (-1)^n \frac{1}{2n} + (-1)^{n+1} \frac{\cos 2n}{2n},$$

显然级数$\sum_{n=1}^{\infty}(-1)^n\frac{1}{2n}$收敛. 下面证明级数$\sum_{n=1}^{\infty}(-1)^{n+1}\frac{\cos 2n}{2n}$也收敛. 记部分和

$$S_n=\sum_{k=1}^{n}(-1)^{k+1}\frac{\cos 2k}{2k}=\sum_{k=1}^{n}\frac{\cos 2k}{2k}-\sum_{k=1}^{\left[\frac{n}{2}\right]}\frac{\cos 4k}{2k}=S_n^{(1)}-S_n^{(2)}.$$

但级数$\sum_{n=1}^{\infty}\frac{\cos 2n}{2n}$及$\sum_{n=1}^{\infty}\frac{\cos 4n}{2n}$均收敛. 事实上,

(1) $\frac{1}{2n}$单调, $\lim\limits_{n\to\infty}\frac{1}{2n}=0$, 且$\left|\sum_{k=1}^{n}\cos 2k\right|=\left|\frac{\sin(2n+1)-\sin 1}{2\sin 1}\right|\leqslant\frac{1}{\sin 1}$, 故由狄利克雷判别法知级数$\sum_{n=1}^{\infty}\frac{\cos 2n}{2n}$收敛, 记和为$S^{(1)}$.

(2) $\frac{1}{2n}$单调, $\lim\limits_{n\to\infty}\frac{1}{2n}=0$, 且$\left|\sum_{k=1}^{n}\cos 4k\right|=\left|\frac{\sin(4n+2)-\sin 2}{2\sin 2}\right|\leqslant\frac{1}{\sin 2}$, 故由狄利克雷判别法知级数$\sum_{n=1}^{\infty}\frac{\cos 4n}{2n}$收敛, 记和为$S^{(2)}$, 则$\lim\limits_{n\to\infty}S_n=S^{(1)}-S^{(2)}$, 即$\sum_{n=1}^{\infty}(-1)^{n+1}\frac{\cos 2n}{2n}$收敛, 从而$\sum_{n=1}^{\infty}(-1)^n\frac{\sin^2 n}{n}$收敛.

【2669】 $\sum_{n=1}^{\infty}(-1)^n\frac{\sqrt{n}}{n+100}$.

解　方法一 $(-1)^n\frac{\sqrt{n}}{n+100}=(-1)^n\frac{1}{\sqrt{n}}-(-1)^n\frac{100}{\sqrt{n}(n+100)}$.

显然利用莱布尼茨判别法, $\sum_{n=1}^{\infty}(-1)^n\frac{1}{\sqrt{n}}$及$\sum_{n=1}^{\infty}(-1)^n\frac{100}{\sqrt{n}(n+100)}$均收敛, 故$\sum_{n=1}^{\infty}(-1)^n\frac{\sqrt{n}}{n+100}$收敛.

方法二 $(-1)^n\frac{\sqrt{n}}{n+100}=(-1)^n\frac{1}{\sqrt{n}}\cdot\frac{1}{1+\frac{100}{n}}=(-1)^n\frac{1}{\sqrt{n}}+O\left(\frac{1}{n^{\frac{3}{2}}}\right)$.

显然$\sum_{n=1}^{\infty}(-1)^n\frac{1}{\sqrt{n}}$收敛, 且$\sum_{n=1}^{\infty}\frac{1}{n^{\frac{3}{2}}}$收敛, 故$\sum_{n=1}^{\infty}(-1)^n\frac{\sqrt{n}}{n+100}$收敛.

【2670】 $\sum_{n=2}^{\infty}\frac{(-1)^n}{\sqrt{n}+(-1)^n}$.

解　方法一 $\frac{(-1)^n}{\sqrt{n}+(-1)^n}=\frac{(-1)^n}{\sqrt{n}}-\frac{1}{n+(-1)^n\sqrt{n}}$.

显然利用莱布尼茨判别法, $\sum_{n=2}^{\infty}(-1)^n\frac{1}{\sqrt{n}}$收敛, 且$\sum_{n=2}^{\infty}\frac{1}{n+(-1)^n\sqrt{n}}$发散, 故$\sum_{n=2}^{\infty}\frac{(-1)^n}{\sqrt{n}+(-1)^n}$发散.

方法二 $\frac{(-1)^n}{\sqrt{n}+(-1)^n}=\frac{(-1)^n}{\sqrt{n}}\cdot\frac{1}{1+\frac{(-1)^n}{\sqrt{n}}}=\frac{(-1)^n}{\sqrt{n}}\left[1-\frac{(-1)^n}{\sqrt{n}}+O\left(\frac{1}{n}\right)\right]$

$$=\frac{(-1)^n}{\sqrt{n}}-\frac{1}{n}+O\left(\frac{1}{n^{\frac{3}{2}}}\right).$$

显然利用莱布尼茨判别法, $\sum_{n=2}^{\infty}(-1)^n\frac{1}{\sqrt{n}}$收敛, $\sum_{n=2}^{\infty}\frac{1}{n^{\frac{3}{2}}}$收敛, 而$\sum_{n=2}^{\infty}\frac{1}{n}$发散, 故$\sum_{n=2}^{\infty}\frac{(-1)^n}{\sqrt{n}+(-1)^n}$发散.

【2671】 $\sum_{n=1}^{\infty}\sin(\pi\sqrt{n^2+k^2})$.

解　方法一 $\sin(\pi\sqrt{n^2+k^2})=(-1)^n\sin(\pi\sqrt{n^2+k^2}-n\pi)=(-1)^n\sin\frac{\pi k^2}{\sqrt{n^2+k^2}+n}$,

$\left\{\sin\frac{\pi k^2}{\sqrt{n^2+k^2}+n}\right\}$单调下降, 且$\lim\limits_{n\to\infty}\sin\frac{\pi k^2}{\sqrt{n^2+k^2}+n}=0$, 故$\sum_{n=1}^{\infty}(-1)^n\sin\frac{\pi k^2}{\sqrt{n^2+k^2}+n}$收敛, 即

$\sum_{n=1}^{\infty}\sin(\pi\sqrt{n^2+k^2})$ 收敛.

方法二 $\sin(\pi\sqrt{n^2+k^2}) = \sin\left[n\pi\sqrt{1+\left(\frac{k}{n}\right)^2}\right]$

$$= \sin n\pi\left[1+\frac{k^2}{2n^2}+O\left(\frac{1}{n^4}\right)\right] = \sin\left[n\pi+\frac{k^2\pi}{2n}+O\left(\frac{1}{n^3}\right)\right]$$

$$= (-1)^n\sin\left[\frac{k^2\pi}{2n}+O\left(\frac{1}{n^3}\right)\right] = (-1)^n\frac{k^2\pi}{2n}+O\left(\frac{1}{n^3}\right).$$

由于级数 $\sum_{n=1}^{\infty}(-1)^n\frac{k^2\pi}{2n}$ 条件收敛，$\sum_{n=1}^{\infty}\frac{1}{n^3}$ 收敛，故级数 $\sum_{n=1}^{\infty}\sin(\pi\sqrt{n^2+k^2})$ 收敛.

【2672】 $\sum_{n=1}^{\infty}\frac{(-1)^{[\sqrt{n}]}}{n}$.

解 构造交错级数

$$\sum_{k=1}^{\infty}(-1)^k b_k = \sum_{k=1}^{\infty}(-1)^k\left[\frac{1}{k^2}+\frac{1}{k^2+1}+\cdots+\frac{1}{(k+1)^2-1}\right]. \qquad ①$$

容易证明不等式

$$\frac{2}{k+1} < \underbrace{\frac{1}{k^2}+\frac{1}{k^2+1}+\cdots+\frac{1}{k^2+k-1}}_{k项}+\cdots+\underbrace{\frac{1}{k^2+k}+\cdots+\frac{1}{(k+1)^2-1}}_{(k+1)项} < \frac{2}{k}.$$

事实上，开头 k 项的和小于 $k\cdot\frac{1}{k^2}=\frac{1}{k}$，而后面 $k+1$ 项的和小于 $(k+1)\cdot\frac{1}{k^2+k}=\frac{1}{k}$，所以 $b_k<\frac{2}{k}$. 左面的不等式可由 $b_k>k\cdot\frac{1}{k^2+k}+(k+1)\cdot\frac{1}{(k+1)^2}=\frac{2}{k+1}$ 而得，即 $\frac{2}{k+1}<b_k<\frac{2}{k}$，显然 $\{b_k\}$ 单调递减，且 $\lim_{k\to\infty}b_k=0$，由莱布尼茨判别法，级数 ① 收敛.

又因为原级数的部分和恰好包含在级数 ① 的某相邻两部分和之间，由级数 ① 的收敛性知此两相邻部分和趋于同一极限，因此，原级数部分和极限存在，从而，原级数收敛. 显然 $\sum_{n=1}^{\infty}\left|\frac{(-1)^{[\sqrt{n}]}}{n}\right|$ 发散，故级数 $\sum_{n=1}^{\infty}\frac{(-1)^{[\sqrt{n}]}}{n}$ 条件收敛.

【2673】 $\sum_{n=1}^{\infty}\frac{(-1)^n}{\sqrt[n]{n}}$.

解 由于 $\lim_{n\to\infty}\sqrt[n]{n}=1$，故级数 $\sum_{n=1}^{\infty}\frac{(-1)^n}{\sqrt[n]{n}}$ 发散.

【2674】 证明：若 $\lim_{n\to\infty}n\left(\frac{b_n}{b_{n+1}}-1\right)>0$，则交错级数 $b_1-b_2+b_3-b_4+\cdots+(-1)^{n-1}b_n+\cdots(b_n>0)$ 收敛.

证 设 $\lim_{n\to\infty}n\left(\frac{b_n}{b_{n+1}}-1\right)=A\in(0,+\infty)$，则 $\exists N\in\mathbf{N}_+$，当 $n\geqslant N$ 时，有

$$\frac{A}{2}<n\left(\frac{b_n}{b_{n+1}}-1\right)<\frac{3A}{2}, 即\ 1<1+\frac{A}{2n}<\frac{b_n}{b_{n+1}}<1+\frac{3A}{2n}.$$

因此，当 $n\geqslant N$ 时，$b_n>b_{n+1}$，即 $\{b_n\}$ 单调递减.

下面证明 $\lim_{n\to\infty}b_n=0$. 事实上，利用 2606 题的结果，

$$b_n=o\left(\frac{1}{n^{A-\frac{A}{2}}}\right)=o\left(\frac{1}{n^{\frac{A}{2}}}\right).$$

故 $\lim_{n\to\infty}b_n=0$. 由莱布尼茨判别法即知交错级数 $\sum_{n=1}^{\infty}(-1)^{n-1}b_n$ 收敛.

习题 2675—2700 级数的绝对收敛与条件收敛判别

【研究下列级数的绝对收敛性和条件收敛性(2675—2690)】

【2675】 $\sum\limits_{n=1}^{\infty}\dfrac{(-1)^{n-1}}{n^p}$.

解 记 $a_n=\dfrac{1}{n^p}$.

当 $p\leqslant 0$ 时,由于 $\lim\limits_{n\to\infty}a_n\neq 0$,故级数 $\sum\limits_{n=1}^{\infty}\dfrac{(-1)^{n-1}}{n^p}$ 发散.

当 $0<p\leqslant 1$ 时,由于 $a_n>a_{n+1}$ 且 $\lim\limits_{n\to\infty}a_n=0$,故交错级数 $\sum\limits_{n=1}^{\infty}\dfrac{(-1)^{n-1}}{n^p}$ 收敛. 当 $0<p\leqslant 1$ 时,$\sum\limits_{n=1}^{\infty}\dfrac{1}{n^p}$ 发散,故级数 $\sum\limits_{n=1}^{\infty}\dfrac{(-1)^{n-1}}{n^p}$ 条件收敛.

当 $p>1$ 时,由于级数 $\sum\limits_{n=1}^{\infty}\dfrac{1}{n^p}$ 收敛,故级数 $\sum\limits_{n=1}^{\infty}\dfrac{(-1)^{n-1}}{n^p}$ 绝对收敛.

【2676】 $\sum\limits_{n=1}^{\infty}\dfrac{(-1)^{n-1}}{n^{p+\frac{1}{n}}}$.

解 由于

$$\lim_{n\to\infty}\frac{\dfrac{1}{n^{p+\frac{1}{n}}}}{\dfrac{1}{n^p}}=\lim_{n\to\infty}\frac{1}{\sqrt[n]{n}}=1.$$

当 $p>1$ 时,$\sum\limits_{n=1}^{\infty}\dfrac{1}{n^p}$ 收敛,故 $p>1$ 时,级数 $\sum\limits_{n=1}^{\infty}\dfrac{(-1)^{n-1}}{n^{p+\frac{1}{n}}}$ 绝对收敛. 当 $p\leqslant 0$ 时,级数 $\sum\limits_{n=1}^{\infty}\dfrac{(-1)^{n-1}}{n^{p+\frac{1}{n}}}$ 显然发散.

下面讨论当 $0<p\leqslant 1$ 时级数 $\sum\limits_{n=1}^{\infty}\dfrac{(-1)^{n-1}}{n^{p+\frac{1}{n}}}$ 的收敛性.

将级数改写为 $\sum\limits_{n=1}^{\infty}\dfrac{(-1)^{n-1}}{n^p}\cdot\dfrac{1}{\sqrt[n]{n}}$,由于级数 $\sum\limits_{n=1}^{\infty}\dfrac{(-1)^{n-1}}{n^p}$ 当 $0<p\leqslant 1$ 时条件收敛,数列 $\left\{\dfrac{1}{\sqrt[n]{n}}\right\}$ 当 $n\geqslant 3$ 时单调递增且 $\lim\limits_{n\to\infty}\dfrac{1}{\sqrt[n]{n}}=1$,从而 $\left\{\dfrac{1}{\sqrt[n]{n}}\right\}$ 有界,故由阿贝尔判别法知,级数 $\sum\limits_{n=1}^{\infty}\dfrac{(-1)^{n-1}}{n^{p+\frac{1}{n}}}$ 收敛. 但因级数 $\sum\limits_{n=1}^{\infty}\dfrac{1}{n^{p+\frac{1}{n}}}$ 当 $0<p\leqslant 1$ 时发散,故当 $0<p\leqslant 1$ 时,级数 $\sum\limits_{n=1}^{\infty}\dfrac{(-1)^{n-1}}{n^{p+\frac{1}{n}}}$ 条件收敛.

【2677】 $\sum\limits_{n=2}^{\infty}\ln\left[1+\dfrac{(-1)^n}{n^p}\right]$.

解
$$\ln\left[1+\frac{(-1)^n}{n^p}\right]=\frac{(-1)^n}{n^p}-\frac{1}{2n^{2p}}+O\left(\frac{1}{n^{3p}}\right).$$

分别考虑级数(1) $\sum\limits_{n=2}^{\infty}\dfrac{(-1)^n}{n^p}$; (2) $\sum\limits_{n=2}^{\infty}\dfrac{1}{n^{2p}}$; (3) $\sum\limits_{n=2}^{\infty}\dfrac{1}{n^{3p}}$ 的敛散性.

当 $p>1$ 时,级数(1),(2),(3) 均绝对收敛. 故当 $p>1$ 时,原级数绝对收敛.

当 $\dfrac{1}{2}<p\leqslant 1$ 时,级数(1) 条件收敛,(2) 及(3) 均绝对收敛,故当 $\dfrac{1}{2}<p\leqslant 1$ 时,$\sum\limits_{n=2}^{\infty}\ln\left[1+\dfrac{(-1)^n}{n^p}\right]$ 条件收敛.

当 $p\leqslant 0$ 时,由于通项不趋于零,故级数 $\sum\limits_{n=2}^{\infty}\ln\left[1+\dfrac{(-1)^n}{n^p}\right]$ 发散.

设 $0 < p \leqslant \frac{1}{2}$. 令 m 是满足 $mp \leqslant 1 < (m+1)p$ 的唯一正整数($m \geqslant 2$)，则

$$\ln\left[1+\frac{(-1)^n}{n^p}\right]=\frac{(-1)^n}{n^p}-\frac{1}{2}\cdot\frac{1}{n^{2p}}+\frac{1}{3}\cdot\frac{(-1)^{3n}}{n^{3p}}-$$
$$\frac{1}{4}\cdot\frac{1}{n^{4p}}+\cdots+(-1)^{m-1}\cdot\frac{1}{m}\cdot\frac{(-1)^{mn}}{n^{mp}}+O\left(\frac{1}{n^{(m-1)p}}\right).$$

若 m 为偶数，由交错级数 $\sum\limits_{n=2}^{\infty}\frac{(-1)^n}{n^p}$，$\sum\limits_{n=2}^{\infty}\frac{(-1)^{3n}}{n^{3p}}$，…，$\sum\limits_{n=2}^{\infty}\frac{(-1)^{(m-1)n}}{n^{(m-1)p}}$ 均收敛(条件收敛)，则级数 $\sum\limits_{n=2}^{\infty}\frac{1}{n^{(m+1)p}}$(绝对)收敛. 由级数 $\sum\limits_{n=2}^{\infty}\left(\frac{1}{2}\cdot\frac{1}{n^{2p}}+\frac{1}{4}\cdot\frac{1}{n^{4p}}+\cdots+\frac{1}{m}\cdot\frac{1}{n^{mp}}\right)$ 发散，故级数 $\sum\limits_{n=2}^{\infty}\ln\left[1+\frac{(-1)^n}{n^p}\right]$ 发散.

若 m 为奇数，则可类似地证明级数 $\sum\limits_{n=2}^{\infty}\ln\left[1+\frac{(-1)^n}{n^p}\right]$ 发散.

综上可得，当 $p>1$ 时，原级数绝对收敛；当 $\frac{1}{2}<p\leqslant 1$ 时，原级数条件收敛；当 $p\leqslant\frac{1}{2}$ 时，原级数发散.

【2678】 $\sum\limits_{n=1}^{\infty}(-1)^{n-1}\frac{2^n\sin^{2n}x}{n}$.

解 记 $a_n=(-1)^{n-1}\frac{2^n\sin^{2n}x}{n}$. 考虑

$$\lim_{n\to\infty}\sqrt[n]{|a_n|}=\lim_{n\to\infty}\frac{2\sin^2 x}{\sqrt[n]{n}}=2\sin^2 x,$$

当 $2\sin^2 x<1$，即 $|x-n\pi|<\frac{\pi}{4}$ 时，级数 $\sum\limits_{n=1}^{\infty}a_n$ 绝对收敛.

当 $2\sin^2 x=1$，即 $|x-n\pi|=\frac{\pi}{4}$ 时，级数 $\sum\limits_{n=1}^{\infty}a_n$ 条件收敛.

当 $2\sin^2 x>1$，即 $x\in\left(n\pi+\frac{\pi}{4},n\pi+\frac{3}{4}\pi\right)$ 时，级数 $\sum\limits_{n=1}^{\infty}(-1)^{n-1}\frac{2^n\sin^{2n}x}{n}$ 发散.

【2679】 $\sum\limits_{n=1}^{\infty}\frac{(-1)^n}{x+n}$.

解 当 x 为负整数时，级数显然无意义.

当 $x\in\mathbf{N}_+$ 时，级数 $\sum\limits_{n=1}^{\infty}\frac{(-1)^n}{x+n}$ 条件收敛.

当 $x=0$ 时，级数 $\sum\limits_{n=1}^{\infty}\frac{(-1)^n}{n}$ 条件收敛.

故 $x\in\mathbf{N}$ 时，级数 $\sum\limits_{n=1}^{\infty}\frac{(-1)^n}{x+n}$ 条件收敛.

【2680】 $\sum\limits_{n=2}^{\infty}\frac{(-1)^n}{[n+(-1)^n]^p}$.

解 $$\frac{(-1)^n}{[n+(-1)^n]^p}=\frac{(-1)^n}{n^p\left[1+\frac{(-1)^n}{n}\right]^p}=\frac{(-1)^n}{n^p}\left[1-\frac{p(-1)^n}{n}+O\left(\frac{1}{n^2}\right)\right]$$
$$=\frac{(-1)^n}{n^p}-\frac{p}{n^{p+1}}+O\left(\frac{1}{n^{p+2}}\right).$$

当 $0<p\leqslant 1$ 时，$\sum\limits_{n=2}^{\infty}\frac{(-1)^n}{n^p}$ 条件收敛，$\sum\limits_{n=2}^{\infty}\frac{1}{n^{p+1}}$ 及 $\sum\limits_{n=2}^{\infty}\frac{1}{n^{p+2}}$ 绝对收敛，故 $\sum\limits_{n=2}^{\infty}\frac{(-1)^n}{[n+(-1)^n]^p}$ 条件收敛.

当 $p>1$ 时，由 $\frac{(-1)^n}{[n+(-1)^n]^p}=O\left(\frac{1}{n^p}\right)$，故级数 $\sum\limits_{n=2}^{\infty}\frac{(-1)^n}{[n+(-1)^n]^p}$ 绝对收敛.

当 $p\leqslant 0$ 时,级数 $\sum\limits_{n=2}^{\infty}\dfrac{(-1)^n}{[n+(-1)^n]^p}$ 发散.

【2681】 $\sum\limits_{n=1}^{\infty}\dfrac{(-1)^{n-1}}{[\sqrt{n}+(-1)^{n-1}]^p}$.

解 由于

$$\frac{(-1)^{n-1}}{[\sqrt{n}+(-1)^{n-1}]^p}=\frac{(-1)^{n-1}}{n^{\frac{p}{2}}}\left[1+\frac{(-1)^{n-1}}{\sqrt{n}}\right]^{-p}=\frac{(-1)^{n-1}}{n^{\frac{p}{2}}}-\frac{p}{n^{\frac{p+1}{2}}}+O\left(\frac{1}{n^{\frac{p}{2}+1}}\right).$$

故级数 $\sum\limits_{n=1}^{\infty}\dfrac{(-1)^{n-1}}{[\sqrt{n}+(-1)^{n-1}]^p}$ 当 $p>2$ 时绝对收敛;当 $p\leqslant 0$ 时,级数 $\sum\limits_{n=1}^{\infty}\dfrac{(-1)^{n-1}}{[\sqrt{n}+(-1)^{n-1}]^p}$ 发散. 下面讨论当 $0<p\leqslant 2$ 时,级数 $\sum\limits_{n=1}^{\infty}\dfrac{(-1)^{n-1}}{[\sqrt{n}+(-1)^{n-1}]^p}$ 的敛散性.

当 $1<p\leqslant 2$ 时,$\sum\limits_{n=1}^{\infty}\dfrac{(-1)^{n-1}}{n^{\frac{p}{2}}}$ 条件收敛,$\sum\limits_{n=1}^{\infty}\dfrac{1}{n^{\frac{p+1}{2}}}$ 及 $\sum\limits_{n=1}^{\infty}\dfrac{1}{n^{\frac{p}{2}+1}}$ 收敛,故 $\sum\limits_{n=1}^{\infty}\dfrac{(-1)^{n-1}}{[\sqrt{n}+(-1)^{n-1}]^p}$ 条件收敛.

当 $0<p\leqslant 1$ 时,$\sum\limits_{n=1}^{\infty}\dfrac{(-1)^{n-1}}{n^{\frac{p}{2}}}$ 及 $\sum\limits_{n=1}^{\infty}\dfrac{1}{n^{\frac{p}{2}+1}}$ 收敛,$\sum\limits_{n=1}^{\infty}\dfrac{1}{n^{\frac{p+1}{2}}}$ 发散,故 $\sum\limits_{n=1}^{\infty}\dfrac{(-1)^{n-1}}{[\sqrt{n}+(-1)^{n-1}]^p}$ 发散.

【2682】 $\sum\limits_{n=1}^{\infty}\dfrac{\sin\frac{n\pi}{4}}{n^p+\sin\frac{n\pi}{4}}$.

解
$$\frac{\sin\frac{n\pi}{4}}{n^p+\sin\frac{n\pi}{4}}=\frac{\sin\frac{n\pi}{4}}{n^p}\left(1+\frac{\sin\frac{n\pi}{4}}{n^p}\right)^{-1}=\frac{\sin\frac{n\pi}{4}}{n^p}\left[1-\frac{\sin\frac{n\pi}{4}}{n^p}+O\left(\frac{1}{n^{2p}}\right)\right]$$
$$=\frac{\sin\frac{n\pi}{4}}{n^p}-\frac{\sin^2\frac{n\pi}{4}}{n^{2p}}+O\left(\frac{1}{n^{3p}}\right).$$

当 $2p>1$,即 $p>\dfrac{1}{2}$ 时,级数 $\sum\limits_{n=1}^{\infty}\dfrac{\sin^2\frac{n\pi}{4}}{n^{2p}}$ 及 $\sum\limits_{n=1}^{\infty}\dfrac{1}{n^{3p}}$ 均收敛.

由 $\left\{\dfrac{1}{n^p}\right\}$ 单调递减,且 $\lim\limits_{n\to\infty}\dfrac{1}{n^p}=0$,

$$\left|\sum_{k=1}^{n}\sin\frac{k\pi}{4}\right|=\left|\frac{\cos\frac{\pi}{8}-\cos\left(n+\frac{1}{2}\right)\frac{\pi}{4}}{2\sin\frac{\pi}{8}}\right|\leqslant\frac{1}{\sin\frac{\pi}{8}},$$

故由狄利克雷判别法知,级数 $\sum\limits_{n=1}^{\infty}\dfrac{\sin\frac{n\pi}{4}}{n^p}$ 收敛. 从而当 $p>\dfrac{1}{2}$ 时,级数 $\sum\limits_{n=1}^{\infty}\dfrac{\sin\frac{n\pi}{4}}{n^p+\sin\frac{n\pi}{4}}$ 收敛. 又因

$$\frac{\left|\sin\frac{n\pi}{4}\right|}{n^p}\geqslant\frac{\sin^2\frac{n\pi}{4}}{n^p}=\frac{1}{2n^p}-\frac{\cos\frac{n\pi}{2}}{2n^p},$$

且当 $\dfrac{1}{2}<p\leqslant 1$ 时,$\sum\limits_{n=1}^{\infty}\dfrac{1}{n^p}$ 发散,$\sum\limits_{n=1}^{\infty}\dfrac{\cos\frac{n\pi}{2}}{n^p}$ 收敛,故当 $\dfrac{1}{2}<p\leqslant 1$ 时,级数 $\sum\limits_{n=1}^{\infty}\dfrac{\left|\sin\frac{n\pi}{4}\right|}{n^p}$ 发散. 从而,级数 $\sum\limits_{n=1}^{\infty}\dfrac{\sin\frac{n\pi}{4}}{n^p+\sin\frac{n\pi}{4}}$ 条件收敛.

当 $p>1$ 时，由 $\dfrac{\sin\frac{n\pi}{4}}{n^p+\sin\frac{n\pi}{4}}=O\left(\dfrac{1}{n^p}\right)$，级数 $\sum\limits_{n=1}^{\infty}\dfrac{\sin\frac{n\pi}{4}}{n^p+\sin\frac{n\pi}{4}}$ 绝对收敛.

当 $p\leqslant 0$ 时，级数 $\sum\limits_{n=1}^{\infty}\dfrac{\sin\frac{n\pi}{4}}{n^p+\sin\frac{n\pi}{4}}$ 显然发散.

当 $0<p\leqslant\dfrac{1}{2}$ 时，由于 $\dfrac{\sin^2\frac{n\pi}{2}}{n^{2p}}\geqslant\dfrac{\sin^2\frac{n\pi}{2}}{n}=\dfrac{1-\cos n\pi}{2n}\geqslant 0$，级数 $\sum\limits_{n=1}^{\infty}\dfrac{1}{2n}$ 发散，$\sum\limits_{n=1}^{\infty}\dfrac{\cos n\pi}{2n}$ 收敛，故级数 $\sum\limits_{n=1}^{\infty}\dfrac{\sin^2\frac{n\pi}{4}}{n}$ 发散，从而 $\sum\limits_{n=1}^{\infty}\dfrac{\sin^2\frac{n\pi}{4}}{n^{2p}}$ 发散. 再仿 2677 题 $0<p\leqslant\dfrac{1}{2}$ 情形的证明，则易知 $\sum\limits_{n=1}^{\infty}\dfrac{\sin\frac{n\pi}{4}}{n^p+\sin\frac{n\pi}{4}}$ 发散.

【2683】 $\sum\limits_{n=1}^{\infty}(-1)^n\dfrac{n-1}{n+1}\cdot\dfrac{1}{\sqrt[100]{n}}$.

解 **方法一**
$$(-1)^n\frac{n-1}{n+1}\cdot\frac{1}{\sqrt[100]{n}}=\frac{(-1)^n}{\sqrt[100]{n}}+\frac{2\cdot(-1)^{n+1}}{\sqrt[100]{n}(n+1)},$$
显然 $\sum\limits_{n=1}^{\infty}\dfrac{2\cdot(-1)^{n+1}}{\sqrt[100]{n}(n+1)}$ 绝对收敛，$\sum\limits_{n=1}^{\infty}\dfrac{(-1)^n}{\sqrt[100]{n}}$ 条件收敛，故级数 $\sum\limits_{n=1}^{\infty}(-1)^n\dfrac{n-1}{n+1}\cdot\dfrac{1}{\sqrt[100]{n}}$ 条件收敛.

方法二 通项为
$$a_n=(-1)^n\frac{n-1}{n+1}\cdot\frac{1}{\sqrt[100]{n}}=(-1)^n\frac{1}{\sqrt[100]{n}}\left[1+O\left(\frac{1}{n}\right)\right]=\frac{(-1)^n}{\sqrt[100]{n}}+O\left(\frac{1}{n^{1+\frac{1}{100}}}\right).$$
显然 $\sum\limits_{n=1}^{\infty}\dfrac{1}{n^{1+\frac{1}{100}}}$ 绝对收敛，$\sum\limits_{n=1}^{\infty}\dfrac{(-1)^n}{\sqrt[100]{n}}$ 条件收敛，故级数 $\sum\limits_{n=1}^{\infty}(-1)^n\dfrac{n-1}{n+1}\cdot\dfrac{1}{\sqrt[100]{n}}$ 条件收敛.

【2684】 $\sum\limits_{n=1}^{\infty}(-1)^{\frac{n(n-1)}{2}}\dfrac{n^{100}}{2^n}$.

解 考虑级数 $\sum\limits_{n=1}^{\infty}\left|(-1)^{\frac{n(n-1)}{2}}\dfrac{n^{100}}{2^n}\right|=\sum\limits_{n=1}^{\infty}\dfrac{n^{100}}{2^n}$. 由于
$$\lim_{n\to\infty}\frac{\frac{(n+1)^{100}}{2^{n+1}}}{\frac{n^{100}}{2^n}}=\lim_{n\to\infty}\frac{1}{2}\left(1+\frac{1}{n}\right)^{100}=\frac{1}{2}<1\text{ 或}\lim_{n\to\infty}\sqrt[n]{\frac{n^{100}}{2^n}}=\lim_{n\to\infty}\frac{1}{2}\sqrt[n]{n^{100}}=\frac{1}{2}<1,$$
故级数 $\sum\limits_{n=1}^{\infty}(-1)^{\frac{n(n-1)}{2}}\dfrac{n^{100}}{2^n}$ 绝对收敛.

【2685】 $\sum\limits_{n=1}^{\infty}\dfrac{(-1)^n}{\sqrt[n^2]{n}}$.

解 由于
$$\lim_{n\to\infty}\left|\frac{(-1)^n}{\sqrt[n^2]{n}}\right|=\lim_{n\to\infty}\frac{1}{\sqrt[n^2]{n}}=\lim_{n\to\infty}e^{-\frac{\ln n}{n^2}}=e^{-\lim\limits_{n\to\infty}\frac{\ln n}{n^2}}=e^0=1,$$
故级数 $\sum\limits_{n=1}^{\infty}\dfrac{(-1)^n}{\sqrt[n^2]{n}}$ 发散.

【2686】 $\sum\limits_{n=2}^{\infty}\dfrac{\sin\frac{n\pi}{12}}{\ln n}$.

解 由于 $\left\{\dfrac{1}{\ln n}\right\}$ 单调下降且 $\lim\limits_{n\to\infty}\dfrac{1}{\ln n}=0$，又部分和

$$\left|\sum_{m=2}^{n}\sin\frac{m\pi}{12}\right|=\left|\frac{\cos\frac{\pi}{8}-\cos\left(n+\frac{1}{2}\right)\frac{\pi}{12}}{2\sin\frac{\pi}{24}}\right|\leqslant\frac{1}{\sin\frac{\pi}{24}},$$

故由狄利克雷判别法知，级数$\sum\limits_{n=2}^{\infty}\dfrac{\sin\frac{n\pi}{12}}{\ln n}$收敛. 由

$$\left|\frac{\sin\frac{n\pi}{12}}{\ln n}\right|\geqslant\frac{\sin^2\frac{n\pi}{12}}{\ln n}=\frac{1-\cos\frac{n\pi}{6}}{2\ln n}=\frac{1}{2\ln n}-\frac{\cos\frac{n\pi}{6}}{2\ln n},$$

级数$\sum\limits_{n=2}^{\infty}\dfrac{1}{\ln n}$发散，$\sum\limits_{n=2}^{\infty}\dfrac{\cos\frac{n\pi}{6}}{\ln n}$收敛，故级数$\sum\limits_{n=2}^{\infty}\left|\dfrac{\sin\frac{n\pi}{12}}{\ln n}\right|$发散. 从而级数$\sum\limits_{n=2}^{\infty}\dfrac{\sin\frac{n\pi}{12}}{\ln n}$条件收敛.

【2687】 $\sum\limits_{n=1}^{\infty}\dfrac{(-1)^{[\sqrt{n}]}}{n^p}$.

解 记$A_l=\{n\mid[\sqrt{n}]=l\}(l=1,2,\cdots)$. $\forall n\in A_l$，$l^2\leqslant n<(l+1)^2$，故A_l中元素的个数为$2l+1$，考虑$u_l=\sum\limits_{n\in A_l}\dfrac{(-1)^{[\sqrt{n}]}}{n^p}$，则有

$$u_l=\sum_{n\in A_l}\frac{(-1)^l}{n^p}=(-1)^l v_l,$$

其中$v_l=\sum\limits_{n\in A_l}\dfrac{1}{n^p}$. 当$p>0$时，有

$$\begin{aligned}v_l-v_{l+1}&=\sum_{s=0}^{2l}\frac{1}{(l^2+s)^p}-\sum_{s=0}^{2(l+1)}\frac{1}{[(l+1)^2+s]^p}\\&=\sum_{s=0}^{2l}\left\{\frac{1}{(l^2+s)^p}-\frac{1}{[(l+1)^2+s]^p}\right\}-\frac{1}{[(l+1)^2+2l+1]^p}-\frac{1}{[(l+1)^2+2l+2]^p}\\&=\sum_{s=0}^{2l}\frac{[(l+1)^2+s]^p-(l^2+s)^p}{(l^2+s)^p[(l+1)^2+s]^p}-\frac{1}{[(l+1)^2+2l+1]^p}-\frac{1}{[(l+1)^2+2l+2]^p}.\end{aligned}$$

考虑函数$f(x)=x^r(r>1)$. 当$x>y>0$时，由微分学中值公式，有

$$x^r-y^r=r\xi^{r-1}(x-y)\geqslant ry^{r-1}(x-y),$$

其中$y<\xi<x$.

于是，令$r=2p$，$x=\sqrt{(l+1)^2+s}$，$y=\sqrt{l^2+s}$，则当$p>\dfrac{1}{2}$时，有

$$\begin{aligned}&[(l+1)^2+s]^p-(l^2+s)^p\\&=(\sqrt{(l+1)^2+s})^{2p}-(\sqrt{l^2+s})^{2p}\geqslant 2p(\sqrt{l^2+s})^{2p-1}[\sqrt{(l+1)^2+s}-\sqrt{l^2+s}]\\&=2p(\sqrt{l^2+s})^{2p-1}\frac{2l+1}{\sqrt{(l+1)^2+s}+\sqrt{l^2+s}}\geqslant\frac{2pl^{2p-1}(2l+1)}{2\sqrt{l^2+4l+1}}(s\leqslant 2l).\end{aligned}$$

从而当$p>\dfrac{1}{2}$时，有

$$v_l-v_{l+1}\geqslant\frac{pl^{2p-1}(2l+1)^2}{(l^2+4l+1)^{2p+\frac{1}{2}}}-\frac{2}{(l^2+4l+1)^p}\geqslant\frac{2l^{2p-1}\left(l^2+l+\frac{1}{4}\right)}{(l^2+4l+1)^{2p+\frac{1}{2}}}\left[2p-\frac{(l^2+4l+1)^{p+\frac{1}{2}}}{l^{2p-1}\left(l^2+l+\frac{1}{4}\right)}\right].$$

由于$2p>1$，而

$$\lim_{l\to+\infty}\frac{(l^2+4l+1)^{p+\frac{1}{2}}}{l^{2p-1}\left(l^2+l+\frac{1}{4}\right)}=1,$$

故当l充分大时，$v_l-v_{l+1}>0$. 于是，存在l_0，当$l\geqslant l_0$时，$\{v_l\}$是单调递减数列. 又当$n\in A_l$，$p>0$时，有

$$\frac{1}{(l+1)^{2p}}<\frac{1}{n^p}\leqslant\frac{1}{l^{2p}},$$

故$\dfrac{2l+1}{(l+1)^{2p}}<v_l\leqslant\dfrac{2l+1}{l^{2p}}$. 从而知级数$\sum\limits_{l=1}^{\infty}u_l=\sum\limits_{l=1}^{\infty}(-1)^l v_l$ 收敛.

当$\dfrac{1}{2}<p\leqslant 1$时，级数$\sum\limits_{l=1}^{\infty}u_l$ 条件收敛. 当 $p>1$ 时，级数$\sum\limits_{l=1}^{\infty}u_l$ 绝对收敛. 当 $p\leqslant\dfrac{1}{2}$ 时，级数$\sum\limits_{l=1}^{\infty}u_l$ 发散.

记 $a_n=\dfrac{(-1)^{[\sqrt{n}]}}{n^p}$，部分和为 $S_n=\sum\limits_{k=1}^{n}a_k$，$\sum\limits_{n=1}^{\infty}u_n$ 的部分和为 $\sigma_m=\sum\limits_{k=1}^{m}u_k$，则

$$|S_n-\sigma_m|\leqslant|\sigma_{m+1}-\sigma_m|.$$

当$\dfrac{1}{2}<p\leqslant 1$时，$\sum\limits_{n=1}^{\infty}u_n$ 条件收敛，当 $p>1$ 时，$\sum\limits_{n=1}^{\infty}u_n$ 绝对收敛. 记其和为 σ，则 $\lim\limits_{m\to\infty}\sigma_m=\sigma$. 故

$$\lim_{n\to\infty}S_n=\lim_{m\to\infty}\sigma_m=\sigma,$$

即$\sum\limits_{n=1}^{\infty}a_n$ 与$\sum\limits_{n=1}^{\infty}u_n$ 的敛散性相同. 从而当$\dfrac{1}{2}<p\leqslant 1$时，原级数$\sum\limits_{n=1}^{\infty}a_n$ 条件收敛；当 $p>1$ 时，原级数绝对收敛；当 $p\leqslant\dfrac{1}{2}$ 时，级数发散.

【2688】 $\sum\limits_{n=1}^{\infty}\dfrac{(-1)^{[\ln n]}}{n}$.

解 记 $a_n=\dfrac{(-1)^{[\ln n]}}{n}$. 令

$$A_k=\{n\mid[\ln n]=k\}(k=1,2,\cdots),$$

则集合 A_k 内元素 n 满足 $k\leqslant\ln n<k+1$，或 $e^k\leqslant n<e\cdot e^k$，个数 $p_k=[(e-1)e^k]$. 将 A_k 内的元素从小到大排列，可记为 $n_k,n_k+1,\cdots,n_k+p_k-1$. 记

$$u_k=\sum_{n\in A_k}a_n=\sum_{n\in A_k}\frac{(-1)^{[\ln n]}}{n}=(-1)^k\sum_{n\in A_k}\frac{1}{n}=(-1)^k v_k,$$

其中

$$v_k=\sum_{n\in A_k}\frac{1}{n}=\sum_{v=0}^{p_k-1}\frac{1}{n_k+v}\geqslant\sum_{\nu=0}^{p_k-1}\frac{1}{e\cdot e^k}=\frac{p_k}{e\cdot e^k}=\frac{1}{e\cdot e^k}[(e-1)e^k]\geqslant\frac{1}{e\cdot e^k}\frac{1}{2}(e-1)e^k=\frac{e-1}{2e}.$$

下证$\sum\limits_{n=1}^{\infty}a_n$ 发散. 采用反证法，假设$\sum\limits_{n=1}^{\infty}a_n$ 收敛，则由柯西准则，$\forall\varepsilon>0$，$\exists N_0$，当 $n\geqslant N_0$ 时，$\forall p\in\mathbf{N}_+$，有

$$|a_n+a_{n+1}+\cdots+a_{n+p}|<\varepsilon.$$

取 $\varepsilon=\dfrac{e-1}{4e}>0$，$\exists N_0$，在 $n\geqslant N_0$ 中任选 n_k，使得 $n_k\in A_k$，即 $e^k\leqslant n_k<e\cdot e^k$. 取正整数 $p=p_k-1$，则

$$|a_{n_k}+a_{n_k+1}+\cdots+a_{n_k+p_k-1}|<\varepsilon.$$

另一方面，

$$|a_{u_k}+a_{n_k+1}+\cdots+a_{n_k+p_k-1}|=|u_k|=v_k\geqslant\frac{e-1}{2e}=2\varepsilon>\varepsilon.$$

矛盾. 因而级数$\sum\limits_{n=1}^{\infty}a_n$ 发散.

【2689】 $\sum\limits_{n=1}^{\infty}(-1)^{n-1}\left[\dfrac{1\cdot 3\cdot 5\cdots(2n-1)}{2\cdot 4\cdot 6\cdots(2n)}\right]^p$.

解 设 $a_n=(-1)^{n-1}\left[\dfrac{1\cdot 3\cdot 5\cdots(2n-1)}{2\cdot 4\cdot 6\cdots(2n)}\right]^p$.

当 $p\leqslant 0$ 时，显然 $|a_n|\geqslant 1$，故 $\lim\limits_{n\to\infty}a_n\neq 0$，因而级数 $\sum\limits_{n=1}^{\infty}a_n$ 发散.

当 $0<p\leqslant 2$ 时，记 $a_n=(-1)^{n-1}b_n$，其中 $b_n=\left[\dfrac{1\cdot 3\cdot\cdots(2n-1)}{2\cdot 4\cdots(2n)}\right]^p$.

由 $\left(\dfrac{2n+1}{2n+2}\right)^p<1$，则 $b_n>\left[\dfrac{2n+1}{2(n+1)}\right]^p b_n=b_{n+1}(n=1,2,\cdots)$，且

$$0<b_n<\left(\frac{1}{\sqrt{2n+1}}\right)^p\to 0(n\to\infty).$$

由莱布尼茨判别法知，级数 $\sum\limits_{n=1}^{\infty}a_n$ 收敛. 当 $0<p\leqslant 2$ 时，$\sum\limits_{n=1}^{\infty}|a_n|$ 发散，$\sum\limits_{n=1}^{\infty}(-1)^{n-1}\left[\dfrac{1\cdot 3\cdot 5\cdots(2n-1)}{2\cdot 4\cdot 6\cdots(2n)}\right]^p$ 条件收敛. 当 $p>2$ 时，原级数绝对收敛.

【2690】 $\sum\limits_{n=1}^{\infty}\sin n^2$.

解 先证 $\lim\limits_{n\to\infty}\sin n^2\neq 0$，因而级数 $\sum\limits_{n=1}^{\infty}\sin n^2$ 发散. 现用反证法，假设

$$\lim_{n\to\infty}\sin n^2=0,$$

则 $\lim\limits_{n\to\infty}\sin^2(n^2)=0$. 故 $\lim\limits_{n\to\infty}\cos^2(n^2)=1$. 由于

$$\sin(n+1)^2=\sin(n^2+2n+1)=\sin n^2\cos(2n+1)+\cos n^2\sin(2n+1),$$

故

$$\cos^2(n^2)\sin^2(2n+1)=[\sin(n+1)^2-\sin n^2\cos(2n+1)]^2.$$

令 $n\to\infty$，由 $\lim\limits_{n\to\infty}\sin(n+1)^2=0$，$\lim\limits_{n\to\infty}\cos^2(n^2)=1$，则 $\lim\limits_{n\to\infty}\sin^2(2n+1)=0$. 从而 $\lim\limits_{n\to\infty}\sin(2n+1)=0$. 同理可得 $\lim\limits_{n\to\infty}\sin(2n-1)=0$. 又

$$\sin(2n+1)+\sin(2n-1)=2\sin 2n\cos 1,$$

则 $\lim\limits_{n\to\infty}\sin 2n=0$，即 $\lim\limits_{n\to\infty}\sin n=0$. 从而 $\lim\limits_{n\to\infty}\sin^2 n=0$，$\lim\limits_{n\to\infty}\cos^2 n=1$. 但

$$\sin(n+1)=\sin n\cos 1+\cos n\sin 1,$$

令 $n\to\infty$，则左端 $=\sin^2 1\neq 0$，右端 $=0$，矛盾. 因此，假设 $\lim\limits_{n\to\infty}\sin n^2=0$ 是错误的，故 $\lim\limits_{n\to\infty}\sin n^2\neq 0$. 从而级数 $\sum\limits_{n=1}^{\infty}\sin n^2$ 发散.

【2691】 判断级数 $\sum\limits_{n=1}^{\infty}\dfrac{\sin n\cdot\sin n^2}{n}$ 的收敛性.

解 记 $a_n=\dfrac{1}{n}$，$b_n=\sin n\cdot\sin n^2$. 显然 $\{a_n\}$ 单调递减，$\lim\limits_{n\to\infty}a_n=0$，且

$$\left|\sum_{k=1}^{n}b_k\right|=\left|\sum_{k=1}^{n}\frac{1}{2}[\cos k(k-1)-\cos k(k+1)]\right|=\frac{1}{2}|\cos 0-\cos n(n+1)|\leqslant 1,$$

故由狄利克雷判别法知，级数 $\sum\limits_{n=1}^{\infty}\dfrac{\sin n\cdot\sin n^2}{n}$ 收敛.

【2692】 设

$$R(x)=\frac{a_0x^p+a_1x^{p-1}+\cdots+a_p}{b_0x^q+b_1x^{q-1}+\cdots+b_q}$$

为有理函数，$a_0\neq 0$，$b_0\neq 0$，且当 $x\geqslant n_0$ 时，$|b_0x^q+b_1x^{q-1}+\cdots+b_q|>0$.

研究级数 $\sum\limits_{n=n_0}^{\infty}(-1)^nR(n)$ 的绝对收敛性和条件收敛性.

解 首先考虑绝对收敛性.

当 $q>p+1$ 时，由于

$$|R(n)|=\left|\frac{a_0+a_1n^{-1}+\cdots+a_pn^{-p}}{b_0n^{q-p}+b_1n^{q-p-1}+\cdots+b_qn^{-p}}\right|\sim\frac{|a_0|}{|b_0|n^{q-p}},$$

而 $\sum\limits_{n=n_0}^{\infty}\frac{1}{n^{q-p}}$ 收敛，故级数 $\sum\limits_{n=n_0}^{\infty}(-1)^nR(n)$ 绝对收敛. 当 $q\leqslant p+1$ 时，级数 $\sum\limits_{n=n_0}^{\infty}|R(n)|$ 发散.

当 $p<q$ 时，$(-1)^nR(n)\sim(-1)^n\frac{a_0}{b_0n^{q-p}}$，容易验证原级数符合莱布尼茨判别法的条件. 故当 $p<q\leqslant p+1$ 时，级数 $\sum\limits_{n=n_0}^{\infty}(-1)^nR(n)$ 条件收敛.

当 $p\geqslant q$ 时，$\lim\limits_{n\to\infty}R(n)\neq0$，故级数 $\sum\limits_{n=n_0}^{\infty}(-1)^nR(n)$ 发散.

【研究下列级数的收敛性(2693—2696)】

【2693】 $\frac{1}{1^p}-\frac{1}{2^q}+\frac{1}{3^p}-\frac{1}{4^q}+\frac{1}{5^p}-\frac{1}{6^q}+\cdots.$

解 记原级数为 $\sum\limits_{n=1}^{\infty}a_n$.

(1) 当 $p>1,q>1$ 时，则级数 $\sum\limits_{n=1}^{\infty}a_n$ 绝对收敛(不妨设 $p\geqslant q>1$，则 $|a_n|\leqslant\frac{1}{n^q}$).

(2) 当 $0<p=q\leqslant1$ 时，利用莱布尼茨判别法知级数 $\sum\limits_{n=1}^{\infty}a_n$ 收敛，且条件收敛.

(3) 当 $p>1,0<q\leqslant1$ 或 $q>1,0<p\leqslant1$ 时，考虑

$$\sum_{n=1}^{\infty}\left[\frac{1}{(2n-1)^p}-\frac{1}{(2n)^q}\right].$$

此时 $\sum\limits_{n=1}^{\infty}\frac{1}{(2n-1)^p}$ 与 $\sum\limits_{n=1}^{\infty}\frac{1}{(2n)^q}$ 一个收敛，一个发散，因而 $\sum\limits_{n=1}^{\infty}\left[\frac{1}{(2n-1)^p}-\frac{1}{(2n)^q}\right]$ 发散，所以 $\sum\limits_{n=1}^{\infty}a_n$ 发散.

(4) 当 $0<p<q\leqslant1$ 时，$\frac{1}{(2n-1)^p}-\frac{1}{(2n)^q}>0$，且

$$\lim_{n\to\infty}\frac{\frac{1}{(2n-1)^p}-\frac{1}{(2n)^q}}{\frac{1}{(2n-1)^p}}=\lim_{n\to\infty}\left[1-\frac{(2n-1)^p}{(2n)^q}\right]=1,$$

而 $\sum\limits_{n=1}^{\infty}\frac{1}{(2n-1)^p}$ 发散，因而 $\sum\limits_{n=1}^{\infty}\left[\frac{1}{(2n-1)^p}-\frac{1}{(2n)^q}\right]$ 发散，所以 $\sum\limits_{n=1}^{\infty}a_n$ 发散.

(5) 当 $0<q<p\leqslant1$ 时，同(4)知级数 $\sum\limits_{n=1}^{\infty}a_n$ 发散.

(6) 当 p,q 中有一个小于或等于零时，级数发散.

【2694】 $\frac{1}{1^p}+\frac{1}{3^p}-\frac{1}{2^p}+\frac{1}{5^p}+\frac{1}{7^p}-\frac{1}{4^p}+\cdots.$

解 当 $p>1$ 时，由于原级数是由绝对收敛的级数 $\sum\limits_{n=1}^{\infty}(-1)^{n-1}\frac{1}{n^p}$ 重排而得到的，因此，也是绝对收敛的. 下面讨论条件收敛性.

当 $0<p<1$ 时，令

$$u_n=\frac{1}{(4n-3)^p}+\frac{1}{(4n-1)^p}-\frac{1}{(2n)^p}=\frac{1}{(4n)^p\left(1-\frac{3}{4n}\right)^p}+\frac{1}{(4n)^p\left(1-\frac{1}{4n}\right)^p}-\frac{1}{(2n)^p}$$

$$=\frac{1}{(4n)^p}\left[1+\frac{3p}{4n}+1+\frac{p}{4n}+O\left(\frac{1}{n^2}\right)\right]-\frac{1}{(2n)^p}=\frac{1}{2^p(2n)^p}\left[2+\frac{p}{n}+O\left(\frac{1}{n^2}\right)\right]-\frac{1}{(2n)^p}$$

$$= \frac{1}{(2n)^p}\left(\frac{1}{2^{p-1}}-1\right)+\frac{4p}{(4n)^{p+1}}+O\left(\frac{1}{n^{p+2}}\right).$$

由于级数 $\sum_{n=1}^{\infty}\frac{1}{(2n)^p}\left(\frac{1}{2^{p-1}}-1\right)$ 发散，$\sum_{n=1}^{\infty}\frac{4p}{(4n)^{p+1}}$ 和 $\sum_{n=1}^{\infty}\frac{1}{n^{p+2}}$ 均收敛. 因此 $\sum_{n=1}^{\infty}u_n$ 发散，从而原级数发散.

当 $p=1$ 时，令

$$u_n=\frac{1}{4n-3}+\frac{1}{4n-1}-\frac{1}{2n}=\frac{1}{4n\left(1-\frac{3}{4n}\right)}+\frac{1}{4n\left(1-\frac{1}{4n}\right)}-\frac{1}{2n}$$

$$=\frac{1}{4n}\left[1+\frac{3}{4n}+1+\frac{1}{4n}+O\left(\frac{1}{n^2}\right)\right]-\frac{1}{2n}=\frac{1}{4n}\left[2+\frac{1}{n}+O\left(\frac{1}{n^2}\right)\right]-\frac{1}{2n}$$

$$=\frac{1}{4n^2}+O\left(\frac{1}{n^3}\right).$$

显然级数 $\sum_{n=1}^{\infty}\frac{1}{4n^2}$ 和 $\sum_{n=1}^{\infty}\frac{1}{n^3}$ 都收敛，故当 $p=1$ 时，原级数收敛. 显然不是绝对收敛，即原级数条件收敛.

当 $p\leqslant 0$ 时，由于当 $n\to\infty$ 时通项不趋于零，故原级数发散.

【2695】 $1+\frac{1}{3^p}-\frac{1}{1^p}+\frac{1}{5^p}+\frac{1}{7^p}-\frac{1}{3^p}+\frac{1}{9^p}+\frac{1}{11^p}-\frac{1}{5^p}+\cdots.$

解 易证原级数与级数 $\sum_{n=1}^{\infty}u_n$ 同时收敛或同时发散，其中

$$u_n=\frac{1}{(4n-3)^p}+\frac{1}{(4n-1)^p}-\frac{1}{(2n-1)^p}=\frac{1}{2^p(2n)^p}\left[2+\frac{p}{n}+O\left(\frac{1}{n^2}\right)\right]-\frac{1}{(2n)^p}\frac{1}{\left(1-\frac{1}{2n}\right)^p}$$

$$=\frac{1}{(2n)^p}\left(\frac{1}{2^{p-1}}-1\right)+\frac{1}{2^p}\left(\frac{p}{2^p}-\frac{p}{2}\right)\frac{1}{n^{p+1}}+O\left(\frac{1}{n^{p+2}}\right).$$

当 $p>1$ 时，级数显然绝对收敛.

当 $0<p<1$ 时，级数 $\sum_{n=1}^{\infty}\frac{1}{(2n)^p}\left(\frac{1}{2^{p-1}}-1\right)$ 发散，级数 $\sum_{n=1}^{\infty}\frac{1}{2^p}\left(\frac{p}{2^p}-\frac{p}{2}\right)\frac{1}{n^{p+1}}$ 和 $\sum_{n=1}^{\infty}\frac{1}{n^{p+2}}$ 均收敛. 因此 $\sum_{n=1}^{\infty}u_n$ 发散. 从而当 $0<p<1$ 时，原级数发散.

当 $p=1$ 时，

$$u_n=\frac{1}{4n-3}+\frac{1}{4n-1}-\frac{1}{2n-1}=\frac{1}{4n}\left[2+\frac{1}{n}+O\left(\frac{1}{n^2}\right)\right]-\frac{1}{2n}\frac{1}{\left(1-\frac{1}{2n}\right)}=O\left(\frac{1}{n^3}\right).$$

显然级数 $\sum_{n=1}^{\infty}\frac{1}{n^3}$ 收敛，故 $\sum_{n=1}^{\infty}u_n$ 收敛，从而原级数收敛. 但级数

$$1+\frac{1}{3}+1+\frac{1}{5}+\frac{1}{7}+\frac{1}{3}+\frac{1}{9}+\frac{1}{11}+\frac{1}{5}+\cdots$$

发散，即原级数条件收敛.

当 $p\leqslant 0$ 时，由于当 $n\to\infty$ 时通项不趋于零，故原级数发散.

【2696】 $1-\frac{2}{2^q}+\frac{1}{3^p}+\frac{1}{4^p}-\frac{2}{5^q}+\frac{1}{6^p}+\frac{1}{7^p}-\frac{2}{8^q}+\frac{1}{9^p}+\cdots.$

解 当 $p>1,q>1$ 时，记 $\delta=\min\{p,q\}>1$. 由于级数

$$1+\frac{2}{2^q}+\frac{1}{3^p}+\frac{1}{4^p}+\frac{2}{5^q}+\frac{1}{6^p}+\frac{1}{7^p}+\frac{2}{8^q}+\frac{1}{9^p}+\cdots \quad ①$$

的前 n 项部分和 S_n 满足

$$S_n\leqslant\sum_{k=1}^{n}\frac{2}{k^\delta}<+\infty,$$

故$\{S_n\}$单调递增且有界，从而$\lim\limits_{n\to\infty} S_n$存在．故原级数在$p>1,q>1$时绝对收敛．

当$0<p=q\leqslant 1$时，由于级数①的部分和S_n满足

$$S_n \geqslant \sum_{k=1}^{n}\frac{1}{k}\to+\infty(n\to+\infty),$$

故原级数不绝对收敛．但当$0<p=q\leqslant 1$时，可考虑级数$\left(1-\frac{2}{2^p}\right)+\sum\limits_{n=1}^{\infty}u_n$，其中

$$\begin{aligned}u_n&=\frac{1}{(3n)^p}+\frac{1}{(3n+1)^p}-\frac{2}{(3n+2)^p}\\&=\frac{1}{(3n)^p}\left[1-\left(1+\frac{2}{3n}\right)^{-p}\right]+\frac{1}{(3n+1)^p}\left[1-\left(1+\frac{2}{3n+1}\right)^{-p}\right]\\&=\frac{1}{(3n)^p}\left[\frac{2p}{3n}+O\left(\frac{1}{n^2}\right)\right]+\frac{1}{(3n+1)^p}\left[\frac{p}{3n+1}+O\left(\frac{1}{n^2}\right)\right]\\&=\frac{2p}{(3n)^{p+1}}+\frac{p}{(3n+1)^{p+1}}+O\left(\frac{1}{n^{p+2}}\right)\leqslant\frac{3p}{(3n)^{p+1}}+O\left(\frac{1}{n^{p+2}}\right).\end{aligned}$$

显然$\sum\limits_{n=1}^{\infty}u_n$收敛．易证原级数与级数$\left(1-\frac{2}{2^p}\right)+\sum\limits_{n=1}^{\infty}u_n$敛散性相同．

因而原级数当$0<p=q\leqslant 1$时条件收敛；当p,q中有一个小于或等于零时，原级数发散．

【2697】 证明：级数(1) $\sin x+\frac{\sin 2x}{2}+\frac{\sin 3x}{3}+\cdots$，(2) $\cos x+\frac{\cos 2x}{2}+\frac{\cos 3x}{3}+\cdots$ 在区间$(0,\pi)$内不绝对收敛．

证 (1) 因为$\left\{\frac{1}{n}\right\}$单调下降，$\lim\limits_{n\to\infty}\frac{1}{n}=0$，且$\sum\limits_{k=1}^{n}\sin kx$有界，故由狄利克雷判别法知，$\sum\limits_{n=1}^{\infty}\frac{\sin nx}{n}$收敛．又

$$\left|\frac{\sin nx}{n}\right|\geqslant\frac{\sin^2 nx}{n}=\frac{1-\cos 2nx}{2n}=\frac{1}{2n}-\frac{\cos 2nx}{2n},$$

且$\sum\limits_{n=1}^{\infty}\frac{1}{2n}$发散，$\sum\limits_{n=1}^{\infty}\frac{\cos 2nx}{2n}$收敛，故级数$\sum\limits_{n=1}^{\infty}\left|\frac{\sin nx}{n}\right|$在$(0,\pi)$内发散．因此，原级数在$(0,\pi)$内条件收敛．

(2) 因为$\left\{\frac{1}{n}\right\}$单调下降，$\lim\limits_{n\to\infty}\frac{1}{n}=0$，且$\sum\limits_{k=1}^{n}\cos kx$有界，故由狄利克雷判别法知$\sum\limits_{n=1}^{\infty}\frac{\cos nx}{n}$收敛．又

$$\left|\frac{\cos nx}{n}\right|\geqslant\frac{\cos^2 nx}{n}=\frac{1+\cos 2nx}{2n}=\frac{1}{2n}+\frac{\cos 2nx}{2n},$$

且$\sum\limits_{n=1}^{\infty}\frac{1}{2n}$发散，$\sum\limits_{n=1}^{\infty}\frac{\cos 2nx}{2n}$收敛，故级数$\sum\limits_{n=1}^{\infty}\left|\frac{\cos nx}{n}\right|$在$(0,\pi)$内发散．因此，原级数在$(0,\pi)$内条件收敛．

【2698】 试求级数

$$\sum_{n=1}^{\infty}\frac{\cos nx}{n^p},\sum_{n=1}^{\infty}\frac{\sin nx}{n^p}(0<x<\pi)$$

的绝对收敛域与条件收敛域．

解 当$p>1$时，由于

$$\left|\frac{\cos nx}{n^p}\right|\leqslant\frac{1}{n^p},\left|\frac{\sin nx}{n^p}\right|\leqslant\frac{1}{n^p}(0<x<\pi),$$

且$\sum\limits_{n=1}^{\infty}\frac{1}{n^p}$收敛，故$\forall x\in(0,\pi)$，$\forall p>1$，级数均绝对收敛．

当$0<p\leqslant 1$时，由于$\left\{\frac{1}{n^p}\right\}$单调下降，$\lim\limits_{n\to\infty}\frac{1}{n^p}=0$，且部分和$\sum\limits_{k=1}^{n}\cos kx$及$\sum\limits_{k=1}^{n}\sin kx$均有界$(0<x<\pi)$，故由狄利克雷判别法知，两级数均收敛．由

$$\left|\frac{\cos nx}{n^p}\right| \geqslant \frac{\cos^2 nx}{n^p} = \frac{1}{2n^p} + \frac{\cos 2nx}{2n^p}, \left|\frac{\sin nx}{n^p}\right| \geqslant \frac{\sin^2 nx}{n^p} = \frac{1}{2n^p} - \frac{\cos 2nx}{2n^p},$$

且 $\sum\limits_{n=1}^{\infty}\frac{1}{2n^p}$ 当 $0 < p \leqslant 1$ 时发散，$\sum\limits_{n=1}^{\infty}\frac{\cos 2nx}{2n^p}$ 当 $0 < p \leqslant 1$ 时收敛，故 $\sum\limits_{n=1}^{\infty}\frac{|\cos nx|}{n^p}$ 与 $\sum\limits_{n=1}^{\infty}\frac{|\sin nx|}{n^p}$ 当 $0 < p \leqslant 1$ 时均发散.

因此，当 $0 < p \leqslant 1$ 时，$\forall x \in (0,\pi)$，级数 $\sum\limits_{n=1}^{\infty}\frac{\cos nx}{n^p}$ 与 $\sum\limits_{n=1}^{\infty}\frac{\sin nx}{n^p}$ 条件收敛. 当 $p \leqslant 0$ 时，级数发散.

综上可知 $\forall x \in (0,\pi)$，两级数的绝对收敛域为 $p > 1$，条件收敛域为 $0 < p \leqslant 1$.

【2699】 试求级数

$$\sum_{n=1}^{\infty}(-1)^{n-1}\frac{(1+p)(2+p)\cdots(n+p)}{n!n^q}$$

的绝对收敛域与条件收敛域.

解 记 $a_n = \frac{(1+p)(2+p)\cdots(n+p)}{n!n^q}$. 由

$$\begin{aligned}\frac{a_n}{a_{n+1}} &= \left(\frac{n+1}{n+1+p}\right)\left(\frac{n+1}{n}\right)^q = \left(1-\frac{p}{n+1+p}\right)\left(1+\frac{1}{n}\right)^q \\ &= \left[1-\frac{p}{n}+\frac{p(p+1)}{n^2}+O\left(\frac{1}{n^3}\right)\right]\left[1+\frac{q}{n}+\frac{q(q-1)}{2n^2}+O\left(\frac{1}{n^3}\right)\right] \\ &= 1+\frac{q-p}{n}+\Delta_n,\end{aligned}$$

其中

$$\Delta_n = \left[\frac{1}{2}q(q-1)-pq+p(p+1)\right]\frac{1}{n^2}+O\left(\frac{1}{n^3}\right).$$

故由高斯判别法知：

当 $q > p+1$ 时，$\sum\limits_{n=1}^{\infty} a_n$ 收敛，从而原级数绝对收敛.

当 $p \in \mathbf{Z}_-$ 时，原级数绝对收敛.

当 $q \leqslant p+1$ 时，$\sum\limits_{n=1}^{\infty} a_n$ 发散，从而原级数不绝对收敛. 当 $p < q \leqslant p+1$ 时，原级数条件收敛.

当 $q = p$ 时，$\lim\limits_{n\to\infty} a_n \neq 0$，原级数发散.

当 $q < p$ 时，对于足够大的 n 有 $a_n < a_{n+1}$，可见通项不趋于零，故原级数发散.

综上可知，级数的绝对收敛域为 $q > p+1$，条件收敛域为 $p < q \leqslant p+1$.

注 当 $p < q \leqslant p+1$ 时，原级数条件收敛的证明如下：n 足够大时，易见 $a_n > a_{n+1}$，即 $\{a_n\}$ 单调下降. 记 $q = p+\varepsilon, \varepsilon > 0$，则

$$a_n = \frac{(1+p)(2+p)\cdots(n+p)}{n!n^{p+\varepsilon}},$$

取对数，有

$$\begin{aligned}\ln a_n &= \sum_{k=1}^{n}\ln\left(1+\frac{p}{k}\right)-(p+\varepsilon)\ln n = \sum_{k=1}^{n}\frac{p}{k}+\sum_{k=1}^{n}O\left(\frac{1}{k^2}\right)-(p+\varepsilon)\ln n \\ &= p\ln n+pr+A_1+O\left(\frac{1}{n}\right)-p\ln n-\varepsilon\ln n \\ &= pr+A_1+O\left(\frac{1}{n}\right)-\varepsilon\ln n \to -\infty\ (n\to\infty),\end{aligned}$$

其中 r 及 A_1 为某些常数，从而知 $\lim\limits_{n\to\infty} a_n = 0$. 由莱布尼茨判别法知，$\sum\limits_{n=1}^{\infty}(-1)^{n-1}a_n$ 收敛. 因此，当 $p < q \leqslant p+1$ 时，原级数条件收敛.

【2700】 研究级数$\sum\limits_{n=1}^{\infty}\binom{m}{n}$的收敛性，其中$\binom{m}{n}=\dfrac{m(m-1)\cdots(m-n+1)}{n!}$.

解 记$a_n=\binom{m}{n}$，则

$$\left|\frac{a_n}{a_{n+1}}\right|=\left|\frac{n+1}{m-n}\right|=\left|\left(1+\frac{1}{n}\right)\left[1+\frac{m}{n}+O\left(\frac{1}{n^2}\right)\right]\right|=1+\frac{m+1}{n}+O\left(\frac{1}{n^2}\right).$$

由高斯判别法知：当$m+1>1$即$m>0$时，级数绝对收敛. 当$m<0$时，$\sum\limits_{n=1}^{\infty}|a_n|$发散. 当$m=0$时，级数显然绝对收敛.

下面证明：当$-1<m<0$时，级数收敛，当n充分大，$\sum\limits_{n=n_0}^{\infty}\binom{m}{n}$为交错级数. 又因$-1<m<0$，故$\left|\dfrac{m-n}{n+1}\right|<1$，取对数，有

$$\begin{aligned}\ln|a_n|&=\ln\left|\frac{m(m-1)\cdots(m-n+1)}{n!}\right|\\&=\ln\left|\left(1-\frac{m+1}{1}\right)\left(1-\frac{m+1}{2}\right)\cdots\left(1-\frac{m+1}{n}\right)\right|=\sum_{k=1}^{n}\ln\left(1-\frac{m+1}{k}\right),\end{aligned}$$

由$\lim\limits_{k\to\infty}\dfrac{\ln\left(1-\dfrac{m+1}{k}\right)}{-\dfrac{m+1}{k}}=1$，而$\sum\limits_{k=1}^{\infty}\dfrac{1}{k}=+\infty$，故$\sum\limits_{k=1}^{\infty}\ln\left(1-\dfrac{m+1}{k}\right)=-\infty$，因此，$\lim\limits_{n\to\infty}|a_n|=0$. 由莱布尼茨判别法知$\sum\limits_{n=1}^{\infty}a_n$收敛，从而级数$\sum\limits_{n=1}^{\infty}a_n$条件收敛.

当$m\leqslant-1$时，级数发散.

综上可知，当$m\geqslant0$时，$\sum\limits_{n=1}^{\infty}\binom{m}{n}$绝对收敛；当$-1<m<0$时，$\sum\limits_{n=1}^{\infty}\binom{m}{n}$条件收敛.

习题2701—2705 综合练习

【2701】 若级数$\sum\limits_{n=1}^{\infty}a_n$收敛且$\lim\limits_{n\to\infty}\dfrac{b_n}{a_n}=1$，级数$\sum\limits_{n=1}^{\infty}b_n$是否收敛？研究例子

$$\sum_{n=1}^{\infty}\frac{(-1)^n}{\sqrt{n}},\sum_{n=1}^{\infty}\left[\frac{(-1)^n}{\sqrt{n}}+\frac{1}{n}\right].$$

解 如果$\sum\limits_{n=1}^{\infty}a_n$与$\sum\limits_{n=1}^{\infty}b_n$均为正项级数，则由$\sum\limits_{n=1}^{\infty}a_n$收敛可断定$\sum\limits_{n=1}^{\infty}b_n$也收敛. 当$\sum\limits_{n=1}^{\infty}a_n$与$\sum\limits_{n=1}^{\infty}b_n$不一定都是正项级数时，则由$\sum\limits_{n=1}^{\infty}a_n$的收敛性不能断定$\sum\limits_{n=1}^{\infty}b_n$收敛. 例如，级数$\sum\limits_{n=1}^{\infty}\dfrac{(-1)^n}{\sqrt{n}}$收敛，且

$$\lim_{n\to\infty}\frac{\dfrac{(-1)^n}{\sqrt{n}}+\dfrac{1}{n}}{\dfrac{(-1)^n}{\sqrt{n}}}=1.$$

由于级数$\sum\limits_{n=1}^{\infty}\dfrac{(-1)^n}{\sqrt{n}}$收敛，级数$\sum\limits_{n=1}^{\infty}\dfrac{1}{n}$发散，故级数$\sum\limits_{n=1}^{\infty}\left[\dfrac{(-1)^n}{\sqrt{n}}+\dfrac{1}{n}\right]$发散.

【2702】 设$\sum\limits_{n=1}^{\infty}a_n$条件收敛，$P_n=\sum\limits_{i=1}^{n}\dfrac{|a_i|+a_i}{2}$，$N_n=\sum\limits_{i=1}^{n}\dfrac{|a_i|-a_i}{2}$，证明：$\lim\limits_{n\to\infty}\dfrac{N_n}{P_n}=1$.

证 设级数 $\sum\limits_{n=1}^{\infty} a_n$ 条件收敛，则 $\sum\limits_{n=1}^{\infty} |a_n| = +\infty$，故 $\lim\limits_{n\to\infty} \dfrac{\sum\limits_{i=1}^{n} a_i}{\sum\limits_{i=1}^{n} |a_i|} = 0$，从而

$$\lim_{n\to\infty} \frac{N_n}{P_n} = \lim_{n\to\infty} \frac{\sum\limits_{i=1}^{n} |a_i| - \sum\limits_{i=1}^{n} a_i}{\sum\limits_{i=1}^{n} |a_i| + \sum\limits_{i=1}^{n} a_i} = \lim_{n\to\infty} \frac{1 - \dfrac{\sum\limits_{i=1}^{n} a_i}{\sum\limits_{i=1}^{n} |a_i|}}{1 + \dfrac{\sum\limits_{i=1}^{n} a_i}{\sum\limits_{i=1}^{n} |a_i|}} = 1.$$

【2703】 证明：$\forall p > 0$，$\dfrac{1}{2} \leqslant \sum\limits_{n=1}^{\infty} \dfrac{(-1)n+1}{n^p} \leqslant 1$.

证 记

$$S_{2n} = \left(1 - \frac{1}{2^p}\right) + \left(\frac{1}{3^p} - \frac{1}{4^p}\right) + \cdots + \left[\frac{1}{(2n-1)^p} - \frac{1}{(2n)^p}\right],$$

则 $\{S_{2n}\}$ 单调递增. 又因

$$S_{2n} = 1 - \left(\frac{1}{2^p} - \frac{1}{3^p}\right) - \left(\frac{1}{4^p} - \frac{1}{5^p}\right) - \cdots - \left[\frac{1}{(2n-2)^p} - \frac{1}{(2n-1)^p}\right] - \frac{1}{(2n)^p} < 1,$$

故 $\{S_{2n}\}$ 有上界. 从而 $\lim\limits_{n\to\infty} S_{2n} \leqslant 1$.

当 $p > 0$ 时，

$$\sum_{n=1}^{\infty} \frac{(-1)^{n+1}}{n^p} = \lim_{n\to\infty} S_{2n} \leqslant 1.$$

由 $S_{2n} = 1 - \dfrac{1}{2^p} + \widetilde{S}_{2n}$，其中

$$\widetilde{S}_{2n} = \sum_{k=2}^{n} \left[\frac{1}{(2k-1)^p} - \frac{1}{(2k)^p}\right] = \sum_{k=2}^{n} \frac{p}{(2k-1+\theta_k)^{p+1}},$$

这里 $0 < \theta_k < 1 (k = 2,3,\cdots,n)$. 由于 $p > 0$ 以及 $\dfrac{1}{(2k-1+\theta_k)^{p+1}} \geqslant \dfrac{1}{(2k)^{p+1}} (k = 2,3,\cdots)$，即得

$$\begin{aligned}
\widetilde{S}_{2n} &\geqslant \sum_{k=2}^{n} \frac{p}{(2k)^{p+1}} = \frac{p}{2^{p+1}} \sum_{k=2}^{n} \frac{1}{k^{p+1}} \geqslant \frac{p}{2^{p+1}} \left(\int_2^n \frac{dx}{x^{p+1}} + \frac{1}{n^{p+1}}\right) \\
&= \frac{p}{2^{p+1}} \left(-\frac{1}{px^p}\Big|_2^n + \frac{1}{n^{p+1}}\right) = \frac{1}{2^{2p+1}} - \frac{1}{2^{p+1}} \cdot \frac{1}{n^p} + \frac{p}{2^{p+1}} \cdot \frac{1}{n^{p+1}} \\
&= \frac{1}{2^{2p+1}} - \frac{1}{2^{p+1}} \cdot \frac{1}{n^p}\left(1 - \frac{p}{n}\right) = \frac{1}{2^{2p+1}} + \Delta_n,
\end{aligned}$$

其中 $\Delta_n = \dfrac{-1}{2^{p+1}} \cdot \dfrac{1}{n^p}\left(1 - \dfrac{p}{n}\right) = O\left(\dfrac{1}{n^p}\right)$.

$\forall \varepsilon > 0$，$\exists N_0 \in \mathbf{N}_+$，当 $n \geqslant N_0$ 时，有 $|\Delta_n| < \varepsilon$. 这时有

$$S_{2n} = 1 - \frac{1}{2^p} + \widetilde{S}_{2n} \geqslant 1 - \frac{1}{2^p} + \frac{1}{2^{2p+1}} - \varepsilon.$$

当 $p > 0$ 时，$1 - \dfrac{1}{2^p} + \dfrac{1}{2^{2p+1}} > \dfrac{1}{2}$，从而 $S_{2n} > \dfrac{1}{2} - \varepsilon$，故收敛级数 $\sum\limits_{n=1}^{\infty} \dfrac{(-1)^{n+1}}{n^p}$ 的和

$$S = \lim_{n\to\infty} S_{2n} \geqslant \frac{1}{2} - \varepsilon.$$

由 $\varepsilon > 0$ 的任意性知 $S \geqslant \dfrac{1}{2}$. 综上所述，$\dfrac{1}{2} \leqslant S \leqslant 1$.

【2704】 证明:若把级数

$$1-\frac{1}{2}+\frac{1}{3}-\frac{1}{4}+\frac{1}{5}-\cdots$$

的各项重新排列,使依次 p 个正项的一组与依次 q 个负项的一组相交替,则新级数的和为

$$\ln 2+\frac{1}{2}\ln\frac{p}{q}.$$

证 按题意,即要证

$$1+\frac{1}{3}+\cdots+\frac{1}{2p-1}-\frac{1}{2}-\cdots-\frac{1}{2q}+\frac{1}{2p+1}+\cdots+\frac{1}{4p-1}-\frac{1}{2q+2}-\cdots=\ln 2+\frac{1}{2}\ln\frac{p}{q}. \quad ①$$

由

$$H_n=1+\frac{1}{2}+\frac{1}{3}+\cdots+\frac{1}{n}=\ln n+C+\varepsilon_n,$$

其中 C 为欧拉常数,ε_n 为无穷小量,故

$$\frac{1}{2}+\frac{1}{4}+\cdots+\frac{1}{2m}=\frac{1}{2}H_m=\frac{1}{2}\ln m+\frac{1}{2}C+\frac{1}{2}\varepsilon_m,$$

$$1+\frac{1}{3}+\cdots+\frac{1}{2k-1}=H_{2k}-\frac{1}{2}H_k=\ln 2+\frac{1}{2}\ln k+\frac{C}{2}+\varepsilon_{2k}-\frac{1}{2}\varepsilon_k.$$

于是,若把级数 ① 的 p 项或 q 项的数串组合起来,考虑

$$\begin{aligned}S_{2n}&=1+\frac{1}{3}+\cdots+\frac{1}{2p-1}-\frac{1}{2}-\cdots-\frac{1}{2q}+\frac{1}{2p+1}+\cdots+\frac{1}{2(n-1)q}+\frac{1}{2(n-1)p+1}+\cdots+\frac{1}{2np-1}\\&=\ln 2+\frac{1}{2}\ln\frac{2np}{2(n-1)q}+\alpha_n=\ln 2+\frac{1}{2}\ln\frac{p}{q}+\alpha'_n,\end{aligned}$$

其中$\lim\limits_{n\to\infty}\alpha_n=0$,$\lim\limits_{n\to\infty}\alpha'_n=0$. 又因 $S_{2n+1}=S_{2n}+\beta_n$,其中$\lim\limits_{n\to\infty}\beta_n=0$. 故

$$\lim_{n\to\infty}S_{2n}=\lim_{n\to\infty}S_{2n+1}=\frac{1}{2}\ln\frac{p}{q}+\ln 2.$$

从而,级数 ① 的和为 $\ln 2+\frac{1}{2}\ln\frac{p}{q}$.

【2705】 证明:若改变调和级数

$$1+\frac{1}{2}+\frac{1}{3}+\frac{1}{4}+\cdots$$

部分项的符号,使得 p 个正项之后跟随着 q 个负项($p\neq q$),但不变更原来的顺序,则此级数仍是发散的. 仅当 $p=q$ 时能得到收敛级数.

证 若 $p\neq q$,不妨设 $p>q$. 记

$$a_n=\frac{1}{(p+q)n+1}+\cdots+\frac{1}{(p+q)n+p}-\frac{1}{(p+q)n+p+1}-\cdots-\frac{1}{(p+q)n+p+q}.$$

由于正项的项数比负项的项数多,且所有正项中任一项均比任一负项的绝对值大,故有

$$a_n>\frac{1}{(p+q)n+1}>0.$$

由$\sum\limits_{n=0}^{\infty}\frac{1}{(p+q)n+1}$发散,故$\sum\limits_{n=0}^{\infty}a_n$ 发散. 从而所得级数发散($p<q$ 同理可证).

若 $p=q$. 记

$$b_n=\frac{1}{np+1}+\frac{1}{np+2}+\cdots+\frac{1}{np+p}.$$

显然 $b_n>0$,$b_n>b_{n+1}(n=0,1,2,\cdots)$,且 $b_n\to 0(n\to\infty)$. 故由莱布尼茨判别法知,级数$\sum\limits_{n=0}^{\infty}(-1)^n b_n$ 收敛. 易见所得级数与级数$\sum\limits_{n=0}^{\infty}(-1)^n b_n$ 敛散性相同. 因此,当 $p=q$ 时,所得级数收敛.

第3节 级数的运算（习题2706—2715）

知识点预览

知识点	题目序号	所在页码
级数的运算	2706—2715	P58

知识点 级数的运算

1. 定义 级数的运算定义如下：

(1) $\sum\limits_{n=1}^{\infty} a_n \pm \sum\limits_{n=1}^{\infty} b_n = \sum\limits_{n=1}^{\infty} (a_n \pm b_n)$；(2) $\sum\limits_{n=1}^{\infty} a_n \cdot \sum\limits_{n=1}^{\infty} b_n = \sum\limits_{n=1}^{\infty} c_n$，

式中 $c_n = a_1 b_n + a_2 b_{n-1} + \cdots + a_n b_1$.

2. 收敛性 若级数 $\sum\limits_{n=1}^{\infty} a_n$ 和 $\sum\limits_{n=1}^{\infty} b_n$ 都收敛，则等式(1) 并非仅有形式上的意义；至于等式(2)，则要求级数 $\sum\limits_{n=1}^{\infty} a_n$ 和 $\sum\limits_{n=1}^{\infty} b_n$ 都收敛，并且其中至少有一个绝对收敛.

习题 2706—2715 级数的运算

【2706】 若两个级数，(1) 一个收敛，另一个发散；(2) 两个都发散，则关于这两个级数的和的敛散性如何？

解 (1) 一定发散. 因为 $\sum\limits_{n=1}^{\infty} a_n$ 收敛，$\sum\limits_{n=1}^{\infty} b_n$ 发散，如果其和 $\sum\limits_{n=1}^{\infty} c_n$ 收敛，则

$$\sum_{n=1}^{\infty} b_n = \sum_{n=1}^{\infty} c_n - \sum_{n=1}^{\infty} a_n$$

也收敛，矛盾. 于是，两级数的和一定发散.

(2) 可以收敛，可以发散. 例如：

(ⅰ) 设 $a_n = (-1)^n$，$b_n = (-1)^{n+1}$，则 $\sum\limits_{n=1}^{\infty} a_n$ 及 $\sum\limits_{n=1}^{\infty} b_n$ 均发散，但 $c_n = 0$，故 $\sum\limits_{n=1}^{\infty} c_n$ 收敛.

(ⅱ) 设 $a_n = b_n = \dfrac{1}{n}$，则 $c_n = \dfrac{2}{n}$. 显然级数 $\sum\limits_{n=1}^{\infty} a_n$，$\sum\limits_{n=1}^{\infty} b_n$，$\sum\limits_{n=1}^{\infty} c_n$ 均发散.

【2707】 求两级数的和：$\sum\limits_{n=1}^{\infty}\left[\dfrac{1}{3^n} + \dfrac{(-1)^n}{n^3}\right] + \sum\limits_{n=1}^{\infty}\left[\dfrac{1}{3^{n+1}} + \dfrac{(-1)^{n+1}}{n^3}\right]$.

解 由两级数收敛，则

$$\sum_{n=1}^{\infty}\left\{\frac{1}{3^n} + \frac{(-1)^n}{n^3}\right\} + \sum_{n=1}^{\infty}\left\{\frac{1}{3^{n+1}} + \frac{(-1)^{n+1}}{n^3}\right\} = \sum_{n=1}^{\infty}\frac{1}{3^n} + \sum_{n=1}^{\infty}\frac{1}{3^{n+1}} = \frac{4}{3}\sum_{n=1}^{\infty}\frac{1}{3^n} = \frac{4}{3}\cdot\frac{\frac{1}{3}}{1-\frac{1}{3}} = \frac{2}{3}.$$

【求下列级数的和(2708—2710)】

【2708】 $\sum_{n=1}^{\infty}\left[\frac{1}{2^n}+\frac{(-1)^n}{3^n}\right]$.

解 此级数是由两收敛级数逐项相加而得到的，因此收敛，且其和为

$$\sum_{n=1}^{\infty}\frac{1}{2^n}+\sum_{n=1}^{\infty}\frac{(-1)^n}{3^n}=\frac{1}{2}\cdot\frac{1}{1-\frac{1}{2}}+\left(-\frac{1}{3}\right)\frac{1}{1-\left(-\frac{1}{3}\right)}=\frac{3}{4}.$$

【2709】 $\sum_{n=1}^{\infty}\frac{\cos\frac{2n\pi}{3}}{2^n}$.

解 原级数显然绝对收敛. 设和为 S，则

$$S=\sum_{n=0}^{\infty}\frac{\cos\frac{2n\pi}{3}}{2^n}-1.$$

记

$$A_1=\{n\mid n=3k,k=0,1,2,\cdots\},$$
$$A_2=\{n\mid n=3k+1,k=0,1,2,\cdots\},$$
$$A_3=\{n\mid n=3k+2,k=0,1,2,\cdots\},$$

则

$$\begin{aligned}\sum_{n=0}^{\infty}\frac{\cos\frac{2n\pi}{3}}{2^n}&=\sum_{n\in A_1}\frac{\cos\frac{2n\pi}{3}}{2^n}+\sum_{n\in A_2}\frac{\cos\frac{2n\pi}{3}}{2^n}+\sum_{n\in A_3}\frac{\cos\frac{2n\pi}{3}}{2^n}\\&=\sum_{k=0}^{\infty}\frac{1}{2^{3k}}+\sum_{k=0}^{\infty}\frac{\cos\frac{2\pi}{3}}{2^{3k+1}}+\sum_{k=0}^{\infty}\frac{\cos\left(\pi+\frac{\pi}{3}\right)}{2^{3k+2}}\\&=\left[1+\frac{1}{2}\cos\frac{2\pi}{3}+\frac{1}{2^2}\cos\left(\pi+\frac{\pi}{3}\right)\right]\sum_{k=0}^{\infty}\left(\frac{1}{2^3}\right)^k\\&=\left(1-\frac{1}{4}-\frac{1}{8}\right)\frac{1}{1-\frac{1}{8}}=\frac{5}{7}.\end{aligned}$$

从而，原级数的和为

$$S=\sum_{n=1}^{\infty}\frac{\cos\frac{2n\pi}{3}}{2^n}=\sum_{n=0}^{\infty}\frac{\cos\frac{2n\pi}{3}}{2^n}-1=\frac{5}{7}-1=-\frac{2}{7}.$$

【2710】 $\sum_{n=0}^{\infty}x^{\left[\frac{n}{2}\right]}y^{\left[\frac{n+1}{2}\right]}(|xy|<1)$.

解 记

$$A_1=\{n\mid n=2k,k=0,1,2,\cdots\},A_2=\{n\mid n=2k+1,k=0,1,2,\cdots\},$$

则

$$\sum_{n=0}^{\infty}x^{\left[\frac{n}{2}\right]}y^{\left[\frac{n+1}{2}\right]}=\sum_{n\in A_1}x^{\left[\frac{n}{2}\right]}y^{\left[\frac{n+1}{2}\right]}+\sum_{n\in A_2}x^{\left[\frac{n}{2}\right]}y^{\left[\frac{n+1}{2}\right]}=\sum_{k=0}^{\infty}x^ky^k+\sum_{k=0}^{\infty}x^ky^{k+1}.$$

显然上式右端两级数当 $|xy|<1$ 时绝对收敛，故原级数收敛，且和为

$$\sum_{n=0}^{\infty}x^{\left[\frac{n}{2}\right]}y^{\left[\frac{n+1}{2}\right]}=\sum_{k=0}^{\infty}(xy)^k+y\sum_{k=0}^{\infty}(xy)^k=(1+y)\sum_{k=0}^{\infty}(xy)^k=\frac{1+y}{1-xy}.$$

【2711】 证明：$\sum_{n=0}^{\infty}\frac{1}{n!}\sum_{n=0}^{\infty}\frac{(-1)^n}{n!}=1$.

证 记 $a_n=\dfrac{1}{n!},b_n=\dfrac{(-1)^n}{n!}$，则级数 $\sum\limits_{n=0}^{\infty}a_n,\sum\limits_{n=0}^{\infty}b_n$ 绝对收敛，故

$$\sum_{n=0}^{\infty}a_n\sum_{n=0}^{\infty}b_n=\sum_{n=0}^{\infty}c_n=c_0+\sum_{n=1}^{\infty}c_n=1+\sum_{n=1}^{\infty}c_n,$$

其中

$$c_n=\sum_{i=0}^{n}a_ib_{n-i}=\sum_{i=0}^{n}\left[\frac{1}{i!}\cdot\frac{(-1)^{n-i}}{(n-i)!}\right]=\frac{1}{n!}\sum_{i=0}^{n}\left[(-1)^{n-i}\cdot\frac{n!}{i!(n-i)!}\right]=\frac{1}{n!}(1-1)^n$$
$$=0(n=1,2,\cdots).$$

从而

$$\sum_{n=0}^{\infty}\frac{1}{n!}\sum_{n=0}^{\infty}\frac{(-1)^n}{n!}=1+\sum_{n=1}^{\infty}c_n=1.$$

又

$$\sum_{n=0}^{\infty}\frac{1}{n!}=\mathrm{e},\sum_{n=0}^{\infty}\frac{(-1)^n}{n!}=\mathrm{e}^{-1},$$

从而

$$\sum_{n=0}^{\infty}\frac{1}{n!}\cdot\sum_{n=0}^{\infty}\frac{(-1)^n}{n!}=\mathrm{e}\cdot\mathrm{e}^{-1}=1.$$

【2712】 证明：$\left(\sum\limits_{n=0}^{\infty}q^n\right)^2=\sum\limits_{n=0}^{\infty}(n+1)q^n(|q|<1)$.

证 由 $|q|<1$ 知级数 $\sum\limits_{n=0}^{\infty}q^n$ 绝对收敛，故 $\left(\sum\limits_{n=0}^{\infty}q^n\right)^2=\sum\limits_{n=0}^{\infty}c_n$，其中

$$c_n=\sum_{i=0}^{n}(q^i\cdot q^{n-i})=q^n\sum_{i=0}^{n}1=(n+1)q^n(n=0,1,2,\cdots).$$

因此 $\left(\sum\limits_{n=0}^{\infty}q^n\right)^2=\sum\limits_{n=0}^{\infty}(n+1)q^n$.

【2713】 证明：级数 $\left(\sum\limits_{n=1}^{\infty}\dfrac{(-1)^{n+1}}{\sqrt{n}}\right)^2$ 发散.

证 反证法，设级数 $\left(\sum\limits_{n=1}^{\infty}\dfrac{(-1)^{n+1}}{\sqrt{n}}\right)^2$ 收敛，即 $\left(\sum\limits_{n=1}^{\infty}\dfrac{(-1)^{n+1}}{\sqrt{n}}\right)^2=\sum\limits_{n=1}^{\infty}c_n$，其中

$$c_n=\frac{1}{1}\cdot\frac{(-1)^{n+1}}{\sqrt{n}}+\left(-\frac{1}{\sqrt{2}}\right)\cdot\frac{(-1)^n}{\sqrt{n-1}}+\cdots+\frac{(-1)^{k+1}}{\sqrt{k}}\cdot\frac{(-1)^{n-k+2}}{\sqrt{n-k+1}}+\cdots+\frac{(-1)^{n+1}}{\sqrt{n}}\cdot\frac{1}{1}$$
$$=(-1)^{n+1}\left(\frac{1}{1\cdot\sqrt{n}}+\frac{1}{\sqrt{2}\cdot\sqrt{n-1}}+\cdots+\frac{1}{\sqrt{k}\cdot\sqrt{n-k+1}}+\cdots+\frac{1}{\sqrt{n}\cdot 1}\right).$$

由于括号中的每一项都大于 $\dfrac{1}{n}$，故 $|c_n|>1$，与级数 $\sum\limits_{n=1}^{\infty}c_n$ 收敛相矛盾. 因此级数 $\left(\sum\limits_{n=1}^{\infty}\dfrac{(-1)^{n+1}}{\sqrt{n}}\right)^2$ 发散.

【2714】 证明：级数

$$\sum_{n=1}^{\infty}\frac{(-1)^{n-1}}{n^{\alpha}}(\alpha>0),\sum_{n=1}^{\infty}\frac{(-1)^{n-1}}{n^{\beta}}(\beta>0)$$

的积当 $\alpha+\beta>1$ 时收敛，当 $\alpha+\beta<1$ 时发散.

证 记

$$\sum_{n=1}^{\infty}\frac{(-1)^{n-1}}{n^{\alpha}}\sum_{n=1}^{\infty}\frac{(-1)^{n-1}}{n^{\beta}}=\sum_{n=1}^{\infty}c_n(\alpha>0,\beta>0),$$

则

$$c_n=\sum_{i=1}^{n}\left[\frac{(-1)^{i-1}}{i^{\alpha}}\cdot\frac{(-1)^{n-i}}{(n-i+1)^{\beta}}\right]=(-1)^{n-1}\sum_{\substack{1\leqslant i\leqslant n\\ i+j=n+1}}\frac{1}{i^{\alpha}j^{\beta}}=(-1)^{n-1}d_n,$$

其中 $d_n=\sum\limits_{1\leqslant i\leqslant n}\dfrac{1}{i^{\alpha}(n-i+1)^{\beta}}(n=1,2,\cdots)$.

(1) 当 $\alpha+\beta\leqslant 1$ 时,有

$$d_n\geqslant\sum_{1\leqslant i\leqslant\frac{n}{2}}\frac{1}{i^{\alpha}(n-i+1)^{\beta}}\geqslant\frac{1}{\left(\frac{n}{2}\right)^{\alpha}}\sum_{1\leqslant i\leqslant\frac{n}{2}}\frac{1}{(n-i+1)^{\beta}}=\frac{1}{\left(\frac{n}{2}\right)^{\alpha}}\sum_{\frac{n}{2}<j\leqslant n}\frac{1}{j^{\beta}}\geqslant\frac{1}{\left(\frac{n}{2}\right)^{\alpha}}\int_{\frac{n}{2}}^{n}\frac{\mathrm{d}t}{t^{\beta}}$$

$$=2^{\alpha}\cdot\frac{1}{1-\beta}\left(1-\frac{1}{2^{1-\beta}}\right)n^{1-(\alpha+\beta)}.$$

于是,当 $\alpha+\beta<1$ 时,$d_n\to\infty(n\to\infty)$;当 $\alpha+\beta=1$ 时,$d_n\geqslant 2^{\alpha}\cdot\dfrac{1}{1-\beta}\left(1-\dfrac{1}{2^{1-\beta}}\right)>0$,即当 $\alpha+\beta\leqslant 1$ 时,$\lim\limits_{n\to\infty}d_n\neq 0$,从而 $\sum\limits_{n=1}^{\infty}c_n=\sum\limits_{n=1}^{\infty}(-1)^{n-1}d_n$ 为发散级数.

(2) 当 $\alpha+\beta>1$ 时,有

$$d_n=\sum_{1\leqslant i\leqslant n}\frac{1}{i^{\alpha}(n-i+1)^{\beta}}=\sum_{1\leqslant i\leqslant\frac{n}{2}}\frac{1}{i^{\alpha}(n-i+1)^{\beta}}+\sum_{\frac{n}{2}<i\leqslant n}\frac{1}{i^{\alpha}(n-i+1)^{\beta}}=\sum_1+\sum_2,$$

其中

$$\sum_1=\sum_{1\leqslant i\leqslant\frac{n}{2}}\frac{1}{i^{\alpha}(n-i+1)^{\beta}}\leqslant\frac{1}{\left(\frac{n}{2}+1\right)^{\beta}}\sum_{1\leqslant i\leqslant\frac{n}{2}}\frac{1}{i^{\alpha}}\leqslant\frac{1}{\left(\frac{n}{2}+1\right)^{\beta}}\left(1+\int_1^{\frac{n}{2}}\frac{\mathrm{d}t}{t^{\alpha}}\right)$$

$$=O\left(\frac{1}{n^{\beta}}\right)+O\left(n^{-\beta}\cdot\int_1^{\frac{n}{2}}\frac{\mathrm{d}t}{t^{\alpha}}\right)=O(n^{-\beta})+O(n^{1-(\alpha+\beta)}).$$

同理 $\sum\limits_2\leqslant O(n^{-\alpha})+O(n^{1-(\alpha+\beta)})$.

由于 $\alpha>0,\beta>0,1-(\alpha+\beta)<0$,则

$$d_n\leqslant O(n^{-\alpha})+O(n^{-\beta})+O(n^{1-(\alpha+\beta)})\to 0(n\to\infty).$$

记 $\sum\limits_{n=1}^{\infty}c_n$ 的部分和为 $S_n=c_1+c_2+\cdots+c_n$. 令

$$A_n=\sum_{k=1}^{n}\frac{(-1)^{k-1}}{k^{\alpha}},B_n=\sum_{k=1}^{n}\frac{(-1)^{k-1}}{k^{\beta}}.$$

则

$$\Delta_n=A_nB_n-S_n=\left(\sum_{i=1}^{n}\frac{(-1)^{i-1}}{i^{\alpha}}\right)\left(\sum_{j=1}^{n}\frac{(-1)^{j-1}}{j^{\beta}}\right)-S_n$$

$$=\left(\sum_{i=1}^{n}\frac{(-1)^{i-1}}{i^{\alpha}}\right)\left(\sum_{j=1}^{n}\frac{(-1)^{j-1}}{j^{\beta}}\right)-\sum_{k=1}^{n}(-1)^{k-1}\sum_{\substack{1\leqslant i\leqslant k\\ i+j=k+1}}\frac{1}{i^{\alpha}j^{\beta}}$$

$$=\left(\sum_{i=1}^{n}\frac{(-1)^{i-1}}{i^{\alpha}}\right)\left(\sum_{j=1}^{n}\frac{(-1)^{j-1}}{j^{\beta}}\right)-\sum_{\substack{1\leqslant i,j\leqslant n\\ 2\leqslant i+j\leqslant n+1}}\left(\frac{(-1)^{i}}{i^{\alpha}}\right)\left(\frac{(-1)^{j}}{j^{\beta}}\right)$$

$$=\sum_{s=1}^{2n-1}\sum_{\substack{1\leqslant i\leqslant s\\ i+j=s+1}}^{n}\frac{(-1)^{s+1}}{i^{\alpha}j^{\beta}}-\sum_{k=1}^{n}\sum_{\substack{1\leqslant i\leqslant k\\ i+j=k+1}}^{n}\frac{(-1)^{k-1}}{i^{\alpha}j^{\beta}}=\sum_{s=n+1}^{2n-1}(-1)^{s-1}\sum_{\substack{1\leqslant i\leqslant s\\ i+j=s+1}}^{n}\frac{1}{i^{\alpha}j^{\beta}}.$$

为估计上述差数各项,可看下列乘法表(图 5.1). A_nB_n 表示下列乘法表正方形各交点上乘积的全部和,而 S_n 表示下列乘法表对角线左上角各交点上乘积项(圆点号处的乘积项) 的总和. 于是,剩下的差数实指下列乘法表对角线的右下部分各交点处乘积项(打 × 号处的乘积项) 的总和.

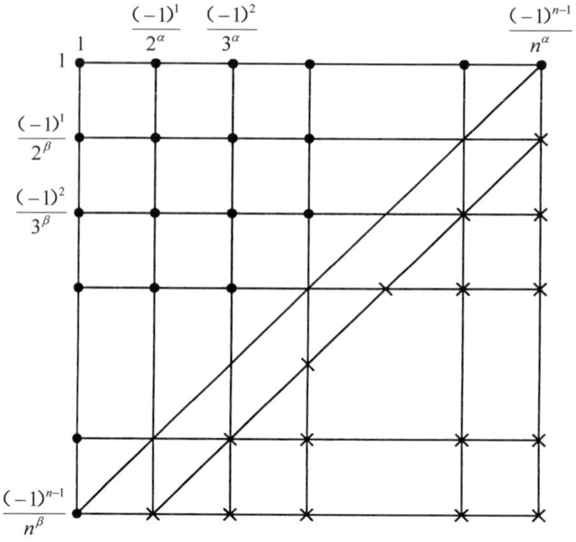

图 5.1

于是,有

$$\Delta_n=\frac{(-1)^{n-1}}{n^\beta}\left[\frac{(-1)^1}{2^\alpha}+\frac{(-1)^2}{3^\alpha}+\cdots+\frac{(-1)^{n-1}}{n^\alpha}\right]+\frac{(-1)^{n-2}}{(n-1)^\beta}\left[\frac{(-1)^2}{3^\alpha}+\frac{(-1)^3}{4^\alpha}+\cdots+\frac{(-1)^{n-1}}{n^\alpha}\right]+\cdots+\frac{(-1)^1}{2^\beta}\cdot\frac{(-1)^{n-1}}{n^\alpha}$$

$$=(-1)^n\left[\frac{1}{n^\beta}\left(\frac{1}{2^\alpha}-\frac{1}{3^\alpha}+\cdots+\frac{(-1)^n}{n^\alpha}\right)+\frac{1}{(n-1)^\beta}\left(\frac{1}{3^\alpha}-\frac{1}{4^\alpha}+\cdots+\frac{(-1)^{n-1}}{n^\alpha}\right)+\cdots+\frac{1}{2^\beta}\cdot\frac{1}{n^\alpha}\right].$$

因此,

$$|\Delta_n|\leqslant\frac{1}{n^\beta}\cdot\frac{1}{2^\alpha}+\frac{1}{(n-1)^\beta}\cdot\frac{1}{3^\alpha}+\cdots+\frac{1}{2^\beta}\cdot\frac{1}{n^\alpha}=\sum_{\substack{2\leqslant i,j\leqslant n\\ i+j=n+2}}\frac{1}{j^\beta i^\alpha}\leqslant\sum_{\substack{1\leqslant i,j\leqslant n+1\\ i+j=n+2}}\frac{1}{i^\alpha j^\beta}=d_{n+1}.$$

当 $\alpha+\beta>1$ 时, $\lim\limits_{n\to\infty}d_n=0$,故 $\lim\limits_{n\to\infty}\Delta_n=0$. 从而

$$\lim_{n\to\infty}S_n=\lim_{n\to\infty}(A_nB_n-\Delta_n)=\lim_{n\to\infty}A_n\cdot\lim_{n\to\infty}B_n=\left(\sum_{i=1}^{\infty}\frac{(-1)^{i-1}}{i^\alpha}\right)\left(\sum_{j=1}^{\infty}\frac{(-1)^{j-1}}{j^\beta}\right).$$

由 $\alpha>0,\beta>0$,利用莱布尼茨判别法知右端两级数收敛.

综上可知,当 $\alpha+\beta>1$ 时,级数 $\sum\limits_{n=1}^{\infty}\frac{(-1)^{n-1}}{n^\alpha}$ $(\alpha>0)$ 及 $\sum\limits_{n=1}^{\infty}\frac{(-1)^{n-1}}{n^\beta}$ $(\beta>0)$ 的积 $\sum\limits_{n=1}^{\infty}c_n$ 为收敛级数.

【2715】 验证发散级数

$$1-\sum_{n=1}^{\infty}\left(\frac{3}{2}\right)^n,1+\sum_{n=1}^{\infty}\left(\frac{3}{2}\right)^{n-1}\left(2^n+\frac{1}{2^{n+1}}\right)$$

的积绝对收敛.

证 记

$$1-\sum_{n=1}^{\infty}\left(\frac{3}{2}\right)^n=\sum_{m=1}^{\infty}u_m,1+\sum_{n=1}^{\infty}\left(\frac{3}{2}\right)^{n-1}\left(2^n+\frac{1}{2^{n+1}}\right)=\sum_{m=1}^{\infty}v_m,$$

其中

$$u_1=1,u_2=-\frac{3}{2},u_3=-\left(\frac{3}{2}\right)^2,\cdots,u_m=-\left(\frac{3}{2}\right)^{m-1}(m=2,3,\cdots),$$

$$v_1=1, v_2=2+\frac{1}{2^2}, v_3=\frac{3}{2}\left(2^2+\frac{1}{2^3}\right), \cdots, v_m=\left(\frac{3}{2}\right)^{m-2}\left(2^{m-1}+\frac{1}{2^m}\right)(m=2,3,\cdots).$$

因此 $c_1=u_1v_1=1$. 记 $\sum_{n=1}^{\infty}u_n\cdot\sum_{n=1}^{\infty}v_n=\sum_{n=1}^{\infty}c_n$，则

$$\begin{aligned}c_n&=u_1v_n+u_2v_{n-1}+\cdots+u_{n-1}v_2+u_nv_1\\&=\left(\frac{3}{2}\right)^{n-2}\left(2^{n-1}+\frac{1}{2^n}\right)+\left(-\frac{3}{2}\right)\left(\frac{3}{2}\right)^{n-3}\left(2^{n-2}+\frac{1}{2^{n-1}}\right)+\cdots+\left[-\left(\frac{3}{2}\right)^{n-2}\right]\left(2+\frac{1}{2^2}\right)+\\&\quad\left[-\left(\frac{3}{2}\right)^{n-1}\right]\\&=\left(\frac{3}{2}\right)^{n-2}\left[(2^{n-1}-2^{n-2}-2^{n-3}-\cdots-2-2^0)+\left(\frac{1}{2^n}-\frac{1}{2^{n-1}}-\cdots-\frac{1}{2}\right)\right]\\&=\left(\frac{3}{2}\right)^{n-2}\left[\left(2^{n-1}-\frac{2^{n-1}-1}{2-1}\right)+\left(\frac{1}{2^n}-\frac{\frac{1}{2}-\frac{1}{2^n}}{1-\frac{1}{2}}\right)\right]\\&=\left(\frac{3}{2}\right)^{n-2}\left(\frac{1}{2^n}+\frac{1}{2^{n-1}}\right)=\left(\frac{3}{2}\right)^{n-2}\cdot\frac{3}{2^n}=\left(\frac{3}{4}\right)^{n-1}.\end{aligned}$$

故级数 $\sum_{n=1}^{\infty}c_n=\sum_{n=1}^{\infty}\left(\frac{3}{4}\right)^{n-1}$ 绝对收敛.

第4节 函数项级数（习题2716—2811）

知识点预览

序号	知识点	题目序号	所在页码
1	收敛域和和函数	2716—2740	P63
2	一致收敛	2741—2771	P71
3	一致收敛的判别法	2772—2791	P83
4	函数项级数的性质	2792—2804	P91
5	一致收敛函数列的性质	2805—2811	P97

知识点1 收敛域和和函数

1. 收敛域 函数项级数

$$\sum_{n=1}^{\infty}u_n(x)=u_1(x)+u_2(x)+\cdots+u_n(x)+\cdots$$

收敛的 x 的集合 D 称为级数的收敛域，对应函数项级数绝对收敛和条件收敛的 x 的集合分别称为绝对收敛域和条件收敛域.

2. 和函数 $S(x)=\lim\limits_{n\to\infty}\sum\limits_{i=1}^{n}u_i(x)(x\in D)$ 称为级数$\sum\limits_{n=1}^{\infty}u_n(x)$ 的和函数.

习题 2716—2740 求收敛域及和函数

【求出下列函数项级数的绝对收敛域和条件收敛域(2716—2736)】

【2716】 $\sum\limits_{n=1}^{\infty}\dfrac{n}{x^n}$.

解 由于$\lim\limits_{n\to\infty}\sqrt[n]{\dfrac{n}{|x|^n}}=\dfrac{1}{|x|}$,故当$\dfrac{1}{|x|}<1$,即$|x|>1$时级数绝对收敛.

又当$|x|\leqslant 1$时,$\lim\limits_{n\to\infty}\dfrac{n}{x^n}=\infty$,故级数发散.

故原级数的条件收敛域和绝对收敛收敛域均为$\{x\mid |x|>1\}$.

【2717】 $\sum\limits_{n=1}^{\infty}\dfrac{(-1)^n}{2n-1}\left(\dfrac{1-x}{1+x}\right)^n$.

解 由于$\lim\limits_{n\to\infty}\sqrt[n]{\dfrac{|(-1)^n|}{2n-1}\left|\dfrac{1-x}{1+x}\right|^n}=\dfrac{|1-x|}{|1+x|}$,故当$\left|\dfrac{1-x}{1+x}\right|<1$,即$x>0$时,级数绝对收敛.

当$x=0$时,原级数为$\sum\limits_{n=1}^{\infty}\dfrac{(-1)^n}{2n-1}$,显然条件收敛.

当$x<0$时,$\left|\dfrac{1-x}{1+x}\right|>1$,故$\lim\limits_{n\to\infty}\dfrac{(-1)^n}{2n-1}\left(\dfrac{1-x}{1+x}\right)^n\neq 0$,从而原级数发散.

于是原级数的条件收敛域为$\{0\}$,绝对收敛域为$(0,+\infty)$.

【2718】 $\sum\limits_{n=1}^{\infty}\dfrac{n}{n+1}\left(\dfrac{x}{2x+1}\right)^n$.

解 由于$\lim\limits_{n\to\infty}\sqrt[n]{\dfrac{n}{n+1}\left|\dfrac{x}{2x+1}\right|^n}=\left|\dfrac{x}{2x+1}\right|$,故当$\left|\dfrac{x}{2x+1}\right|<1$,即$3x^2+4x+1>0$时,级数绝对收敛.故绝对收敛域为$\left(-\dfrac{1}{3},+\infty\right)\cup(-\infty,-1)$.

当$x\in\left[-1,-\dfrac{1}{3}\right]$时,$\left|\dfrac{x}{2x+1}\right|\geqslant 1$,$\lim\limits_{n\to\infty}\dfrac{n}{n+1}=1$,原级数发散.

【2719】 $\sum\limits_{n=1}^{\infty}\dfrac{1\cdot 3\cdots(2n-1)}{2\cdot 4\cdots(2n)}\left(\dfrac{2x}{1+x^2}\right)^n$.

提示 当$x=\pm 1$时,利用2689题的结果.

解 由于

$$\lim_{n\to\infty}\frac{\dfrac{(2n+1)!!}{(2n+2)!!}\left|\dfrac{2x}{1+x^2}\right|^{n+1}}{\dfrac{(2n-1)!!}{(2n)!!}\left|\dfrac{2x}{1+x^2}\right|^{n}}=\left|\frac{2x}{1+x^2}\right|\cdot\lim_{n\to\infty}\frac{2n+1}{2n+2}=\left|\frac{2x}{1+x^2}\right|,$$

故仅当$\left|\dfrac{2x}{1+x^2}\right|<1$,即$|x|\neq 1$时,级数绝对收敛.

当$x=-1$时,原级数为$\sum\limits_{n=1}^{\infty}(-1)^n\dfrac{(2n-1)!!}{(2n)!!}$,由2689题的结果知它条件收敛.

当$x=1$时,原级数为$\sum\limits_{n=1}^{\infty}\dfrac{(2n-1)!!}{(2n)!!}$,仍由同题的结果知它发散.

故级数的条件收敛域为$\{-1\}$,绝对收敛域为$\mathbf{R}\setminus\{-1,1\}$.

【2720】 $\sum_{n=1}^{\infty}\frac{n\cdot 3^{2n}}{2^n}x^n(1-x)^n$.

解 由于

$$\lim_{n\to\infty}\sqrt[n]{\frac{n\cdot 3^{2n}}{2^n}|x(1-x)|^n}=\frac{9}{2}|x(1-x)|,$$

故当 $|x(1-x)|<\frac{2}{9}$ 即 $-\frac{\sqrt{17}-3}{6}<x<\frac{1}{3}$ 及 $\frac{2}{3}<x<\frac{\sqrt{17}+3}{6}$ 时，级数绝对收敛. 故绝对收敛域为 $\left(-\frac{\sqrt{17}-3}{6},\frac{1}{3}\right)\cup\left(\frac{2}{3},\frac{\sqrt{17}+3}{6}\right)$.

当 $\frac{9}{2}|x(1-x)|\geqslant 1$ 时，级数发散.

【2721】 $\sum_{n=1}^{\infty}\frac{2^n\sin^n x}{n^2}$.

解 由于

$$\lim_{n\to\infty}\sqrt[n]{\frac{2^n}{n^2}|\sin x|^n}=2|\sin x|,$$

故仅当 $|\sin x|<\frac{1}{2}$，即 $|x-k\pi|<\frac{\pi}{6}(k\in\mathbf{Z})$ 时，级数绝对收敛.

当 $|x-k\pi|=\frac{\pi}{6}$ 时，级数 $\sum_{n=1}^{\infty}\frac{1}{n^2}$ 收敛.

当 $|\sin x|>\frac{1}{2}$ 时，由于 $\lim_{n\to\infty}\sqrt[n]{\frac{2^n}{n^2}|\sin x|^n}=2|\sin x|>1$，从而 $\lim_{n\to\infty}\frac{2^n\sin^n x}{n^2}\neq 0$，故级数发散.

因此，原级数的绝对收敛域为 $\left\{x\,\middle|\,|x-k\pi|\leqslant\frac{\pi}{6}(k\in\mathbf{Z})\right\}$.

【2722】 $\sum_{n=1}^{\infty}\frac{(-1)^n}{(x+n)^p}$.

解 当 $p>1,x\overline{\in}\mathbf{Z}_-$ 时，级数显然绝对收敛.

当 $0<p\leqslant 1,x\overline{\in}\mathbf{Z}_-$ 时，级数条件收敛.

当 $p\leqslant 0$ 时，级数发散.

【2723】 $\sum_{n=1}^{\infty}\frac{n^p\sin nx}{1+n^q}(q>0,0<x<\pi)$.

解 由于

$$\frac{|\sin nx|}{2n^{q-p}}\leqslant\left|\frac{n^p\sin nx}{1+n^q}\right|\leqslant\frac{1}{n^{q-p}},$$

故当 $q-p>1$，即 $q>p+1$，时，级数绝对收敛. 当 $q\leqslant p+1$ 时，由通项绝对值组成的级数发散(理由可参看 2698 题的题解).

当 $p<q\leqslant p+1$ 时，$\forall x\in(0,\pi)$，$\left\{\sum_{k=1}^{n}\sin kx\right\}$ 有界，且 $\frac{n^p}{1+n^q}\sim\frac{1}{n^{q-p}}\to 0(n\to\infty)$，故由狄利克雷判别法知，级数收敛.

当 $q\leqslant p$ 时，$\lim_{n\to\infty}\frac{n^p\sin nx}{1+n^q}\neq 0$，故级数发散.

综上可知，当 $q>p+1$ 时，级数绝对收敛. 当 $p<q\leqslant p+1$ 时，级数条件收敛.

【2724】 $\sum_{n=1}^{\infty}\frac{x^n}{1-x^n}$(兰伯特级数).

解 当 $x=0$ 时，原级数绝对收敛.

当 $|x|>1$ 时，$\lim\limits_{n\to\infty}\dfrac{x^n}{1-x^n}=-1\neq 0$，故级数发散.

当 $0<|x|<1$ 时，由于 $\lim\limits_{n\to\infty}\dfrac{\dfrac{|x|^n}{1-x^n}}{|x|^n}=1$，而级数 $\sum\limits_{n=1}^{\infty}|x|^n$ 收敛，故原级数绝对收敛.

综上可知，原级数的绝对收敛域为 $(-1,1)$.

【2725】 $\sum\limits_{n=1}^{\infty}\left[\dfrac{x(x+n)}{n}\right]^n$.

解 由于 $\lim\limits_{n\to\infty}\sqrt[n]{\left|\dfrac{x(x+n)}{n}\right|^n}=|x|$，故当 $|x|<1$ 时，级数绝对收敛；

当 $|x|=1$ 时，$\left|\dfrac{x(x+n)}{n}\right|^n\to e^{\pm 1}\neq 0(n\to\infty)$，故级数发散.

当 $|x|>1$ 时，级数发散.

故级数的绝对收敛域为 $(-1,1)$.

【2726】 $\sum\limits_{n=1}^{\infty}\dfrac{x^n}{1+x^{2n}}$.

解

$$\lim_{n\to\infty}\sqrt[n]{\frac{|x|^n}{1+x^{2n}}}=\begin{cases}\dfrac{1}{|x|}, & |x|>1,\\ |x|, & |x|<1,\end{cases}$$

故当 $|x|\neq 1$ 时，原级数绝对收敛. 当 $|x|=1$ 时，原级数发散.

综上可知，原级数的绝对收敛域为 $\mathbf{R}\backslash\{-1,1\}$.

【2727】 $\sum\limits_{n=1}^{\infty}\dfrac{x^n}{(1+x)(1+x^2)\cdots(1+x^n)}$.

解 记 $a_n=\dfrac{x^n}{(1+x)(1+x^2)\cdots(1+x^n)}$，则

$$\lim_{n\to\infty}\frac{|a_{n+1}|}{|a_n|}=\lim_{n\to\infty}\frac{|x|}{|1+x^{n+1}|}=\begin{cases}|x|, & |x|<1,\\ 0, & |x|>1.\end{cases}$$

故当 $|x|\neq 1$ 时，原级数绝对收敛. 当 $x=1$ 时，级数绝对收敛.

综上可知，原级数的绝对收敛域为 $\mathbf{R}\backslash\{-1\}$.

【2728】 $\sum\limits_{n=1}^{\infty}ne^{-nx}$.

解 由于

$$\lim_{n\to\infty}\sqrt[n]{ne^{-nx}}=e^{-x},$$

故当 $e^{-x}<1$，即 $x>0$ 时，级数绝对收敛. 当 $x=0$ 时，级数发散. 当 $x<0$ 时，$e^{-x}>1$，级数发散.

于是，原级数的绝对收敛域为 $(0,+\infty)$.

【2729】 $\sum\limits_{n=1}^{\infty}\dfrac{1}{\sqrt[n]{n!}}\dfrac{1}{1+a^{2n}x^2}$.

解 记 $a_n=\dfrac{1}{\sqrt[n]{n!}}\dfrac{1}{1+a^{2n}x^2}$. 当 $x=0$ 时，$a_n=\dfrac{1}{\sqrt[n]{n!}}>\dfrac{1}{\sqrt[n]{n^n}}=\dfrac{1}{n}$，故原级数发散.

当 $x\neq 0$ 时：

(1) 当 $|a|>1$ 时，有 $0<a_n<\dfrac{1}{a^{2n}x^2}=\dfrac{1}{x^2}\left(\dfrac{1}{|a|}\right)^{2n}$，由 $\sum\limits_{n=1}^{\infty}\dfrac{1}{x^2}\left(\dfrac{1}{|a|}\right)^{2n}$ 收敛，则原级数绝对收敛.

(2) 当 $|a|\leqslant 1$ 时，有 $|a_n|\geqslant\dfrac{1}{1+x^2}\cdot\dfrac{1}{\sqrt[n]{n^n}}=\dfrac{1}{1+x^2}\cdot\dfrac{1}{n}$，故原级数发散.

【2730】 $\sum\limits_{n=1}^{\infty}(2-x)(2-x^{\frac{1}{2}})(2-x^{\frac{1}{3}})\cdots(2-x^{\frac{1}{n}})(x>0)$.

解 记 $a_n=(2-x)(2-x^{\frac{1}{2}})\cdots(2-x^{\frac{1}{n}})$.

(1) 当 $x=2$ 时，级数绝对收敛.

(2) 当 $x\neq 2$ 时，$\lim\limits_{n\to\infty}x^{\frac{1}{n}}=1$. 若 $\sum\limits_{n=1}^{\infty}a_n$ 收敛，则绝对收敛.

用高斯判别法，有

$$\frac{a_{n-1}}{a_n}=\frac{1}{2-x^{\frac{1}{n}}}=\frac{1}{1-(x^{\frac{1}{n}}-1)}=1+(x^{\frac{1}{n}}-1)+O((x^{\frac{1}{n}}-1)^2),$$

且 $x^{\frac{1}{n}}-1=\frac{1}{n}\ln x+O\left(\frac{1}{n^2}\right)$，故

$$\frac{a_{n-1}}{a_n}=1+\frac{1}{n}\ln x+O\left(\frac{1}{n^2}\right).$$

当 $\ln x>1$，即 $x>\mathrm{e}$ 时，原级数绝对收敛.

综上可知，当 $x=2$，$x>\mathrm{e}$ 时，原级数绝对收敛，即原级数的绝对收敛域为 $\{2\}\cup(\mathrm{e},+\infty)$.

【2731】 $\sum\limits_{n=1}^{\infty}\frac{(n+x)^n}{n^{n+x}}$.

解 记 $a_n=\frac{(n+x)^n}{n^{n+x}}$，$\forall x\in\mathbf{R}$，$\exists n_0\in\mathbf{N}_+$，当 $n\geqslant n_0$ 时，$a_n>0$. 由 $\lim\limits_{n\to\infty}\frac{\left\{\frac{n+x}{n\cdot\sqrt[n]{n^x}}\right\}^n}{\frac{1}{n^x}}=\mathrm{e}^x$，

故 $x>1$ 时，级数收敛，且为绝对收敛；当 $x\leqslant 1$ 时，级数发散.

【2732】 $\sum\limits_{n=1}^{\infty}\frac{x^ny^n}{x^n+y^n}(x>0,y>0)$.

解 由于 $x>0,y>0$，故

$$\lim_{n\to\infty}\sqrt[n]{\frac{x^ny^n}{x^n+y^n}}=\frac{xy}{\max\{x,y\}}=\min\{x,y\}.$$

从而仅当 $0<\min\{x,y\}<1$ 时，原级数收敛，即绝对收敛.

【2733】 $\sum\limits_{n=1}^{\infty}\frac{x^n}{n+y^n}(y\geqslant 0)$.

解 记 $a_n=\frac{x^n}{n+y^n}(y\geqslant 0)$，则

$$\lim_{n\to\infty}\sqrt[n]{|a_n|}=\frac{|x|}{\max\{1,y\}}=\begin{cases}|x|, & 0\leqslant y\leqslant 1,\\ \frac{|x|}{y}, & y>1.\end{cases}$$

由此可得：

(1) 当 $|x|<1$ 时，$\forall y\in[0,+\infty)$，$\frac{|x|}{\max\{1,y\}}<1$，故原级数绝对收敛.

(2) 当 $|x|>1$ 时，仅当 $|x|<y$ 时，原级数绝对收敛.

(3) 当 $x=1$ 时，

(ⅰ) 若 $y>1$，由 $|a_n|=\frac{1}{n+y^n}<\left(\frac{1}{y}\right)^n$，$\sum\limits_{n=1}^{\infty}\left(\frac{1}{y}\right)^n$ 收敛知，原级数绝对收敛；

(ⅱ) 若 $0\leqslant y\leqslant 1$，由于 $\lim\limits_{n\to\infty}\frac{a_n}{\frac{1}{n}}=\lim\limits_{n\to\infty}\frac{n}{n+y^n}=1$，$\sum\limits_{n=1}^{\infty}\frac{1}{n}$ 发散，故原级数发散.

(4) 当 $x=-1$ 时，

（i）若 $y>1$，由 $|a_n|=\dfrac{1}{n+y^n}<\left(\dfrac{1}{y}\right)^n(n\in\mathbf{N}_+)$，易见原级数绝对收敛.

（ii）若 $0\leqslant y\leqslant 1$，由 $a_n=\dfrac{(-1)^n}{n+y^n}(n\in\mathbf{N}_+)$，利用莱布尼茨判别法知原级数条件收敛.

综上可知，当 $|x|<1,0\leqslant y<+\infty$ 或 $|x|=1,y>1$ 及 $1<|x|<y$ 时，原级数绝对收敛.
当 $x=-1,0\leqslant y\leqslant 1$ 时，原级数条件收敛.

【2734】 $\sum\limits_{n=1}^{\infty}\sqrt[n]{|x|^{n^2}+|y|^{n^2}}$.

解 记 $a_n=\sqrt[n]{|x|^{n^2}+|y|^{n^2}}$，则

$$\lim_{n\to\infty}\sqrt[n]{a_n}=\lim_{n\to\infty}\sqrt[n^2]{|x|^{n^2}+|y|^{n^2}}=\max\{|x|,|y|\}.$$

故当 $\max\{|x|,|y|\}<1$ 时，级数绝对收敛. 当 $\max\{|x|,|y|\}>1$ 时，级数发散. 当 $\max\{|x|,|y|\}=1$ 时，由于 $\lim\limits_{n\to\infty}a_n=1$，故级数发散.

【2735】 $\sum\limits_{n=1}^{\infty}\dfrac{\ln(1+x^n)}{n^y}(x\geqslant 0)$.

解 (1) 当 $0\leqslant x<1$ 时，因 $\lim\limits_{n\to\infty}\dfrac{\ln(1+x^n)}{x^n}=1$，故此级数与级数 $\sum\limits_{n=1}^{\infty}\dfrac{x^n}{n^y}$ 敛散性相同，且均为正项级数. 由于

$$\lim_{n\to\infty}\frac{\dfrac{x^{n+1}}{(n+1)^y}}{\dfrac{x^n}{n^y}}=\lim_{n\to\infty}x\left(\frac{n}{n+1}\right)^y=x<1,$$

故 $\sum\limits_{n=1}^{\infty}\dfrac{x^n}{n^y}$ 收敛，从而 $\sum\limits_{n=1}^{\infty}\dfrac{\ln(1+x^n)}{n^y}$ 绝对收敛.

(2) 当 $x=1$ 时，级数为 $\sum\limits_{n=1}^{\infty}\dfrac{\ln 2}{n^y}$. 于是，当 $y>1$ 时绝对收敛；当 $y\leqslant 1$ 时发散.

(3) 当 $x>1$ 时，原级数的通项可写成

$$\frac{\ln(1+x^n)}{n^y}=\frac{\ln x^n\left(1+\dfrac{1}{x^n}\right)}{n^y}=\frac{\ln x}{n^{y-1}}+\frac{\ln\left(1+\dfrac{1}{x^n}\right)}{n^y},$$

由于级数 $\sum\limits_{n=1}^{\infty}\dfrac{\ln x}{n^{y-1}}$ 当 $y>2$ 时收敛，当 $y\leqslant 2$ 时发散. 级数 $\sum\limits_{n=1}^{\infty}\dfrac{\ln\left(1+\dfrac{1}{x^n}\right)}{n^y}$ 对 $\forall y\in\mathbf{R}$ 收敛. 因此，原级数当 $x>1,y>2$ 时绝对收敛.

综上可知，当 $0\leqslant x<1,y\in\mathbf{R}$；$x=1,y>1$ 及 $x>1,y>2$ 时，原级数绝对收敛.

【2736】 $\sum\limits_{n=1}^{\infty}\tan^n\left(x+\dfrac{y}{n}\right)$.

解 由于

$$\lim_{n\to\infty}\sqrt[n]{\left|\tan^n\left(x+\frac{y}{n}\right)\right|}=|\tan x|,$$

故 $|\tan x|<1$ 即 $|x-k\pi|<\dfrac{\pi}{4}(k\in\mathbf{Z})$ 时，级数绝对收敛；$|\tan x|>1$ 即 $|x-k\pi|>\dfrac{\pi}{4}$ 时，级数发散.

当 $|\tan x|=1$，即 $|x-k\pi|=\dfrac{\pi}{4}$ 时，

$$\lim_{n\to\infty}\left|\tan^n\left(x+\frac{y}{n}\right)\right|=\begin{cases}e^{2y}, & x=k\pi+\dfrac{\pi}{4},\\ e^{-2y}, & x=k\pi-\dfrac{\pi}{4},\end{cases}$$

故级数发散.

【2737】 证明:若洛朗级数$\sum\limits_{n=-\infty}^{+\infty}a_nx^n$在$x=x_1$和$x=x_2$($|x_1|<|x_2|$)时收敛,则级数在$|x_1|<|x|<|x_2|$时收敛.

提示 只要证明级数$\sum\limits_{n=0}^{\infty}a_nx^n$及$\sum\limits_{n=1}^{\infty}a_{-n}x^{-n}$收敛($|x_1|<|x|<|x_2|$).

证 由于洛朗级数在$x=x_1$和$x=x_2$时收敛,故以下级数

$$(1)\sum_{n=0}^{\infty}a_nx_1^n,(2)\sum_{n=1}^{\infty}a_{-n}x_1^{-n},(3)\sum_{n=0}^{\infty}a_nx_2^n,(4)\sum_{n=1}^{\infty}a_{-n}x_2^{-n}$$

均收敛.

由(3)收敛,则$\lim\limits_{n\to\infty}a_nx_2^n=0$.故$\exists M>0$,当$|x|<|x_2|$时,$|a_nx_2^n|<M(n\in\mathbf{N})$.

$\forall |x|<|x_2|$,记$r=\left|\dfrac{x}{x_2}\right|$,则$r<1$,从而

$$|a_nx^n|=\left|a_nx_2^n\cdot\frac{x^n}{x_2^n}\right|=|a_nx_2^n|\cdot\left|\frac{x}{x_2}\right|^n<Mr^n.$$

由于级数$\sum\limits_{n=0}^{\infty}Mr^n$收敛,故幂级数$\sum\limits_{n=0}^{\infty}a_nx^n$在$|x|<|x_2|$时绝对收敛.

由(2)收敛,当$\left|\dfrac{1}{x}\right|<\left|\dfrac{1}{x_1}\right|$,即当$|x_1|<|x|$时,级数$\sum\limits_{n=1}^{\infty}a_{-n}x^{-n}$绝对收敛.

因而,当$|x_1|<|x|<|x_2|$时,级数$\sum\limits_{n=0}^{\infty}a_nx^n$与$\sum\limits_{n=1}^{\infty}a_{-n}x^{-n}$均收敛,即$\sum\limits_{n=-\infty}^{+\infty}a_nx^n$收敛.

【2738】 求洛朗级数$\sum\limits_{n=-\infty}^{+\infty}\dfrac{n}{2^{|n|}}x^n$的收敛域,并求级数的和.

解 考虑级数(1)$\sum\limits_{n=1}^{\infty}\dfrac{n}{2^n}x^n$,(2)$\sum\limits_{n=1}^{\infty}\dfrac{-n}{2^n}x^{-n}$.

显然仅当$|x|<2$时,级数(1)收敛;当$|x|>\dfrac{1}{2}$时,级数(2)收敛.因此,当$\dfrac{1}{2}<|x|<2$时,原级数收敛.

当$\dfrac{1}{2}<|x|<2$时,记级数(1)的和为$S_+(x)$,级数(2)的和为$S_-(x)$.显然有

$$S_-(x)=-\sum_{n=1}^{\infty}\frac{n}{2^n}x^{-n}=-S_+\left(\frac{1}{x}\right).$$

下求$S_+(x)$.当$\dfrac{1}{2}<|x|<2$时,级数$\sum\limits_{n=1}^{\infty}\dfrac{n-1}{2^n}x^n$,$\sum\limits_{n=1}^{\infty}\dfrac{1}{2^n}x^n$均收敛,从而有

$$\begin{aligned}S_+(x)&=\sum_{n=1}^{\infty}\frac{n}{2^n}x^n=\sum_{n=1}^{\infty}\frac{n-1}{2^n}x^n+\sum_{n=1}^{\infty}\frac{1}{2^n}x^n=\sum_{m=0}^{\infty}\frac{m}{2^{m+1}}x^{m+1}+\sum_{n=1}^{\infty}\left(\frac{x}{2}\right)^n\\&=\frac{x}{2}\sum_{n=1}^{\infty}\frac{n}{2^n}x^n+\frac{x}{2}\cdot\frac{1}{1-\dfrac{x}{2}}=\frac{x}{2}S_+(x)+\frac{x}{2-x},\end{aligned}$$

故$S_+(x)=\dfrac{2x}{(2-x)^2}$,$S_-(x)=-\dfrac{2x}{(2x-1)^2}$.

因此当$\dfrac{1}{2}<|x|<2$时,有

$$\sum_{n=-\infty}^{+\infty}\frac{n}{2^{|n|}}x^n=S_+(x)+S_-(x)=2x\left[\frac{1}{(2-x)^2}-\frac{1}{(2x-1)^2}\right]=\frac{6x(x^2-1)}{(2-x)^2(2x-1)^2}.$$

【2739】 求牛顿级数的绝对收敛域与条件收敛域:

(1) $\sum_{n=1}^{\infty}\frac{x^{[n]}}{n!}$； (2) $\sum_{n=1}^{\infty}\frac{1}{n^p}\frac{x^{[n]}}{n!}$； (3) $\sum_{n=1}^{\infty}\frac{(ex)^n y^{[n]}}{n^n}$，

其中 $x^{[n]}=x(x-1)\cdots[x-(n-1)]$.

解 (1) 记 $a_n=\frac{x^{[n]}}{n!}$，当 $x=0$ 时，原级数绝对收敛.

当 $x\neq 0$ 时，应用高斯判别法，

$$\frac{|a_n|}{|a_{n+1}|}=\frac{n+1}{n-x}=1+\frac{x+1}{n}+\frac{\theta_n}{n^2},$$

其中 $\theta_n=x(1+x)\frac{n}{n-x}$，显然 θ_n 有界. 故当 $x+1>1$ 即 $x>0$ 时，原级数绝对收敛. 当 $x+1<1$ 即 $x<0$ 时，级数 $\sum_{n=1}^{\infty}|a_n|$ 发散.

当 $x\geqslant -1$ 时，由于 $|a_n|=\frac{|x^{[n]}|}{n!}\geqslant 1$，故级数发散.

当 $-1<x<0$ 时，$a_n=(-1)^n\frac{|x|(|x|+1)\cdots(|x|+n-1)}{n!}$，原级数为交错级数，且

$$\frac{|a_n|}{|a_{n+1}|}=\frac{n+1}{n+|x|}>1.$$

由

$$\ln|a_n|=\ln\frac{|x|(|x|+1)\cdots(|x|+n-1)}{n!}=\sum_{k=1}^{n}\ln\left(1-\frac{1-|x|}{k}\right),$$

且

$$\sum_{k=1}^{\infty}\ln\left(1-\frac{1-|x|}{k}\right)=-\infty,$$

因此，$\lim_{n\to\infty}|a_n|=0$. 由莱布尼茨判别法知，原级数收敛.

综上，当 $x\geqslant 0$ 时，级数绝对收敛；当 $-1<x<0$ 时，级数条件收敛.

(2) 由于

$$\begin{aligned}x^{[n]}&=x(x-1)\cdots[x-(n-1)]=(-1)^{n-1}(n-1-x)(n-2-x)\cdots(2-x)(1-x)x\\&=-(-1)^{n-1}(n+t)(n-1+t)\cdots(3+t)(2+t)(1+t),\end{aligned}$$

其中 $t=-(1+x)$，故原级数可以改写为

$$-\sum_{n=1}^{\infty}(-1)^{n-1}\frac{(1+t)(2+t)\cdots(n+t)}{n!n^p}.$$

利用 2699 题的结果知：当 $p>t+1$，即 $p>-x$ 时，原级数绝对收敛. 当 $x\in\mathbf{N}$ 时，原级数绝对收敛. 当 $t<p\leqslant t+1$，即 $-(1+x)<p\leqslant -x$ 时，原级数条件收敛.

(3) 令 $t=-(1+y)$，则 $y^{[n]}=(-1)^n(1+t)(2+t)\cdots(n+t)$. 记 $a_n=\frac{(ex)^n y^{[n]}}{n^n}$.

$\forall x\in\mathbf{R}, y=0,1,2,\cdots$ 时，$a_n=0(n=1,2,\cdots)$. 于是 $\sum_{n=1}^{\infty}a_n$ 绝对收敛.

当 $y\neq k(k\in\mathbf{N})$ 时，由

$$\lim_{n\to\infty}\frac{|a_{n+1}|}{|a_n|}=\lim_{n\to\infty}\frac{n+1+t}{n+1}\cdot e|x|\cdot\left(\frac{n}{n+1}\right)^n=|x|,$$

故

(ⅰ) 当 $|x|<1$ 时，原级数绝对收敛.

(ⅱ) 当 $|x|>1$ 时，由于 $\lim_{n\to\infty}\frac{|a_{n+1}|}{|a_n|}=\lim_{n\to\infty}\sqrt[n]{|a_n|}=|x|>1$，原级数发散.

(ⅲ) 当 $|x|=1$ 时，由

$$\left|\frac{a_n}{a_{n+1}}\right| = \frac{n+1}{n-y}\cdot\frac{1}{\mathrm{e}}\left(1+\frac{1}{n}\right)^n = \left[1+\frac{1+y}{n}+O\left(\frac{1}{n^2}\right)\right]\left[1-\frac{1}{2n}+O\left(\frac{1}{n^2}\right)\right]$$

$$= 1+\frac{1+\left(y-\frac{1}{2}\right)}{n}+O\left(\frac{1}{n^2}\right),$$

则

(1) 当 $y>\frac{1}{2}$ 时，由高斯判别法知，级数绝对收敛.(2) 当 $y\leqslant\frac{1}{2}$ 时，$\sum_{n=1}^{\infty}|a_n|$ 发散.

当 $|y|<\frac{1}{2}$ 时，

$$\frac{a_n}{a_{n+1}} = -\frac{1}{x}\left[1+\frac{\mu}{n}+O\left(\frac{1}{n^2}\right)\right],$$

其中 $0<\mu<1$. 显然，当 $x=-1$ 时，

$$\frac{a_n}{a_{n+1}} = 1+\frac{\mu}{n}+O\left(\frac{1}{n^2}\right).$$

由高斯判别法知，级数 $\sum_{n=1}^{\infty} a_n$ 发散. 当 $x=1$ 时，$\sum_{n=1}^{\infty} a_n$ 为交错级数，且

$$\left|\frac{a_n}{a_{n+1}}\right| = 1+\frac{\mu}{n}+O\left(\frac{1}{n^2}\right)>1,$$

即 $|a_n|$ 单调递减. 由

$$|a_n| = |y|(1-y)(2-y)\cdots(n-1-y)\frac{\mathrm{e}}{n^n}$$

$$= \mathrm{e}|y|\frac{1-y}{n}\frac{2-y}{n}\cdots\frac{n-1-y}{n}\cdot\frac{1}{n}<\frac{\mathrm{e}|y|}{n}\to 0(n\to\infty),$$

故 $x=1$，$|y|<\frac{1}{2}$ 时，级数 $\sum_{n=1}^{\infty} a_n$ 条件收敛.

综上可知，当 $|x|<1, y\in\mathbf{R}$；$|x|=1, y>\frac{1}{2}$；$x\in\mathbf{R}, y\in\mathbf{N}$ 时，原级数绝对收敛；当 $x=1$，$|y|<\frac{1}{2}$ 时，原级数条件收敛.

【2740】 证明：若狄利克雷级数 $\sum_{n=1}^{\infty}\frac{a_n}{n^x}$ 在 $x=x_0$ 时收敛，则级数在 $x>x_0$ 时收敛.

证 $\sum_{n=1}^{\infty}\frac{a_n}{n^x} = \sum_{n=1}^{\infty}\left(\frac{a_n}{n^{x_0}}\cdot\frac{1}{n^{x-x_0}}\right)$. 由于级数 $\sum_{n=1}^{\infty}\frac{a_n}{n^{x_0}}$ 收敛，并且 $\left\{\frac{1}{n^{x-x_0}}\right\}$ 当 $x>x_0$ 时单调递减趋于零，由阿贝尔判别法可知，当 $x>x_0$ 时，级数 $\sum_{n=1}^{\infty}\frac{a_n}{n^x}$ 收敛.

知识点2 一致收敛

1. 函数列的一致收敛 若函数列

$$\{f_n(x)\}: f_1(x), f_2(x), \cdots, f_n(x), \cdots$$

(1) 存在极限函数 $f(x)=\lim_{n\to\infty} f_n(x)(x\in D)$；

(2) $\forall\varepsilon>0, \exists N=N(\varepsilon)$，当 $n>N$ 时，$\forall x\in D$，$|f_n(x)-f(x)|<\varepsilon$ 成立，称函数列在集合 D 上一致收敛，记为 $f_n(x)\rightrightarrows f(x)(n\to\infty), x\in D$.

2. 函数项级数的一致收敛 若函数项级数 $\sum_{n=1}^{\infty} u_n(x)$ 的部分和函数列

$$S_n(x)=\sum_{i=1}^{n}u_i(x)(n=1,2,\cdots)$$

在集合 D 上一致收敛，则称级数 $\sum_{n=1}^{\infty}u_n(x)$ 在 D 上一致收敛.

3. 函数列不一致收敛的充要条件

$\{f_n(x)\}$ 在 D 上不一致收敛于 $f(x)\Leftrightarrow\exists\varepsilon_0>0,\forall N\in\mathbf{N}_+,\exists n_0>N,\exists x_0\in D$，使得

$$|f_{n_0}(x_0)-f(x_0)|\geqslant\varepsilon_0.$$

习题 2741—2771 用定义证明一致收敛

【2741】 证明：函数列 $\{f_n(x)\}$ 在 D 上一致收敛于 $f(x)$ 的充分必要条件是

$$\lim_{n\to\infty}\sup_{x\in D}\gamma_n(x)=0,$$

其中 $\gamma_n(x)=|f_n(x)-f(x)|$.

证 必要性. 因 $\{f_n(x)\}$ 在 D 上一致收敛于 $f(x)$，故 $\forall\varepsilon>0,\exists N(\varepsilon)>0$，当 $n>N(\varepsilon)$ 时，$\forall x\in D$，均有

$$|f_n(x)-f(x)|<\varepsilon.$$

因此，当 $n>N(\varepsilon)$ 时，$\sup_{x\in D}\gamma_n(x)\leqslant\varepsilon$，即 $\lim_{n\to\infty}\sup_{x\in D}\gamma_n(x)=0$.

充分性. 由于 $\lim_{n\to\infty}\sup_{x\in D}\gamma_n(x)=0$，故 $\forall\varepsilon>0,\exists N(\varepsilon)>0$，当 $n>N(\varepsilon)$ 时，有

$$\sup_{x\in D}|f_n(x)-f(x)|<\varepsilon.$$

于是，当 $n>N(\varepsilon)$ 时，$\forall x\in D$，有

$$|f_n(x)-f(x)|<\varepsilon.$$

因此，$\{f_n(x)\}$ 在 D 上一致收敛于 $f(x)$.

【2742】 设函数序列 $\{f_n(x)\}$：(1) 在区间 $(x_0,+\infty)$ 上收敛；(2) 在任意有限区间 $(a,b)\subset(x_0,+\infty)$ 内一致收敛；(3) 在区间 $(x_0,+\infty)$ 内一致收敛，这分别是什么意思？

解 (1) $\forall\varepsilon>0,\forall x\in(x_0,+\infty),\exists N=N(\varepsilon,x)$，当 $n>N$ 时，有

$$|f_n(x)-f(x)|<\varepsilon,$$

称序列 $\{f_n(x)\}$ 在区间 $(x_0,+\infty)$ 内收敛.

注意，N 不仅与 ε 有关，而且与 x 有关.

(2) 任意有限区间 $(a,b)\subset(x_0,+\infty),\forall\varepsilon>0,\exists N=N(\varepsilon,a,b)$，当 $n>N$ 时，$\forall x\in(a,b)$，均有

$$|f_n(x)-f(x)|<\varepsilon,$$

称 $\{f_n(x)\}$ 在 (a,b) 内一致收敛.

(3) $\forall\varepsilon>0,\exists N=N(\varepsilon)$（$N(\varepsilon)$ 仅与 ε 有关），当 $n>N$ 时，$\forall x\in(x_0,+\infty)$，均有

$$|f_n(x)-f(x)|<\varepsilon,$$

称 $\{f_n(x)\}$ 在 $(x_0,+\infty)$ 内一致收敛.

【2743】 设函数序列

$$f_n(x)=x^n(n=1,2,\cdots)(0<x<1),$$

求出项的最小序号 $N=N(\varepsilon,x)$，使从这项起序列的项在已知点 x 与极限函数的差不超过 0.001，设 $x=\frac{1}{10},\frac{1}{\sqrt{10}},\cdots,\frac{1}{\sqrt[m]{10}},\cdots$. $\{f_n(x)\}$ 在区间 $(0,1)$ 内是否一致收敛？

解 显见极限函数为零. 令

$$|x^n-0|<\varepsilon,$$

其中 $\varepsilon = 0.001$. 当 $0 < x < 1$ 时，$n > \frac{\lg \varepsilon}{\lg x}$，故最小序号为 $N = \left[\frac{\lg \varepsilon}{\lg x}\right]$.

当 $x = \frac{1}{10}$ 时，$N = 3$；当 $x = \frac{1}{\sqrt{10}}$ 时，$N = 6$；…；当 $x = \frac{1}{\sqrt[m]{10}}$ 时，$N = 3m$.

函数列 $\{f_n(x)\}$ 在 $(0,1)$ 内不一致收敛. 取 $\varepsilon_0 = \frac{1}{4}$，$\forall N \in \mathbf{N}_+$，取 $n_0 = N+1 > N$，取 $x_0 = \frac{1}{\sqrt[n_0]{2}}$，则有 $x_0 \in (0,1)$，且

$$|f_{n_0}(x_0) - f(x_0)| = \left|\left(\frac{1}{\sqrt[n_0]{2}}\right)^{n_0} - 0\right| = \frac{1}{2} > \varepsilon_0,$$

故 $\{f_n(x)\}$ 在 $(0,1)$ 内不一致收敛.

【2744】 求级数 $\sum\limits_{n=1}^{\infty} \frac{\sin nx}{n(n+1)}$ 的部分和 $S_n(x)$ 当 $-\infty < x < +\infty$ 时与级数和的差小于 ε 的最小项数？对于下列 ε 值，给出具体的计算结果.

(1)$\varepsilon = 0.1$； (2)$\varepsilon = 0.01$； (3)$\varepsilon = 0.001$.

解 由于 $\left|\frac{\sin nx}{n(n+1)}\right| \leqslant \frac{1}{n^2}$，级数 $\sum\limits_{n=1}^{\infty} \frac{1}{n^2}$ 收敛，故原级数绝对收敛，记

$$S(x) = \sum_{n=1}^{\infty} \frac{\sin nx}{n(n+1)}.$$

部分和 $S_n(x) = \sum\limits_{k=1}^{n} \frac{\sin kx}{k(k+1)}$，令误差 $\Delta_n(x) = |S(x) - S_n(x)| < \varepsilon$，则

$$\Delta_n(x) = \left|\sum_{k=n+1}^{\infty} \frac{\sin kx}{k(k+1)}\right| = \left|\lim_{m\to\infty} \sum_{k=n+1}^{m} \frac{\sin kx}{k(k+1)}\right| \leqslant \lim_{m\to\infty} \sum_{k=n+1}^{m} \frac{|\sin kx|}{k(k+1)} \leqslant \lim_{m\to\infty} \sum_{k=n+1}^{m} \frac{1}{k(k+1)}$$

$$= \lim_{m\to\infty} \sum_{k=n+1}^{m} \left(\frac{1}{k} - \frac{1}{k+1}\right) = \lim_{m\to\infty} \left(\frac{1}{n+1} - \frac{1}{m+1}\right) = \frac{1}{n+1} < \frac{1}{n}.$$

令 $\frac{1}{n} < \varepsilon$，即 $n > \frac{1}{\varepsilon}$ 时，$\Delta_n(x) < \varepsilon$. 取 $N_0 = \left[\frac{1}{\varepsilon}\right] + 1$，则当 $n > N_0$ 时，有

$$n \geqslant N_0 + 1 = \left[\frac{1}{\varepsilon}\right] + 2 > \frac{1}{\varepsilon},$$

从而 $\Delta_n(x) < \frac{1}{n} < \varepsilon$. 取 $n = N_0 + 1, N_0 + 2, \cdots$，均有 $\Delta_n(x) < \varepsilon$. 所取项数 N_0 与 ε 的关系，按题设数值，满足

ε	0.1	0.01	0.001
N_0	10	100	1 000

【2745】 当 n 取何值时，不等式 $\left|e^x - \sum\limits_{i=0}^{n} \frac{x^i}{i!}\right| < 0.001 (0 \leqslant x \leqslant 10)$ 成立？

解 由泰勒公式，

$$\Delta_n(x) = \left|e^x - \sum_{i=0}^{n} \frac{x^i}{i!}\right| = \left|\frac{e^{\theta x}}{(n+1)!} x^{n+1}\right| \leqslant \frac{e^{10}}{(n+1)!} 10^{n+1},$$

其中 $0 < \theta < 1$. 令 $\Delta_n(x) < 0.001$，即 $\frac{e^{10}}{(n+1)!} 10^{n+1} < \frac{1}{1\ 000}$. 故

$$10 + (n+4)\ln 10 < \sum_{k=2}^{n+1} \ln k = p_n. \qquad ①$$

又 $p_n > \int_1^{n+1} \ln t \mathrm{d}t = (n+1)\ln(n+1) - n$，若

$$(n+1)\ln(n+1) > n(1 + \ln 10) + 10 + 4\ln 10, \qquad ②$$

则 ① 式成立，从而 $\Delta_n(x) < 0.001$. 当 $n = 39$ 时，② 式成立，即 $n = 39$ 时. 不等式 $\left|e^x - \sum\limits_{i=0}^{n} \frac{x^i}{i!}\right| < 0.001 (0$

$\leqslant x \leqslant 10$) 成立.

【研究函数列在所给区间上的一致收敛性(2746—2763)】

【2746】 $f_n(x) = x^n$:(1)$0 \leqslant x \leqslant \frac{1}{2}$;　　(2)$0 \leqslant x \leqslant 1$.

解　(1) 当 $0 \leqslant x \leqslant \frac{1}{2}$ 时,$\lim\limits_{n\to\infty} f_n(x) = 0 = f(x)$. $\forall \varepsilon > 0$,由

$$|f_n(x) - f(x)| = |x|^n \leqslant \left(\frac{1}{2}\right)^n < \frac{1}{n},$$

令 $\frac{1}{n} < \varepsilon$,即 $n > \frac{1}{\varepsilon}$. 取 $N = \left[\frac{1}{\varepsilon}\right] + 1$,则当 $n > N$ 时,$\forall x \in \left[0, \frac{1}{2}\right]$,

$$|f_n(x) - f(x)| = |f_n(x) - 0| < \varepsilon.$$

因此 $\{f_n(x)\}$ 在 $\left[0, \frac{1}{2}\right]$ 上一致收敛于零.

(2)

$$f(x) = \lim_{n\to\infty} f_n(x) = \begin{cases} 1, & x = 1, \\ 0, & 0 \leqslant x < 1, \end{cases}$$

则 $\{f_n(x)\}$ 在 $[0,1]$ 上收敛. 下证不一致收敛.

方法一　同 2743 题,$\{f_n(x)\}$ 在 $[0,1]$ 上不一致收敛.

方法二　由于 $f_n(x)$ 在 $[0,1]$ 上连续,$f(x)$ 在 $[0,1]$ 上不连续,故 $\{f_n(x)\}$ 在 $[0,1]$ 上不一致收敛. 反证法,如果 $\{f_n(x)\}$ 在 $[0,1]$ 上一致收敛,由 $f_n(x)$ 在 $[0,1]$ 上连续,则 $f(x)$ 在 $[0,1]$ 上连续,矛盾.

【2747】 $f_n(x) = x^n - x^{n+1}$,$0 \leqslant x \leqslant 1$.

解　当 $x = 0$ 或 $x = 1$ 时,$f_n(x) = 0$. 当 $0 < x < 1$ 时,$\lim\limits_{n\to\infty} f_n(x) = 0$. 因此

$$\lim_{n\to\infty} f_n(x) = 0 = f(x), x \in [0,1],$$

$$|f_n(x) - f(x)| = x^n - x^{n+1} = g(x).$$

由于 $g'(x) = x^{n-1}[n-(n+1)x]$,令 $g'(x) = 0$,则 $x = \frac{n}{n+1}$. 当 $0 < x < \frac{n}{n+1}$ 时,$g'(x) > 0$;当 $\frac{n}{n+1} < x < 1$ 时,$g'(x) < 0$,故 $g(x)$ 在 $x = \frac{n}{n+1}$ 处取最大值. 于是,$\forall x \in [0,1]$,

$$g(x) \leqslant \left(\frac{n}{n+1}\right)^n \left(1 - \frac{n}{n+1}\right) = \left(\frac{n}{n+1}\right)^n \frac{1}{n+1} < \frac{1}{n+1} < \frac{1}{n}.$$

$\forall \varepsilon > 0$,取 $N = \left[\frac{1}{\varepsilon}\right] + 1$,当 $n > N$ 时,$\forall x \in [0,1]$,有

$$|f_n(x) - f(x)| = |f_n(x) - 0| < \varepsilon.$$

因此 $\{f_n(x)\}$ 在 $[0,1]$ 上一致收敛于零.

【2748】 $f_n(x) = x^n - x^{2n}$,$0 \leqslant x \leqslant 1$.

解　当 $0 \leqslant x \leqslant 1$ 时,$\lim\limits_{n\to\infty} f_n(x) = 0 = f(x)$,且

$$|f_n(x) - f(x)| = x^n - x^{2n}.$$

取 $\varepsilon_0 = \frac{1}{8}$,$\forall N \in \mathbf{N}_+$,取 $n_0 = N + 1 > N$,取 $x_0 = \frac{1}{\sqrt[n_0]{2}}$,则

$$|f_{n_0}(x_0) - f(x_0)| = \left|\left(\frac{1}{\sqrt[n_0]{2}}\right)^{n_0} - \left(\frac{1}{\sqrt[n_0]{2}}\right)^{2n_0}\right| = \frac{1}{4} > \varepsilon_0.$$

因此 $\{f_n(x)\}$ 在 $[0,1]$ 上不一致收敛.

【2749】 $f_n(x) = \frac{1}{x+n}$,$0 < x < +\infty$.

解　当 $0 < x < +\infty$ 时,$\lim\limits_{n\to\infty} f_n(x) = 0 = f(x)$,且

$$|f_n(x)-f(x)|=\frac{1}{x+n}<\frac{1}{n}.$$

$\forall \varepsilon>0$. 取 $N=\left[\frac{1}{\varepsilon}\right]+1$，当 $n>N$ 时，$\forall x\in(0,+\infty)$，有

$$|f_n(x)-f(x)|=|f_n(x)-0|<\varepsilon.$$

因此$\{f_n(x)\}$在$(0,+\infty)$内一致收敛于零.

【2750】 $f_n(x)=\dfrac{nx}{1+n+x}$，$0\leqslant x\leqslant 1$.

解 当 $0\leqslant x\leqslant 1$ 时，$\lim\limits_{n\to\infty}f_n(x)=x=f(x)$，且

$$|f_n(x)-f(x)|=\left|\frac{nx}{1+n+x}-x\right|=\frac{x+x^2}{1+n+x}<\frac{2}{n}.$$

$\forall \varepsilon>0$，取 $N=\left[\frac{2}{\varepsilon}\right]+1$，当 $n>N$ 时，$\forall x\in[0,1]$，有

$$|f_n(x)-f(x)|=|f_n(x)-x|<\varepsilon.$$

因此$\{f_n(x)\}$在$[0,1]$上一致收敛于 x.

【2751】 $f_n(x)=\dfrac{x^n}{1+x^n}$.

(1)$0\leqslant x\leqslant 1-\varepsilon$；(2)$1-\varepsilon\leqslant x\leqslant 1+\varepsilon$；(3)$1+\varepsilon\leqslant x<+\infty$，$\varepsilon>0$.

解 (1) 当 $0\leqslant x\leqslant 1-\varepsilon$ 时，$\lim\limits_{n\to\infty}f_n(x)=0=f(x)$，且

$$|f_n(x)-f(x)|=\frac{x^n}{1+x^n}<(1-\varepsilon)^n.$$

$\forall \varepsilon'>0$，取 $N=\left[\frac{\lg\varepsilon'}{\lg(1-\varepsilon)}\right]+1$，当 $n>N$ 时，$\forall x\in[0,1-\varepsilon]$，有 $|f_n(x)-f(x)|<\varepsilon'$. 因此$\{f_n(x)\}$在$[0,1-\varepsilon]$上一致收敛于零.

(2) $f(x)=\lim\limits_{n\to\infty}f_n(x)=\begin{cases}0, & 1-\varepsilon\leqslant x<1,\\ \frac{1}{2}, & x=1,\\ 1, & 1<x\leqslant 1+\varepsilon.\end{cases}$

取 $\varepsilon_0=\frac{1}{6}$，$\forall N\in\mathbf{N}_+$，取 $n_0>N$，且 $x_0=\frac{1}{\sqrt[n_0]{2}}\in[1-\varepsilon,1+\varepsilon]$，则

$$|f_{n_0}(x_0)-f(x_0)|=\left|\frac{\frac{1}{2}}{1+\frac{1}{2}}-0\right|=\frac{1}{3}>\varepsilon_0.$$

因此$\{f_n(x)\}$在$[1-\varepsilon,1+\varepsilon]$上不一致收敛.

(3) 当 $1+\varepsilon\leqslant x<+\infty$ 时，$\lim\limits_{n\to\infty}f_n(x)=1=f(x)$，且

$$|f_n(x)-f(x)|=\frac{1}{1+x^n}<\frac{1}{(1+\varepsilon)^n}.$$

$\forall \varepsilon'>0$，取 $N=\left[\frac{\lg\frac{1}{\varepsilon'}}{\lg(1+\varepsilon)}\right]+1$，当 $n>N$ 时，$\forall x\in[1+\varepsilon,+\infty)$，有

$$|f_n(x)-f(x)|=|f_n(x)-1|<\varepsilon'.$$

因此$\{f_n(x)\}$在$[1+\varepsilon,+\infty)$上一致收敛.

【2752】 $f_n(x)=\dfrac{2nx}{1+n^2x^2}$：(1)$0\leqslant x\leqslant 1$；(2)$1<x<+\infty$.

解 (1) 当 $0\leqslant x\leqslant 1$ 时，$\lim\limits_{n\to\infty}f_n(x)=0=f(x)$. 取 $\varepsilon_0=\frac{1}{2}$，$\forall N\in\mathbf{N}_+$，取 $n_0=N+1>N$，取

$x_0=\dfrac{1}{N+1}\in[0,1]$,则

$$|f_{n_0}(x_0)-f(x_0)|=1>\varepsilon_0.$$

因此$\{f_n(x)\}$在$[0,1]$上不一致收敛.

(2) 当$1<x<+\infty$时,$\lim\limits_{n\to\infty}f_n(x)=0=f(x)$,且

$$|f_n(x)-f(x)|=\frac{2nx}{1+n^2x^2}<\frac{2nx}{n^2x^2}<\frac{2}{n}.$$

$\forall\varepsilon>0$,取$N=\left[\dfrac{2}{\varepsilon}\right]+1$,当$n>N$时,$\forall x\in(1,+\infty)$,有$|f_n(x)-f(x)|<\varepsilon$.因此$\{f_n(x)\}$在$(1,+\infty)$内一致收敛.

【2753】 $f_n(x)=\sqrt{x^2+\dfrac{1}{n^2}}$,$-\infty<x<+\infty$.

解 当$-\infty<x<+\infty$时,$\lim\limits_{n\to\infty}f_n(x)=|x|=f(x)$,且

$$|f_n(x)-f(x)|=\left|\sqrt{x^2+\frac{1}{n^2}}-|x|\right|=\left|\sqrt{x^2+\frac{1}{n^2}}-\sqrt{x^2}\right|\leqslant\frac{1}{n}.$$

$\forall\varepsilon>0$,取$N=\left[\dfrac{1}{\varepsilon}\right]+1$,则当$n>N$时,$\forall x\in(-\infty,+\infty)$,有$|f_n(x)-f(x)|<\varepsilon$.因此$\{f_n(x)\}$在$(-\infty,+\infty)$内一致收敛.

【2754】 $f_n(x)=n\left(\sqrt{x+\dfrac{1}{n}}-\sqrt{x}\right)$,$0<x<+\infty$.

解 当$0<x<+\infty$时,

$$\lim_{n\to\infty}f_n(x)=\lim_{n\to\infty}\frac{n\left[\left(x+\frac{1}{n}\right)-x\right]}{\sqrt{x+\frac{1}{n}}+\sqrt{x}}=\frac{1}{2\sqrt{x}}=f(x).$$

取$\varepsilon_0=\dfrac{1}{2}$,$\forall N\in\mathbf{N}_+$,取$n_0=N+256>N$,取$x_0=\dfrac{1}{n_0}$,则

$$|f_{n_0}(x_0)-f(x_0)|=\left|n_0\left(\sqrt{\frac{2}{n_0}}-\sqrt{\frac{1}{n_0}}\right)-\frac{1}{2\sqrt{\frac{1}{n_0}}}\right|=\sqrt{n_0}\left|\sqrt{2}-1-\frac{1}{2}\right|>\frac{1}{16}\sqrt{n_0}>\varepsilon_0.$$

因此$\{f_n(x)\}$在$(0,+\infty)$内不一致收敛.

【2755】 (1)$f_n(x)=\dfrac{\sin nx}{n}$,$-\infty<x<+\infty$;(2)$f_n(x)=\sin\dfrac{x}{n}$,$-\infty<x<+\infty$.

解 (1) 当$-\infty<x<+\infty$时,$\lim\limits_{n\to\infty}f_n(x)=0=f(x)$,且

$$|f_n(x)-f(x)|=\frac{|\sin nx|}{n}\leqslant\frac{1}{n}.$$

$\forall\varepsilon>0$,取$N=\left[\dfrac{1}{\varepsilon}\right]+1$,当$n>N$时,$\forall x\in(-\infty,+\infty)$,有

$$|f_n(x)-f(x)|<\varepsilon.$$

因此$\{f_n(x)\}$在$(-\infty,+\infty)$内一致收敛.

(2) 当$-\infty<x<+\infty$时,$\lim\limits_{n\to\infty}f_n(x)=0=f(x)$.取$\varepsilon_0=\dfrac{1}{2}$,$\forall N\in\mathbf{N}_+$,取$n_0=N+1>N$,取$x_0=\dfrac{n_0\pi}{2}\in(-\infty,+\infty)$,则

$$|f_{n_0}(x_0)-f(x_0)|=\left|f_{n_0}\left(\frac{n_0\pi}{2}\right)\right|=1>\varepsilon_0.$$

因此$\{f_n(x)\}$在$(-\infty,+\infty)$内不一致收敛.

【2756】 (1) $f_n(x)=\arctan nx, 0<x<+\infty$; (2) $f_n(x)=x\arctan nx, 0<x<+\infty$.

解 (1) 当 $0<x<+\infty$ 时，$\lim\limits_{n\to\infty}\arctan nx=\dfrac{\pi}{2}=f(x)$.

取 $\varepsilon_0=\dfrac{\pi}{8}$，$\forall N\in\mathbf{N}_+$，取 $n_0=N+1>N$，取 $x_0=\dfrac{1}{n_0}$，则

$$|f_{n_0}(x_0)-f(x_0)|=\left|\arctan 1-\frac{\pi}{2}\right|=\frac{\pi}{4}>\varepsilon_0.$$

因此 $\{f_n(x)\}$ 在 $(0,+\infty)$ 内不一致收敛.

(2) 当 $0<x<+\infty$ 时，$\lim\limits_{n\to\infty}f_n(x)=\dfrac{\pi}{2}x=f(x)$，且

$$|f_n(x)-f(x)|=x\left|\arctan nx-\frac{\pi}{2}\right|\leqslant x\cdot\frac{1}{nx}=\frac{1}{n}.$$

$\forall\varepsilon>0$，取 $N=\left[\dfrac{1}{\varepsilon}\right]+1$，当 $n>N$ 时，$\forall x\in(0,+\infty)$，有

$$|f_n(x)-f(x)|<\varepsilon.$$

因此 $\{f_n(x)\}$ 在 $(0,+\infty)$ 内一致收敛.

【2757】 $f_n(x)=\mathrm{e}^{n(x-1)}, 0<x<1$.

解 当 $0<x<1$ 时，$\lim\limits_{n\to\infty}f_n(x)=0=f(x)$. 取 $\varepsilon_0=\dfrac{1}{2\mathrm{e}}$，$\forall N\in\mathbf{N}_+$，取 $n_0=N+1>N$，取 $x_0=1-\dfrac{1}{n_0}$，则

$$|f_{n_0}(x_0)-f(x_0)|=\mathrm{e}^{-1}>\varepsilon_0.$$

因此 $\{f_n(x)\}$ 在 $(0,1)$ 内不一致收敛.

【2758】 $f_n(x)=\mathrm{e}^{-(x-n)^2}$，(1) $-l<x<l, l>0$; (2) $-\infty<x<+\infty$.

解 (1) 当 $-l<x<l$ 时，$\lim\limits_{n\to\infty}f_n(x)=0=f(x)$，且

$$|f_n(x)-f(x)|=\mathrm{e}^{-(x-n)^2}\leqslant\mathrm{e}^{-(n-l)^2}, n>[l].$$

$\forall\varepsilon>0$，取 $N=\left[l+\ln\dfrac{1}{\sqrt{\varepsilon}}\right]+1$，当 $n>N$ 时，$\forall x\in(-l,l)$，有

$$|f_n(x)-f(x)|<\varepsilon.$$

因此 $\{f_n(x)\}$ 在 $(-l,l)$ 内一致收敛.

(2) 当 $-\infty<x<+\infty$ 时，有 $\lim\limits_{n\to\infty}f_n(x)=0=f(x)$. 取 $\varepsilon_0=\dfrac{1}{2}$，$\forall N\in\mathbf{N}_+$，取 $n_0=N+1>N$，取 $x_0=n_0$，则

$$|f_{n_0}(x_0)-f(x_0)|=1>\varepsilon_0.$$

因此 $\{f_n(x)\}$ 在 $(-\infty,+\infty)$ 内不一致收敛.

【2759】 $f_n(x)=\dfrac{x}{n}\ln\dfrac{x}{n}, 0<x<1$.

解 当 $0<x<1$ 时，有

$$\lim_{n\to\infty}f_n(x)=0=f(x),\ |f_n(x)-f(x)|=\left|\frac{x}{n}\ln\frac{x}{n}\right|.$$

$\forall\varepsilon>0$，$\exists\delta=\delta(\varepsilon)>0$，取 $N=\left[\dfrac{1}{\delta}\right]+1$，当 $n>N$ 时，$\dfrac{1}{n}<\delta$，从而 $\forall x\in(0,1)$，都有 $0<\dfrac{x}{n}<\delta$，故

$$|f_n(x)-f(x)|=\left|\frac{x}{n}\ln\frac{x}{n}\right|<\varepsilon.$$

因此 $\{f_n(x)\}$ 在 $(0,1)$ 内一致收敛.

【2760】 $f_n(x)=\left(1+\frac{x}{n}\right)^n$,(1) 在有限区间$(a,b)$内;(2) 在区间$(-\infty,+\infty)$内.

解 (1) **方法一** 当$a<x<b$,且$x\neq 0$时,有

$$\lim_{n\to\infty} f_n(x)=e^x=f(x).$$

当$x=0$时,上式成立.

记$c=\max\{|a|,|b|\}$,由泰勒公式知

$$\ln f_n(x)=n\ln\left(1+\frac{x}{n}\right)=n\left[\frac{x}{n}-\frac{x^2}{2n^2}+\frac{1}{3}\cdot\frac{1}{\left(1+\frac{\theta x}{n}\right)^3}\cdot\frac{x^3}{n^3}\right],$$

其中$0<\theta<1$,$\left|\frac{\theta x}{n}\right|\leqslant\frac{c}{n}$,$|x^3|\leqslant c^3$,故

$$\ln f_n(x)=x-\frac{x^2}{2n}+O\left(\frac{1}{n^2}\right).$$

从而

$$f_n(x)=\exp\left\{x-\frac{x^2}{2n}+O\left(\frac{1}{n^2}\right)\right\}.$$

取适当大N_1,当$n>N_1$时,就有

$$|f_n(x)-f(x)|\leqslant\frac{c^2e^c}{n}(a<x<b).$$

$\forall\varepsilon>0$,取$N=\max\left\{N_1,\left[\frac{c^2e^c}{\varepsilon}\right]+1\right\}$,当$n>N$时,$\forall x\in(a,b)$,有

$$|f_n(x)-f(x)|<\varepsilon.$$

因此$\{f_n(x)\}$在(a,b)内一致收敛.

方法二 $\forall\varepsilon>0$,$\forall x\in(a,b)$,有

$$|f_n(x)-f(x)|=\left|\left(1+\frac{x}{n}\right)^n-e^x\right|=\left|\frac{-1}{2n}x^2+O\left(\frac{1}{n}\right)\right|\leqslant\frac{M}{n}.$$

取$N=\left[\frac{M}{\varepsilon}\right]+1$,当$n>N$时,$\forall x\in(a,b)$,有$|f_n(x)-f(x)|<\varepsilon$.因此$\{f_n(x)\}$在$(a,b)$内一致收敛.

(2)
$$|f_n(x)-f(x)|=\left|\left(1+\frac{x}{n}\right)^n-e^x\right|.$$

由$\lim\limits_{n\to\infty}2^n\left[\left(\frac{e}{2}\right)^n-1\right]=+\infty$,$\exists N^*\in\mathbf{N}_+$,使得$2^{N^*}\left[\left(\frac{e}{2}\right)^{N^*}-1\right]>1$,取$\varepsilon_0=\frac{1}{2}$,$\forall N\in\mathbf{N}_+$,取$n_0=N+N^*>N$,取$x_0=n_0$,则

$$|f_{n_0}(x_0)-f(x_0)|=2^{n_0}\left[\left(\frac{e}{2}\right)^{n_0}-1\right]>2^{N^*}\left[\left(\frac{e}{2}\right)^{N^*}-1\right]>1>\varepsilon_0.$$

因此$\{f_n(x)\}$在$(-\infty,+\infty)$内不一致收敛.

【2761】 $f_n(x)=n(x^{\frac{1}{n}}-1)$,$1\leqslant x\leqslant a$.

解 当$1\leqslant x\leqslant a$时,$\lim\limits_{n\to\infty}f_n(x)=\lim\limits_{n\to\infty}\dfrac{x^{\frac{1}{n}}-1}{\frac{1}{n}}=\ln x=f(x)$.

由$\lim\limits_{n\to\infty}n(x^{\frac{1}{n}}-1)=\ln x$,$\exists N_1\in\mathbf{N}_+$,当$n>N_1$时,有$n(x^{\frac{1}{n}}-1)<2\ln x$,于是有

$$\begin{aligned}|f_n(x)-f(x)|&=|n(x^{\frac{1}{n}}-1)-n\ln[1+(x^{\frac{1}{n}}-1)]|\\&=\frac{n}{2}(x^{\frac{1}{n}}-1)^2+O\left(\frac{1}{n^2}\right)<\frac{n}{2}\left(\frac{2\ln a}{n}\right)^2+O\left(\frac{1}{n^2}\right)\\&=\frac{2\ln^2 a}{n}+O\left(\frac{1}{n^2}\right)\leqslant\frac{M}{n},\end{aligned}$$

其中 $A,M>0$. $\forall\varepsilon>0$, $\exists N_2\in\mathbf{N}_+$, 当 $n>N_2$ 时, $\frac{M}{n}<\varepsilon$. 取 $N=\max\{N_1,N_2\}$, $n>N$ 时, $\forall x\in[1,a]$, 有

$$|f_n(x)-f(x)|<\varepsilon.$$

因此 $\{f_n(x)\}$ 在 $[1,a]$ 上一致收敛.

【2762】 $f_n(x)=\sqrt[n]{1+x^n}$, $0\leqslant x\leqslant 2$.

解 $f(x)=\lim\limits_{n\to\infty}f_n(x)=\begin{cases}1, & 0\leqslant x\leqslant 1,\\ x, & 1<x\leqslant 2.\end{cases}$

(1) 当 $0\leqslant x\leqslant 1$ 时,

$$|f_n(x)-f(x)|=\left|\sqrt[n]{1+x^n}-1\right|=\frac{x^n}{(1+x^n)^{\frac{n-1}{n}}+(1+x^n)^{\frac{n-2}{n}}+\cdots+(1+x^n)^{\frac{1}{n}}+1}<\frac{1}{n}.$$

(2) 当 $1<x\leqslant 2$ 时,

$$\begin{aligned}|f_n(x)-f(x)|&=\left|\sqrt[n]{1+x^n}-x\right|\\&=\frac{1}{(1+x^n)^{\frac{n-1}{n}}+x(1+x^n)^{\frac{n-2}{n}}+\cdots+x^{n-2}(1+x^n)^{\frac{1}{n}}+x^{n-1}}<\frac{1}{nx^{n-1}}<\frac{1}{n}.\end{aligned}$$

因此, $\forall x\in[0,2]$, 均有

$$|f_n(x)-f(x)|<\frac{1}{n}.$$

$\forall\varepsilon>0$, 取 $N=\left[\frac{1}{\varepsilon}\right]+1$, 当 $n>N$ 时, $\forall x\in[0,2]$, 有

$$|f_n(x)-f(x)|<\varepsilon.$$

因此 $\{f_n(x)\}$ 在 $[0,2]$ 上一致收敛.

【2763】 $f_n(x)=\begin{cases}n^2x, & 0\leqslant x\leqslant\frac{1}{n},\\ n^2\left(\frac{2}{n}-x\right), & \frac{1}{n}<x<\frac{2}{n},\\ 0, & x\geqslant\frac{2}{n},\end{cases}$ 在闭区间 $[0,1]$ 上.

解 当 $x=0$ 时, $f_n(x)=0$, 因而 $\lim\limits_{n\to\infty}f_n(0)=0$.

当 $x\in(0,1]$ 时. 由 $\lim\limits_{n\to\infty}\frac{2}{n}=0<x$, 故 $\exists N\in\mathbf{N}_+$, 当 $n>N$ 时, 有 $\frac{2}{n}<x$. 于是 $f_n(x)=0$. 因此, 当 $0\leqslant x\leqslant 1$ 时,

$$\lim_{n\to\infty}f_n(x)=0=f(x).$$

取 $\varepsilon_0=\frac{1}{2}$, $\forall N\in\mathbf{N}_+$, 取 $n_0=N+1>N$, 取 $x_0=\frac{1}{n_0^2}\in\left[0,\frac{1}{n_0}\right]$, 则

$$|f_{n_0}(x_0)-f(x_0)|=n_0^2\cdot\frac{1}{n_0^2}=1>\varepsilon_0.$$

因此 $\{f_n(x)\}$ 在 $[0,1]$ 上不一致收敛.

【2764】 设 $f(x)$ 为 $[a,b]$ 上任意函数, 且

$$f_n(x)=\frac{[nf(x)]}{n}\quad(n=1,2,\cdots).$$

证明: $fn(x)\rightrightarrows f(x)$ $(n\to\infty)$, $x\in[a,b]$.

证 $\forall\varepsilon>0$, 显然

$$|f_n(x)-f(x)|=\frac{1}{n}|[nf(x)]-nf(x)|\leqslant\frac{1}{n}.$$

取 $N=\left[\frac{1}{\varepsilon}\right]+1$，当 $n>N$ 时，$\forall x\in[a,b]$，有

$$|f_n(x)-f(x)|<\varepsilon.$$

因此$\{f_n(x)\}$在$[a,b]$上一致收敛于 $f(x)$.

【2765】 设函数 $f(x)$ 在(a,b)内连续可导，且

$$f_n(x)=n\left[f\left(x+\frac{1}{n}\right)-f(x)\right].$$

证明：$f_n(x)\rightrightarrows f'(x)(n\to\infty)$，$\forall x\in[\alpha,\beta]$，$a<\alpha<\beta<b$.

证 构造$[\alpha',\beta']$，其中 $a<\alpha'<\alpha<\beta<\beta'<b$. $\forall x\in[\alpha,\beta]$，$\exists N_1\in\mathbf{N}_+$，当 $n>N_1$ 时，有 $x+\frac{1}{n}\in[\alpha',\beta']$. 由 $f(x)$ 在$[\alpha',\beta']$上连续可导，故 $\forall x\in[\alpha,\beta]$，有

$$f_n(x)=n\left[f\left(x+\frac{1}{n}\right)-f(x)\right]=nf'\left(x+\frac{\theta}{n}\right)\cdot\frac{1}{n}=f'\left(x+\frac{\theta}{n}\right)\ (0<\theta<1).$$

由 $f'(x)$ 在$[\alpha',\beta']$上连续，则 $f'(x)$ 在$[\alpha',\beta']$上一致连续，即 $\forall\varepsilon>0$，$\exists\delta=\delta(\varepsilon)>0$，$\forall x',x''\in[\alpha',\beta']$，当 $|x'-x''|<\delta$，有

$$|f'(x')-f'(x'')|<\varepsilon.$$

由 $\lim\limits_{n\to\infty}\frac{1}{n}=0$，对上述 $\delta>0$，$\exists N_2\in\mathbf{N}_+$，当 $n>N_2$ 时，$\frac{1}{n}<\delta$. 故 $\forall x\in[\alpha,\beta]$，取 $n>\max\{N_1,N_2\}$，则 $x,x+\frac{\theta}{n}\in[\alpha',\beta']$. 故 $\forall x\in[\alpha,\beta]$，有

$$|f_n(x)-f'(x)|=\left|f'\left(x+\frac{\theta}{n}\right)-f'(x)\right|<\varepsilon.$$

因此$\{f_n(x)\}$在$[\alpha,\beta]$上一致收敛于 $f'(x)$.

【2766】 设 $f_n(x)=\sum\limits_{i=0}^{n-1}\frac{1}{n}f\left(x+\frac{i}{n}\right)$，其中 $f(x)$ 在$(-\infty,+\infty)$上连续. 证明：$\{f_n(x)\}$在任意有限区间$[a,b]$上一致收敛.

证 记$\{f_n(x)\}$的极限函数为 $F(x)$，则

$$F(x)=\lim_{n\to\infty}f_n(x)=\int_x^{x+1}f(t)\mathrm{d}t=\sum_{i=0}^{n-1}\int_{x+\frac{i}{n}}^{x+\frac{i+1}{n}}f(t)\mathrm{d}t$$
$$=\sum_{i=0}^{n-1}\frac{1}{n}f\left(x+\frac{i}{n}+\frac{\theta_i}{n}\right),0<\theta_i<1,i=0,1,\cdots,n-1.$$

因 $f(x)$ 在$[a,b+1]$上连续，故在$[a,b+1]$上一致连续，即 $\forall\varepsilon>0$，$\exists\delta=\delta(\varepsilon)>0$，$\forall x',x''\in[a,b+1]$，当 $|x'-x''|<\delta$，则 $|f(x')-f(x'')|<\varepsilon$. 上述 $\delta>0$，$\exists N\in\mathbf{N}_+$，当 $n>N$ 时，有$\frac{1}{n}<\delta$. 从而当 $n>N$，$a\leqslant x\leqslant b$ 时，有

$$\left|\left(x+\frac{i}{n}+\frac{\theta_i}{n}\right)-\left(x+\frac{i}{n}\right)\right|<\delta,$$

且

$$x+\frac{i}{n}\in[a,b+1],x+\frac{i}{n}+\frac{\theta_i}{n}\in[a,b+1](i=0,1,\cdots,n-1).$$

故

$$|f_n(x)-F(x)|\leqslant\sum_{i=0}^{n-1}\frac{1}{n}\left|f\left(x+\frac{i}{n}\right)-f\left(x+\frac{i}{n}+\frac{\theta_i}{n}\right)\right|<\frac{1}{n}\sum_{i=0}^{n-1}\varepsilon=\varepsilon.$$

因此$\{f_n(x)\}$在$[a,b]$上一致收敛于$F(x)$.

【研究下列级数的一致收敛性(2767—2771)】

【2767】 $\sum_{n=0}^{\infty}x^n$，(1)$x\in(-q,q)$，$q<1$；(2)$x\in(-1,1)$.

解 (1) 由于$|x^n|<q^n$及$\sum_{n=0}^{\infty}q^n$收敛$(0<q<1)$，故级数$\sum_{n=0}^{\infty}x^n$在$|x|<q<1$内绝对一致收敛.

(2) 记$S_n(x)=\sum_{k=0}^{n-1}x^k=\frac{1-x^n}{1-x}$. 当$|x|<1$时，有

$$S(x)=\frac{1}{1-x}.$$

取$\varepsilon_0=\frac{1}{4}$，$\forall N\in\mathbf{N}_+$，取$n_0=N+1>N$，取$x_0=\frac{1}{\sqrt[n_0]{2}}$，则

$$|S_{n_0}(x_0)-S(x_0)|=\left|\frac{x_0^{n_0}}{1-x_0}\right|=\left|\frac{\frac{1}{2}}{1-\frac{1}{\sqrt[n_0]{2}}}\right|>\frac{1}{2}>\varepsilon_0.$$

因此，级数$\sum_{n=0}^{\infty}x^n$在$|x|<1$内收敛，但不一致收敛.

【2768】 $\sum_{n=0}^{\infty}(1-x)x^n$，$\forall x\in[0,1]$.

解 **方法一** $S_n(x)=\sum_{k=0}^{n-1}(1-x)x^k=(1-x)\sum_{k=0}^{n-1}x^k=1-x^n$. 故

$$S(x)=\lim_{n\to\infty}S_n(x)=\begin{cases}1, & 0\leqslant x<1,\\ 0, & x=1.\end{cases}$$

取$\varepsilon_0=\frac{1}{4}$，$\forall N\in\mathbf{N}_+$，取$n_0=N+1>N$，取$x_0=\frac{1}{\sqrt[n_0]{2}}$，则

$$|S_{n_0}(x_0)-S(x_0)|=\frac{1}{2}>\varepsilon_0.$$

因此，级数$\sum_{n=0}^{\infty}(1-x)x^n$在$[0,1]$上收敛，但不一致收敛.

方法二 级数$\sum_{n=0}^{\infty}(1-x)x^n$的通项在$[0,1]$上连续，和函数$S(x)$在$[0,1]$上不连续，故$\sum_{n=0}^{\infty}(1-x)x^n$在$[0,1]$上不一致收敛.

【2769】 $\sum_{n=1}^{\infty}\left(\frac{x^n}{n}-\frac{x^{n+1}}{n+1}\right)$，$-1\leqslant x\leqslant 1$.

解 显然部分和$S_n(x)=\sum_{k=1}^{n}\left(\frac{x^k}{k}-\frac{x^{k+1}}{k+1}\right)=x-\frac{x^{n+1}}{n+1}$.

当$-1\leqslant x\leqslant 1$时，

$$S(x)=\lim_{n\to\infty}S_n(x)=x,\ |S_n(x)-S(x)|=\frac{|x|^{n+1}}{n+1}<\frac{1}{n}.$$

$\forall\varepsilon>0$，取$N=\left[\frac{1}{\varepsilon}\right]+1$，当$n>N$时，$\forall x\in[-1,1]$，有

$$|S_n(x)-S(x)|<\varepsilon.$$

因此，级数$\sum_{n=1}^{\infty}\left(\frac{x^n}{n}-\frac{x^{n+1}}{n+1}\right)$在$[-1,1]$上一致收敛.

【2770】 $\sum_{n=1}^{\infty}\frac{x}{[(n-1)x+1](nx+1)}, 0<x<+\infty.$

解 部分和 $S_n(x)=\sum_{k=1}^{n}\frac{x}{[(k-1)x+1](kx+1)}=1-\frac{1}{nx+1}.$

当 $0<x<+\infty$ 时,

$$S(x)=\lim_{n\to\infty}S_n(x)=1.$$

取 $\varepsilon_0=\frac{1}{4}$,$\forall N\in\mathbf{N}_+$,取 $n_0=N+1>N$,取 $x_0=\frac{1}{n_0}$,则

$$|S_{n_0}(x_0)-S(x_0)|=\frac{1}{2}>\varepsilon_0.$$

因此,级数 $\sum_{n=1}^{\infty}\frac{x}{[(n-1)x+1](nx+1)}$ 在 $(0,+\infty)$ 内收敛,但不一致收敛.

【2771】 $\sum_{n=1}^{\infty}\frac{nx}{(1+x)(1+2x)\cdots(1+nx)}$,(1) $0\leqslant x\leqslant\varepsilon$;(2) $\varepsilon\leqslant x<+\infty$.

解 当 $x=0$ 时,级数收敛.

当 $x>0$ 时,令 $u_n(x)=\frac{nx}{(1+x)(1+2x)\cdots(1+nx)}$,则

$$\lim_{n\to\infty}\frac{u_{n+1}(x)}{u_n(x)}=\lim_{n\to\infty}\left[\frac{n+1}{n}\cdot\frac{1}{1+(n+1)x}\right]=0<1.$$

故级数 $\sum_{n=1}^{\infty}u_n(x)$ 收敛 $(x\geqslant 0)$. 记

$$\begin{aligned}S_n(x)&=\sum_{k=1}^{n}u_k(x)=\sum_{k=1}^{n}\frac{kx}{(1+x)(1+2x)\cdots(1+kx)}\\&=\sum_{k=1}^{n}\left[\frac{1}{(1+x)\cdots[1+(k-1)x]}-\frac{1}{(1+x)\cdots(1+kx)}\right]\\&=1-\frac{1}{(1+x)(1+2x)\cdots(1+nx)}\to 1\ (n\to\infty),\end{aligned}$$

则

$$S(x)=\lim_{n\to\infty}S_n(x)=\begin{cases}0, & x=0,\\ 1, & x>0.\end{cases}$$

(1) 当 $x>0$ 时,有

$$|S_n(x)-S(x)|=\frac{1}{(1+x)(1+2x)\cdots(1+nx)}.$$

$\forall\varepsilon_0\in(0,1)$,$\forall N\in\mathbf{N}_+$,取 $n_0=N+1>N$,由于

$$\lim_{x\to 0^+}\frac{1}{(1+x)(1+2x)\cdots(1+n_0x)}=1,$$

故取 $x_0\in(0,\varepsilon_0)$,使得

$$\frac{1}{(1+x_0)(1+2x_0)\cdots(1+nx_0)}>\varepsilon_0,\text{即 }|S_{n_0}(x_0)-S(x_0)|>\varepsilon_0.$$

故级数 $\sum_{n=1}^{\infty}u_n(x)$ 在 $[0,\varepsilon]$ 上不一致收敛.

(2) 当 $x\geqslant\varepsilon$,$n\geqslant 3$ 时,由于

$$|u_n(x)|=\left|\frac{nx}{(1+x)(1+2x)\cdots(1+nx)}\right|<\frac{nx}{(1+x)^n}=\frac{nx}{1+nx+\frac{1}{2!}n(n-1)x^2+\cdots+x^n}$$

$$< \frac{nx}{\frac{1}{3!}n(n-1)(n-2)x^3} < \frac{6}{(n-2)^2\varepsilon^2},$$

且级数 $\sum_{n=3}^{\infty} \frac{6}{(n-2)^2\varepsilon^2}$ 收敛，故原级数在 $[\varepsilon,+\infty)$ 上绝对一致收敛.

知识点 3 一致收敛的判别法

1. 魏尔斯特拉斯判别法(优级数判别法) 对于级数 $\sum_{n=1}^{\infty} u_n(x)$，若正项级数 $\sum_{n=1}^{\infty} c_n$ 收敛，且 $\forall x \in D$，$|u_n(x)| \leqslant c_n (n=1,2,\cdots)$，则级数 $\sum_{n=1}^{\infty} u_n(x)$ 在 D 上绝对一致收敛.

注 称正项级数 $\sum_{n=1}^{\infty} c_n$ 为级数 $\sum_{n=1}^{\infty} u_n(x)$ 的优级数.

2. 柯西准则 级数 $\sum_{n=1}^{\infty} u_n(x)$ 在 D 上一致收敛的充要条件为：$\forall \varepsilon > 0$，$\exists N = N(\varepsilon)$，当 $n > N$ 时，$\forall p \in \mathbf{N}_+$，$\forall x \in D$，有

$$|S_{n+p}(x) - S_n(x)| = \left|\sum_{i=n+1}^{n+p} u_i(x)\right| < \varepsilon.$$

3 阿贝尔判别法 若满足以下条件：

(1) 级数 $\sum_{n=1}^{\infty} u_n(x)$ 在 D 上一致收敛；

(2) 函数列 $\{v_n(x)\}$ 在 D 上一致有界，即 $\exists M > 0$，$\forall x \in D$，$\forall n \in \mathbf{N}_+$，有 $|v_n(x)| \leqslant M$；

(3) $\forall x \in D$，$\{v_n(x)\}$ 是单调数列，

则级数 $\sum_{n=1}^{\infty} u_n(x)v_n(x)$ 在 D 上一致收敛.

4. 狄利克雷判别法 若满足以下条件：

(1) 级数 $\sum_{n=1}^{\infty} u_n(x)$ 的部分和函数列 $\{S_n(x)\}$ 在 D 上一致有界；

(2) $\forall x \in D$，$\{v_n(x)\}$ 是单调数列；

(3) 当 $n \to \infty$ 时，$\{v_n(x)\}$ 在 D 上一致收敛于零，

则级数 $\sum_{n=1}^{\infty} u_n(x)v_n(x)$ 在 D 上一致收敛.

习题 2772—2774 魏尔斯特拉斯(优级数)判别法

【用优级数判别法研究下列级数的一致收敛性(2772—2773)】

【2772】 $\sum_{n=1}^{\infty} \frac{1}{(x+n)(x+n+1)}$，$0 < x < +\infty$.

解 由 $\forall x \in (0,+\infty)$，$\left|\frac{1}{(x+n)(x+n+1)}\right| < \frac{1}{n^2}$ 及 $\sum_{n=1}^{\infty} \frac{1}{n^2}$ 收敛，故由优级数判别法知，原级数

在$(0,+\infty)$内一致收敛.

【2773】 $\sum\limits_{n=1}^{\infty}\frac{x^n}{n^2},\forall x\in[-1,1]$.

解 由$\forall x\in[-1,1]$, $\left|\frac{x^n}{n^2}\right|\leqslant\frac{1}{n^2}$及$\sum\limits_{n=1}^{\infty}\frac{1}{n^2}$收敛,故由优级数判别法知,级数$\sum\limits_{n=1}^{\infty}\frac{x^n}{n^2}$在$[-1,1]$上一致收敛.

【2774】 利用魏尔斯特拉斯判别法,证明下列函数项级数在所给区间内的一致收敛性:

(1) $\sum\limits_{n=1}^{\infty}\frac{1}{x^2+n^2}$, $-\infty<x<+\infty$;

(2) $\sum\limits_{n=1}^{\infty}\frac{(-1)^n}{x+2^n}$, $-2<x<+\infty$;

(3) $\sum\limits_{n=1}^{\infty}\frac{x}{1+n^4x^2}$, $0\leqslant x<+\infty$;

(4) $\sum\limits_{n=1}^{\infty}\frac{nx}{1+n^5x^2}$, $|x|<+\infty$;

(5) $\sum\limits_{n=1}^{\infty}\frac{n^2}{\sqrt{n!}}(x^n+x^{-n})$, $\frac{1}{2}\leqslant|x|\leqslant 2$;

(6) $\sum\limits_{n=1}^{\infty}\frac{x^n}{\left[\frac{n}{2}\right]!}$, $|x|<a, a>0$;

(7) $\sum\limits_{n=1}^{\infty}\frac{\sin nx}{\sqrt[3]{n^4+x^4}}$, $|x|<+\infty$;

(8) $\sum\limits_{n=1}^{\infty}\frac{\cos nx}{n^2}$, $|x|<+\infty$;

(9) $\sum\limits_{n=1}^{\infty}\frac{\sin nx}{n\sqrt{n}}$, $|x|<+\infty$;

(10) $\sum\limits_{n=2}^{\infty}\ln\left(1+\frac{x}{n\ln^2 n}\right)$, $|x|<a$;

(11) $\sum\limits_{n=1}^{\infty}x^2\mathrm{e}^{-nx}$, $0\leqslant x<+\infty$;

(12) $\sum\limits_{n=1}^{\infty}\arctan\frac{2x}{x^2+n^3}$, $|x|<+\infty$.

解 (1) 由于$\left|\frac{1}{x^2+n^2}\right|\leqslant\frac{1}{n^2}$及$\sum\limits_{n=1}^{\infty}\frac{1}{n^2}$收敛,故级数$\sum\limits_{n=1}^{\infty}\frac{1}{x^2+n^2}$在$(-\infty,+\infty)$内一致收敛.

(2) 令$n\geqslant 2$,则$\left|\frac{(-1)^n}{x+2^n}\right|<\frac{1}{2^{n-1}}(x>-2)$. 又$\sum\limits_{n=1}^{\infty}\frac{1}{2^{n-1}}$收敛,故$\sum\limits_{n=1}^{\infty}\frac{(-1)^n}{x+2^n}$在$(-2,+\infty)$内一致收敛.

(3) 当$x\geqslant 0$时,$1+n^4x^2\geqslant 2n^2x$,故$\left|\frac{x}{1+n^4x^2}\right|\leqslant\frac{1}{2n^2}$. 又因$\sum\limits_{n=1}^{\infty}\frac{1}{2n^2}$收敛,故$\sum\limits_{n=1}^{\infty}\frac{x}{1+n^4x^2}$在$[0,+\infty)$上一致收敛.

(4) 当$x\in(-\infty,+\infty)$时,$1+n^5x^2\geqslant 2n^{\frac{5}{2}}x$,故$\left|\frac{nx}{1+n^5x^2}\right|\leqslant\frac{1}{2n^{\frac{3}{2}}}$. 又因$\sum\limits_{n=1}^{\infty}\frac{1}{2n^{\frac{3}{2}}}$收敛,故级数$\sum\limits_{n=1}^{\infty}\frac{nx}{1+n^5x^2}$在$(-\infty,+\infty)$内一致收敛.

(5) 当$\frac{1}{2}\leqslant|x|\leqslant 2$时,

$$\left|\frac{n^2}{\sqrt{n!}}(x^n+x^{-n})\right|\leqslant\frac{n^2}{\sqrt{n!}}(|x|^n+|x|^{-n})\leqslant\frac{n^2\cdot 2^{n+1}}{\sqrt{n!}}.$$

对于级数$\sum\limits_{n=1}^{\infty}\frac{n^2\cdot 2^{n+1}}{\sqrt{n!}}$,应用达朗贝尔判别法,有

$$\lim_{n\to\infty}\frac{\frac{(n+1)^2 2^{n+2}}{\sqrt{(n+1)!}}}{\frac{n^2\cdot 2^{n+1}}{\sqrt{n!}}}=\lim_{n\to\infty}\left[\left(\frac{n+1}{n}\right)^2\cdot\frac{2}{\sqrt{n+1}}\right]=0<1,$$

故$\sum\limits_{n=1}^{\infty}\frac{n^2\cdot 2^{n+1}}{\sqrt{n!}}$收敛. 因此,级数$\sum\limits_{n=1}^{\infty}\frac{n^2}{\sqrt{n!}}(x^n+x^{-n})$在$|x|\in\left[\frac{1}{2},2\right]$时一致收敛.

(6) $\exists m\in \mathbf{N}_+$，使得 $u_n(x)=\dfrac{x^n}{m!}$. 当 $|x|<a$ 时，均有 $\left|\dfrac{x^n}{m!}\right|<\dfrac{a^n}{m!}$. 应用达朗贝尔判别法，易证级数 $\sum\limits_{m=1}^{\infty}\dfrac{a^{2m}}{m!}$ 及 $\sum\limits_{m=1}^{\infty}\dfrac{a^{2m+1}}{m!}$ 均收敛. 因此，级数 $\sum\limits_{m=1}u_{2m}(x)$ 与 $\sum\limits_{m=1}u_{2m+1}(x)$ 当 $|x|<a$ 时绝对一致收敛. 从而原级数 $\sum\limits_{n=1}^{\infty}\dfrac{x^n}{\left[\dfrac{n}{2}\right]!}$ 当 $|x|<a$ 时一致收敛.

(7) 当 $|x|<+\infty$ 时，$\left|\dfrac{\sin nx}{\sqrt[3]{n^4+x^4}}\right|\leqslant\dfrac{1}{n^{\frac{4}{3}}}$，且 $\sum\limits_{n=1}^{\infty}\dfrac{1}{n^{\frac{4}{3}}}$ 收敛，故级数 $\sum\limits_{n=1}^{\infty}\dfrac{\sin nx}{\sqrt[3]{n^4+x^4}}$ 在 $x\in\mathbf{R}$ 时一致收敛.

(8) 当 $|x|<+\infty$ 时，$\left|\dfrac{\cos nx}{n^2}\right|\leqslant\dfrac{1}{n^2}$，且 $\sum\limits_{n=1}^{\infty}\dfrac{1}{n^2}$ 收敛，故级数 $\sum\limits_{n=1}^{\infty}\dfrac{\cos nx}{n^2}$ 在 $x\in\mathbf{R}$ 时一致收敛.

(9) 当 $|x|<+\infty$ 时，$\left|\dfrac{\sin nx}{n\sqrt{n}}\right|\leqslant\dfrac{1}{n^{\frac{3}{2}}}$，且 $\sum\limits_{n=1}^{\infty}\dfrac{1}{n^{\frac{3}{2}}}$ 收敛，故级数 $\sum\limits_{n=1}^{\infty}\dfrac{\sin nx}{n\sqrt{n}}$ 在 $x\in\mathbf{R}$ 时一致收敛.

(10) 当 n 充分大(即 $n\geqslant n_0$)时，$\forall\ |x|<a$，有

$$\ln\left(1+\frac{x}{n\ln^2 n}\right)=\frac{x}{n\ln^2 n}+O\left(\frac{1}{n^2}\right),$$

且 $\left|\dfrac{x}{n\ln^2 n}\right|\leqslant\dfrac{a}{n\ln^2 n}$，故 $\sum\limits_{n=n_0}^{\infty}\dfrac{a}{n\ln^2 n}$ 收敛. 又 $\sum\limits_{n=n_0}^{\infty}\dfrac{1}{n^2}$ 收敛，从而级数 $\sum\limits_{n=2}^{\infty}\ln\left(1+\dfrac{x}{n\ln^2 n}\right)$ 当 $|x|<a$ 时一致收敛.

(11) 当 $x>0$ 时，$\mathrm{e}^{nx}>1+nx+\dfrac{n^2x^2}{2}>\dfrac{n^2x^2}{2}$，故 $\mathrm{e}^{-nx}<\dfrac{2}{n^2x^2}$，即 $|x^2\mathrm{e}^{-nx}|<\dfrac{2}{n^2}$. 又因 $\sum\limits_{n=1}^{\infty}\dfrac{1}{n^2}$ 收敛，故级数 $\sum\limits_{n=1}^{\infty}x^2\mathrm{e}^{-nx}$ 在 $x\geqslant 0$ 时一致收敛.

(12) 当 $|x|<+\infty$ 时，有 $\left|\dfrac{x}{x^2+n^3}\right|\leqslant\dfrac{1}{2n^{\frac{3}{2}}}$. 当 n 充分大($n\geqslant n_0$)时，$\forall\ |x|<+\infty$，有

$$\left|\arctan\frac{2x}{x^2+n^3}\right|=\left|\frac{2x}{x^2+n^3}+O\left(\left(\frac{2x}{x^2+n^3}\right)^2\right)\right|\leqslant\frac{1}{n^{\frac{3}{2}}}+O\left(\frac{1}{n^3}\right).$$

又因 $\sum\limits_{n=n_0}^{\infty}\dfrac{1}{n^{\frac{3}{2}}}$ 及 $\sum\limits_{n=n_0}^{\infty}\dfrac{1}{n^3}$ 均收敛，故级数 $\sum\limits_{n=1}^{\infty}\arctan\dfrac{2x}{x^2+n^3}$ 在 $x\in\mathbf{R}$ 时一致收敛.

习题 2775—2777 柯西准则

【用柯西准则研究下列函数项级数的一致收敛性(2775—2776)】

【2775】 $\sum\limits_{n=1}^{\infty}\dfrac{\sin nx}{n}$，(1) $\forall x\in[\varepsilon,2\pi-\varepsilon]$，$\varepsilon>0$；(2) $\forall x\in[0,2\pi]$.

解 (1) 当 $\varepsilon\leqslant x\leqslant 2\pi-\varepsilon$ 时，

$$\left|\sum_{k=1}^{n}\sin kx\right|\leqslant\frac{1}{\left|\sin\dfrac{x}{2}\right|}\leqslant\frac{1}{\sin\dfrac{\varepsilon}{2}}.$$

故级数 $\sum\limits_{n=1}^{\infty}\dfrac{\sin nx}{n}$ 在$[\varepsilon,2\pi-\varepsilon]$上一致收敛.

(2) $\sum\limits_{n=1}^{\infty}\dfrac{\sin nx}{n}$ 在$[0,2\pi]$上条件收敛. 取 $\varepsilon_0=\dfrac{1}{3}\sin\dfrac{1}{2}$，$\forall N\in\mathbf{N}_+$，取 $n_0=N+1>N$，$p_0=N+1$，取 $x_0=\dfrac{1}{2(N+2)}\leqslant\pi$，则

$$\sum_{k=n_0+1}^{n_0+p_0}\frac{\sin kx_0}{k}=\frac{\sin\frac{N+2}{2(N+2)}}{N+2}+\frac{\sin\frac{N+3}{2(N+2)}}{N+3}+\cdots+\frac{\sin\frac{2N+2}{2(N+2)}}{2N+2}$$

$$>\sin\frac{1}{2}\left(\frac{1}{N+2}+\frac{1}{N+3}+\cdots+\frac{1}{2N+2}\right)>\frac{1}{2}\sin\frac{1}{2}>\varepsilon_0.$$

故级数 $\sum_{n=1}^{\infty}\frac{\sin nx}{n}$ 在 $[0,2\pi]$ 上不一致收敛.

【2776】 $\sum_{n=1}^{\infty}2^n\sin\frac{1}{3^n x},\forall x>0.$

解 记 $u_n(x)=2^n\sin\frac{1}{3^n x}(n=1,2,\cdots)$，当 $0<x<+\infty$ 时，由于

$$|u_n(x)|\leqslant\frac{1}{x}\left(\frac{2}{3}\right)^n,$$

且 $\sum_{n=1}^{\infty}\frac{1}{x}\left(\frac{2}{3}\right)^n$ 收敛，故原级数绝对收敛. 取 $\varepsilon_0=1$，$\forall N\in\mathbf{N}_+$，取 $n_0=N+1>N$，$p_0=1$，取 $x_0=\frac{2}{3^{n_0+1}\pi}$，则

$$u_{n_0+1}(x_0)=2^{n_0+1}\sin\frac{1}{3^{n_0+1}x_0}=2^{n_0+1}\sin\frac{\pi}{2}=2^{n_0+1}>\varepsilon_0.$$

故级数 $\sum_{n=1}^{\infty}2^n\sin\frac{1}{3^n x}$ 在 $x>0$ 上不一致收敛.

【2777】 证明：若级数 $\sum_{n=1}^{\infty}|f_n(x)|$ 在 $[a,b]$ 上一致收敛，则级数 $\sum_{n=1}^{\infty}f_n(x)$ 在 $[a,b]$ 上也一致收敛.

证 由级数 $\sum_{n=1}^{\infty}|f_n(x)|$ 在 $[a,b]$ 上一致收敛，则 $\forall\varepsilon>0$，$\exists N=N(\varepsilon)\in\mathbf{N}_+$，当 $n>N$ 时，$\forall x\in[a,b]$，$\forall p\in\mathbf{N}_+$，有

$$|f_{n+1}(x)|+|f_{n+2}(x)|+\cdots+|f_{n+p}(x)|<\varepsilon.$$

于是当 $n>N$ 时，$\forall x\in[a,b]$，$\forall p\in\mathbf{N}_+$，有

$$|f_{n+1}(x)+f_{n+2}(x)+\cdots+f_{n+p}(x)|\leqslant|f_{n+1}(x)|+|f_{n+2}(x)|+\cdots+|f_{n+p}(x)|<\varepsilon.$$

故级数 $\sum_{n=1}^{\infty}f_n(x)$ 在 $[a,b]$ 上一致收敛.

习题 2778—2782 狄利克雷判别法

【用狄利克雷判别法研究下列级数的一致收敛性(2778—2782)】

【2778】 $\sum_{n=1}^{\infty}\frac{(-1)^n}{x+n},0<x<+\infty.$

解 当 $0<x<+\infty$ 时，$\left\{\frac{1}{n+x}\right\}$ 关于 n 单调递减且一致收敛于零. 又 $\left|\sum_{k=1}^{n}(-1)^k\right|\leqslant1$，则 $x>0$ 时，级数 $\sum_{n=1}^{\infty}\frac{(-1)^n}{x+n}$ 一致收敛.

【2779】 $\sum_{n=2}^{\infty}\frac{(-1)^n}{n+\sin x},0\leqslant x\leqslant2\pi.$

解 当 $0\leqslant x\leqslant2\pi$ 时，显然 $\left\{\frac{1}{n+\sin x}\right\}$ 关于 n 单调递减. 由于 $0<\frac{1}{n+\sin x}<\frac{1}{n-1}$，故 $\frac{1}{n+\sin x}$

$\rightrightarrows 0(n\to\infty), x\in[0,2\pi]$. 又由于 $\left|\sum_{k=2}^{n}(-1)^k\right|\leqslant 1$，故级数 $\sum_{n=2}^{\infty}\frac{(-1)^n}{n+\sin x}$ 在 $[0,2\pi]$ 上一致收敛.

【2780】 $\sum_{n=1}^{\infty}\frac{(-1)^{\frac{n(n-1)}{2}}}{\sqrt[3]{n^2+e^x}}$，$|x|\leqslant 10$.

解 $\left|\sum_{k=1}^{n}(-1)^{\frac{k(k-1)}{2}}\right|\leqslant 2$，记 $b_n(x)=\frac{1}{\sqrt[3]{n^2+e^x}}$. 由于

$$\frac{1}{\sqrt[3]{n^2+e^x}}>\frac{1}{\sqrt[3]{(n+1)^2+e^x}},$$

故 $\{b_n(x)\}$ 关于 n 单调递减. 又

$$\frac{1}{\sqrt[3]{n^2+e^x}}<\frac{1}{\sqrt[3]{n^2}}\to 0(|x|\leqslant 10),$$

故 $\{b_n(x)\}$ 单调一致收敛于零. 因此，级数 $\sum_{n=1}^{\infty}\frac{(-1)^{\frac{n(n-1)}{2}}}{\sqrt[3]{n^2+e^x}}$ 在 $[-10,10]$ 上一致收敛.

【2781】 $\sum_{n=1}^{\infty}\frac{\cos\frac{2n\pi}{3}}{\sqrt{n^2+x^2}}$，$-\infty<x<+\infty$.

解 $\left|\sum_{k=1}^{n}\cos\frac{2k\pi}{3}\right|\leqslant\frac{1}{\left|\sin\frac{\pi}{3}\right|}=\frac{2}{\sqrt{3}}$. 又因 $\forall x\in(-\infty,+\infty)$，$\left\{\frac{1}{\sqrt{n^2+x^2}}\right\}$ 关于 n 单调递减，且由于 $\frac{1}{\sqrt{n^2+x^2}}\leqslant\frac{1}{n}\to 0(n\to\infty)$，故 $\frac{1}{\sqrt{n^2+x^2}}\rightrightarrows 0(n\to\infty)$，$x\in(-\infty,+\infty)$. 因此，级数 $\sum_{n=1}^{\infty}\frac{\cos\frac{2n\pi}{3}}{\sqrt{n^2+x^2}}$ 在 $(-\infty,+\infty)$ 内一致收敛.

【2782】 $\sum_{n=1}^{\infty}\frac{\sin x\sin nx}{\sqrt{n+x}}$，$0\leqslant x<+\infty$.

解 当 $x=2m\pi(m\in\mathbf{N})$ 时，$\sum_{k=1}^{n}\sin x\sin kx=0$. 当 $x\neq 2m\pi(m\in\mathbf{N})$ 时，

$$\left|\sum_{k=1}^{n}\sin x\sin kx\right|=|\sin x|\cdot\left|\sum_{k=1}^{n}\sin kx\right|\leqslant|\sin x|\cdot\frac{1}{\left|\sin\frac{x}{2}\right|}=2\left|\cos\frac{x}{2}\right|\leqslant 2.$$

$\forall x\in[0,+\infty)$，均有

$$\left|\sum_{k=1}^{n}\sin x\sin kx\right|\leqslant 2.$$

$\forall x\in[0,+\infty)$，$\left\{\frac{1}{\sqrt{n+x}}\right\}$ 关于 n 单调递减，故

$$\frac{1}{\sqrt{n+x}}\rightrightarrows 0(n\to\infty), x\in[0,+\infty).$$

因此，级数 $\sum_{n=1}^{\infty}\frac{\sin x\sin nx}{\sqrt{n+x}}$ 在 $[0,+\infty)$ 上一致收敛.

习题 2783—2785 阿贝尔判别法

【用阿贝尔判别法研究下列级数的一致收敛性(2783—2783)】

【2783】 $\sum_{n=1}^{\infty}\frac{(-1)^{[\sqrt{n}]}}{\sqrt{n(n+x)}}$，$0\leqslant x<+\infty$.

解 由

$$\frac{(-1)^{[\sqrt{n}]}}{\sqrt{n(n+x)}}=\frac{(-1)^{[\sqrt{n}]}}{n}\cdot\frac{1}{\sqrt{1+\frac{x}{n}}},$$

则级数 $\sum\limits_{n=1}^{\infty}\frac{(-1)^{[\sqrt{n}]}}{n}$ 收敛,故 $\forall x>0$,$\sum\limits_{n=1}^{\infty}\frac{(-1)^{[\sqrt{n}]}}{n}$ 一致收敛.

$\forall x\in[0,+\infty)$,$\left\{\frac{1}{\sqrt{1+\frac{x}{n}}}\right\}$关于 n 单调递减. $\forall x\in[0,+\infty)$,$\forall n\in\mathbf{N}_+$,有

$$\left|\frac{1}{\sqrt{1+\frac{x}{n}}}\right|\leqslant 1.$$

因此,级数 $\sum\limits_{n=1}^{\infty}\frac{(-1)^{[\sqrt{n}]}}{\sqrt{n(n+x)}}$ 在$[0,+\infty)$ 上一致收敛.

【2784】 证明:若级数 $\sum\limits_{n=1}^{\infty}a_n$ 收敛,则狄利克雷级数 $\sum\limits_{n=1}^{\infty}\frac{a_n}{n^x}$ 在 $x\geqslant 0$ 时一致收敛.

证 $\forall x\in[0,+\infty)$,$\left\{\frac{1}{n^x}\right\}$关于 n 单调. $\forall x\geqslant 0$,$\sum\limits_{n=1}^{\infty}a_n$ 一致收敛,故 $\sum\limits_{n=1}^{\infty}\frac{a_n}{n^x}$ 在 $x\geqslant 0$ 时一致收敛.

【2785】 设级数 $\sum\limits_{n=1}^{\infty}a_n$ 收敛. 证明:级数 $\sum\limits_{n=1}^{\infty}a_n\mathrm{e}^{-nx}$ 在$[0,+\infty)$ 上一致收敛.

证 $\forall x\in[0,+\infty)$,$\{\mathrm{e}^{-nx}\}$ 关于 n 单调. $\forall x\geqslant 0$,$\sum\limits_{n=1}^{\infty}a_n$ 一致收敛,故级数 $\sum\limits_{n=1}^{\infty}a_n\mathrm{e}^{-nx}$ 在$[0,+\infty)$ 上一致收敛.

习题 2786—2791 综合练习

【2786】 不连续函数列是否一致收敛于连续函数?

解 不连续函数列可一致收敛于连续函数. 例如,函数序列 $f_n(x)=\frac{1}{n}\varphi(x)$,其中

$$\varphi(x)=\begin{cases}0, & x\in\mathbf{Q}^c,\\ 1, & x\in\mathbf{Q}.\end{cases}$$

显然,$\forall n\in\mathbf{N}_+$,$f_n(x)$ 在任意点均不连续. 由

$$|f_n(x)|\leqslant\frac{1}{n},n\in\mathbf{N}_+,x\in\mathbf{R},$$

故 $f_n(x)\rightrightarrows 0(n\to\infty)$,$x\in(-\infty,+\infty)$. 显然 $f(x)\equiv 0(\forall x\in\mathbf{R})$ 是连续函数.

注 此例说明,不连续函数列可一致收敛于连续函数.

【2787】 若级数 $\sum\limits_{n=1}^{\infty}f_n(x)$ 在$[a,b]$ 上绝对一致收敛,则级数 $\sum\limits_{n=1}^{\infty}|f_n(x)|$ 在$[a,b]$ 上是否一致收敛?

解 不一定一致收敛. 例如,级数 $\sum\limits_{n=1}^{\infty}(-1)^n(1-x)x^n$ 在$[0,1]$ 上绝对一致收敛,但 $\sum\limits_{n=1}^{\infty}(1-x)x^n$ 不一致收敛. 由 2768 题,级数

$$\sum_{n=1}^{\infty}|(-1)^n(1-x)x^n|=\sum_{n=1}^{\infty}(1-x)x^n$$

在[0,1]上收敛,非一致收敛.

下证级数$\sum_{n=1}^{\infty}(-1)^n(1-x)x^n$在[0,1]上一致收敛.

当$x=0,x=1$时,级数$\sum_{n=1}^{\infty}(-1)^n(1-x)x^n$收敛于零.当$0<x<1$时,级数$\sum_{n=1}^{\infty}(-1)^n(1-x)x^n=(1-x)\sum_{n=1}^{\infty}(-1)^nx^n$是交错级数,故级数收敛.余项满足估计

$$|R_n(x)|\leqslant(1-x)x^{n+1}(0\leqslant x\leqslant 1).$$

令$f(x)=(1-x)x^{n+1}$,则$\forall x\in[0,1]$,恒有

$$0\leqslant f(x)\leqslant f\left(\frac{n+1}{n+2}\right)=\frac{1}{n+2}\left(\frac{n+1}{n+2}\right)^{n+1}<\frac{1}{n+2}.$$

故

$$|R_n(x)|<\frac{1}{n+2}(0\leqslant x\leqslant 1,n=1,2,\cdots).$$

综上可知$R_n(x)\rightrightarrows 0(n\to\infty),x\in[0,1]$.

【2788】 证明:绝对收敛且一致收敛的级数

$$\sum_{n=1}^{\infty}f_n(x)(0\leqslant x\leqslant 1)$$

不能用收敛的正项级数作为其优级数,其中

$$f_n(x)=\begin{cases}0, & 0\leqslant x\leqslant 2^{-(n+1)},\\ \dfrac{1}{n}\sin^2(2^{n+1}\pi x), & 2^{-(n+1)}<x<2^{-n}.\\ 0, & 2^{-n}\leqslant x\leqslant 1.\end{cases}$$

证 首先指出$\sum_{n=1}^{\infty}f_n(x)$在[0,1]上是一致收敛的.事实上,$\forall n\in\mathbf{N}_+$,$\forall p\in\mathbf{N}_+$,有

$$R_{n,p}(x)=f_{n+1}(x)+f_{n+2}(x)+\cdots+f_{n+p}(x).$$

$\forall x\in[0,1]$,有

$$R_{n,p}(x)=\begin{cases}\dfrac{1}{n+1}\sin^2(2^{n+2}\pi x), & x\in(2^{-(n+2)},2^{-(n+1)}),\\ \dfrac{1}{n+2}\sin^2(2^{n+3}\pi x), & x\in(2^{-(n+3)},2^{-(n+2)}),\\ \quad\vdots & \\ \dfrac{1}{n+1}\sin^2(2^{n+p+1}\pi x), & x\in(2^{-(n+p+1)},2^{-(n+p)}),\\ 0, & \text{其他}.\end{cases}$$

因此,当$0\leqslant x\leqslant 1$时,恒有

$$|R_{n,p}(x)|<\frac{1}{n}.$$

故$\forall\varepsilon>0$,取$N=\left[\frac{1}{\varepsilon}\right]+1$,当$n>N$时,$\forall x\in[0,1]$,$\forall p\in\mathbf{N}_+$,有

$$|R_{n,p}(x)|<\varepsilon.$$

从而级数$\sum_{n=1}^{\infty}f_n(x)$在[0,1]上绝对收敛且一致收敛.

下证:不可能用某收敛的正项级数作为其优级数.反证法,设存在收敛的正项级数$\sum_{n=1}^{\infty}a_n$,使得$\forall x\in$

$[0,1]$,有

$$|f_n(x)|\leqslant a_n(n=1,2,\cdots).$$

取 $x_n=\frac{3}{2}\cdot 2^{-(n+1)}\in[0,1]$,则 $2^{-(n+1)}<x_n<2^{-n}$,故

$$a_n\geqslant|f_n(x_n)|=\frac{1}{n}\sin^2(2^{n+1}\pi x_n)=\frac{1}{n}>0.$$

由 $\sum\limits_{n=1}^{\infty}a_n$ 收敛,则 $\sum\limits_{n=1}^{\infty}\frac{1}{n}$ 收敛,矛盾.故假设错误,结论成立.

【2789】 证明:若函数项级数 $\sum\limits_{n=1}^{\infty}\varphi_n(x)$ 的通项是 $[a,b]$ 上的单调函数,且级数在两端点 $x=a,x=b$ 处绝对收敛,则级数在 $[a,b]$ 上绝对一致收敛.

证 按题设,$\sum\limits_{n=1}^{\infty}|\varphi_n(a)|$ 与 $\sum\limits_{n=1}^{\infty}|\varphi_n(b)|$ 均收敛.令 $a_n=\max\{|\varphi_n(a)|,|\varphi_n(b)|\}$,由于

$$0\leqslant a_n\leqslant|\varphi_n(a)|+|\varphi_n(b)|,$$

故 $\sum\limits_{n=1}^{\infty}a_n$ 收敛.由于 $\varphi_n(x)$ 在 $[a,b]$ 上单调,则

$$|\varphi_n(x)|\leqslant a_n(a\leqslant x\leqslant b,n=1,2,\cdots).$$

由优级数判别法,级数 $\sum\limits_{n=1}^{\infty}\varphi_n(x)$ 在 $[a,b]$ 上绝对一致收敛.

【2790】 证明:幂级数 $\sum\limits_{n=0}^{\infty}a_nx^n$ 在收敛区间内的任何闭区间上一致收敛.

证 设幂级数 $\sum\limits_{n=0}^{\infty}a_nx^n$ 的收敛区间为 $(-R,R)(R>0)$. $\forall[a,b]\subset(-R,R)$,令

$$r=\max\{|a|,|b|\},$$

则 $\forall x\in[a,b]$,有

$$|a_nx^n|\leqslant|a_n|\cdot|r|^n=|a_nr^n|.$$

由 $\sum\limits_{n=0}^{\infty}|a_nr^n|$ 收敛,故幂级数 $\sum\limits_{n=0}^{\infty}a_nx^n$ 在 $[a,b]$ 上绝对一致收敛.故 $\sum\limits_{n=0}^{\infty}a_nx^n$ 在其收敛区间内的任何闭区间上一致收敛.

【2791】 设 $\lim\limits_{n\to\infty}a_n=\infty$,且级数 $\sum\limits_{n=1}^{\infty}\left|\frac{1}{a_n}\right|$ 收敛.证明:级数 $\sum\limits_{n=1}^{\infty}\frac{1}{x-a_n}$ 在不包含 $a_n(n=1,2,\cdots)$ 的任何有界闭集上绝对一致收敛.

证 设 E 是任意不包含 $a_n(n=1,2,\cdots)$ 的有界闭集,则 $\exists M>0$,当 $x\in E$ 时,

$$|x|\leqslant M,\left|\frac{x}{a_n}\right|\neq 1(n=1,2,\cdots).$$

由于 $\sum\limits_{n=1}^{\infty}\left|\frac{1}{a_n}\right|$ 收敛,故 $\lim\limits_{n\to\infty}\frac{1}{|a_n|}=0$.因此,$\exists N\in\mathbf{N}_+$,当 $n>N,x\in E$ 时,有

$$\left|\frac{x}{a_n}\right|<\frac{1}{2}.$$

当 $n>N$ 时,有

$$\left|\frac{1}{x-a_n}\right|=\frac{1}{|a_n|}\cdot\frac{1}{\left|1-\frac{x}{a_n}\right|}\leqslant\frac{1}{|a_n|}\cdot\frac{1}{1-\left|\frac{x}{a_n}\right|}\leqslant\frac{1}{|a_n|}\cdot\frac{1}{1-\frac{1}{2}}=\frac{2}{|a_n|}.$$

由于 $\sum\limits_{n=1}^{\infty}\frac{2}{|a_n|}$ 收敛,故由优级数判别法知,$\sum\limits_{n=1}^{\infty}\left|\frac{1}{x-a_n}\right|$ 在 E 上绝对一致收敛.

知识点4 函数项级数的性质

1. 通项为连续函数的一致收敛级数的和函数是连续函数.

2. 若函数项级数$\sum\limits_{n=1}^{\infty}u_n(x)$在$[\alpha,\beta]\subset(a,b)$上一致收敛，且存在有限的极限

$$\lim_{x\to a}u_n(x)=A_n(n=1,2,\cdots),$$

则级数$\sum\limits_{n=1}^{\infty}A_n$收敛，且$\lim\limits_{x\to a}\sum\limits_{n=1}^{\infty}u_n(x)=\sum\limits_{n=1}^{\infty}[\lim\limits_{x\to a}u_n(x)]$.

3. 若收敛级数$\sum\limits_{n=1}^{\infty}u_n(x)$的通项在$x\in(a,b)$内连续可微，且级数$\sum\limits_{n=1}^{\infty}u'_n(x)$在$(a,b)$内一致收敛，则

$$\left[\sum_{n=1}^{\infty}u_n(x)\right]'=\sum_{n=1}^{\infty}u'_n(x).$$

4. 若级数$\sum\limits_{n=1}^{\infty}u_n(x)$的通项连续，且在$(a,b)$内一致收敛，则

$$\int_a^b\left\{\sum_{n=1}^{\infty}u_n(x)\right\}dx=\sum_{n=1}^{\infty}\int_a^b u_n(x)dx.$$

若$\lim\limits_{n\to\infty}\int_a^b R_n(x)dx=0$，其中$R_n(x)=\sum\limits_{i=n+1}^{\infty}u_i(x)$，则上式成立.最后这个条件也适合于积分限为无穷大的情况.

习题2792—2804 函数项级数的分析性质

【2792】 证明：函数$f(x)=\sum\limits_{n=1}^{\infty}\dfrac{\sin nx}{n^3}$在$(-\infty,+\infty)$内连续并有连续的导数.

证 首先证明$f(x)$连续.事实上，由$\left|\dfrac{\sin nx}{n^3}\right|\leqslant\dfrac{1}{n^3}$及$\sum\limits_{n=1}^{\infty}\dfrac{1}{n^3}$收敛，则级数$\sum\limits_{n=1}^{\infty}\dfrac{\sin nx}{n^3}$在$(-\infty,+\infty)$内一致收敛.又$\dfrac{\sin nx}{n^3}$在$(-\infty,+\infty)$内连续，故$f(x)$在$(-\infty,+\infty)$内连续.

其次证明$f'(x)$连续.由于$\dfrac{d}{dx}\left(\dfrac{\sin nx}{n^3}\right)=\dfrac{\cos nx}{n^2}$连续，且级数$\sum\limits_{n=1}^{\infty}\dfrac{\cos nx}{n^2}$在$(-\infty,+\infty)$内一致收敛，故$f'(x)$在$(-\infty,+\infty)$内连续，且

$$f'(x)=\frac{d}{dx}\left(\sum_{n=1}^{\infty}\frac{\sin nx}{n^3}\right)=\sum_{n=1}^{\infty}\frac{d}{dx}\left(\frac{\sin nx}{n^3}\right)=\sum_{n=1}^{\infty}\frac{\cos nx}{n^2}.$$

【2793】 证明：函数

$$f(x)=\sum_{n=-\infty}^{+\infty}\frac{1}{(n-x)^2}$$

(1) 在$x\in\mathbf{R}/\mathbf{Z}$上连续；(2) 为周期函数，且周期等于1.

证 考虑级数(I)$\sum\limits_{n=0}^{+\infty}\dfrac{1}{(n-x)^2}$及(II)$\sum\limits_{n=1}^{\infty}\dfrac{1}{(-n-x)^2}$.显然，当$x\neq k(k=0,1,2,\cdots)$时，级数(I)收敛.当$x\neq -l(l=1,2,\cdots)$时，级数(II)收敛.因此，当$x\overline{\in}\mathbf{Z}$时，级数$\sum\limits_{n=-\infty}^{+\infty}\dfrac{1}{(n-x)^2}$收敛.

(1) 故 $\forall x \in \mathbf{R}/\mathbf{Z}, f(x)$ 有定义. $\forall x_0 \in ([x_0],[x_0]+1)$,且$[a,b] \subset ([x],[x_0]+1)$,即

$$[x_0] < a < x_0 < b < [x_0]+1.$$

记 $p = \max\{|a|,|b|\}$. $\forall x \in [a,b]$. 当 n 充分大时(例如 $n \geqslant n_0$),由于

$$\left|\frac{1}{(n-x)^2}\right| \leqslant \frac{1}{(n-|x|)^2} \leqslant \frac{1}{(n-p)^2}, \left|\frac{1}{(-n-x)^2}\right| \leqslant \frac{1}{(n-|x|)^2} \leqslant \frac{1}{(n-p)^2},$$

且$\sum\limits_{n=0}^{+\infty} \frac{1}{(n-p)^2}$ 收敛,故$\sum\limits_{n=n_0}^{+\infty} \frac{1}{(n-x)^2}$ 及$\sum\limits_{n=n_0}^{+\infty} \frac{1}{(-n-x)^2}$ 在$[a,b]$ 上一致收敛. 从而,$\sum\limits_{n=0}^{+\infty} \frac{1}{(n-x)^2}$ 及$\sum\limits_{n=1}^{+\infty}\frac{1}{(-n-x)^2}$ 在$[a,b]$上一致收敛,即$\sum\limits_{n=-\infty}^{+\infty} \frac{1}{(n-x)^2}$ 在$[a,b]$ 上一致收敛. 又$\frac{1}{(n-x)^2}$ 在$[a,b]$ 上连续,则 $f(x)$ 在$[a,b]$ 上连续,因而 $f(x)$ 在 x_0 处连续.

(2) 当 $x \overline{\in} \mathbf{Z}$ 时,有

$$f(x+1) = \sum_{n=-\infty}^{+\infty} \frac{1}{[n-(x+1)]^2} = \sum_{n=-\infty}^{+\infty} \frac{1}{[(n-1)-x]^2}.$$

令 $m = n-1$,则

$$f(x+1) = \sum_{m=-\infty}^{+\infty} \frac{1}{(m-x)^2} = f(x).$$

故 $x \overline{\in} \mathbf{Z}$ 时,$f(x)$ 是周期为 1 的周期函数.

【2794】 证明:级数

$$\sum_{n=1}^{\infty}[nx\mathrm{e}^{-nx} - (n-1)x\mathrm{e}^{-(n-1)x}]$$

在$[0,1]$ 上收敛但不一致收敛,且和函数是连续函数.

证 考虑部分和

$$S_n(x) = \sum_{k=1}^{n}[kx\mathrm{e}^{-kx} - (k-1)x\mathrm{e}^{-(k-1)x}] = nx\mathrm{e}^{-nx}.$$

显然

$$S(x) = \lim_{n\to\infty} S_n(x) = 0.$$

取 $\varepsilon_0 = \frac{1}{2}\mathrm{e}^{-1}$, $\forall N \in \mathbf{N}_+$,取 $n_0 = N+1 > N$,取 $x_0 = \frac{1}{n_0}$,则

$$|S_{n_0}(x_0) - S(x_0)| = \mathrm{e}^{-1} > \varepsilon_0.$$

故级数在$[0,1]$ 上不一致收敛.

【2795】 求函数 $f(x)$ 的存在域并讨论连续性. 设

(1)$f(x) = \sum\limits_{n=1}^{\infty}\left(x+\frac{1}{n}\right)^n$;(2)$f(x) = \sum\limits_{n=1}^{\infty}\frac{x+(-1)^n n}{x^2+n^2}$;(3)$f(x) = \sum\limits_{n=1}^{\infty}\frac{x}{(1+x^2)^n}$.

解 (1) 由于$\lim\limits_{n\to\infty}\sqrt[n]{\left|\left(x+\frac{1}{n}\right)^n\right|} = |x|$,故当 $|x| < 1$ 时,级数绝对收敛. 当 $|x| \geqslant 1$ 时,级数发散. 于是,$f(x)$ 的存在域为$(-1,1)$.

设 $\forall \delta \in (0,1)$,当 $|x| \leqslant 1-\delta$ 时,有

$$\left|\left(x+\frac{1}{n}\right)^n\right| \leqslant \left(1-\delta+\frac{1}{n}\right)^n.$$

由$\sum\limits_{n=1}^{\infty}\left(1-\delta+\frac{1}{n}\right)^n$ 收敛,故$\sum\limits_{n=1}^{\infty}\left(x+\frac{1}{n}\right)^n$ 在$[-1+\delta,1-\delta]$ 上一致收敛,从而,$\sum\limits_{n=1}^{\infty}\left(x+\frac{1}{n}\right)^n$ 在$(-1,1)$ 上内闭一致收敛. 又$\left(x+\frac{1}{n}\right)^n$ 在$(-1,1)$ 内连续,从而 $f(x)$ 在$(-1,1)$ 内连续.

(2) 由

$$\frac{x+n(-1)^n}{x^2+n^2}=\frac{x}{x^2+n^2}+(-1)^n\frac{n}{x^2+n^2},$$

则级数$\sum_{n=1}^{\infty}(-1)^n\frac{n}{x^2+n^2}$在$\mathbf{R}$上一致收敛. 又$(-1)^n\frac{n}{x^2+n^2}$在$\mathbf{R}$上连续，故和函数在$\mathbf{R}$上连续.

$\forall M>0$，当$x\in[-M,M]$时，由于$\left|\frac{x}{x^2+n^2}\right|\leqslant\frac{M}{n^2}$及$\sum_{n=1}^{\infty}\frac{M}{n^2}$收敛，故级数$\sum_{n=1}^{\infty}\frac{x}{x^2+n^2}$在$[-M,M]$上一致收敛. 由$M$的任意性，级数$\sum_{n=1}^{\infty}\frac{x}{x^2+n^2}$在$\mathbf{R}$上内闭一致收敛. 又$\frac{x}{x^2+n^2}$在$\mathbf{R}$上连续，从而和函数在$\mathbf{R}$上连续. 故$f(x)$在$\mathbf{R}$上连续.

(3) 当$x\in\mathbf{R}/\{0\}$时，有

$$\lim_{n\to\infty}\sqrt[n]{\frac{|x|}{(1+x^2)^n}}=\frac{1}{1+x^2}<1,$$

故级数绝对收敛. 当$x=0$时，级数收敛于零. 于是$f(x)$的存在域为$(-\infty,+\infty)$.

$\forall x_0\neq 0$，不妨设$x_0>0$，取$[a,b]$，使$0<a<x_0<b$，则$\forall\in[a,b]$，

$$\left|\frac{x}{(1+x^2)^n}\right|\leqslant\frac{b}{(1+a^2)^n}.$$

又$\sum_{n=1}^{\infty}\frac{b}{(1+a^2)^n}$收敛，故$\sum_{n=1}^{\infty}\frac{x}{(1+x^2)^n}$在$[a,b]$上一致收敛. 由$\frac{x}{(1+x^2)^n}$在$[a,b]$上连续，因而和函数$f(x)$在$[a,b]$上连续. 从而$f(x)$在$x=x_0$处连续(对于$x_0<0$的情况同理可证). 因而

$$f(x)=x\sum_{n=1}^{\infty}\frac{1}{(1+x^2)^n}=\frac{x}{1+x^2}\cdot\frac{1}{1-\frac{1}{1+x^2}}=\frac{1}{x}(x\neq 0).$$

由此可见$f(x)$在$x=0$处不连续，在$x\neq 0$处连续.

【2796】 设$r_k(k=1,2,\cdots)$是闭区间$[0,1]$上的有理数. 证明函数

$$f(x)=\sum_{k=1}^{\infty}\frac{|x-r_k|}{3^k}(0\leqslant x\leqslant 1)$$

具有下列性质：(1) 连续；(2) 在无理点处可微，在有理点处不可微.

证 (1) 当$0\leqslant x\leqslant 1$时，有$\left|\frac{x-r_k}{3^k}\right|\leqslant\frac{1}{3^k}$且$\sum_{n=1}^{\infty}\frac{1}{3^k}$收敛，故原级数在$[0,1]$上一致收敛. 又$\frac{|x-r_k|}{3^k}$在$[0,1]$上连续，故$f(x)$在$[0,1]$上连续.

(2) 设x_0为$[0,1]$中的无理点. 当$x\neq x_0$时，有

$$\frac{f(x)-f(x_0)}{x-x_0}=\sum_{k=1}^{\infty}v_k(x), \qquad ①$$

其中$v_k(x)=\frac{|x-r_k|-|x_0-r_k|}{3^k(x-x_0)}(k=1,2,\cdots)$. 由于

$$||x-r_k|-|x_0-r_k||\leqslant|(x-r_k)-(x_0-r_k)|=|x-x_0|,$$

故$|v_k(x)|\leqslant\frac{1}{3^k}(x\neq x_0)$. 从而级数$\sum_{k=1}^{\infty}v_k(x)$在$0\leqslant x\leqslant 1,x\neq x_0$上一致收敛. 又$v_k(x)(k\in\mathbf{N})$连续，故级数$\sum_{k=1}^{\infty}v_k(x)$可逐项求极限.

固定$k\in\mathbf{N}_+$，由于$x_0\neq r_k$，当x与x_0充分近时，$(x-r_k)$与(x_0-r_k)同号，则

$$\lim_{x\to x_0}v_k(x)=\frac{1}{3^k}\operatorname{sgn}(x_0-r_k)(k=1,2,\cdots).$$

从而由①式有

$$\lim_{x\to x_0}\frac{f(x)-f(x_0)}{x-x_0}=\lim_{x\to x_0}\sum_{k=1}^{\infty}v_k(x)=\sum_{k=1}^{\infty}\lim_{x\to x_0}v_k(x)=\sum_{k=1}^{\infty}\frac{1}{3^k}\operatorname{sgn}(x_0-r_k).$$

由此可知，$f(x)$ 在 x_0 处可微，且 $f'(x_0)=\sum\limits_{k=1}^{\infty}\frac{1}{3^k}\operatorname{sgn}(x_0-r_k)$.

设 x_0 是$[0,1]$中的有理点，则 $x_0=r_m$. 故 ① 式为：当 $x\neq x_0$ 时，

$$\frac{f(x)-f(x_0)}{x-x_0}=v_m(x)+\sum_{k\neq m}v_k(x), \tag{2}$$

其中

$$v_m(x)=\frac{|x-r_m|-|x_0-r_m|}{3^m(x-x_0)}=\frac{|x-x_0|}{3^m(x-x_0)}=\frac{1}{3^m}\operatorname{sgn}(x-x_0).$$

仿前段之证，可知当 $x\to x_0$ 时，级数 $\sum\limits_{k\neq m}^{\infty}v_k(x)$ 可逐项取极限，即

$$\lim_{x\to x_0}\sum_{k\neq m}v_k(x)=\sum_{k\neq m}\lim_{x\to x_0}v_k(x)=\sum_{k\neq m}\frac{1}{3^k}\operatorname{sgn}(x_0-r_k).$$

显然 $\lim\limits_{x\to x_0^+}v_m(x)=\frac{1}{3^m}$，$\lim\limits_{x\to x_0^-}v_m(x)=-\frac{1}{3^m}$，故极限 $\lim\limits_{x\to x_0}v_m(x)$ 不存在. 于是，根据 ② 式即知极限 $\lim\limits_{x\to x_0}\frac{f(x)-f(x_0)}{x-x_0}$ 不存在，故 $f(x)$ 在 x_0 处不可微.

【2797】 证明：黎曼函数 $R(x)=\sum\limits_{n=1}^{\infty}\frac{1}{n^x}$ 在$(1,+\infty)$内连续，且在$(1,+\infty)$内有连续的各阶导数.

证 显然级数 $\sum\limits_{n=1}^{\infty}\frac{1}{n^x}$ 在 $x>1$ 时收敛. 逐项求导所得级数为 $-\sum\limits_{n=1}^{\infty}\frac{\ln n}{n^x}$. 当 $x\in[a,+\infty)$ 时，有

$$0<\frac{\ln n}{n^x}\leqslant\frac{\ln n}{n^a}.$$

由级数 $\sum\limits_{n=1}^{\infty}\frac{\ln n}{n^a}$ 收敛，则级数 $\sum\limits_{n=1}^{\infty}\frac{\ln n}{n^x}$ 在$[a,+\infty)$上一致收敛. 又 $\frac{\ln n}{n^x}$ 关于 x 连续，则在$[a,+\infty)$上可逐项求导，即

$$R'(x)=-\sum_{n=1}^{\infty}\frac{\ln n}{n^x},$$

且 $R'(x)$ 在$[a,+\infty)$上连续. 由 a 的任意性，则 $\forall x\in(1,+\infty)$，$R'(x)$ 在$(1,+\infty)$内连续. 从而 $R(x)$ 在$(1,+\infty)$内连续.

利用数学归纳法，$\forall k\in\mathbf{N}_+$，级数 $\sum\limits_{n=1}^{\infty}\frac{(\ln n)^k}{n^a}(a>1)$ 收敛. 从而 $\forall k\in\mathbf{N}_+$，$R^{(k)}(x)$ 在$(1,+\infty)$内存在且连续，且逐项求导 k 次可得

$$R^{(k)}(x)=(-1)^k\sum_{n=1}^{\infty}\frac{(\ln n)^k}{n^x}\quad(1<x<+\infty).$$

【2798】 证明：θ 函数 $\theta(x)=\sum\limits_{n=-\infty}^{+\infty}e^{-\pi n^2x}$ 在 $x>0$ 时有定义且无穷次可微.

证 首先证明 $\theta(x)$ 在$(0,+\infty)$内有定义且可微.

记 $u_n(x)=e^{-\pi n^2x}$，则 $u_{-n}(x)=u_n(x)$. 故只要考虑级数 $\sum\limits_{n=1}^{+\infty}e^{-\pi n^2x}(x>0)$ 即可. $\forall x\in(0,+\infty)$ 及充分大的 n，有

$$0<e^{-\pi n^2x}<\frac{1}{n^2x}.$$

由级数 $\sum\limits_{n=1}^{+\infty}\frac{1}{n^2x}$ 收敛，故级数 $\sum\limits_{n=1}^{+\infty}e^{-\pi n^2x}$ 收敛. 逐项求导可得 $-\sum\limits_{n=1}^{+\infty}\pi n^2e^{-\pi n^2x}$. $\forall\varepsilon>0$，它在$[\varepsilon,+\infty)$上是一致收敛的. 事实上，当 n 充分大时，对一切 $\forall x\in[\varepsilon,+\infty)$，有

$$0<\pi n^2e^{-\pi n^2x}\leqslant\pi n^2e^{-\pi n^2\varepsilon}<\frac{1}{n^2\varepsilon},$$

而$\sum_{n=1}^{+\infty}\frac{1}{n^2\varepsilon}$收敛，故级数$\sum_{n=1}^{+\infty}\pi n^2 e^{-\pi n^2 x}$在$[\varepsilon,+\infty)$上一致收敛. 从而$\theta(x)=\sum_{n=-\infty}^{+\infty}e^{-\pi n^2 x}$在$[\varepsilon,+\infty)$内连续可微，且可逐项求导. 由$\varepsilon$的任意性，$\theta(x)$在$(0,+\infty)$内连续可微，且可逐项求导.

类似可证$\theta'(x)$的可微性.

利用数学归纳法，当n充分大时，$\forall x\in[\varepsilon,+\infty)$，均有

$$0<(\pi n^2)^k e^{-\pi n^2 x}<\frac{1}{n^2\varepsilon}.$$

类似可证$\theta(x)$在$x>0$时无穷次可微.

【2799】 求函数$f(x)$的存在域并讨论可微性. 设：

(1) $f(x)=\sum_{n=1}^{\infty}\frac{(-1)^n x}{n+x}$；　(2) $f(x)=\sum_{n=1}^{\infty}\frac{|x|}{n^2+x^2}$.

解 (1) 易知当$x\neq -k(k=1,2,\cdots)$时，级数为莱布尼茨型级数，因而收敛.

记$u_n(x)=\frac{(-1)^n x}{n+x}$，任取$x=x_0$，$x_0\neq -k(k=1,2,\cdots)$.

(ⅰ) 当$x_0\geqslant 0$，取$\beta\geqslant x_0$，则$\forall x\in\left[-\frac{1}{2},\beta\right]$，有$u'_n(x)=\frac{(-1)^n n}{(n+x)^2}(n=1,2,\cdots)$且连续. $\left\{\frac{n}{(n+x)^2}\right\}$关于$n$单调递减，且一致收敛于零，事实上，当$x\in\left[-\frac{1}{2},\beta\right]$，$n>1$时，有

$$\left|\frac{n}{(n+x)^2}\right|\leqslant\frac{n}{(n-1)^2}\to 0(n\to\infty),$$

显然$\left|\sum_{k=1}^{n}(-1)^k\right|\leqslant 1$有界. 因此，级数$\sum_{n=1}^{\infty}u'_n(x)$在$[0,\beta]$上一致收敛. 从而

$$f(x)=\sum_{n=1}^{\infty}u_n(x)=\sum_{n=1}^{\infty}\frac{(-1)^n x}{n+x}$$

在$[0,\beta]$上可微，即在$x=x_0$点可微.

(ⅱ) 当$x_0<0$时，$\exists k_0$，使得$-(k_0+1)<x_0<-k_0$. 取α,β满足

$$-(k_0+1)<\alpha<x_0<\beta<-k_0.$$

$\forall x\in[\alpha,\beta]$，$u'_n(x)=\frac{(-1)^n n}{(n+x)^2}$连续，关于$n$单调递减且一致收敛于零(考虑充分大的$n$)，

$$\left|\frac{n}{(n+x)^2}\right|=\frac{n}{n^2+2nx+x^2}\leqslant\frac{n}{n^2-2n|x|}\leqslant\frac{n}{n^2-2n|\alpha|}=\frac{1}{n-2|\alpha|}\to 0(n\to\infty).$$

故$\sum_{n=1}^{\infty}u'_n(x)$在$[\alpha,\beta]$上一致收敛. 因而

$$f(x)=\sum_{n=1}^{\infty}u_n(x)=\sum_{n=1}^{\infty}\frac{(-1)^n x}{n+x}$$

在$[\alpha,\beta]$上可微，即在$x=x_0$点可微.

综上可知，函数$f(x)=\sum_{n=1}^{\infty}\frac{(-1)^n x}{n+x}$在$x\neq -k(k=1,2,\cdots)$上有定义且可微.

(2) 当$x=0$时，级数收敛. 当$x\neq 0$时，由于

$$\frac{\frac{|x|}{n^2+x^2}}{\frac{1}{n^2}}=\frac{n^2}{n^2+x^2}|x|\to|x|(n\to\infty),$$

故$\sum_{n=1}^{\infty}\frac{|x|}{n^2+x^2}$在$x\neq 0$时收敛. 从而$f(x)=\sum_{n=1}^{\infty}\frac{|x|}{n^2+x^2}$在$(-\infty,+\infty)$内收敛. 令

$$\varphi(x)=\sum_{n=1}^{\infty}\frac{1}{n^2+x^2}.$$

显然在$(-\infty,+\infty)$内收敛，故记$f(x)=|x|\varphi(x)$. $\forall x_0\in(-\infty,+\infty)$，则$\exists l>0$，使得$-l<x_0<l$. 当$x\in[-l,l]$时，由于

$$\left|\left(\frac{1}{n^2+x^2}\right)'\right|=\left|\frac{-2x}{(n^2+x^2)^2}\right|\leqslant\frac{2l}{n^4}(n=1,2,\cdots),$$

且$\sum\limits_{n=1}^{\infty}\frac{2l}{n^4}$收敛. 因此$\sum\limits_{n=1}^{\infty}\left(\frac{1}{n^2+x^2}\right)'$在$[-l,l]$上一致收敛. 故$\varphi(x)$在$[-l,l]$上可微，即在$x=x_0$点可微. 又因$|x|$在$x\neq 0$点可微，在$x=0$点不可微，故$f(x)=|x|\varphi(x)$在$x\neq 0$处可微，在$x=0$处不可微.

【求下列极限(2800—2802)】

【2800】 $\lim\limits_{x\to 1^-}\sum\limits_{n=1}^{\infty}\frac{(-1)^{n+1}}{n}\cdot\frac{x^n}{x^n+1}$.

解 设$0\leqslant x\leqslant 1$，由于$\frac{x^n}{x^n+1}<1$，且$\left\{\frac{x^n}{x^n+1}\right\}$关于$n$单调递减，级数$\sum\limits_{n=1}^{\infty}\frac{(-1)^{n+1}}{n}$在$[0,1]$上一致收敛，根据阿贝尔判别法知，级数

$$\sum_{n=1}^{\infty}\frac{(-1)^{n+1}}{n}\cdot\frac{x^n}{x^n+1}$$

在$[0,1]$上一致收敛. 又$\frac{(-1)^{n+1}}{n}\cdot\frac{x^n}{x^n+1}$在$[0,1]$上连续，故

$$\lim_{x\to 1^-}\left[\frac{(-1)^{n+1}}{n}\cdot\frac{x^n}{x^n+1}\right]=\frac{(-1)^{n+1}}{2n}(n=1,2,\cdots).$$

故由2661题可得

$$\lim_{x\to 1^-}\sum_{n=1}^{\infty}\frac{(-1)^{n+1}}{n}\cdot\frac{x^n}{x^n+1}=\sum_{n=1}^{\infty}\left[\lim_{x\to 1^-}\frac{(-1)^{n+1}}{n}\cdot\frac{x^n}{x^n+1}\right]=\frac{1}{2}\sum_{n=1}^{\infty}\frac{(-1)^{n+1}}{n}=\frac{1}{2}\ln 2.$$

【2801】 $\lim\limits_{x\to 1^-}\sum\limits_{n=1}^{\infty}(x^n-x^{n+1})$.

解 设$0\leqslant x<1$，则

$$\sum_{n=1}^{\infty}(x^n-x^{n+1})=\sum_{n=1}^{\infty}x^n(1-x)=x,$$

故$\lim\limits_{x\to 1^-}\sum\limits_{n=1}^{\infty}(x^n-x^{n+1})=1$.

【2802】 $\lim\limits_{x\to 0^+}\sum\limits_{n=1}^{\infty}\frac{1}{2^n n^x}$.

解 由于$\left\{\frac{1}{n^x}\right\}$在$[0,1]$上单调递减，且$\left|\frac{1}{n^x}\right|\leqslant 1$，数项级数$\sum\limits_{n=1}^{\infty}\frac{1}{2^n}$在$[0,1]$上一致收敛，故级数$\sum\limits_{n=1}^{\infty}\frac{1}{2^n n^x}$在$[0,1]$上一致收敛. 又$\frac{1}{2^n n^x}$在$[0,1]$上连续，且$\lim\limits_{x\to 0^+}\frac{1}{2^n n^x}=\frac{1}{2^n}$，故

$$\lim_{x\to 0^+}\sum_{n=1}^{\infty}\frac{1}{2^n n^x}=\sum_{n=1}^{\infty}\left(\lim_{x\to 0^+}\frac{1}{2^n n^x}\right)=\sum_{n=1}^{\infty}\frac{1}{2^n}=1.$$

【2803】 级数$\sum\limits_{n=1}^{\infty}\arctan\frac{x}{n^2}$是否可以逐项微分？

解 当$x\in\mathbf{R}$时.

$$\left(\arctan\frac{x}{n^2}\right)'=\frac{1}{1+\left(\frac{x}{n^2}\right)^2}\cdot\frac{1}{n^2}\leqslant\frac{1}{n^2},$$

级数$\sum\limits_{n=1}^{\infty}\frac{1}{n^2}$收敛，故$\sum\limits_{n=1}^{\infty}\left(\arctan\frac{x}{n^2}\right)'=\sum\limits_{n=1}^{\infty}\frac{n^2}{n^4+x^2}$在$(-\infty,+\infty)$内一致收敛. 由$\left|\arctan\frac{x}{n^2}\right|\leqslant\frac{|x|}{n^2}$，级

数$\sum_{n=1}^{\infty}\arctan\frac{x}{n^2}$收敛,因此$\sum_{n=1}^{\infty}\arctan\frac{x}{n^2}$可以逐项微分.

【2804】 $\forall x\in[0,1]$,级数$\sum_{n=1}^{\infty}(x^{\frac{1}{2n+1}}-x^{\frac{1}{2n-1}})$是否可以逐项积分?

解 令
$$S_n(x)=\sum_{k=1}^{n}(x^{\frac{1}{2k+1}}-x^{\frac{1}{2k-1}}),$$
则当$x=0,1$时,$S_n(x)=0$.当$0<x<1$时,$S_n(x)=x^{\frac{1}{2n+1}}-x$.因此
$$S(x)=\begin{cases}0, & x=0,1,\\ 1-x, & 0<x<1.\end{cases}$$
取$\varepsilon_0=\frac{1}{4}$,$\forall N\in\mathbf{N}_+$,取$n_0=N+1>N$,取$x_0=\frac{1}{2^{2n_0+1}}$,则
$$|S_{n_0}(x_0)-S(x_0)|=\frac{1}{2}>\varepsilon_0.$$
因此$\{S_n(x)\}$在$[0,1]$上不一致收敛.

注 (1)不一致收敛的级数,逐项积分不一定成立.但对于本题,由于
$$\int_0^1\left[\sum_{n=1}^{\infty}(x^{\frac{1}{2n+1}}-x^{\frac{1}{2n-1}})\right]\mathrm{d}x=\int_0^1(1-x)\mathrm{d}x=\frac{1}{2},$$
$$\sum_{n=1}^{\infty}\int_0^1(x^{\frac{1}{2n+1}}-x^{\frac{1}{2n-1}})\mathrm{d}x=\sum_{n=1}^{\infty}\left(\frac{2n+1}{2n+2}-\frac{2n-1}{2n}\right)$$
$$=\sum_{n=1}^{\infty}\left(\frac{1}{2n}-\frac{1}{2n+2}\right)=\frac{1}{2},$$
故逐次积分同样成立.

(2)此题说明,级数在$[a,b]$上一致收敛仅是逐项积分的充分非必要条件.

知识点5 一致收敛函数列的性质

1. 连续性 若函数列$\{f_n(x)\}$在区间I上一致收敛,且每一项都连续,则极限函数$f(x)$在I上连续.

2. 可积性 若函数列$\{f_n(x)\}$在区间$[a,b]$上一致收敛,且每一项都连续,则
$$\lim_{n\to\infty}\int_a^b f_n(x)\mathrm{d}x=\int_a^b[\lim_{n\to\infty}f_n(x)]\mathrm{d}x.$$

3. 可微性 若函数列$\{f_n(x)\}$在$[a,b]$上有定义,且x_0为$\{f_n(x)\}$的收敛点,$f_n(x)$在$[a,b]$上连续可导,且$\{f'_n(x)\}$在$[a,b]$上一致收敛,则
$$\frac{\mathrm{d}}{\mathrm{d}x}(\lim_{n\to\infty}f_n(x))=\lim_{n\to\infty}f'_n(x).$$

习题2805—2811 一致收敛函数列的性质

【2805】 证明:函数列$f_n(x)=\frac{1}{n}\arctan x^n(n\in\mathbf{N}_+)$在$(-\infty,+\infty)$内一致收敛,但
$$[\lim_{n\to\infty}f_n(x)]'_{x=1}\neq\lim_{n\to\infty}f'_n(1).$$

证 当 $x\in(-\infty,+\infty)$ 时，$|\arctan x^n|\leqslant\frac{\pi}{2}\ (n=1,2,\cdots)$，故

$$|f_n(x)|\leqslant\frac{\pi}{2n}\ (n=1,2,\cdots).$$

易见 $\lim\limits_{n\to\infty}f_n(x)=0=f(x)$. $\forall\varepsilon>0$，取 $N=\left[\frac{\pi}{2\varepsilon}\right]+1$，当 $n>N$ 时，$\forall x\in(-\infty,+\infty)$，有

$$|f_n(x)-f(x)|<\varepsilon.$$

于是 $\{f_n(x)\}$ 在 $(-\infty,+\infty)$ 内一致收敛于零. 由 $f'_n(x)=\frac{x^{n-1}}{1+x^{2n}}$，且

$$[\lim_{n\to\infty}f_n(x)]'_{x=1}=f'(x)|_{x=1}=0,\lim_{n\to\infty}f'_n(1)=\frac{1}{2}\neq0,$$

则 $\{f_n(x)\}$ 在 $(-\infty,+\infty)$ 内一致收敛于零，$\{f_n'(x)\}$ 在 $(-\infty,+\infty)$ 内不一致收敛于极限函数，因

$$\lim_{n\to\infty}f'_n(x)=\begin{cases}0, & |x|<1,\\ \frac{1}{2}, & x=1,\\ 1, & |x|>1.\end{cases}$$

【2806】 证明：函数列 $f_n(x)=x^2+\frac{1}{n}\sin n\left(x+\frac{\pi}{2}\right)$ 在 $(-\infty,+\infty)$ 内一致收敛，但

$$[\lim_{n\to\infty}f_n(x)]'\neq\lim_{n\to\infty}f'_n(x).$$

证 $\lim\limits_{n\to\infty}f_n(x)=x^2=f(x)$. 当 $x\in(-\infty,+\infty)$ 时，有

$$|f_n(x)-f(x)|=\left|\frac{1}{n}\sin n\left(x+\frac{\pi}{2}\right)\right|\leqslant\frac{1}{n}.$$

故 $\forall\varepsilon>0$，取 $N=\left[\frac{1}{\varepsilon}\right]+1$，当 $n>N$ 时，$\forall x\in(-\infty,+\infty)$，有

$$|f_n(x)-f(x)|<\varepsilon.$$

因此 $\{f_n(x)\}$ 在 $(-\infty,+\infty)$ 内一致收敛.

由于 $[\lim\limits_{n\to\infty}f_n(x)]'=2x$，

且 $\lim\limits_{n\to\infty}f'_n(x)$ 不存在，从而 $[\lim\limits_{n\to\infty}f_n(x)]'\neq\lim\limits_{n\to\infty}f'_n(x)$.

【2807】 试确定参数 α，使得

(1) 函数列 $f_n(x)=n^\alpha xe^{-nx}\ (n=1,2,\cdots)$ 在 $[0,1]$ 上收敛.

(2) 函数列 $\{f_n(x)\}$ 在 $[0,1]$ 上一致收敛.

(3) $\lim\limits_{n\to\infty}\int_0^1 f_n(x)dx=\int_0^1\lim\limits_{n\to\infty}f_n(x)dx$.

解 (1) 当 $x=0$ 时，$\forall\alpha\in\mathbf{R}$，$f_n(x)=0$. 当 $x\in(0,1]$ 时，$\forall\alpha\in\mathbf{R}$，

$$\lim_{n\to\infty}f_n(x)=\lim_{n\to\infty}n^\alpha xe^{-nx}=0.$$

因此 $\forall\alpha\in\mathbf{R}$，$\{f_n(x)\}$ 在 $[0,1]$ 上收敛于 $f(x)=0$.

(2) 由于 $f'_n(x)=n^\alpha e^{-nx}(1-nx)$，当 $x=\frac{1}{n}$ 时，$f'_n(x)=0$. 当 $x<\frac{1}{n}$ 时，$f'_n(x)>0$. 当 $x>\frac{1}{n}$ 时，$f'_n(x)<0$. 故 $x=\frac{1}{n}$ 为 $f_n(x)$ 在 $0\leqslant x\leqslant1$ 上的最大值点. 因此

$$0\leqslant f_n(x)\leqslant f_n\left(\frac{1}{n}\right)=n^{\alpha-1}e^{-1}\ (0\leqslant x\leqslant1).$$

当 $\alpha<1$ 时，$\lim\limits_{n\to\infty}n^{\alpha-1}e^{-1}=0$. 故对 $\forall\varepsilon>0$，$\exists N\in\mathbf{N}_+$，当 $n>N$ 时，$\forall x\in[0,1]$，有

$$|f_n(x)-0|\leqslant n^{\alpha-1}e^{-1}<\varepsilon.$$

故当 $\alpha<1$ 时，$\{f_n(x)\}$ 在 $[0,1]$ 上一致收敛于零.

当 $\alpha \geqslant 1$ 时，$\{f_n(x)\}$ 在 $[0,1]$ 上不一致收敛于零.

(3)
$$\int_0^1 [\lim_{n\to\infty} f_n(x)]dx = \int_0^1 0 \cdot dx = 0,$$

$$\lim_{n\to\infty}\int_0^1 f_n(x)dx = \lim_{n\to\infty} n^\alpha \int_0^1 xe^{-nx}dx = \lim_{n\to\infty} n^{\alpha-2}(1-e^{-n}-ne^{-n}),$$

故当 $\alpha < 2$ 时，$\lim\limits_{n\to\infty}\int_0^1 f_n(x)dx = 0 = \int_0^1 [\lim\limits_{n\to\infty} f_n(x)]dx$.

【2808】 证明：序列 $f_n(x) = nxe^{-nx^2}$ $(n=1,2,\cdots)$ 在 $[0,1]$ 上收敛，但

$$\int_0^1 [\lim_{n\to\infty} f_n(x)]dx \neq \lim_{n\to\infty}\int_0^1 f_n(x)dx.$$

证 当 $x=0$ 时，$\forall n \in \mathbf{N}_+$，$f_n(x)=0$. 当 $x\neq 0$ 时，$\lim\limits_{n\to\infty} f_n(x) = 0$. 因此，序列 $\{f_n(x)\}$ 在 $[0,1]$ 上收敛于零.

由

$$\int_0^1 [\lim_{n\to\infty} f_n(x)]dx = \int_0^1 0dx = 0,$$

$$\lim_{n\to\infty}\int_0^1 f_n(x)dx = \lim_{n\to\infty}\int_0^1 nxe^{-nx^2}dx = \lim_{n\to\infty}\left(-\frac{1}{2}e^{-nx^2}\right)\Big|_0^1 = \frac{1}{2} \neq 0,$$

故结论成立.

【2809】 证明：序列 $f_n(x) = nx(1-x)^n$ $(n=1,2,\cdots)$ 在 $[0,1]$ 上收敛，但不一致收敛，且

$$\lim_{n\to\infty}\int_0^1 f_n(x)dx = \int_0^1 [\lim_{n\to\infty} f_n(x)]dx.$$

证 首先证 $\{f_n(x)\}$ 在 $[0,1]$ 上收敛. 事实上，当 $x=0$，$x=1$ 时，$\forall n\in\mathbf{N}_+$，有 $f_n(x)=0$. 当 $0<x<1$ 时，$\lim\limits_{n\to\infty} f_n(x) = \lim\limits_{n\to\infty} nx(1-x)^n = 0$. 因此 $\{f_n(x)\}$ 在 $[0,1]$ 上收敛于零.

其次证 $\{f_n(x)\}$ 在 $[0,1]$ 上不一致收敛.

由 $\lim\limits_{n\to\infty}\left(\frac{n-1}{n}\right)^n = \frac{1}{e} > \frac{1}{2e}$，$\exists N_0 \in \mathbf{N}_+$，当 $n > N_0$ 时，有 $\left(\frac{n-1}{n}\right)^n > \frac{1}{2e}$. 取 $\varepsilon_0 = \frac{1}{2e}$，$\forall N\in\mathbf{N}_+$，取 $n_0 = N + N_0 > N$，取 $x_0 = \frac{1}{n_0}$，则

$$|f_{n_0}(x_0) - 0| = \left(1-\frac{1}{n_0}\right)^{n_0} > \frac{1}{2e} = \varepsilon_0.$$

因此 $\{f_n(x)\}$ 在 $[0,1]$ 上不一致收敛.

最后证明 $\lim\limits_{n\to\infty}\int_0^1 f_n(x)dx = \int_0^1 [\lim\limits_{n\to\infty} f_n(x)]dx$. 事实上，

$$\int_0^1 [\lim_{n\to\infty} f_n(x)]dx = \int_0^1 0dx = 0,$$

$$\begin{aligned}\lim_{n\to\infty}\int_0^1 f_n(x)dx &= \lim_{n\to\infty}\int_0^1 nx(1-x)^n dx = \lim_{n\to\infty}\int_0^1 n(1-y)y^n dy \\ &= \lim_{n\to\infty}\left(\frac{n}{n+1}y^{n+1}(1-y) + \frac{n}{(n+1)(n+2)}y^{n+2}\right)\Big|_0^1 \\ &= \lim_{n\to\infty}\frac{n}{(n+1)(n+2)} = 0,\end{aligned}$$

故结论成立.

【2810】 对于表达式 $\lim\limits_{n\to\infty}\int_0^1 \frac{nx}{1+n^2x^4}dx$，在积分号下取极限是否合理？

解 由于

$$\int_0^1\left[\lim_{n\to\infty}\frac{nx}{1+n^2x^4}\right]\mathrm{d}x=0,\lim_{n\to\infty}\int_0^1\frac{nx}{1+n^2x^4}\mathrm{d}x=\lim_{n\to\infty}\left(\frac{1}{2}\arctan nx^2\right)\Big|_0^1=\frac{\pi}{4},$$

故在积分号下取极限不合理.

取 $\varepsilon_0=\frac{1}{2}$, $\forall N\in\mathbf{N}_+$, 取 $n_0=N+1>N$, 取 $x_0=\frac{1}{n_0}$, 则

$$|f_{n_0}(x_0)-0|=\frac{n_0\cdot\frac{1}{n_0}}{1+n_0^2\cdot\frac{1}{n_0^4}}>\frac{1}{1+1}=\varepsilon_0.$$

故 $f_n(x)=\frac{nx}{1+n^2x^4}$ 在 $[0,1]$ 上不一致收敛.

【2811】 设 $f(x)$ 在 $\mathbf{R}$ 上无穷次可微, 且 $\{f^{(n)}(x)\}$ 在每一个有限区间 (a,b) 内一致收敛于函数 $\varphi(x)$. 证明: $\varphi(x)=Ce^x$, 其中 C 为常数.

证 由于 $f(x)$ 无穷次可微, 故 $f^{(n)}(x)$ 在 (a,b) 内连续可微 $(n=1,2,\cdots)$. 又 $\{f^{(n)}(x)\}$ 在 (a,b) 内一致收敛于 $\varphi(x)$, 且 $\{f^{(n+1)}(x)\}$ 在 (a,b) 内一致收敛于 $\varphi(x)$, 故 $\varphi(x)$ 在 (a,b) 内可微, 且

$$\varphi'(x)=[\lim_{n\to\infty}f^{(n)}(x)]'=\lim_{n\to\infty}[f^{(n)}(x)]'=\lim_{n\to\infty}f^{(n+1)}(x)=\varphi(x).$$

故 $\varphi(x)=Ce^x$, 其中 C 为常数.

第5节 幂级数(习题2812—2935)

知识点预览

序号	知识点	题目序号	所在页码
1	收敛区间	2812—2841	P100
2	幂级数的泰勒展开	2842—2875	P112
3	幂级数的运算	2876—2915	P121
4	复数域内的幂级数	2916—2920	P136
5	泰勒展开式余项 $R_n(x)$ 的表示	2921—2935	P137

知识点1 收敛区间

1. 收敛区间 若幂级数

$$\sum_{n=0}^{\infty}a_n(x-a)^n=a_0+a_1(x-a)+\cdots+a_n(x-a)^n+\cdots$$

存在收敛区间 $(a-R,a+R)$, 且级数在其内收敛, 在其外发散, R 称为收敛半径.

2. 柯西—阿达马公式

$$\frac{1}{R}=\overline{\lim_{n\to\infty}}\sqrt[n]{|a_n|},$$

$$R=\lim_{n\to\infty}\left|\frac{a_n}{a_{n+1}}\right|\text{(若极限存在)}.$$

3. 阿贝尔定理 若幂级数 $S(x)=\sum_{n=0}^{\infty}a_nx^n(|x|<R)$ 在 $x=R$ 处收敛，则

$$S(R)=\lim_{x\to R^-}S(x).$$

习题 2812—2841 求收敛半径和收敛域

【求下列幂级数的收敛半径和收敛区间并研究其在收敛区间端点的性质（2812—2831）】

【2812】 $\sum_{n=1}^{\infty}\frac{x^n}{n^p}$.

解 记 $a_n=\frac{1}{n^p}$. 由于

$$\lim_{n\to\infty}\left|\frac{a_n}{a_{n+1}}\right|=\lim_{n\to\infty}\left(1+\frac{1}{n}\right)^p=1,$$

故收敛半径 $R=1$，收敛区间为 $(-1,1)$.

当 $x=-1$ 时，若 $p>1$，幂级数绝对收敛. 若 $0<p\leqslant 1$，幂级数条件收敛. 当 $p\leqslant 0$ 时，级数发散.

当 $x=1$ 时，若 $p>1$，级数绝对收敛. 若 $p\leqslant 1$，级数发散.

【2813】 $\sum_{n=1}^{\infty}\frac{3^n+(-2)^n}{n}(x+1)^n$.

解 记 $a_n=\frac{3^n+(-2)^n}{n}$. 由于

$$\lim_{n\to\infty}\left|\frac{a_n}{a_{n+1}}\right|=\lim_{n\to\infty}\frac{n+1}{n}\cdot\frac{3^n+(-2)^n}{3^{n+1}+(-2)^{n+1}}=\frac{1}{3},$$

故收敛半径 $R=\frac{1}{3}$，收敛区间为 $\left(-\frac{4}{3},-\frac{2}{3}\right)$.

当 $x=-\frac{4}{3}$ 时，幂级数化为

$$\sum_{n=1}^{\infty}\frac{3^n+(-2)^n}{n}\left(-\frac{1}{3}\right)^n=\sum_{n=1}^{\infty}\frac{(-1)^n+\left(\frac{2}{3}\right)^n}{n}=\sum_{n=1}^{\infty}\frac{(-1)^n}{n}+\sum_{n=1}^{\infty}\frac{\left(\frac{2}{3}\right)^n}{n}.$$

级数 $\sum_{n=1}^{\infty}\frac{(-1)^n}{n}$ 条件收敛，$\sum_{n=1}^{\infty}\frac{1}{n}\cdot\left(\frac{2}{3}\right)^n$ 绝对收敛，故级数 $\sum_{n=1}^{\infty}\frac{3^n+(-2)^n}{n}(x+1)^n$ 条件收敛.

当 $x=-\frac{2}{3}$ 时，幂级数化为

$$\sum_{n=1}^{\infty}\frac{3^n+(-2)^n}{n}\left(\frac{1}{3}\right)^n=\sum_{n=1}^{\infty}\frac{1}{n}+\sum_{n=1}^{\infty}\frac{\left(-\frac{2}{3}\right)^n}{n},$$

显然级数发散.

综上，级数的收敛域为 $\left[-\frac{4}{3},-\frac{2}{3}\right)$.

【2814】 $\sum_{n=1}^{\infty}\frac{(n!)^2}{(2n)!}x^n$.

解 记 $a_n=\frac{(n!)^2}{(2n)!}$. 由于

$$\lim_{n\to\infty}\left|\frac{a_n}{a_{n+1}}\right|=\lim_{n\to\infty}\frac{(2n+1)(2n+2)}{(n+1)^2}=4,$$

故收敛半径 $R=4$,收敛区间为$(-4,4)$.

当 $|x|=4$ 时,$\left|\dfrac{(n!)^2}{(2n)!}x^n\right|=\dfrac{(n!)^2}{(2n)!}4^n=\dfrac{[(2n)!!]^2}{(2n)!}>1$,故级数发散.

综上,级数的收敛域为$(-4,4)$.

【2815】 $\sum\limits_{n=1}^{\infty}a^{n^2}x^n(0<a<1)$.

解 记 $a_n=a^{n^2}$. 由于$\lim\limits_{n\to\infty}\left|\dfrac{a_n}{a_{n+1}}\right|=\lim\limits_{n\to\infty}\dfrac{1}{a^{2n+1}}=+\infty$,故收敛半径 $R=+\infty$,收敛区间为$(-\infty,+\infty)$.

【2816】 $\sum\limits_{n=1}^{\infty}\left(1+\dfrac{1}{n}\right)^{n^2}x^n$.

解 记 $a_n=\left(1+\dfrac{1}{n}\right)^{n^2}$. 由于

$$\lim_{n\to\infty}\sqrt[n]{|a_n|}=\lim_{n\to\infty}\left(1+\frac{1}{n}\right)^n=\mathrm{e},$$

故收敛半径 $R=\dfrac{1}{\mathrm{e}}$,收敛区间为$\left(-\dfrac{1}{\mathrm{e}},\dfrac{1}{\mathrm{e}}\right)$.

当 $|x|=\dfrac{1}{\mathrm{e}}$ 时,由于

$$\left|\left(1+\frac{1}{n}\right)^{n^2}\left(\frac{1}{\mathrm{e}}\right)^n\cdot(\pm1)^n\right|=\left(1+\frac{1}{n}\right)^{n^2}\left(\frac{1}{\mathrm{e}}\right)^n\triangleq y_n,$$

所以

$$\ln y_n=n^2\ln\left(1+\frac{1}{n}\right)-n=\frac{\ln\left(1+\frac{1}{n}\right)-\frac{1}{n}}{\frac{1}{n^2}}.$$

由于

$$\lim_{x\to0}\frac{\ln(1+x)-x}{x^2}=\lim_{x\to0}\frac{\frac{1}{1+x}-1}{2x}=-\frac{1}{2},$$

因而$\lim\limits_{n\to\infty}y_n=\mathrm{e}^{-\frac{1}{2}}\neq0$,故当 $|x|=\dfrac{1}{\mathrm{e}}$ 时级数发散.

【2817】 $\sum\limits_{n=1}^{\infty}\dfrac{n!}{a^{n^2}}x^n(a>1)$.

解 记 $a_n=\dfrac{n!}{a^{n^2}}$. 由于

$$\lim_{n\to\infty}\left|\frac{a_n}{a_{n+1}}\right|=\lim_{n\to\infty}\frac{a^{2n+1}}{n+1}=+\infty,$$

故收敛半径 $R=+\infty$,收敛区间为$(-\infty,+\infty)$,

【2818】 $\sum\limits_{n=1}^{\infty}\left[\dfrac{1\cdot3\cdot5\cdots(2n-1)}{2\cdot4\cdot6\cdots(2n)}\right]^p\left(\dfrac{x-1}{2}\right)^n$.

解 记 $a_n=\left[\dfrac{1\cdot3\cdots(2n-1)}{2\cdot4\cdots(2n)}\right]^p\cdot\dfrac{1}{2^n}$. 由于

$$\lim_{n\to\infty}\left|\frac{a_n}{a_{n+1}}\right|=\lim_{n\to\infty}2\left(\frac{2n+2}{2n+1}\right)^p=2,$$

故收敛半径 $R=2$,收敛区间为$(-1,3)$.

当 $x=-1$ 时,级数为

$$\sum_{n=1}^{\infty}(-1)^n\left[\frac{1\cdot3\cdot5\cdots(2n-1)}{2\cdot4\cdot6\cdots(2n)}\right]^p.$$

由 2689 题的结果知：当 $p>2$ 时，绝对收敛. 当 $0<p\leqslant 2$ 时，条件收敛. 当 $p\leqslant 0$ 时，级数发散.

当 $x=3$ 时，级数为

$$\sum_{n=1}^{\infty}\left[\frac{1\cdot 3\cdot 5\cdots(2n-1)}{2\cdot 4\cdot 6\cdots(2n)}\right]^{p}.$$

当 $p>2$ 时，绝对收敛. 当 $p\leqslant 2$ 时级数发散.

【2819】 $\sum\limits_{n=1}^{\infty}(-1)^{n}\left[\dfrac{2^{n}(n!)^{2}}{(2n+1)!}\right]^{p}x^{n}$.

解 记 $a_n=(-1)^{n}\left[\dfrac{2^{n}(n!)^{2}}{(2n+1)!}\right]^{p}$. 由于

$$\lim_{n\to\infty}\left|\frac{a_n}{a_{n+1}}\right|=\lim_{n\to\infty}\left(\frac{2n+3}{n+1}\right)^{p}=2^{p},$$

故收敛半径 $R=2^{p}$，收敛区间为 $(-2^{p},2^{p})$.

当 $x=-2^{p}$ 时，级数化为 $\sum\limits_{n=1}^{\infty}\left[\dfrac{4^{n}(n!)^{2}}{(2n+1)!}\right]^{p}\triangleq\sum\limits_{n=1}^{\infty}u_n$. 由

$$\frac{u_n}{u_{n+1}}=\left(\frac{2n+3}{2n+2}\right)^{p}=\left(1+\frac{1}{2n+2}\right)^{p}=1+\frac{p}{2n}+O\left(\frac{1}{n^{2}}\right),$$

故 $\dfrac{p}{2}>1$，即 $p>2$ 时，级数 $\sum\limits_{n=1}^{\infty}u_n$ 收敛；当 $\dfrac{p}{2}\leqslant 1$，即 $p\leqslant 2$ 时，级数 $\sum\limits_{n=1}^{\infty}u_n$ 发散.

当 $x=2^{p}$ 时，级数化为

$$\sum_{n=1}^{\infty}(-1)^{n}\left[\frac{4^{n}(n!)^{2}}{(2n+1)!}\right]^{p}=\sum_{n=1}^{\infty}(-1)^{n}\left[\frac{2\cdot 4\cdots(2n)}{1\cdot 3\cdots(2n+1)}\right]^{p}. \qquad ①$$

当 $p>2$ 时，级数绝对收敛.

当 $0<p\leqslant 2$ 时，$\lim\limits_{n\to\infty}\dfrac{n!}{\sqrt{2n\pi}\,n^{n}\mathrm{e}^{-n}}=1$，从而

$$\lim_{n\to\infty}\left[\frac{4^{n}(n!)^{2}}{(2n+1)!}\right]^{p}=\lim_{n\to\infty}\left[\frac{4^{n}\cdot 2n\pi\cdot n^{2n}\mathrm{e}^{-2n}}{\sqrt{(4n+2)\pi}(2n+1)^{2n+1}\mathrm{e}^{-(2n+1)}}\right]^{p}=0,$$

且

$$\frac{\left[\dfrac{4^{n+1}[(n+1)!]^{2}}{(2n+3)!}\right]^{p}}{\left[\dfrac{4^{n}(n!)^{2}}{(2n+1)!}\right]^{p}}=\left(\frac{2n+2}{2n+3}\right)^{p}<1.$$

故级数 ① 收敛. 从而当 $0<p\leqslant 2$ 时，级数 ① 条件收敛. 当 $p=0$ 时，级数发散. 当 $p<0$ 时，级数发散.

【2820】 $\sum\limits_{n=1}^{\infty}\dfrac{m(m-1)\cdots(m-n+1)}{n!}x^{n}$.

解 记 $a_n=\dfrac{m(m-1)\cdots(m-n+1)}{n!}$. 由于

$$\lim_{n\to\infty}\left|\frac{a_n}{a_{n+1}}\right|=\lim_{n\to\infty}\left|\frac{n+1}{m-n}\right|=1,$$

故收敛半径 $R=1$，收敛区间为 $(-1,1)$.

当 $x=1$ 时，级数化为

$$\sum_{n=1}^{\infty}\frac{m(m-1)\cdots(m-n+1)}{n!}=\sum_{n=1}^{\infty}\binom{m}{n}.$$

利用 2700 题的结果，即知：当 $m\geqslant 0$ 时，级数绝对收敛. 当 $-1<m<0$ 时，级数条件收敛. 当 $m\leqslant -1$ 时，级数发散.

当 $x=-1$ 时，级数化为

$$\sum_{n=1}^{\infty}(-1)^{n}\frac{m(m-1)\cdots(m-n+1)}{n!}=\sum_{n=1}^{\infty}(-1)^{n}\binom{m}{n}.$$

当 $m \geqslant 0$ 时,级数绝对收敛. 当 $m < 0$ 时,记 $-m = k$,则 $k > 0$,通项为

$$u_n = \frac{k(k+1)\cdots(k+n-1)}{n!}.$$

由

$$\frac{u_n}{u_{n+1}} = \frac{n+1}{n+k} = 1 + \frac{1-k}{n} + O\left(\frac{1}{n^2}\right),$$

及 $1-k < 1$ 可知,当 $m < 0$ 时,级数 $\sum_{n=1}^{\infty}(-1)^n \binom{m}{n}$ 发散.

【2821】 $\sum_{n=1}^{\infty}\left(\frac{a^n}{n} + \frac{b^n}{n^2}\right)x^n (a > 0, b > 0)$.

解 **方法一** 考虑级数

$$\sum_{n=1}^{\infty}\frac{a^n}{n}x^n, \sum_{n=1}^{\infty}\frac{b^n}{n^2}x^n,$$

收敛半径分别为 $R_1 = \frac{1}{a}, R_2 = \frac{1}{b}$. 故原级数的收敛半径及收敛区间分别为

$$R = \min\{R_1, R_2\} = \min\left\{\frac{1}{a}, \frac{1}{b}\right\}, (-R, R).$$

当 $x = -R$ 时,若 $a < b$,则

$$\sum_{n=1}^{\infty}\left(\frac{a^n}{n} + \frac{b^n}{n^2}\right)\left(-\frac{1}{b}\right)^n = \sum_{n=1}^{\infty}(-1)^n \frac{1}{n}\left(\frac{a}{b}\right)^n + \sum_{n=1}^{\infty}(-1)^n \frac{1}{n^2}. \qquad ①$$

由

$$\lim_{n\to\infty}\left|\frac{(-1)^{n+1}\dfrac{\left(\frac{a}{b}\right)^{n+1}}{n+1}}{(-1)^n\dfrac{\left(\frac{a}{b}\right)^n}{n}}\right| = \frac{a}{b} < 1,$$

故 $\sum_{n=1}^{\infty}\frac{(-1)^n}{n}\left(\frac{a}{b}\right)^n$ 绝对收敛,且 $\sum_{n=1}^{\infty}\frac{(-1)^n}{n^2}$ 绝对收敛. 因此,当 $a < b$ 时,级数 ① 绝对收敛.

若 $a \geqslant b$,则

$$\sum_{n=1}^{\infty}\left(\frac{a^n}{n} + \frac{b^n}{n^2}\right)\left(-\frac{1}{a}\right)^n = \sum_{n=1}^{\infty}(-1)^n \frac{1}{n} + \sum_{n=1}^{\infty}(-1)^n \frac{1}{n^2}\left(\frac{b}{a}\right)^n, \qquad ②$$

由 $\sum_{n=1}^{\infty}(-1)^n \frac{1}{n}$ 条件收敛, $\sum_{n=1}^{\infty}(-1)^n \cdot \frac{1}{n^2}\left(\frac{b}{a}\right)^n$ 绝对收敛,故当 $a \geqslant b$ 时,级数 ② 条件收敛.

当 $x = R$ 时,若 $a < b$,则

$$\sum_{n=1}^{\infty}\left(\frac{a^n}{n} + \frac{b^n}{n^2}\right)\left(\frac{1}{b}\right)^n = \sum_{n=1}^{\infty}\frac{1}{n}\left(\frac{a}{b}\right)^n + \sum_{n=1}^{\infty}\frac{1}{n^2},$$

故级数绝对收敛.

若 $a \geqslant b$,则

$$\sum_{n=1}^{\infty}\left(\frac{a^n}{n} + \frac{b^n}{n^2}\right)\left(\frac{1}{a}\right)^n = \sum_{n=1}^{\infty}\frac{1}{n} + \sum_{n=1}^{\infty}\frac{1}{n^2}\left(\frac{b}{a}\right)^n,$$

故原级数发散.

方法二 由于 $\lim_{n\to\infty}\sqrt[n]{\frac{a^n}{n} + \frac{b^n}{n^2}} = \max\{a, b\}$,则收敛半径

$$R = \frac{1}{\max\{a,b\}} = \begin{cases} \frac{1}{a}, & a \geqslant b, \\ \frac{1}{b}, & a < b. \end{cases}$$

收敛区间为

$$\begin{cases}\left(-\dfrac{1}{a},\dfrac{1}{a}\right), & a \geqslant b,\\ \left(-\dfrac{1}{b},-\dfrac{1}{b}\right), & a < b.\end{cases}$$

以下同方法一.

【2822】 $\sum_{n=1}^{\infty}\dfrac{x^n}{a^n+b^n}(a>0,b>0)$.

解 记 $a_n=\dfrac{1}{a^n+b^n}$. 由于

$$\lim_{n\to\infty}\sqrt[n]{|a_n|}=\frac{1}{\max\{a,b\}},$$

故收敛半径 $R=\max\{a,b\}$，收敛区间为 $(-R,R)$.

当 $|x|=R$ 时，由于 $\lim\limits_{n\to\infty}\dfrac{R^n}{a^n+b^n}\neq 0$，故级数发散.

【2823】 $\sum_{n=1}^{\infty}\dfrac{x^n}{a^{\sqrt{n}}}(a>0)$.

解 记 $a_n=\dfrac{1}{a^{\sqrt{n}}}$. 由于 $\lim\limits_{n\to\infty}\left|\dfrac{a_n}{a_{n+1}}\right|=\lim\limits_{n\to\infty}a^{\frac{1}{\sqrt{n+}\sqrt{n+1}}}=1$，故收敛半径 $R=1$，收敛区间为 $(-1,1)$.

当 $x=1$ 时，由

$$n\left(\frac{\frac{1}{a^{\sqrt{n}}}}{\frac{1}{a^{\sqrt{n+1}}}}-1\right)=\frac{a^{\frac{1}{\sqrt{n}+\sqrt{n+1}}}-1}{\frac{1}{\sqrt{n}+\sqrt{n+1}}}\cdot\frac{n}{\sqrt{n}+\sqrt{n+1}},$$

故 $a>1$ 时，级数收敛；当 $a<1$ 时，级数发散；当 $a=1$ 时，级数发散.

当 $x=-1$ 时，级数为 $\sum\limits_{n=1}^{\infty}(-1)^n\dfrac{1}{a^{\sqrt{n}}}$. 当 $a>1$ 时，级数绝对收敛；当 $a\leqslant 1$ 时，级数发散.

综上可知，当 $|x|=1$ 时，若 $a>1$，则级数绝对收敛. 若 $a\leqslant 1$，则级数发散.

【2824】 $\sum_{n=1}^{\infty}\dfrac{3^{-\sqrt{n}}x^n}{\sqrt{n^2+1}}$.

解 记 $a_n=\dfrac{3^{-\sqrt{n}}}{\sqrt{n^2+1}}$. 由于

$$\lim_{n\to\infty}\left|\frac{a_n}{a_{n+1}}\right|=\lim_{n\to\infty}3^{\sqrt{n+1}-\sqrt{n}}\frac{\sqrt{(n+1)^2+1}}{\sqrt{n^2+1}}=1,$$

故收敛半径 $R=1$，收敛区间为 $(-1,1)$.

当 $x=1$ 时，级数为

$$\sum_{n=1}^{\infty}\frac{3^{-\sqrt{n}}}{\sqrt{n^2+1}}. \qquad ①$$

由于 $0<\dfrac{3^{-\sqrt{n}}}{\sqrt{n^2+1}}<\dfrac{1}{3^{\sqrt{n}}}$，且 $\sum\limits_{n=1}^{\infty}\dfrac{1}{3^{\sqrt{n}}}$ 收敛，故级数 ① 收敛.

当 $x=-1$ 时，级数绝对收敛.

综上可知，当 $|x|=1$ 时，级数绝对收敛. 故收敛域为 $[-1,1]$.

【2825】 $\sum_{n=1}^{\infty}\dfrac{(2n)!!}{(2n+1)!!}x^n$.

解 记 $a_n=\dfrac{(2n)!!}{(2n+1)!!}$. 由于 $\lim\limits_{n\to\infty}\left|\dfrac{a_n}{a_{n+1}}\right|=\lim\limits_{n\to\infty}\dfrac{2n+3}{2n+2}=1$，故收敛半径 $R=1$，收敛区间为 $(-1,1)$.

当 $x=1$ 时,级数为 $\sum\limits_{n=1}^{\infty}\dfrac{(2n)!!}{(2n+1)!!}$. 由拉贝判别法知,级数发散.

当 $x=-1$ 时,由于 $\dfrac{|a_n|}{|a_{n+1}|}=\dfrac{2n+3}{2n+2}>1$,且 $\lim\limits_{n\to\infty}|a_n|=0$,故级数 $\sum\limits_{n=1}^{\infty}(-1)^n\dfrac{(2n)!!}{(2n+1)!!}$ 收敛.

从而收敛域为$[-1,1)$.

【2826】 $\sum\limits_{n=1}^{\infty}\dfrac{(-1)^n}{n!}\left(\dfrac{n}{\mathrm{e}}\right)^n x^n$.

解 记 $a_n=\dfrac{(-1)^n}{n!}\left(\dfrac{n}{\mathrm{e}}\right)^n$. 由于 $\lim\limits_{n\to\infty}\left|\dfrac{a_n}{a_{n+1}}\right|=\lim\limits_{n\to\infty}\dfrac{\mathrm{e}}{\left(1+\dfrac{1}{n}\right)^n}=1$,故收敛半径 $R=1$,收敛区间为$(-1,1)$.

当 $x=-1$ 时,级数为

$$\sum_{n=1}^{\infty}\frac{1}{n!}\left(\frac{n}{\mathrm{e}}\right)^n. \qquad ①$$

由于

$$\lim_{n\to\infty}\frac{\frac{1}{n!}\left(\frac{n}{\mathrm{e}}\right)^n}{\frac{1}{n}}=\lim_{n\to\infty}\frac{\frac{1}{\sqrt{2n\pi}\,\mathrm{e}^{-n}n^n}\left(\frac{n}{\mathrm{e}}\right)^n}{\frac{1}{n}}=\lim_{n\to\infty}\frac{n}{\sqrt{2\pi n}}=+\infty,$$

且 $\sum\limits_{n=1}^{\infty}\dfrac{1}{n}$ 发散,故级数 ① 发散.

当 $x=1$ 时,级数为

$$\sum_{n=1}^{\infty}(-1)^n\frac{1}{n!}\left(\frac{n}{\mathrm{e}}\right)^n. \qquad ②$$

由于 $\lim\limits_{n\to\infty}\dfrac{1}{n!}\left(\dfrac{n}{\mathrm{e}}\right)^n=\lim\limits_{n\to\infty}\sqrt{\dfrac{1}{2\pi n}}=0$,且

$$\left|\frac{a_n}{a_{n+1}}\right|=\frac{\mathrm{e}}{\left(1+\frac{1}{n}\right)^n}>1(n=1,2,\cdots),$$

故 $|a_n|>|a_{n+1}|$. 从而级数 ② 条件收敛.

综上可知,收敛域为$(-1,1]$.

【2827】 $\sum\limits_{n=1}^{\infty}\left(1+\dfrac{1}{2}+\cdots+\dfrac{1}{n}\right)x^n$.

解 记 $a_n=1+\dfrac{1}{2}+\cdots+\dfrac{1}{n}$. 由于 $\lim\limits_{n\to\infty}\left|\dfrac{a_n}{a_{n+1}}\right|=1$,故收敛半径 $R=1$,收敛区间为$(-1,1)$.

当 $|x|=1$ 时,由于 $\lim\limits_{n\to\infty}a_n=+\infty$,故级数发散. 综上可知,收敛域为$(-1,1)$.

【2828】 $\sum\limits_{n=1}^{\infty}\dfrac{[3+(-1)^n]^n}{n}x^n$.

解 记 $a_n=\dfrac{[3+(-1)^n]^n}{n}$. 由于 $\overline{\lim\limits_{n\to\infty}}\sqrt[n]{|a_n|}=4$,故收敛半径 $R=\dfrac{1}{4}$,收敛区间为$\left(-\dfrac{1}{4},\dfrac{1}{4}\right)$.

当 $x=\dfrac{1}{4}$ 时,级数为

$$\sum_{n=1}^{\infty}\frac{[3+(-1)^n]^n}{n\cdot 4^n}.$$

由

$$\sum_{n=1}^{\infty}\frac{[3+(-1)^n]^n}{n\cdot 4^n}=\sum_{k=1}^{\infty}\frac{4^{2k}}{2k\cdot 4^{2k}}+\sum_{k=1}^{\infty}\frac{2^{2k+1}}{(2k+1)\cdot 2^{4k+2}}\sum_{k=1}^{\infty}\frac{1}{2k}+\sum_{k=1}^{\infty}\frac{1}{2k+1}\cdot\frac{1}{2^{2k+1}},$$

故级数$\sum_{n=1}^{\infty}\frac{[3+(-1)^n]^n}{n\cdot 4^n}$发散.

当$x=-\frac{1}{4}$时,级数为$\sum_{n=1}^{\infty}\frac{[3+(-1)^n]^n}{n\cdot(-4)^n}$.类似可证,级数$\sum_{n=1}^{\infty}\frac{[3+(-1)^n]^n}{n\cdot(-4)^n}$发散.

综上可知,收敛域为$\left(-\frac{1}{4},\frac{1}{4}\right)$.

【2829】 $\sum_{n=2}^{\infty}\frac{\left(1+2\cos\frac{n\pi}{4}\right)^n}{\ln n}x^n$.

解 记$a_n=\frac{\left(1+2\cos\frac{n\pi}{4}\right)^n}{\ln n}$.由于$\overline{\lim_{n\to\infty}}\sqrt[n]{|a_n|}=3$,故收敛半径$R=\frac{1}{3}$,收敛区间为$\left(-\frac{1}{3},\frac{1}{3}\right)$.

当$|x|=\frac{1}{3}$时,对于$n=8k$,由于

$$\sum_{k=1}^{\infty}\left[\frac{(1+2\cos 2k\pi)^{8k}}{\ln 8k}\cdot\frac{1}{3^{8k}}\right]=\sum_{k=1}^{\infty}\frac{1}{\ln k+\ln 8},\frac{1}{\ln k+\ln 8}>\frac{1}{k+\ln 8}>0,$$

且$\sum_{k=1}^{\infty}\frac{1}{k+\ln 8}$发散,故级数$\sum_{k=1}^{\infty}\frac{1}{\ln k+\ln 8}$发散.

不难证明:当$n=8k+1,8k+2,\cdots,8k+7$时$(k=1,2,\cdots)$,级数

$$\sum_{n=2}^{\infty}\frac{\left(1+2\cos\frac{n\pi}{4}\right)^n}{\ln n}\left(\pm\frac{1}{3}\right)^n \qquad ①$$

收敛.事实上,$\left\{\frac{1}{\ln n}\right\}$单调且$\lim_{n\to\infty}\frac{1}{\ln n}=0$,又

$$\sum_{n=2}^{m}\left|\frac{\left(1+2\cos\frac{n\pi}{4}\right)^n}{3^n}\right|\leqslant\sum_{n=2}^{m}\left(\frac{1+\sqrt{2}}{3}\right)^n<\sum_{n=1}^{m}\left(\frac{1+\sqrt{2}}{3}\right)^n<\frac{1+\sqrt{2}}{3}\cdot\frac{1}{1-\frac{1+\sqrt{2}}{3}}=\frac{1+\sqrt{2}}{2-\sqrt{2}}<5,$$

根据狄利克雷判别法可知级数①收敛.

于是,当$|x|=\frac{1}{3}$时,原级数发散,从而收敛域为$\left(-\frac{1}{3},\frac{1}{3}\right)$.

【2830】 $\sum_{n=1}^{\infty}\frac{x^{n^2}}{2^n}$.

解 记$\sum_{n=1}^{\infty}\frac{x^{n^2}}{2^n}=\sum_{m=1}^{\infty}a_m x^m$,则$a_m=\begin{cases}\frac{1}{2^n}, & m=n^2,\\ 0, & m\neq n^2.\end{cases}$由于

$$\overline{\lim_{m\to\infty}}\sqrt[m]{a_m}=\lim_{n\to\infty}\sqrt[n^2]{\frac{1}{2^n}}=\lim_{n\to\infty}\sqrt[n]{\frac{1}{2}}=1,$$

故收敛半径$R=1$,收敛区间为$(-1,1)$.

当$|x|=1$时,由于级数$\sum_{n=1}^{\infty}\frac{1}{2^n}$收敛,故收敛域为$[-1,1]$.

【2831】 $\sum_{n=1}^{\infty}\frac{(-1)^{[\sqrt{n}]}}{n}x^n$(普林斯海姆级数).

解 记$a_n=\frac{(-1)^{[\sqrt{n}]}}{n}$.由于$\lim_{n\to\infty}\left|\frac{a_n}{a_{n+1}}\right|=1$,故收敛半径$R=1$,收敛区间为$(-1,1)$.

当$x=1$时,级数$\sum_{n=1}^{\infty}\frac{(-1)^{[n]}}{n}$,由2672题知它是条件收敛的.

当$x=-1$时,级数为$\sum_{n=1}^{\infty}\frac{(-1)^{[\sqrt{n}]+n}}{n}=\sum_{n=1}^{\infty}b_n$.记$A_l=\{n\mid[\sqrt{n}]=l\}(l=1,2,\cdots)$.$\forall n\in A_l,n=l^2$

$+s$，而 $s=0,1,2,\cdots,2l$. 考虑

$$u_l=\sum_{n\in A_l}\frac{(-1)^{[\sqrt{n}]+n}}{n}=\sum_{s=0}^{2l}\frac{(-1)^{l^2+l+s}}{l^2+s}=\sum_{s=0}^{2l}\frac{(-1)^s}{l^2+s}$$
$$=\frac{1}{l^2}-\left(\frac{1}{l^2+1}-\frac{1}{l^2+2}\right)-\cdots-\left(\frac{1}{l^2+2l-1}-\frac{1}{l^2+2l}\right)\leqslant\frac{1}{l^2}(l=1,2,\cdots),$$

由于 $\sum_{l=1}^{\infty}\frac{1}{l^2}$ 收敛，故 $\sum_{l=1}^{\infty}u_l$ 收敛. 又 $A_i\cap A_j=\varnothing(i\neq j)$，且 $A_1\cup A_2\cup A_3\cup\cdots=\mathbf{N}_+$，易证 $\sum_{n=1}^{\infty}b_n$ 与 $\sum_{l=1}^{\infty}u_l$ 敛散性相同. 由此可见，$\sum_{n=1}^{\infty}b_n$ 收敛且条件收敛.

【2832】 求超几何级数

$$1+\frac{\alpha\cdot\beta}{1\cdot\gamma}x+\frac{\alpha(\alpha+1)\beta(\beta+1)}{2!\gamma(\gamma+1)}x^2+\cdots+\frac{\alpha(\alpha+1)\cdots(\alpha+n-1)\beta(\beta+1)\cdots(\beta+n-1)}{n!\gamma(\gamma+1)\cdots(\gamma+n-1)}x^n+\cdots$$

的收敛域.

解 记 $a_n=\frac{\alpha(\alpha+1)\cdots(\alpha+n-1)\beta(\beta+1)\cdots(\beta+n-1)}{n!\gamma(\gamma+1)\cdots(\gamma+n-1)}$. 由于

$$\lim_{n\to\infty}\left|\frac{a_n}{a_{n+1}}\right|=\lim_{n\to\infty}\frac{(n+1)(\gamma+n)}{(\alpha+n)(\beta+n)}=1,$$

故收敛半径 $R=1$，收敛区间为 $(-1,1)$.

当 $x=1$ 时，级数化为

$$1+\frac{\alpha\cdot\beta}{1\cdot\gamma}+\cdots+\frac{\alpha(\alpha+1)\cdots(\alpha+n-1)\beta(\beta+1)\cdots(\beta+n-1)}{n!\gamma(\gamma+1)\cdots(\gamma+n-1)}+\cdots.$$

由于

$$\frac{a_n}{a_{n+1}}=1+\frac{\gamma-\alpha-\beta+1}{n}+\frac{\theta_n}{n^2}(|\theta_n|\leqslant L),$$

故 $\gamma-\alpha-\beta+1>1$，即 $\gamma>\alpha+\beta$ 时，级数绝对收敛. 当 $\gamma\leqslant\alpha+\beta$ 时，级数发散.

当 $x=-1$ 时，$\left|\frac{a_n}{a_{n+1}}\right|=1+\frac{\gamma-\alpha-\beta+1}{n}+\frac{\theta_n}{n^2}$. 当 $\gamma>\alpha+\beta$ 时，级数绝对收敛. 当 $\gamma<\alpha+\beta-1$ 时，$\exists n\in\mathbf{N}_+$，使得

$$\left|\frac{a_n}{a_{n+1}}\right|<1,$$

即 $\lim_{n\to\infty}a_n\neq0$，级数发散. 当 $\alpha+\beta-1<\gamma\leqslant\alpha+\beta$ 时，

$$\prod_{n=0}^{\infty}\frac{(\alpha+n)(\beta+n)}{(n+1)(\gamma+n)}=\prod_{n=0}^{\infty}\frac{a_n}{a_{n+1}}.$$

由于

$$\sum_{n=0}^{\infty}\ln\frac{a_n}{a_{n+1}}=\sum_{n=0}^{\infty}\ln\left(1-\frac{\gamma-\alpha-\beta+1}{n}+\frac{\theta'_n}{n^2}\right)=-\infty(|\theta'_n|\leqslant M),$$

故级数收敛. 当 $\gamma=\alpha+\beta-1$ 时，由于 $\frac{a_n}{a_{n+1}}=1+\frac{\theta_n{}'}{n^2}$，故级数发散.

综上可知：

$|x|<1$ 时，绝对收敛；　　$|x|>1$ 时，级数发散；

$x=1$ 时，$\gamma>\alpha+\beta$ 绝对收敛；$\gamma\leqslant\alpha+\beta$，级数发散；

$x=-1$ 时，$\gamma>\alpha+\beta$，绝对收敛；$\alpha+\beta-1<\gamma\leqslant\alpha+\beta$，条件收敛；

$\gamma\leqslant\alpha+\beta-1$ 时，级数发散.

【求下列广义幂级数的收敛域(2833—2837)】

【2833】 $\sum_{n=0}^{\infty}\frac{1}{2n+1}\left(\frac{1-x}{1+x}\right)^n$.

解 记 $a_n=\frac{1}{2n+1}$. 由于 $\lim\limits_{n\to\infty}\left|\frac{a_n}{a_{n+1}}\right|=1$，故 $\left|\frac{1-x}{1+x}\right|<1(x>0)$ 时，级数绝对收敛. 当 $x<0$ 时，级数发散. 当 $x=0$ 时，级数 $\sum\limits_{n=0}^{\infty}\frac{1}{2n+1}$ 发散.

故级数 $\sum\limits_{n=0}^{\infty}\frac{1}{2n+1}\left(\frac{1-x}{1+x}\right)^n$ 的收敛域为 $(0,+\infty)$.

【2834】 $\sum\limits_{n=1}^{\infty}\frac{1}{x^n}\sin\frac{\pi}{2^n}$.

解 记 $a_n=\sin\frac{\pi}{2^n}$. 由于

$$\lim_{n\to\infty}\left|\frac{a_n}{a_{n+1}}\right|=\lim_{n\to\infty}\frac{\sin\frac{\pi}{2^n}}{\sin\frac{\pi}{2^{n+1}}}=2,$$

故 $\left|\frac{1}{x}\right|<2$，即 $|x|>\frac{1}{2}$ 时，级数绝对收敛. 当 $|x|<\frac{1}{2}$ 时，级数发散. 当 $|x|=\frac{1}{2}$ 时，由于

$$\lim_{n\to\infty}2^n\sin\frac{\pi}{2^n}=\pi,$$

故级数发散. 从而级数 $\sum\limits_{n=1}^{\infty}\frac{1}{x^n}\sin\frac{\pi}{2^n}$ 的收敛域为 $\left(-\infty,-\frac{1}{2}\right)\cup\left(\frac{1}{2},+\infty\right)$.

【2835】 $\sum\limits_{n=-\infty}^{+\infty}\frac{x^n}{2^{n^2}}$.

解 $\sum\limits_{n=-\infty}^{+\infty}\frac{x^n}{2^{n^2}}=\sum\limits_{n=-\infty}^{-1}\frac{x^n}{2^{n^2}}+\sum\limits_{n=0}^{\infty}\frac{x^n}{2^{n^2}}=\sum\limits_{n=1}^{\infty}\left(\frac{1}{2^{n^2}}\cdot\frac{1}{x^n}\right)+\sum\limits_{n=1}^{\infty}\frac{x^n}{2^{n^2}}$.

由级数 $\sum\limits_{n=1}^{\infty}\frac{x^n}{2^{n^2}}$ 的收敛域为 $(-\infty,+\infty)$，级数 $\sum\limits_{n=1}^{\infty}\left(\frac{1}{2^{n^2}}\cdot\frac{1}{x^n}\right)$ 的收敛域为 $(-\infty,0)$，$(0,+\infty)$. 因此，级数 $\sum\limits_{n=-\infty}^{+\infty}\frac{1}{2^{n^2}}x^n$ 的收敛域为 $(-\infty,0)\cup(0,+\infty)$.

【2836】 $\sum\limits_{n=1}^{\infty}\left(1+\frac{1}{n}\right)^{-n^2}e^{-nx}$.

解 记 $a_n=\left(1+\frac{1}{n}\right)^{-n^2}$. 由于

$$\lim_{n\to\infty}\sqrt[n]{|a_n|}=\lim_{n\to\infty}\left(1+\frac{1}{n}\right)^{-n}=e^{-1},$$

故 $|e^{-x}|<\frac{1}{e^{-1}}$，即 $1+x>0$ 或 $x>-1$ 时，级数绝对收敛. 当 $x<-1$ 时，级数发散. 当 $x=-1$ 时，记 $y_n=\left(1+\frac{1}{n}\right)^{-n^2}e^n$，则

$$\ln y_n=n-n^2\ln\left(1+\frac{1}{n}\right)=\frac{\frac{1}{n}-\ln\left(1+\frac{1}{n}\right)}{\frac{1}{n^2}}.$$

由于 $\lim\limits_{x\to0}\frac{x-\ln(1+x)}{x^2}=\frac{1}{2}$，故

$$\lim_{n\to\infty}\left(1+\frac{1}{n}\right)^{-n^2}e^n=\lim_{n\to\infty}\left[\frac{e}{\left(1+\frac{1}{n}\right)^n}\right]^n=e^{\frac{1}{2}}\neq0,$$

因而级数发散. 于是，级数 $\sum\limits_{n=1}^{\infty}\left(1+\frac{1}{n}\right)^{-n^2}e^{-nx}$ 的收敛域为 $(-1,+\infty)$.

【2837】 $\sum_{n=1}^{\infty}\frac{3^{3n}(n!)^3}{(3n)!}\tan^n x$.

解 记 $a_n=\frac{3^{3n}(n!)^3}{(3n)!}$. 由于

$$\lim_{n\to\infty}\left|\frac{a_n}{a_{n+1}}\right|=\lim_{n\to\infty}\frac{(3n+1)(3n+2)}{9(n+1)^2}=1,$$

故 $|\tan x|<1$,即 $|x-k\pi|<\frac{\pi}{4}$ 时($k\in\mathbf{Z}$),级数绝对收敛. 当 $|x-k\pi|>\frac{\pi}{4}$ 时,级数发散. 当 $|x-k\pi|=\pi$ 时,级数化为

$$\sum_{n=1}^{\infty}\frac{3^{3n}(n!)^3}{(3n)!}(\pm 1)^n.$$

由于

$$\left|\frac{a_n}{a_{n+1}}\right|=\frac{(3n+1)(3n+2)}{9(n+1)^2}<1,$$

故 $|a_n|<|a_{n+1}|$,从而级数发散. 于是,级数 $\sum_{n=1}^{\infty}\frac{3^{3n}(n!)^3}{(3n)!}\tan^n x$ 的收敛域为 $\{x\,|\,|x-k\pi|<\frac{\pi}{4},k\in\mathbf{Z}\}$.

【2838】 若级数 $\sum_{n=0}^{\infty}a_nx^n$ 的收敛半径为 R_1,级数 $\sum_{n=0}^{\infty}b_nx^n$ 的收敛半径为 R_2,求下列级数的收敛半径:

(1) $\sum_{n=0}^{\infty}(a_n+b_n)x^n$; (2) $\sum_{n=0}^{\infty}a_nb_nx^n$.

解 (1) 记 $A_n=a_n+b_n$,则

$$\sqrt[n]{|A_n|}=\sqrt[n]{|a_n+b_n|}\leqslant\sqrt[n]{|a_n|+|b_n|}\leqslant\sqrt[n]{2\max\{|a_n|,|b_n|\}}=\sqrt[n]{2}\max\{\sqrt[n]{|a_n|},\sqrt[n]{|b_n|}\}.$$

注意到 $\overline{\lim_{n\to\infty}}\sqrt[n]{2}=1$,故

$$\frac{1}{R}=\overline{\lim_{n\to\infty}}\sqrt[n]{|A_n|}\leqslant\overline{\lim_{n\to\infty}}\sqrt[n]{2}\max\{\sqrt[n]{|a_n|},\sqrt[n]{|b_n|}\}=\overline{\lim_{n\to\infty}}\max\{\sqrt[n]{|a_n|},\sqrt[n]{|b_n|}\}$$

$$=\max\{\overline{\lim_{n\to\infty}}\sqrt[n]{|a_n|},\overline{\lim_{n\to\infty}}\sqrt[n]{|b_n|}\}=\max\left\{\frac{1}{R_1},\frac{1}{R_2}\right\}.$$

从而

$$R\geqslant\frac{1}{\max\left\{\frac{1}{R_1},\frac{1}{R_2}\right\}}=\min\{R_1,R_2\}.$$

(2) 记 $B_n=a_nb_n$,则 $\sqrt[n]{|B_n|}=\sqrt[n]{|a_nb_n|}=\sqrt[n]{|a_n|}\sqrt[n]{|b_n|}$. 从而

$$\frac{1}{R}=\overline{\lim_{n\to\infty}}\sqrt[n]{|B_n|}=\overline{\lim}\{\sqrt[n]{|a_n|}\sqrt[n]{|b_n|}\}\leqslant\overline{\lim_{n\to\infty}}\sqrt[n]{|a_n|}\,\overline{\lim_{n\to\infty}}\sqrt[n]{|b_n|}=\frac{1}{R_1}\cdot\frac{1}{R_2}=\frac{1}{R_1R_2},$$

故 $R\geqslant R_1R_2$.

【2839】 设 $l=\underline{\lim_{n\to\infty}}\left|\frac{a_n}{a_{n+1}}\right|$,$L=\overline{\lim_{n\to\infty}}\left|\frac{a_n}{a_{n+1}}\right|$. 证明:幂级数的收敛半径 R 满足 $l\leqslant R\leqslant L$.

证 记 $l_1=\frac{1}{l}$,$L_1=\frac{1}{L}$. 若 $l=0$,则 $l_1=+\infty$. 若 $l=+\infty$,则 $l_1=0$. L 类似,易见 $L_1\leqslant l_1$.

$\forall\varepsilon>0$,取 $\delta_1>0$,$\delta_2>0$,使

$$\frac{1}{1+\delta_1}=1-\frac{\varepsilon}{2},\frac{1}{1-\delta_2}=1+\frac{\varepsilon}{2}.$$

注意对 δ_1,δ_2 而言,$\exists m\in\mathbf{N}_+$,当 $n>m$ 时,有

$$l(1-\delta_2)<\left|\frac{a_n}{a_n+1}\right|<L(1+\delta_1),\frac{1}{L}\cdot\frac{1}{1+\delta_1}<\left|\frac{a_{n+1}}{a_n}\right|<\frac{1}{l}\cdot\frac{1}{1-\delta_2},$$

即 $n > m$ 时，有

$$L_1\left(1-\frac{\varepsilon}{2}\right) < \frac{|a_{n+1}|}{|a_n|} < l_1\left(1+\frac{\varepsilon}{2}\right).$$

易见当 $n > m$ 时，有

$$\frac{|a_n|}{|a_m|} = \frac{|a_n|}{|a_{n-1}|}\cdot\frac{|a_{n-1}|}{|a_{n-2}|}\cdots\frac{|a_{n+1}|}{|a_m|} < \left[l_1\left(1+\frac{\varepsilon}{2}\right)\right]^{n-m},$$

或

$$\frac{|a_n|^{\frac{1}{n}}}{l_1} < \left(\frac{|a_n|}{l_1^m}\right)^{\frac{1}{n}}\left(1+\frac{\varepsilon}{2}\right). \qquad ①$$

同理可得

$$\frac{|a_n|^{\frac{1}{n}}}{L_1} > \left(\frac{|a_m|}{L_1^n}\right)^{\frac{1}{n}}\left(1-\frac{\varepsilon}{2}\right). \qquad ②$$

若 $A > 0$，则 $\lim\limits_{n\to\infty}\sqrt[n]{A} = 1$，故 $\exists n_0 > m$，当 $n \geqslant n_0$ 时，有

$$\left(\frac{|a_m|}{l_1^m}\right)^{\frac{1}{n}} < 1+\frac{\frac{\varepsilon}{2}}{1+\frac{\varepsilon}{2}},\left(\frac{|a_m|}{L_1^m}\right)^{\frac{1}{n}} > 1-\frac{\frac{\varepsilon}{2}}{1-\frac{\varepsilon}{2}}. \qquad ③$$

将 ③ 式代入 ① 式及 ② 式，即

$$\frac{|a_n|^{\frac{1}{n}}}{l_1} < 1+\varepsilon, \frac{|a_n|^{\frac{1}{n}}}{L_1} > 1-\varepsilon.$$

故 $L_1(1-\varepsilon) \leqslant \overline{\lim\limits_{n\to\infty}}|a_n|^{\frac{1}{n}} \leqslant l_1(1+\varepsilon)$. 从而得

$$\frac{1}{l_1(1+\varepsilon)} \leqslant R \leqslant \frac{1}{L_1(1-\varepsilon)}, \frac{l}{1+\varepsilon} \leqslant R \leqslant \frac{L}{1-\varepsilon}.$$

即 $l \leqslant R \leqslant L$.

若 $L_1 = +\infty$，即 $L = 0$，此时显然有 $R = 0$，故可设 $L_1 < +\infty$.

【2840】 证明：若函数 $f(x) = \sum\limits_{n=0}^{\infty} a_n(x-x_0)^n$ 且 $|n!a_n| < M(n \in \mathbf{N}_+)$，$M > 0$，则 (1) $f(x)$ 在任意点 a 无穷次可微；(2) 展开式 $f(x) = \sum\limits_{n=0}^{\infty}\frac{f^{(n)}(a)}{n!}(x-a)^n(|x| < +\infty)$ 成立.

证 (1) 由于 $|n!a_n| < M$，故

$$|a_n| < \frac{M}{n!}(n = 1,2,\cdots).$$

$\forall x_0 \in \mathbf{R}$，设 $x_0 \in [-N,N]$. 由于

$$|a_n(x-x_0)^n| < \frac{M}{n!}(2N)^n,$$

且级数 $\sum\limits_{n=0}^{\infty}\frac{M}{n!}(2N)^n$ 收敛，故 $\sum\limits_{n=0}^{\infty}a_n(x-x_0)^n$ 在包含 x_0 的任意有限区间上一致收敛，即收敛半径 $R = +\infty$. 从而级数在 $\mathbf{R}$ 上无穷次可微.

(2) 由 $f(x) = \sum\limits_{n=0}^{\infty}a_n(x-x_0)^n$ 在任何点无穷次可微，故

$$f^{(m)}(x) = \sum_{n=m}^{\infty}n(n-1)\cdots(n-m+1)a_n(x-x_0)^{n-m} = \sum_{n=m}^{\infty}\frac{n!}{(n-m)!}a_n(x-x_0)^{n-m}(m \in \mathbf{N}_+).$$

设 $|x-a| < R(R > 0)$，则

$$|x-x_0| \leqslant |x-a| + |a-x_0| < R + |a-x_0| = L.$$

故

$$|f^{(m)}(x)|\leqslant\sum_{n=m}^{\infty}\frac{n!}{(n-m)!}|a_n|L^{n-m}\leqslant\sum_{n=m}^{\infty}\frac{n!}{(n-m)!}\frac{M}{n!}L^{n-m}=M\sum_{s=0}^{\infty}\frac{L^s}{s!}=MP,$$

其中 $P=\sum_{s=0}^{\infty}\frac{L^s}{s!}<+\infty$.

余项 $R_n(x)=f(x)-\sum_{k=1}^{n}\frac{f^{(k)}(a)}{k!}(x-a)^k$ 的拉格朗日形式为

$$R_n(x)=\frac{f^{(n+1)}[a+\theta(x-a)]}{(n+1)!}(x-a)^{n+1}(0<\theta<1).$$

于是,当 $|x-a|<R$ 时,有

$$|R_n(x)|\leqslant\frac{MP}{(n+1)!}R^{n+1}.$$

由于级数 $\sum_{n=1}^{\infty}\frac{R^{n+1}}{(n+1)!}$ 收敛,故 $\lim_{n\to\infty}\frac{R^{n+1}}{(n+1)!}=0$,从而 $\lim_{n\to\infty}R_n(x)=0$. 由此可知,当 $|x-a|<R$ 时,

$$f(x)=\sum_{k=0}^{\infty}\frac{f^{(k)}(a)}{k!}(x-a)^k$$

成立. $\forall R>0$,展开式在 R 上恒成立.

【2841】 证明:若(1)$a_n\geqslant0$,(2) 存在 $\lim_{x\to R^-}\sum_{n=0}^{\infty}a_nx^n=S$,则 $\sum_{n=0}^{\infty}a_nR^n=S$.

证 若级数 $\sum_{n=0}^{\infty}a_nR^n$ 收敛,则 $f(x)=\sum_{n=0}^{\infty}a_nx^n$ 在 $x=R$ 处左连续. 因此

$$\lim_{x\to R^-}\sum_{n=0}^{\infty}a_nx^n=f(R)=\sum_{n=0}^{\infty}a_nR^n=S.$$

下证级数 $\sum_{n=0}^{\infty}a_nR^n$ 收敛. 反证法. 假设级数 $\sum_{n=0}^{\infty}a_nR^n$ 发散,则 $\forall A>S\geqslant0$, $\exists N\in\mathbf{N}_+$,使得

$$\sum_{n=0}^{N}a_nR^n>A>S.$$

从而有

$$\lim_{x\to R^-}\sum_{n=0}^{N}a_nx^n=\sum_{n=0}^{N}a_nR^n>A>S.$$

又 $a_n\geqslant0$, $\sum_{n=0}^{\infty}a_nx^n\geqslant\sum_{n=0}^{N}a_nx^n(x\geqslant0)$,即

$$\lim_{x\to R^-}\sum_{n=0}^{\infty}a_nx^n>A>S,$$

与假设 $\lim_{x\to R^-}\sum_{n=0}^{\infty}a_nx^n=S$ 矛盾. 因此,级数 $\sum_{n=0}^{\infty}a_nR^n$ 收敛.

知识点 2 幂级数的泰勒展开

1. 泰勒展开定理 设 $f(x)$ 在 x_0 处任意阶可导,则 $f(x)$ 在 (x_0-r,x_0+r) 内可展开成泰勒级数

$$f(x)=\sum_{n=0}^{\infty}\frac{f^{(n)}(x_0)}{n!}(x-x_0)^n$$

的充要条件是: $\forall x\in(x_0-r,x_0+r)$,都有

$$\lim_{n\to\infty}R_n(x)=\lim_{n\to\infty}\left(f(x)-\sum_{k=0}^{n}\frac{f^{(k)}(x_0)}{k!}(x-x_0)^k\right)=0.$$

2. 五个基本展开式

(1)$e^x=1+x+\frac{x^2}{2!}+\cdots+\frac{x^n}{n!}+\cdots(-\infty<x<+\infty)$.

(2)$\sin x=x-\frac{x^3}{3!}+\cdots+(-1)^{n-1}\frac{x^{2n-1}}{(2n-1)!}+\cdots(-\infty<x<+\infty)$.

(3)$\cos x=1-\frac{x^2}{2!}+\cdots+(-1)^n\frac{x^{2n}}{(2n)!}+\cdots(-\infty<x<+\infty)$.

(4)$(1+x)^m=1+mx+\frac{m(m-1)}{2!}x^2+\cdots+\frac{m(m-1)\cdots(m-n+1)}{n!}x^n+\cdots$

$(-1<x<1)$.

(5)$\ln(1+x)=x-\frac{x^2}{2}+\frac{x^3}{3}-\cdots+(-1)^{n-1}\frac{x^n}{n}+\cdots(-1<x\leqslant 1)$.

习题 2842—2857 求函数的泰勒展开式

【2842】 将 $f(x)=x^3$ 展开为 $(x+1)$ 的非负整数次幂.

解 **方法一** $f(x)=[(x+1)-1]^3=(x+1)^3-3(x+1)^2+3(x+1)-1$.

方法二 $f(-1)=-1, f'(-1)=3, f''(-1)=-6, f'''(-1)=6, f^{(4)}(-1)=f^{(5)}(-1)=\cdots=0$.
故

$$f(x)=-1+3(x+1)-\frac{6}{2!}(x+1)^2+\frac{6}{3!}(x+1)^3=-1+3(x+1)-3(x+1)^2+(x+1)^3.$$

【2843】 将 $f(x)=\frac{1}{a-x}(a\neq 0)$ 展开为下列幂级数：

(1) 关于 x 作幂级数展开；(2) 依二项式 $x-b$ 的幂展开，此处 $b\neq a$；(3) 依 $\frac{1}{x}$ 的幂展开.
并求出相应的收敛域.

解 (1)$f(x)=\frac{1}{a}\cdot\frac{1}{1-\frac{x}{a}}=\frac{1}{a}\sum_{n=0}^{\infty}\left(\frac{x}{a}\right)^n=\sum_{n=0}^{\infty}\frac{x^n}{a^{n+1}}$，收敛域为 $|x|<|a|$.

(2)$f(x)=\frac{1}{a-b-(x-b)}=\frac{1}{a-b}\cdot\frac{1}{1-\frac{x-b}{a-b}}=\sum_{n=0}^{\infty}\frac{(x-b)^n}{(a-b)^{n+1}}$，收敛域为 $|x-b|<|a-b|$.

(3)$f(x)=\frac{1}{x}\cdot\frac{1}{\frac{a}{x}-1}=-\frac{1}{x}\cdot\frac{1}{1-\frac{a}{x}}=-\frac{1}{x}\sum_{n=0}^{\infty}\left(\frac{a}{x}\right)^n=-\sum_{n=0}^{\infty}\frac{a^n}{x^{n+1}}$，收敛域为 $|x|>|a|$.

【2844】 按 $x-1$ 的非负整数次幂展开函数 $f(x)=\ln x$，并说明展开式的收敛区间，求级数 $\sum_{n=1}^{\infty}\frac{(-1)^{n-1}}{n}$ 的和.

解
$$f(x)=\ln[1+(x-1)]=\sum_{n=1}^{\infty}(-1)^{n-1}\frac{(x-1)^n}{n}. \qquad ①$$
收敛区间为 $|x-1|<1$，即 $0<x<2$.

当 $x=2$ 时，级数 $\sum_{n=1}^{\infty}\frac{(-1)^{n-1}}{n}$ 收敛，故级数 ① 的收敛域为 $(0,2]$.

令 $x=2$，则 $\sum_{n=1}^{\infty}\frac{(-1)^{n-1}}{n}=\ln 2$.

【写出下列函数按变量 x 的非负整数次幂的展开式，并求收敛区间(2845—2850)】

【2845】 $f(x)=\operatorname{sh}x$.

解 $f(x)=\dfrac{e^x-e^{-x}}{2}=\dfrac{1}{2}\left[\sum\limits_{n=0}^{\infty}\dfrac{x^n}{n!}-\sum\limits_{n=0}^{\infty}\dfrac{(-1)^nx^n}{n!}\right]=\sum\limits_{n=0}^{\infty}\dfrac{x^{2n+1}}{(2n+1)!}$，收敛区间为$(-\infty,+\infty)$.

【2846】 $f(x)=\operatorname{ch}x$.

解 $f(x)=\dfrac{e^x+e^{-x}}{2}=\dfrac{1}{2}\left[\sum\limits_{n=0}^{\infty}\dfrac{x^n}{n!}+\sum\limits_{n=0}^{\infty}\dfrac{(-1)^nx^n}{n!}\right]=\sum\limits_{n=0}^{\infty}\dfrac{x^{2n}}{(2n)!}$，收敛区间为$(-\infty,+\infty)$.

【2847】 $f(x)=\sin^2x$.

解 $f(x)=\dfrac{1-\cos 2x}{2}=\dfrac{1}{2}\left[1-\sum\limits_{n=0}^{\infty}(-1)^n\dfrac{2^{2n}x^{2n}}{(2n)!}\right]=\sum\limits_{n=0}^{\infty}(-1)^{n+1}\dfrac{2^{2n-1}x^{2n}}{(2n)!}$，收敛区间为$(-\infty,+\infty)$.

【2848】 $f(x)=a^x(a>0,a\neq 1)$.

解 $f(x)=e^{x\ln a}=\sum\limits_{n=0}^{\infty}\dfrac{\ln^n a}{n!}x^n$. 由于

$$\lim_{n\to\infty}\left|\frac{\ln^n a}{n!}\cdot\frac{(n+1)!}{\ln^{n+1}a}\right|=+\infty,$$

故收敛半径 $R=+\infty$，收敛区间为$(-\infty,+\infty)$.

【2849】 $f(x)=\sin(u\arcsin x)$.

解 由

$$\arcsin x=\int_0^x\frac{dt}{\sqrt{1-t^2}}=\int_0^x\left(1+\frac{1}{2}t^2+\frac{1\cdot 3}{2\cdot 4}t^4+\cdots\right)dt,=x+\frac{1}{2\cdot 3}x^3+\frac{1\cdot 3}{2\cdot 4\cdot 5}x^5+\cdots,(|x|<1),$$

则

$$\begin{aligned}f(x)&=u\arcsin x-\frac{u^3}{3!}(\arcsin x)^3+\frac{u^5}{5!}(\arcsin x)^5-\cdots\\&=ux+\frac{u(1^2-u^2)}{3!}x^3+\frac{u(1^2-u^2)(3^2-u^2)}{5!}x^5+\cdots.\end{aligned}$$

收敛区间为$(-1,1)$.

【2850】 $f(x)=\cos(u\arcsin x)$.

解 $f(x)=1-\dfrac{u^2}{2!}(\arcsin x)^2+\dfrac{u^4}{4!}(\arcsin x)^4-\cdots=1-\dfrac{u^2}{2!}x^2-\dfrac{u^2(2^2-u^2)}{4!}x^4-\cdots$.

收敛区间为$(-1,1)$.

【2851】 写出函数 $f(x)=x^x$ 按 $x-1$ 的非负整数次幂展开式的前三项.

解 $f(x)=x^x$，　　$f(1)=1$.

$f'(x)=x^x(1+\ln x)$，　　$f'(1)=1$.

$f''(x)=x^x(1+\ln x)^2+x^{x-1}$，　　$f''(1)=2$.

故展开式的前三项为

$$1+(x-1)+(x-1)^2,$$

收敛区间为 $|x-1|<1$，即 $x\in(0,2)$.

【2852】 写出函数 $f(x)=(1+x)^{\frac{1}{x}}(x\neq 0)$，$f(0)=e$ 按变量 x 的非负整数次幂展开式的前三项.

解 $f(x)=(1+x)^{\frac{1}{x}}(x\neq 0)$，$f(0)=e$，则

$$f'(x)=(1+x)^{\frac{1}{x}}\left[-\frac{1}{x^2}\ln(1+x)+\frac{1}{x(1+x)}\right]=(1+x)^{\frac{1}{x}}\left[\frac{1}{2}-\frac{x}{3}-\frac{1}{1+x}+o(x)\right](x\neq 0).$$

由

$$f'(0)=\lim_{x\to0}\frac{f(x)-f(0)}{x-0}=\lim_{x\to0}\frac{(1+x)^{\frac{1}{x}}-\mathrm{e}}{x}=\mathrm{e}\lim_{x\to0}\frac{\ln(1+x)-x}{x^2}=-\frac{\mathrm{e}}{2},$$

$$f''(x)=(1+x)^{\frac{1}{x}}\left\{\left[\frac{1}{2}-\frac{x}{3}-\frac{1}{1+x}+o(x)\right]^2+\frac{2}{x^3}\ln(1+x)-\frac{1}{x^2(1+x)}-\frac{1}{x^2}+\frac{1}{(1+x)^2}\right\}$$

$$=(1+x)^{\frac{1}{x}}\left\{\left[\frac{1}{2}-\frac{x}{3}-\frac{1}{1+x}+o(x)\right]^2+\frac{2}{3}-\frac{1}{1+x}+\frac{1}{(1+x)^2}+o(x)\right\}(x\neq0),$$

故 $f''(0)=\frac{11}{12}\mathrm{e}$，于是，展开式的前三项为 $\mathrm{e}\left(1-\frac{1}{2}x+\frac{11}{24}x^2\right)$，收敛区间为$(-1,1)$.

【2853】 将函数 $\sin(x+h)$ 和 $\cos(x+h)$ 按变量 h 的非负整数次幂展开.

解 $\sin(x+h)=\sin x\cos h+\cos x\sin h=\sin x\cdot\left(1-\frac{h^2}{2!}+\frac{h^4}{4!}-\cdots\right)+\cos x\cdot\left(h-\frac{h^3}{3!}+\frac{h^5}{5!}-\cdots\right)$

$$=\sin x+h\cos x-\frac{h^2}{2!}\sin x-\frac{h^3}{3!}\cos x+\cdots.$$

同理可得

$$\cos(x+h)=\cos x-h\sin x-\frac{h^2}{2!}\cos x+\frac{h^3}{3!}\sin x+\cdots,$$

收敛区间均为$(-\infty,+\infty)$.

【2854】 不进行展开求 $f(x)=\frac{x}{x^2-5x+6}$ 的幂级数展开式的收敛区间：

(1) 关于 x 作幂级数展开，(2) 关于 $x-5$ 作幂级数展开.

解 (1) 由于

$$\frac{x}{x^2-5x+6}=\frac{3}{x-3}-\frac{2}{x-2}=\frac{1}{1-\frac{x}{2}}-\frac{1}{1-\frac{x}{3}},$$

且收敛区间为$(-2,2)\cap(-3,3)=(-2,2)$，故 $f(x)$ 关于 x 的幂级数收敛区间为$(-2,2)$.

(2) $\frac{x}{x^2-5x+6}=\frac{3}{(x-5)+2}-\frac{2}{(x-5)+3}=\frac{3}{2}\cdot\frac{1}{1+\frac{x-5}{2}}-\frac{2}{3}\cdot\frac{1}{1+\frac{x-5}{3}}.$

从而收敛区间为$(3,7)\cap(2,8)=(3,7)$，故 $f(x)$ 关于 $x-5$ 的幂级数收敛区间为$(3,7)$.

【将下列函数按变量 x 的正整数次幂展开成幂级数，写出展开式前三项(2855—2857)】

【2855】 $f(x)=\tan x$.

解 **方法一** 利用泰勒公式，则

$f(x)=\tan x,$ $f(0)=0.$

$f'(x)=\sec^2x,$ $f'(0)=1.$

$f''(x)=2\sec^2x\tan x,$ $f''(0)=0.$

$f'''(x)=2\sec^4x+4\sec^2x\tan^2x,$ $f'''(0)=2.$

$f^{(4)}(x)=8\sec^4x\tan x+8\sec^2x\tan^4x+8\sec^4x\tan x,$ $f^{(4)}(0)=0.$

$f^{(5)}(x)=32\sec^4x\tan^2x+8\sec^6x+16\sec^2x\tan^4x+24\sec^4x\tan^2x+32\sec^4x\tan^2x+8\sec^6x,$

$f^{(5)}(0)=16.$

故 $f(x)=x+\frac{2}{3!}x^3+\frac{16}{5!}x^5+\cdots=x+\frac{x^3}{3}+\frac{2x^5}{15}+\cdots\ \left(|x|<\frac{\pi}{2}\right).$

方法二 $f(x)=\tan x=\frac{\sin x}{1-(1-\cos x)}=\sin x\{1+(1-\cos x)+(1-\cos x)^2+\cdots\}$

$$=\left\{x-\frac{1}{3!}x^3+\frac{1}{5!}x^5-\cdots\right\}\left\{1+\frac{x^2}{2!}-\frac{1}{4!}x^4+\frac{x^4}{4}+\cdots\right\}$$

$$=x+\left(\frac{1}{2}-\frac{1}{6}\right)x^3+\left(\frac{1}{4}-\frac{1}{4!}-\frac{1}{2!}\cdot\frac{1}{3!}+\frac{1}{5!}\right)x^5+\cdots$$

$$=x+\frac{1}{3}x^3+\frac{2}{15}x^5+\cdots,$$

故 $f(x)=x+\frac{1}{3}x^3+\frac{2}{15}x^5+\cdots\left(|x|<\frac{\pi}{2}\right)$.

【2856】 $f(x)=\text{th}\,x$.

解 运用幂级数展开式的唯一性定理，为求展开式可以考虑在 $x=0$ 点附近作幂级数展开. 注意当 $|x|$ 很小，且幂级数中常数项为零时，其收敛的和是很小的. 于是，以下的写法是可以的，取其前三项，有

$$f(x)=\frac{\text{sh}\,x}{\text{ch}\,x}=\frac{x+\frac{x^3}{3!}+\frac{x^5}{5!}+\cdots}{1+\left(\frac{x^2}{2!}+\frac{x^4}{4!}+\cdots\right)}$$

$$=\left(x+\frac{x^3}{3!}+\frac{x^5}{5!}+\cdots\right)\left[1-\left(\frac{x^2}{2!}+\frac{x^4}{4!}+\cdots\right)+\left(\frac{x^2}{2!}+\frac{x^4}{4!}+\cdots\right)^2-\cdots\right]$$

$$=\left(x+\frac{x^3}{3!}+\frac{x^5}{5!}+\cdots\right)\left(1-\frac{x^2}{2!}+\frac{5x^4}{24}+\cdots\right)=x-\frac{1}{3}x^3+\frac{2}{15}x^5+\cdots\ \left(|x|<\frac{\pi}{2}\right).$$

取幂级数 $\frac{e^x-1}{x}=1+\frac{x}{2!}+\frac{x^2}{3!}+\cdots$. 若 $|x|<\rho$，且 $\frac{\frac{\rho}{2}}{1-\frac{\rho}{3}}=1$，例如，取 $\rho=\frac{6}{5}=1.2$ 时，有 $\frac{\rho}{2!}+\frac{\rho^2}{3!}+\cdots\leqslant 1$，从而

$$\frac{x}{e^x-1}=1-\frac{x}{2}+A_2x^2+A_3x^3+A_4x^4+\cdots\left(|x|<\frac{6}{5}\right),$$

易见 $A_3=0,A_5=0,A_7=0,\cdots$. 故

$$\frac{x}{e^x-1}=1-\frac{x}{2}+B_1\cdot\frac{x^2}{2!}-B_2\cdot\frac{x^4}{4!}+B_3\cdot\frac{x^6}{6!}-\cdots,\qquad ①$$

其中 $B_1,B_2,B_3,\cdots$ 为伯努利(Bernoulli) 常数，即

$$B_1=\frac{1}{6},B_2=\frac{1}{30},B_3=\frac{1}{42},B_4=\frac{1}{30},B_5=\frac{5}{66},\cdots.$$

由 $x\coth\frac{x}{2}=x\cdot\frac{e^x+1}{e^x-1}=\frac{2x}{e^x-1}+x$ 及 ① 式，即得

$$\frac{x}{2}\coth\frac{x}{2}=1+B_1\frac{x^2}{2!}-B_2\frac{x^4}{4!}+B_3\frac{x^6}{6!}-\cdots.$$

于是

$$x\coth x=1+B_1\frac{2^2x^2}{2!}-B_2\frac{2^4x^4}{4!}+B_3\frac{2^6x^6}{6!}-\cdots.$$

若 $x\neq 0$，则

$$\coth x=\frac{1}{x}+B_1\frac{2^2x}{2!}-B_2\frac{2^4x^3}{4!}+B_3\frac{2^6x^5}{6!}-\cdots.\qquad ②$$

注意到 $\text{th}\,x=2\coth 2x-\coth x$，且 $x=0$ 时，$\text{th}\,x=0$，从而

$$\text{th}\,x=\frac{B_1}{2!}(2^4-2^2)x-\frac{B_2}{4!}(2^8-2^4)x^3+\frac{B_3}{6!}(2^{12}-2^5)x^5-\cdots=x-\frac{1}{3}x^3+\frac{2}{15}x^5-\frac{17}{315}x^7+\cdots.\qquad ③$$

易求级数 ③ 的收敛域为 $|x|<\frac{\pi}{2}$.

【2857】 $f(x)=\cot x-\frac{1}{x}$.

解 与 2856 题的思路一样，可以考虑 $x\neq 0$ 且 $|x|$ 很小的情形. 于是，有

$$f(x)=\frac{\cos x}{\sin x}-\frac{1}{x}=\frac{1-\frac{x^2}{2!}+\frac{x^4}{4!}-\cdots}{x-\frac{x^3}{3!}+\frac{x^5}{5!}-\cdots}-\frac{1}{x}$$

$$=\frac{1}{x}\left\{\left(1+\frac{x^2}{2!}+\frac{x^4}{4!}-\cdots\right)\left[1+\left(\frac{x^2}{3!}-\frac{x^4}{5!}+\frac{x^6}{7!}-\cdots\right)+\left(\frac{x^2}{3!}-\frac{x^4}{5!}+\frac{x^5}{7!}-\cdots\right)^2+\cdots\right]-1\right\}$$

$$=\frac{1}{x}\left\{\left(1-\frac{x^2}{2!}+\frac{x^4}{4!}-\cdots\right)\left(1+\frac{x^2}{6}+\frac{7}{360}x^4+\frac{31}{15\ 120}x^6+\cdots\right)-1\right\}$$

$$=\frac{1}{x}\left(-\frac{1}{3}x^2-\frac{1}{45}x^4-\frac{2}{945}x^6-\cdots\right)=-\frac{1}{3}x-\frac{1}{45}x^3-\frac{2}{945}x^5-\cdots(0<|x|<\pi).$$

一般来说,为求通项可作如下进一步的讨论:

当 $x\neq 0$ 时,取 $g(x)=xf(x)=x\cot x-1$,当 $|x|<\pi$ 时,有

$$g(x)=x\cot x-1=\frac{\cos x}{\frac{\sin x}{x}}-1=\frac{\cos x}{1-\xi}-1,$$

其中 $\xi=1-\frac{\sin x}{x}$. 注意到 $|\sin x|<|x|$,故 $|\xi|<1$. 从而

$$g(x)=\cos x\sum_{m=0}^{\infty}\xi^m-1=\left[1+\sum_{l=1}^{\infty}(-1)^l\frac{x^{2l}}{(2l)!}\right]\left(1+\sum_{m=1}^{\infty}\xi^m\right)-1$$

$$=\sum_{m=1}^{\infty}\xi^m+\sum_{l=1}^{\infty}(-1)^l\frac{x^{2l}}{(2l)!}+\sum_{m=1}^{\infty}\sum_{l=1}^{\infty}(-1)^l\frac{x^{2l}}{(2l)!}\xi^m.$$

由于 $\xi=\sum\limits_{k=1}^{\infty}(-1)^{k+1}\frac{x^{2k}}{(2k+1)!}$,故

$$\xi^m=\sum_{k_1=1}^{\infty}\sum_{k_2=1}^{\infty}\cdots\sum_{k_m=1}^{\infty}(-1)^{k_1+k_2+\cdots+k_m+m}\frac{x^{2(k_1+k_2+\cdots+k_m)}}{(2k_1+1)!(2k_2+1)!\cdots(2k_m+1)!}=$$

$$\sum_{s=m}^{\infty}\sum_{k_1+\cdots+k_m=s}(-1)^{s+m}\frac{x^{2s}}{(2k_1+1)!\cdots(2k_m+1)!}.$$

从而

$$\sum_{m=1}^{\infty}\xi^m=\sum_{s=1}^{\infty}\sum_{1\leqslant m\leqslant s}\sum_{\substack{k_1+\cdots,k_m=s\\k_1\geqslant 1,\cdots,k_m\geqslant 1}}(-1)^{s+m}\frac{x^{2s}}{(2k_1+1)!\cdots(2k_m+1)!}=\sum_{s=1}^{\infty}(-1)^sA_sx^{2s},$$

其中

$$A_s=\sum_{1\leqslant m\leqslant s}\sum_{\substack{k_1+\cdots,k_m=s\\k_1\geqslant 1,\cdots,k_m\geqslant 1}}\frac{(-1)^m}{(2k_1+1)!\cdots(2k_m+1)!}(s=1,2,\cdots).$$

又有

$$\sum_{m=1}^{\infty}\sum_{l=1}^{\infty}(-1)^l\frac{x^{2l}}{(2l)!}\xi^m=\sum_{m=1}^{\infty}\sum_{l=1}^{\infty}\sum_{s=m}^{\infty}\sum_{\substack{k_1+\cdots,k_m=s\\k_1\geqslant 1,\cdots,k_m\geqslant 1}}(-1)^{s+m+l}\frac{x^{2s+2l}}{(2l)!(2k_1+1)!\cdots(2k_m+1)!}$$

$$=\sum_{n=2}^{\infty}(-1)^nB_nx^{2n},$$

其中 $B_n=\sum\limits_{\substack{s+l=m\\s\geqslant 1,l\geqslant 1}}\sum\limits_{1\leqslant m\leqslant s}\sum\limits_{\substack{k_1+\cdots,k_m=s\\k_1\geqslant 1,\cdots,k_m\geqslant 1}}\frac{(-1)^m}{(2l)!(2k_1+1)!\cdots(2k_m+1)!}(n=2,3\cdots).$

于是

$$g(x)=\sum_{s=1}^{\infty}(-1)^sA_sx^{2s}+\sum_{l=1}^{\infty}(-1)^l\frac{x^{2l}}{(2l)!}+\sum_{n=2}^{\infty}(-1)^nB_nx^{2n}=\sum_{n=1}^{\infty}P_nx^{2n},$$

其中 $P_1=-\left(A_1+\frac{1}{2}\right),P_n=(-1)^n\left[A_n+\frac{2}{(2n)!}+B_n\right](n=2,3,\cdots).$

当 $0<|x|<\pi$ 时,$f(x)=\frac{1}{x}g(x)=\sum\limits_{n=1}^{\infty}P_nx^{2n-1}$. 由

$$A_1=-\frac{1}{6},A_2=\frac{7}{360},A_3=-\frac{31}{15\ 120},B_2=-\frac{1}{12},B_3=\frac{1}{360},$$

从而

$$P_1=-\frac{1}{3},P_2=-\frac{1}{45},P_3=-\frac{2}{945},$$

因此有

$$f(x)=\cot x-\frac{1}{x}=-\frac{1}{3}x-\frac{1}{45}x^3-\frac{2}{945}x^5-\cdots.$$

习题 2858—2875 利用基本展开式求函数的幂级数展开式

【利用基本展开式(1) ~ (5),写出下列函数关于 x 的幂级数展开式(2858—2875)】

【2858】 e^{-x^2}.

解 $e^{-x^2}=\sum\limits_{n=0}^{\infty}\frac{(-x^2)^n}{n!}=\sum\limits_{n=0}^{\infty}(-1)^n\frac{x^{2n}}{n!}(|x|<+\infty)$.

【2859】 $\cos^2 x$.

解 $\cos^2 x=\frac{1+\cos 2x}{2}=\frac{1}{2}+\frac{1}{2}\sum\limits_{n=0}^{\infty}(-1)^n\frac{(2x)^{2n}}{(2n)!}=1+\sum\limits_{n=1}^{\infty}(-1)^n\frac{2^{2n-1}}{(2n)!}x^{2n}(|x|<+\infty)$.

【2860】 $\sin^3 x$.

解 $\sin^3 x=\frac{3}{4}\sin x-\frac{1}{4}\sin 3x=\frac{3}{4}\sum\limits_{n=0}^{\infty}(-1)^n\frac{x^{2n+1}}{(2n+1)!}-\frac{1}{4}\sum\limits_{n=0}^{\infty}(-1)^n\frac{3^{2n+1}x^{2n+1}}{(2n+1)!}$

$$=\frac{3}{4}\sum_{n=0}^{\infty}(-1)^{n+1}\frac{3^{2n}-1}{(2n+1)!}x^{2n+1}(|x|<+\infty).$$

【2861】 $\frac{x^{10}}{1-x}$.

解 $\frac{x^{10}}{1-x}=x^{10}\sum\limits_{n=0}^{\infty}x^n=\sum\limits_{n=10}^{\infty}x^n(|x|<1)$.

【2862】 $\frac{1}{(1-x)^2}$.

解 **方法一** 由广义二项式定理,有

$$\frac{1}{(1-x)^2}=(1-x)^{-2}=1+2x+\frac{6}{2!}x^2+\cdots+\frac{(n+1)!}{n!}x^n+\cdots$$

$$=\sum_{n=0}^{\infty}(n+1)x^n(|x|<1).$$

方法二 由 $\frac{1}{1-x}=\sum\limits_{n=0}^{\infty}x^n(|x|<1)$,则 $\frac{1}{(1-x)^2}=\sum\limits_{n=1}^{\infty}nx^{n-1}=\sum\limits_{n=0}^{\infty}(n+1)x^n$.

【2863】 $\frac{x}{\sqrt{1-2x}}$.

解 $\frac{x}{\sqrt{1-2x}}=x(1-2x)^{-\frac{1}{2}}=x\left[1+\left(-\frac{1}{2}\right)(-2x)+\frac{\left(-\frac{1}{2}\right)\left(-\frac{1}{2}-1\right)}{2!}(-2x)^2+\right.$

$$\left.\frac{\left(-\frac{1}{2}\right)\left(-\frac{1}{2}-1\right)\left(-\frac{1}{2}-2\right)}{3!}(-2x)^3+\cdots\right]$$

$$=x+x^2+\frac{1\cdot 3}{2!}x^3+\frac{1\cdot 3\cdot 5}{3!}x^4+\cdots=x+\sum_{n=1}^{\infty}\frac{(2n-1)!!}{n!}x^{n+1}\left(|x|<\frac{1}{2}\right).$$

当 $x=-\frac{1}{2}$ 时,交错级数 $-\frac{1}{2}+\frac{1}{2}\sum\limits_{n=1}^{\infty}(-1)^{n+1}\frac{(2n-1)!!}{(2n)!!}$ 收敛.

从而

$$\frac{x}{\sqrt{1-2x}}=x+\sum_{n=1}^{\infty}\frac{(2n-1)!!}{n!}x^{n+1}\left(-\frac{1}{2}\leqslant x<\frac{1}{2}\right).$$

【2864】 $\ln\sqrt{\dfrac{1+x}{1-x}}$.

解 $$\ln\sqrt{\frac{1+x}{1-x}}=\frac{1}{2}[\ln(1+x)-\ln(1-x)]$$
$$=\frac{1}{2}\left[\sum_{n=1}^{\infty}(-1)^{n-1}\frac{x^n}{n}-\sum_{n=1}^{\infty}(-1)^{n-1}\frac{(-x)^n}{n}\right]=\sum_{n=0}^{\infty}\frac{x^{2n+1}}{2n+1}(|x|<1).$$

【2865】 $\dfrac{x}{1+x-2x^2}$.

解 $$\frac{x}{1+x-2x^2}=\frac{1}{3}\left(\frac{1}{1-x}-\frac{1}{1+2x}\right)=\frac{1}{3}\left[\sum_{n=0}^{\infty}x^n-\sum_{n=0}^{\infty}(-2)^nx^n\right]$$
$$=\frac{1}{3}\sum_{n=0}^{\infty}[1-(-2)^n]x^n\left(|x|<\frac{1}{2}\right).$$

【2866】 $\dfrac{12-5x}{6-5x-x^2}$.

解 $$\frac{12-5x}{6-5x-x^2}=\frac{1}{1-x}+\frac{6}{6+x}=\frac{1}{1-x}+\frac{1}{1+\dfrac{x}{6}}=\sum_{n=0}^{\infty}\left[1+\frac{(-1)^n}{6^n}\right]x^n(|x|<1).$$

【2867】 $\dfrac{x}{(1-x)(1-x^2)}$.

解 由2862题，$\dfrac{1}{(1-x)^2}=\sum\limits_{n=0}^{\infty}(n+1)x^n$，则

$$\frac{x}{(1-x)(1-x^2)}=-\frac{1}{4}\cdot\frac{1}{1+x}-\frac{1}{4}\cdot\frac{1}{1-x}+\frac{1}{2}\cdot\frac{1}{(1-x)^2}$$
$$=-\frac{1}{4}\sum_{n=0}^{\infty}(-1)^nx^n-\frac{1}{4}\sum_{n=0}^{\infty}x^n+\frac{1}{2}\sum_{n=0}^{\infty}(n+1)x^n$$
$$=\frac{1}{2}\sum_{n=1}^{\infty}\left[n+\frac{1-(-1)^n}{2}\right]x^n(-1<x<1).$$

【2868】 $\dfrac{1}{1-x-x^2}$.

解 $$\frac{1}{1-x-x^2}=\frac{1}{\dfrac{5}{4}-\left(x+\dfrac{1}{2}\right)^2}=\frac{1}{\sqrt{5}}\left[\frac{1}{\dfrac{\sqrt{5}}{2}-\left(x+\dfrac{1}{2}\right)}+\frac{1}{\dfrac{\sqrt{5}}{2}+\left(x+\dfrac{1}{2}\right)}\right]$$
$$=\frac{1}{\sqrt{5}}\left[\frac{2}{\sqrt{5}-1}\cdot\frac{1}{1-\dfrac{2}{\sqrt{5}-1}x}+\frac{2}{\sqrt{5}+1}\cdot\frac{1}{1+\dfrac{2}{\sqrt{5}+1}x}\right]$$
$$=\frac{1}{\sqrt{5}}\sum_{n=0}^{\infty}\left[\left(\frac{2}{\sqrt{5}-1}\right)^{n+1}+(-1)^n\left(\frac{2}{\sqrt{5}+1}\right)^{n+1}\right]x^n$$
$$=\frac{1}{\sqrt{5}}\sum_{n=0}^{\infty}\left[\left(\frac{\sqrt{5}+1}{2}\right)^{n+1}+(-1)^n\left(\frac{\sqrt{5}-1}{2}\right)^{n+1}\right]x^n\left(|x|<\frac{\sqrt{5}-1}{2}\right).$$

【2869】 $\dfrac{1}{1+x+x^2}$.

解 $$\frac{1}{1+x+x^2}=\frac{1}{\sqrt{3}\mathrm{i}}\left[\frac{1}{x+\dfrac{1-\sqrt{3}\mathrm{i}}{2}}-\frac{1}{x+\dfrac{1+\sqrt{3}\mathrm{i}}{2}}\right]$$

$$=\frac{1}{\sqrt{3}\,\mathrm{i}}\left[\frac{1+\sqrt{3}\,\mathrm{i}}{2}\cdot\frac{1}{1+\frac{1+\sqrt{3}\,\mathrm{i}}{2}x}-\frac{1-\sqrt{3}\,\mathrm{i}}{2}\cdot\frac{1}{1+\frac{1-\sqrt{3}\,\mathrm{i}}{2}x}\right]$$

$$=\frac{1}{\sqrt{3}\,\mathrm{i}}\left[\sum_{n=0}^{\infty}(-1)^n\left(\frac{1+\sqrt{3}\,\mathrm{i}}{2}\right)^{n+1}x^n-\sum_{n=0}^{\infty}(-1)^n\left(\frac{1-\sqrt{3}\,\mathrm{i}}{2}\right)^{n+1}x^n\right]$$

$$=\frac{1}{\sqrt{3}\,\mathrm{i}}\sum_{n=0}^{\infty}(-1)^n\left[\left(\frac{1+\sqrt{3}\,\mathrm{i}}{2}\right)^{n+1}-\left(\frac{1-\sqrt{3}\,\mathrm{i}}{2}\right)^{n+1}\right]x^n.$$

由于

$$(-1)^n\left[\left(\frac{1+\sqrt{3}\,\mathrm{i}}{2}\right)^{n+1}-\left(\frac{1-\sqrt{3}\,\mathrm{i}}{2}\right)^{n+1}\right]$$

$$=(-1)^n\left[\left(\cos\frac{\pi}{3}+\mathrm{i}\sin\frac{\pi}{3}\right)^{n+1}-\left(\cos\frac{\pi}{3}-\mathrm{i}\sin\frac{\pi}{3}\right)^{n+1}\right]$$

$$=(-1)^n\left[\left(\cos\frac{n+1}{3}\pi+\mathrm{i}\sin\frac{n+1}{3}\pi\right)-\left(\cos\frac{n+1}{3}\pi-\mathrm{i}\sin\frac{n+1}{3}\pi\right)\right]$$

$$=(-1)^n\cdot 2\mathrm{i}\sin\frac{n+1}{3}\pi=2\mathrm{i}\sin\frac{2(n+1)}{3}\pi,$$

故 $\frac{1}{1+x+x^2}=\frac{2}{\sqrt{3}}\sum_{n=0}^{\infty}x^n\sin\frac{2(n+1)}{3}\pi$. 收敛域为 $|x|<1$.

【2870】 $\frac{x\cos\alpha-x^2}{1-2x\cos\alpha+x^2}$.

解
$$\frac{x\cos\alpha-x^2}{1-2x\cos\alpha+x^2}=-1-\frac{1}{2}\left[\frac{\cos\alpha+\mathrm{i}\sin\alpha}{x-(\cos\alpha+\mathrm{i}\sin\alpha)}+\frac{\cos\alpha-\mathrm{i}\sin\alpha}{x-(\cos\alpha-\mathrm{i}\sin\alpha)}\right]$$

$$=-1+\frac{1}{2}\left[\frac{1}{1-x(\cos\alpha-\mathrm{i}\sin\alpha)}+\frac{1}{1-x(\cos\alpha+\mathrm{i}\sin\alpha)}\right]$$

$$=-1+\frac{1}{2}\left[\sum_{n=0}^{\infty}x^n(\cos\alpha-\mathrm{i}\sin\alpha)^n+\sum_{n=0}^{\infty}x^n(\cos\alpha+\mathrm{i}\sin\alpha)^n\right]$$

$$=\sum_{n=1}^{\infty}x^n\cos n\alpha,$$

其中收敛域为 $|x|<1$.

【2871】 $\frac{x\sin\alpha}{1-2x\cos\alpha+x^2}$.

解
$$\frac{x\sin\alpha}{1-2x\cos\alpha+x^2}=\frac{\mathrm{i}x}{2}\left[\frac{1}{x-(\cos\alpha-\mathrm{i}\sin\alpha)}-\frac{1}{x-(\cos\alpha+\mathrm{i}\sin\alpha)}\right]$$

$$=\frac{\mathrm{i}x}{2}\left[-\frac{\cos\alpha-\mathrm{i}\sin\alpha}{1-x(\cos\alpha+\mathrm{i}\sin\alpha)}+\frac{\cos\alpha-\mathrm{i}\sin\alpha}{1-x(\cos\alpha-\mathrm{i}\sin\alpha)}\right]$$

$$=\frac{\mathrm{i}x}{2}\left[-\sum_{n=0}^{\infty}x^n(\cos\alpha+\mathrm{i}\sin\alpha)^{n+1}+\sum_{n=0}^{\infty}x^n(\cos\alpha-\mathrm{i}\sin\alpha)^{n+1}\right]$$

$$=\sum_{n=0}^{\infty}x^{n+1}\sin(n+1)\alpha=\sum_{n=0}^{\infty}x^n\sin n\alpha,$$

其中收敛域为 $|x|<1$.

【2872】 $\frac{x\,\mathrm{sh}\,\alpha}{1-2x\,\mathrm{ch}\,\alpha+x^2}$.

解
$$\frac{x\,\mathrm{sh}\,\alpha}{1-2x\,\mathrm{ch}\,\alpha+x^2}=\frac{1}{2}\left[\frac{\mathrm{ch}\,\alpha+\mathrm{sh}\,\alpha}{x-(\mathrm{ch}\,\alpha+\mathrm{sh}\,\alpha)}-\frac{\mathrm{ch}\,\alpha-\mathrm{sh}\,\alpha}{x-(\mathrm{ch}\,\alpha-\mathrm{sh}\,\alpha)}\right]$$

$$=\frac{1}{2}\left[\frac{\mathrm{e}^{\alpha}}{x-\mathrm{e}^{\alpha}}-\frac{\mathrm{e}^{-\alpha}}{x-\mathrm{e}^{-\alpha}}\right]=\frac{1}{2}\left[-\frac{1}{1-x\mathrm{e}^{-\alpha}}+\frac{1}{1-x\mathrm{e}^{\alpha}}\right]$$

$$=\frac{1}{2}\left[-\sum_{n=0}^{\infty}x^n\mathrm{e}^{-n\alpha}+\sum_{n=0}^{\infty}x^n\mathrm{e}^{n\alpha}\right]=\sum_{n=0}^{\infty}x^n\,\mathrm{sh}\,n\alpha,$$

其中收敛域为 $|x|<\min\{e^{-\alpha},e^{\alpha}\}=e^{-|\alpha|}$.

【2873】 $\dfrac{1}{(1-x^2)\sqrt{1-x^2}}$.

解 $$\frac{1}{(1-x^2)\sqrt{1-x^2}}=(1-x^2)^{-\frac{3}{2}}=\sum_{n=0}^{\infty}\frac{\left(-\frac{3}{2}\right)\left(-\frac{3}{2}-1\right)\cdots\left(-\frac{3}{2}-n+1\right)}{n!}(-x^2)^n$$
$$=\sum_{n=0}^{\infty}\frac{(2n+1)!!}{(2n)!!}x^{2n}(|x|<1).$$

【2874】 $\ln(1+x+x^2+x^3)$.

解 $\ln(1+x+x^2+x^3)=\ln[(1+x)(1+x^2)]=\ln(1+x)+\ln(1+x^2)$.

又

$$\ln(1+x)=\sum_{n=1}^{\infty}(-1)^{n-1}\frac{x^n}{n}(-1<x\leqslant 1),$$
$$\ln(1+x^2)=\sum_{n=1}^{\infty}(-1)^{n-1}\frac{x^{2n}}{n}(-1\leqslant x\leqslant 1),$$

故 $-1<x\leqslant 1$ 时,

$$\ln(1+x+x^2+x^3)=\sum_{n=1}^{\infty}(-1)^{n-1}\frac{x^n}{n}+\sum_{n=1}^{\infty}(-1)^{n-1}\frac{x^{2n}}{n}$$
$$=\sum_{m=1}^{\infty}(-1)^{m-1}\frac{x^m}{m}+\sum_{m=1}^{\infty}(-1)^{\left[\frac{m}{2}\right]-1}[1+(-1)^m]\frac{x^m}{m}$$
$$=\sum_{m=1}^{\infty}\frac{(-1)^{m-1}+(-1)^{\left[\frac{m}{2}\right]-1}[1+(-1)^m]}{m}x^m.$$

【2875】 $e^{x\cos\alpha}\cos(x\sin\alpha)$.

解 由

$$e^{x\cos\alpha}\cdot\cos(x\sin\alpha)+e^{x\cos\alpha}\cdot i\sin(x\sin\alpha)=e^{x\cos\alpha}\cdot e^{ix\sin\alpha}=e^{xe^{i\alpha}},$$
$$e^{xe^{i\alpha}}=\sum_{n=0}^{\infty}\frac{x^n}{n!}e^{in\alpha}=\sum_{n=0}^{\infty}\frac{x^n}{n!}\cdot(\cos n\alpha+i\sin\alpha),$$

则 $e^{x\cos\alpha}\cdot\cos(x\sin\alpha)=\sum\limits_{n=0}^{\infty}\dfrac{\cos n\alpha}{n!}\cdot x^n$, $|x|<+\infty$.

知识点3 幂级数的运算

在收敛区间 $|x-a|<R$ 内:

(1) $\sum\limits_{n=0}^{\infty}a_n(x-a)^n\pm\sum\limits_{n=0}^{\infty}b_n(x-a)^n=\sum\limits_{n=0}^{\infty}(a_n\pm b_n)(x-a)^n$;

(2) $\sum\limits_{n=0}^{\infty}a_n(x-a)^n\sum\limits_{n=0}^{\infty}b_n(x-a)^n=\sum\limits_{n=0}^{\infty}c_n(x-a)^n$,其中 $c_n=a_0b_n+a_1b_{n-1}+\cdots+a_nb_0$;

(3) $\dfrac{d}{dx}\left[\sum\limits_{n=0}^{\infty}a_n(x-a)^n\right]=\sum\limits_{n=0}^{\infty}(n+1)a_{n+1}(x-a)^n$;

(4) $\int\left[\sum\limits_{n=0}^{\infty}a_n(x-a)^n\right]dx=\sum\limits_{n=0}^{\infty}\dfrac{a_n}{n+1}(x-a)^{n+1}+C$.

习题 2876—2884 利用积分运算求函数的幂级数展开式

【2876】 设 $f(x)=\arctan x$,求级数 $\sum\limits_{n=1}^{\infty}\dfrac{(-1)^{n+1}}{2n-1}$ 的和.

解 $\arctan x=\int_0^x\frac{\mathrm{d}t}{1+t^2}=\int_0^x\left(\sum_{n=0}^{\infty}(-1)^n t^{2n}\right)\mathrm{d}t=\sum_{n=0}^{\infty}(-1)^n\frac{x^{2n+1}}{2n+1}$. 令 $x=1$,则

$$\sum_{n=0}^{\infty}(-1)^n\frac{1}{2n+1}=\sum_{n=1}^{\infty}\frac{(-1)^{n-1}}{2n-1}=\arctan 1=\frac{\pi}{4}.$$

注 这里逐项积分的条件是满足的.事实上,当 $t\in[0,x]$ 且 $|x|<1$ 时,$\sum_{n=0}^{\infty}(-1)^n t^{2n}$ 一致收敛,并且各项均连续.以下各题类似,不再一一说明.上述级数的收敛区间为 $|x|<1$,当 $|x|=1$ 时,为交错级数,且满足莱布尼茨判别法的条件,故在端点 $x=\pm1$ 处,级数均收敛.因此,级数的收敛域为 $[-1,1]$,在其上展式成立.

【展开导数后用逐项积分的方法求下列函数的幂级数展开式(2877—2879)】

【2877】 $f(x)=\arcsin x$.

解 $\arcsin x=\int_0^x\frac{\mathrm{d}t}{\sqrt{1-t^2}}=\int_0^x\left[1+\sum_{n=1}^{\infty}\frac{(2n-1)!!}{(2n)!!}t^{2n}\right]\mathrm{d}t=x+\sum_{n=1}^{\infty}\left[\frac{(2n-1)!!}{(2n)!!}\frac{x^{2n+1}}{2n+1}\right]$.

收敛区间为 $|x|<1$. 当 $|x|=1$ 时,利用 2604 题的结果,由于 $\frac{p}{2}+q=\frac{1}{2}+1>1$,故级数收敛.故收敛域为 $[-1,1]$.

【2878】 $f(x)=\ln(x+\sqrt{1+x^2})$.

解
$$\ln(x+\sqrt{1+x^2})=\int_0^x\frac{\mathrm{d}t}{\sqrt{1+t^2}}=\int_0^x\left[1+\sum_{n=1}^{\infty}(-1)^n\frac{(2n-1)!!}{(2n)!!}t^{2n}\right]\mathrm{d}t$$
$$=x+\sum_{n=1}^{\infty}\left[(-1)^n\frac{(2n-1)!!}{(2n)!!}\frac{x^{2n+1}}{2n+1}\right].$$

收敛区间为 $(-1,1)$. 当 $|x|=1$ 时,级数绝对收敛.故收敛域为 $[-1,1]$.

【2879】 $f(x)=\ln(1-2x\cos\alpha+x^2)$.

解 由 2870 题知,$\frac{x\cos\alpha-x^2}{1-2x\cos\alpha+x^2}=\sum_{n=1}^{\infty}x^n\cos n\alpha$,从而

$$\ln(1-2x\cos\alpha+x^2)=\int_0^x\frac{2t-2\cos\alpha}{1-2t\cos\alpha+t^2}\mathrm{d}t=-2\int_0^x\left(\frac{1}{t}\frac{t\cos\alpha-t^2}{1-2t\cos\alpha+t^2}\right)\mathrm{d}t$$
$$=-2\int_0^x\left(\frac{1}{t}\sum_{n=1}^{\infty}t^n\cos n\alpha\right)\mathrm{d}t=-2\sum_{n=1}^{\infty}\frac{\cos n\alpha}{n}x^n.$$

收敛区间为 $|x|<1$. 当 $|x|=1$ 时,由 2698 题知,当 $0<\alpha<\pi$,级数收敛.故当 $0<\alpha<\pi$ 时,级数的收敛域为 $|x|\leqslant1$. 当 $\alpha=0$ 且 $x=-1$ 时,级数条件收敛.当 $\alpha=0$ 且 $x=1$ 时,级数发散.当 $\alpha=\pi$ 且 $x=1$ 时,级数条件收敛.当 $\alpha=\pi$ 且 $x=-1$ 时,级数发散.

【将下列函数展开成幂级数(2880—2884)】

【2880】 $\int_0^x e^{-t^2}\mathrm{d}t$.

解 $\int_0^x e^{-t^2}\mathrm{d}t=\int_0^x\left[\sum_{n=0}^{\infty}(-1)^n\frac{t^{2n}}{n!}\right]\mathrm{d}t=\sum_{n=0}^{\infty}(-1)^n\frac{x^{2n+1}}{n!(2n+1)}\quad(|x|<+\infty)$.

【2881】 $\int_0^x\frac{\mathrm{d}t}{\sqrt{1-t^4}}$.

解 $\int_0^x\frac{\mathrm{d}t}{\sqrt{1-t^4}}=\int_0^x\left[1+\sum_{n=1}^{\infty}\frac{(2n-1)!!}{(2n)!!}t^{4n}\right]\mathrm{d}t=x+\sum_{n=1}^{\infty}\left[\frac{(2n-1)!!}{(2n)!!}\cdot\frac{x^{4n+1}}{4n+1}\right]\quad(|x|\leqslant1)$.

【2882】 $\int_0^x\frac{\sin t}{t}\mathrm{d}t$.

解 $\int_0^x \frac{\sin t}{t}dt = \int_0^x \left[\sum_{n=0}^{\infty}(-1)^n \frac{t^{2n}}{(2n+1)!}\right]dt = \sum_{n=0}^{\infty}(-1)^n \frac{x^{2n+1}}{(2n+1)!(2n+1)}(|x|<+\infty).$

【2883】 $\int_0^x \frac{\arctan t}{t}dt.$

解 $\int_0^x \frac{\arctan t}{t}dt = \int_0^x \left[\sum_{n=0}^{\infty}(-1)^n \frac{t^{2n}}{2n+1}\right]dt = \sum_{n=0}^{\infty}(-1)^n \frac{x^{2n+1}}{(2n+1)^2}(|x|\leqslant 1).$

【2884】 $\int_0^x \frac{t}{\ln(1+t)}dt$(写出四项).

解 令 $0<|t|<1$,注意

$$\frac{1}{t}\ln(1+t) = \frac{1}{t}\sum_{n=1}^{\infty}(-1)^{n-1}\frac{t^n}{n} = 1-\sum_{m=1}^{\infty}(-1)^{m-1}\frac{t^m}{m+1} = 1-\xi,$$

其中 $\xi = \sum_{m=1}^{\infty}(-1)^{m-1}\frac{t^m}{m+1}$. 又 $\sum_{m=1}^{\infty}(-1)^{m-1}\frac{t^m}{m+1}$ 在 $|t|<1$ 时收敛,且其和 $|\xi|<1$,于是,有

$$\frac{1}{\frac{1}{t}\ln(1+t)} = \frac{1}{1-\xi} = \sum_{n=0}^{\infty}\xi^n.$$

因而,当 $|x|<1$ 时,

$$\int_0^x \frac{t}{\ln(1+t)}dt = \int_0^x \frac{dt}{1-\xi} = \int_0^x \left(\sum_{n=0}^{\infty}\xi^n\right)dt.$$

显然

$$\xi = 1, \xi^1 = \frac{t}{2}-\frac{t^2}{3}+\frac{t^3}{4}-\cdots, \xi^2 = \frac{t^2}{4}-\frac{t^3}{3}+\cdots, \xi^3 = \frac{t^3}{8}-\cdots,$$

于是,$\sum_{n=0}^{\infty}\xi^n = 1+\frac{t}{2}-\frac{t^2}{12}+\frac{t^3}{24}-\cdots$. 从而,当 $|x|<1$ 时,

$$\int_0^x \frac{t}{\ln(1+t)}dt = \int_0^x\left(1+\frac{t}{2}-\frac{t^2}{12}+\frac{t^3}{24}\right)dt + O(x^5) = x+\frac{x^2}{4}-\frac{x^3}{36}+\frac{x^4}{96}+O(x^3).$$

习题2885—2894 运用幂级数的运算法则求函数的幂级数展开式

【2885】 利用不同方法,求下列函数的幂级数展开式:

(1) $f(x) = (1+x)\ln(1+x)$;

(2) $f(x) = \frac{1}{4}\ln\frac{1+x}{1-x}+\frac{1}{2}\arctan x$;

(3) $f(x) = \arctan\frac{2-2x}{1+4x}$;

(4) $f(x) = \arctan\frac{2x}{2-x^2}$;

(5) $f(x) = x\arctan x - \ln\sqrt{1+x^2}$;

(6) $f(x) = \arccos(1-2x^2)$;

(7) $f(x) = x\arcsin x+\sqrt{1-x^2}$;

(8) $f(x) = x\ln(x+\sqrt{1+x^2})-\sqrt{1+x^2}$.

解 (1) $f(x) = (1+x)\sum_{n=1}^{\infty}(-1)^{n-1}\frac{x^n}{n} = x+\sum_{n=1}^{\infty}(-1)^{n+1}\frac{x^{n+1}}{n(n+1)}(|x|<1).$

当 $|x|=1$ 时,级数收敛. 因此,级数的收敛域为$[-1,1]$.

(2) 由 2864 题, $\ln\frac{1+x}{1-x} = 2\sum_{n=0}^{\infty}\frac{x^{2n+1}}{2n+1}(|x|<1).$

由 2876 题, $\arctan x = \sum_{n=0}^{\infty}(-1)^n\frac{x^{2n+1}}{2n+1}(|x|\leqslant 1).$

于是有

$$f(x) = \frac{1}{2}\sum_{n=0}^{\infty}\frac{x^{2n+1}}{2n+1}+\frac{1}{2}\sum_{n=0}^{\infty}(-1)^n\frac{x^{2n+1}}{2n+1} = \sum_{n=0}^{\infty}\frac{x^{4n+1}}{4n+1}(|x|<1).$$

(3) 由于 $f'(x)=\left(\arctan\frac{2-2x}{1+4x}\right)'=-\frac{2}{1+4x^2}$，故

$$\arctan\frac{2-2x}{1+4x}=-2\int_0^x\frac{\mathrm{d}t}{1+4t^2}+\arctan 2=-2\int_0^x\left[\sum_{n=1}^{\infty}(-1)^{n-1}(4t^2)^{n-1}\right]\mathrm{d}t+\arctan 2$$

$$=\arctan 2+\sum_{n=1}^{\infty}(-1)^n\frac{2^{2n-1}}{2n-1}x^{2n-1}\left(|x|<\frac{1}{2}\right).$$

当 $|x|=\frac{1}{2}$ 时，级数为交错级数，且满足莱布尼茨判别法的条件，级数收敛，收敛域为 $\left[-\frac{1}{2},\frac{1}{2}\right]$.

(4) 由于 $f'(x)=\left(\arctan\frac{2x}{2-x^2}\right)'=\frac{4+2x^2}{4+x^4}$，故

$$\arctan\frac{2x}{2-x^2}=\int_0^x\frac{4+2t^2}{4+t^4}\mathrm{d}t=\int_0^x\left[\left(1+\frac{t^2}{2}\right)\cdot\sum_{n=0}^{\infty}(-1)^n\left(\frac{t^4}{4}\right)^n\right]\mathrm{d}t$$

$$=\sum_{n=0}^{\infty}(-1)^{\left[\frac{n}{2}\right]}\frac{x^{2n+1}}{2^n(2n+1)}(|x|<\sqrt{2}).$$

当 $|x|=\sqrt{2}$ 时，级数化为

$$\sqrt{2}\sum_{n=0}^{\infty}(-1)^{\left[\frac{n}{2}\right]}\frac{1}{2n+1}\text{ 及 }-\sqrt{2}\sum_{n=0}^{\infty}(-1)^{\left[\frac{n}{2}\right]}\frac{1}{2n+1},$$

它们均由两收敛级数

$$\sum_{n=0}^{\infty}(-1)^{n-1}\frac{1}{4n+1}\text{ 及 }\sum_{n=0}^{\infty}(-1)^{n-1}\frac{1}{4n+3}$$

逐项相加并分别乘以常数 $\sqrt{2}$ 及 $-\sqrt{2}$ 而得，故它们收敛. 因此，原级数的收敛域为 $[-\sqrt{2},\sqrt{2}]$.

(5)
$$f(x)=x\sum_{n=0}^{\infty}(-1)^n\frac{x^{2n+1}}{2n+1}-\frac{1}{2}\sum_{n=1}^{\infty}(-1)^{n-1}\frac{x^{2n}}{n}$$

$$=\sum_{n=1}^{\infty}(-1)^{n+1}\frac{x^{2n}}{2n(2n+1)}(|x|<1).$$

当 $|x|=1$ 时，交错级数绝对收敛. 因此，级数的收敛域为 $[-1,1]$.

(6) 由于 $f'(x)=\frac{2\operatorname{sgn}x}{\sqrt{1-x^2}}$，$f(0)=0$，故

$$\arccos(1-2x^2)=2\operatorname{sgn}x\int_0^x\frac{\mathrm{d}t}{\sqrt{1-t^2}}=2\operatorname{sgn}x\cdot\int_0^x\left[1+\sum_{n=1}^{\infty}\frac{(2n-1)!!}{(2n)!!}t^{2n}\right]\mathrm{d}t$$

$$=2\operatorname{sgn}x\cdot\left[x+\sum_{n=1}\frac{(2n-1)!!}{(2n)!!}\cdot\frac{x^{2n+1}}{2n+1}\right]$$

$$=2|x|\cdot\left[1+\sum_{n=1}^{\infty}\left(\frac{(2n-1)!!}{(2n)!!}\cdot\frac{x^{2n}}{2n+1}\right)\right](|x|<1).\qquad ①$$

当 $|x|=1$ 时，级数化为 $2\left[1+\sum_{n=1}^{\infty}\frac{(2n-1)!!}{(2n)!!(2n+1)}\right]$. 应用拉贝判别法有

$$\lim_{n\to\infty}n\left(\frac{a_n}{a_{n+1}}-1\right)=\lim_{n\to\infty}\frac{6n^2+5n}{(2n+1)^2}=\frac{3}{2}>1,$$

可知，级数收敛. 因此，级数 ① 的收敛域为 $[-1,1]$.

(7) 由 2877 题，$\arcsin x=x+\sum_{n=1}^{\infty}\frac{(2n-1)!!}{(2n)!!}\frac{x^{2n+1}}{2n+1}(|x|\leqslant 1)$，从而有

$$f(x)=x\left[x+\sum_{n=1}^{\infty}\frac{(2n-1)!!}{(2n)!!}\frac{x^{2n+1}}{2n+1}\right]+\left[1-\frac{x^2}{2}-\sum_{n=1}^{\infty}\frac{(2n-1)!!}{(2n+2)!!}x^{2n+2}\right]$$

$$=1+\frac{x^2}{2}+\sum_{n=1}^{\infty}\frac{(2n-1)!!}{(2n+2)!!}\frac{x^{2n+2}}{2n+1}(|x|<1).$$

当 $|x|=1$ 时，对级数 $\sum_{n=1}^{\infty}\left[\frac{(2n-1)!!}{(2n+2)!!}\frac{1}{2n+1}\right]$ 应用拉贝判别法，有

$$\lim_{n\to\infty} n\left(\frac{a_n}{a_{n+1}}-1\right)=\lim_{n\to\infty}\frac{10n^2+11n}{(2n+1)^2}=\frac{5}{2}>1,$$

收敛. 因此，原级数的收敛域为$[-1,1]$.

(8) 由 2878 题有 $\ln(x+\sqrt{1+x^2})=x+\sum\limits_{n=1}^{\infty}(-1)^n\frac{(2n-1)!!}{2n!!}\frac{x^{2n+1}}{2n+1}(|x|\leqslant 1)$，从而

$$\begin{aligned}f(x)&=x\left[x+\sum_{n=1}^{\infty}(-1)^n\frac{(2n-1)!!}{2n!!}\frac{x^{2n+1}}{2n+1}\right]-\left[1+\frac{1}{2}x^2+\sum_{n=1}^{\infty}(-1)^n\frac{(2n-1)!!}{(2n+2)!!}x^{2n+2}\right]\\&=-1+\frac{x^2}{2}+\sum_{n=1}^{\infty}\left[(-1)^n\frac{(2n-1)!!}{(2n+2)!!}\frac{x^{2n+2}}{2n+1}\right](|x|\leqslant 1).\end{aligned}$$

【对幂级数进行相应的运算，从而求出下列函数的幂级数展开式(2886—2894)】

【2886】 $f(x)=(1+x)e^{-x}$.

解 $f(x)=(1+x)\sum\limits_{n=0}^{\infty}(-1)^n\frac{x^n}{n!}=1+\sum\limits_{n=2}^{\infty}(-1)^{n-1}\frac{n-1}{n!}x^n(|x|<+\infty)$.

【2887】 $f(x)=(1-x)^2\operatorname{ch}\sqrt{x}$.

解 当 $x\geqslant 0$ 时，

$$\operatorname{ch}\sqrt{x}=\frac{e^{\sqrt{x}}+e^{-\sqrt{x}}}{2}=\frac{1}{2}\sum_{n=0}^{\infty}\left[\frac{1}{n!}+\frac{(-1)^n}{n!}\right]x^{\frac{n}{2}}=\sum_{n=0}^{\infty}\frac{x^n}{(2n)!}.$$

当 $x<0$ 时，易知 $\operatorname{ch}\sqrt{x}=\cos\sqrt{|x|}$. 从而

$$\operatorname{ch}\sqrt{x}=\sum_{n=0}^{\infty}(-1)^n\frac{(\sqrt{|x|})^{2n}}{(2n)!}=\sum_{n=0}^{\infty}\frac{x^n}{(2n)!}.$$

于是

$$f(x)=(1-2x+x^2)\sum_{n=0}^{\infty}\frac{x^n}{(2n)!}=1-\frac{3}{2}x+\sum_{n=2}^{\infty}\left[\frac{1}{(2n)!}-\frac{2}{(2n-2)!}+\frac{1}{(2n-4)!}\right]x^n(|x|<+\infty).$$

【2888】 $f(x)=\ln^2(1-x)$.

解

$$\begin{aligned}f(x)&=\left(-x-\frac{x^2}{2}-\frac{x^3}{3}-\cdots\right)^2\\&=\sum_{n=1}^{\infty}\left[\frac{1}{1\cdot n}+\frac{1}{2(n-1)}+\frac{1}{3(n-2)}+\cdots+\frac{1}{n\cdot 1}\right]x^{n+1}\\&=\sum_{n=1}^{\infty}\left[\left(\frac{1}{1}+\frac{1}{n}\right)\frac{1}{n+1}+\left(\frac{1}{2}+\frac{1}{n-1}\right)\frac{1}{n+1}+\cdots+\left(\frac{1}{n}+\frac{1}{1}\right)\frac{1}{n+1}\right]x^{n+1}\\&=2\sum_{n=1}^{\infty}\left(1+\frac{1}{2}+\cdots+\frac{1}{n}\right)\frac{x^{n+1}}{n+1}(|x|<1).\end{aligned}$$

当 $x=-1$ 时，级数化为 $2\sum\limits_{n=1}^{\infty}\left(1+\frac{1}{2}+\cdots+\frac{1}{n}\right)\frac{(-1)^{n+1}}{n+1}$. 由于

$$\left(1+\frac{1}{2}+\cdots+\frac{1}{n}\right)\frac{1}{n+1}>\left(1+\frac{1}{2}+\cdots+\frac{1}{n}+\frac{1}{n+1}\right)\frac{1}{n+2}(n=2,3,\cdots),$$

并且由 118 题有 $1+\frac{1}{2}+\cdots+\frac{1}{n}=C+\ln n+\varepsilon_n$，从而

$$\left(1+\frac{1}{2}+\cdots+\frac{1}{n}\right)\frac{1}{n+1}=\frac{C+\ln n+\varepsilon_n}{n+1}\to 0(n\to\infty),$$

故交错级数收敛.

当 $x=1$ 时，由于 $\sum\limits_{n=1}^{\infty}\frac{C}{n+1}$ 发散且原级数为正项级数，故 $2\sum\limits_{n=1}^{\infty}\left(1+\frac{1}{2}+\cdots+\frac{1}{n}\right)\frac{1}{n+1}$ 发散. 因此 $2\sum\limits_{n=1}^{\infty}\left(1+\frac{1}{2}+\frac{1}{3}+\cdots+\frac{1}{n}\right)\frac{x^{n+1}}{n+1}$ 的收敛域为$[-1,1)$.

【2889】 $f(x)=(1+x^2)\arctan x$.

解 由 2876 题有 $\arctan x=\sum_{n=0}^{\infty}(-1)^n\frac{x^{2n+1}}{2n+1}$,则

$$f(x)=(1+x^2)\sum_{n=0}^{\infty}(-1)^n\frac{x^{2n+1}}{2n+1}=x+\sum_{n=1}^{\infty}(-1)^{n+1}\left(\frac{1}{2n-1}-\frac{1}{2n+1}\right)x^{2n+1}$$

$$=x+2\sum_{n=1}^{\infty}\frac{(-1)^{n+1}}{4n^2-1}x^{2n+1}(|x|\leqslant 1).$$

【2890】 $f(x)=\mathrm{e}^x\cos x$.

解 $\mathrm{e}^x\cos x+\mathrm{e}^x\cdot i\sin x=\mathrm{e}^{x(\mathrm{i}+1)}$,且

$$\mathrm{e}^{x(\mathrm{i}+1)}=\sum_{n=0}^{\infty}\frac{(\mathrm{i}+1)^n}{n!}x^n=\sum_{n=0}^{\infty}\frac{\sqrt{2}^n}{n!}x^n\cdot\mathrm{e}^{\frac{\pi}{4}n\mathrm{i}},$$

故 $\mathrm{e}^x\cos x=\sum_{n=0}^{\infty}\frac{\sqrt{2}^n}{n!}\cdot x^n\cdot\cos\frac{\pi}{4}n$. 从而 $\mathrm{e}^x\cos x=\sum_{n=0}^{\infty}\frac{2^{\frac{n}{2}}\cos\frac{n\pi}{4}}{n!}x^n(|x|<+\infty)$.

【2891】 $f(x)=\mathrm{e}^x\sin x$.

解 利用 2890 题的等式,并比较此等式两端的虚部,即得

$$\mathrm{e}^x\sin x=\sum_{n=1}^{\infty}\frac{2^{\frac{n}{2}}\sin\frac{n\pi}{4}}{n!}x^n(|x|<+\infty).$$

【2892】 $f(x)=\frac{\ln(1+x)}{1+x}$.

解 $$f(x)=\sum_{n_1=0}^{\infty}(-1)^{n_1}\cdot x^{n_1}\sum_{n_2=0}^{\infty}(-1)^{n_2}\frac{x^{n_2+1}}{n_2+1}$$

$$=\sum_{n_1=0}^{\infty}\sum_{n_2=0}^{\infty}(-1)^{n_1+n_2}\frac{x^{n_1+n_2+1}}{n_2+1}=\sum_{n=0}^{\infty}(-1)^n x^{n+1}\sum_{\substack{n_1+n_2=n\\ n_1\geqslant 0,n_2\geqslant 0}}\frac{1}{n_2+1}$$

$$=\sum_{n=1}^{\infty}\left[(-1)^{n-1}\left(1+\frac{1}{2}+\frac{1}{3}+\cdots+\frac{1}{n}\right)x^n\right](|x|<1).$$

当 $|x|=1$ 时,级数发散. 因此,级数的收敛域为 $(-1,1)$.

【2893】 $f(x)=(\arctan x)^2$.

解 由 2876 题有 $\arctan x=\sum_{n=0}^{\infty}(-1)^n\frac{x^{2n+1}}{2n+1}$,于是

$$f(x)=\left(x-\frac{x^3}{3}+\frac{x^5}{5}-\cdots\right)^2$$

$$=\sum_{n=1}^{\infty}(-1)^{n-1}\left[\frac{1}{(2n-1)\cdot 1}+\frac{1}{(2n-3)\cdot 3}+\cdots+\frac{1}{1\cdot(2n-1)}\right]x^{2n}$$

$$=\sum_{n=1}^{\infty}(-1)^{n-1}\left[\left(\frac{1}{2n-1}+\frac{1}{1}\right)\frac{1}{2n}+\left(\frac{1}{2n-3}+\frac{1}{3}\right)\frac{1}{2n}+\cdots+\left(\frac{1}{1}+\frac{1}{2n-1}\right)\frac{1}{2n}\right]x^{2n}$$

$$=\sum_{n=1}^{\infty}(-1)^{n-1}\left(1+\frac{1}{3}+\frac{1}{5}+\cdots+\frac{1}{2n-1}\right)\frac{x^{2n}}{n}(|x|\leqslant 1).$$

【2894】 $f(x)=\left(\frac{\arcsin x}{x}\right)^2$.

解 令 $\varphi(x)=(\arcsin x)^2=\sum_{n=0}^{\infty}a_nx^n(-1<x<1)$,则

$$\varphi'(x)=\frac{2\arcsin x}{\sqrt{1-x^2}}=\sum_{n=0}^{\infty}(n+1)a_{n+1}x^n(-1<x<1).$$

由于 $\varphi(0)=\varphi'(0)=0$,故 $a_0=a_1=0$. 由 $\sqrt{1-x^2}\varphi'(x)=2\arcsin x$,则

$$\sqrt{1-x^2}\varphi''(x)-\frac{x\varphi'(x)}{\sqrt{1-x^2}}=\frac{2}{\sqrt{1-x^2}}(-1<x<1),$$

即

$$(1-x^2)\varphi''(x)-x\varphi'(x)=2(-1<x<1).$$

将 $\varphi(x)$ 的展开式代入,则

$$\sum_{n=2}^{\infty}n(n-1)a_nx^{n-2}-\sum_{n=2}^{\infty}n^2a_nx^n=2,$$

即 $2a_2+6a_3x+\sum\limits_{n=2}^{\infty}[(n+2)(n+1)a_{n+2}-n^2a_n]x^n=2(-1<x<1)$.

比较系数得

$$a_2=1,a_3=0,a_{n+2}=\frac{n^2}{(n+2)(n+1)}a_n(n\geqslant 2).$$

从而

$$a_{2n+1}=0,a_{2n+2}=\frac{2[(2n)!!]^2}{(2n+2)!}=\frac{2^{2n+1}(n!)^2}{(2n+2)!}(n=0,1,2,\cdots).$$

于是

$$\varphi(x)=\sum_{n=0}^{\infty}\frac{2^{2n+1}(n!)^2}{(2n+2)!}x^{2n+2}(-1<x<1).$$

从而得

$$f(x)=\sum_{n=0}^{\infty}\frac{2^{2n+1}(n!)^2}{(2n+2)!}x^{2n}(-1<x<1).$$

当 $|x|=1$ 时. 级数收敛,故收敛域为 $-1\leqslant x\leqslant 1$.

习题 2895—2901 广义幂级数展开式

【2895】 依二项式 $x+1$ 的正整数次幂展开函数 $f(x)=\ln\dfrac{1}{2+2x+x^2}$.

解 $f(x)=-\ln[1+(x+1)^2]=-\sum\limits_{n=1}^{\infty}(-1)^{n-1}\dfrac{1}{n}(x+1)^{2n}=\sum\limits_{n=1}^{\infty}\dfrac{(-1)^n}{n}(x+1)^{2n}$.
收敛域为$[-2,0]$.

【2896】 把函数 $f(x)=\dfrac{1}{1-x}$ 按变量 x 的负整数次幂展开成幂级数.

解 $f(x)=\dfrac{1}{x}\cdot\dfrac{1}{\dfrac{1}{x}-1}=-\dfrac{1}{x}\sum\limits_{n=0}^{\infty}\dfrac{1}{x^n}=-\sum\limits_{n=1}^{\infty}\dfrac{1}{x^n}(|x|>1)$.

【2897】 把函数 $f(x)=\ln x$ 按分式$\dfrac{x-1}{x+1}$的正整数次幂展开成幂级数.

解 由 2864 题可得,$\ln\dfrac{1+x}{1-x}=2\sum\limits_{n=0}^{\infty}\dfrac{x^{2n+1}}{2n+1}(|x|<1)$,故

$$f(x)=\ln\frac{1+\dfrac{x-1}{x+1}}{1-\dfrac{x-1}{x+1}}=2\sum_{n=0}^{\infty}\frac{1}{2n+1}\left(\frac{x-1}{x+1}\right)^{2n+1}(x>0).$$

【2898】 把函数 $f(x)=\dfrac{x}{\sqrt{1+x}}$ 按分式$\dfrac{x}{1+x}$的正整数次幂展开成幂级数.

解 $f(x)=\frac{x}{1+x}\sqrt{1+x}=\frac{x}{1+x}\cdot\frac{1}{\sqrt{1-\frac{x}{x+1}}}=\frac{x}{1+x}\left(1-\frac{x}{1+x}\right)^{-\frac{1}{2}}$

$$=\frac{x}{1+x}\left[1+\sum_{n=1}^{\infty}\frac{(2n-1)!!}{(2n)!!}\left(\frac{x}{1+x}\right)^n\right]=\frac{x}{1+x}+\sum_{n=1}^{\infty}\frac{(2n-1)!!}{(2n)!!}\left(\frac{x}{1+x}\right)^{n+1}.$$

当 $\left|\frac{x}{1+x}\right|<1$，即 $x>-\frac{1}{2}$ 时，级数收敛. 当 $x=-\frac{1}{2}$ 时，由 2689 题的结果知. 因此，级数的收敛域为 $\left[-\frac{1}{2},+\infty\right)$.

【2899】 把函数 $f(x)=\frac{1}{\sqrt{1-2tx+x^2}}$（$|x|<1$）展开为 x 的幂级数.

解 令 $x^2+2|tx|<1$. 记 x^n 的系数为 $P_n(t)$，则

$$\frac{1}{\sqrt{1-2tx+x^2}}=1+P_1(t)x+P_2(t)x^2+\cdots+P_n(t)x^n+\cdots. \qquad ①$$

① 式两端对 x 求导，得

$$\frac{t-x}{(1-2tx+x^2)^{\frac{3}{2}}}=P_1(t)+2P_2(t)x+\cdots+nP_n(t)x^{n-1}+\cdots.$$

比较 ① 式可得

$(1-2tx+x^2)(P_1+2P_2x+\cdots+nP_nx^{n-1}+\cdots)=(t-x)(1+P_1x+P_2x^2+\cdots+P_nx^n+\cdots)$.

比较 x 的同次幂的系数，得

$$P_1(t)=t,2P_2(t)-2tP_1(t)=tP_1(t)-1,\cdots,$$

$$(n+1)P_{n+1}(t)-2ntP_n(t)+(n-1)P_{n-1}(t)=tP_n(t)-P_{n-1}(t).$$

故

$$P_1(t)=t,P_2(t)=\frac{3t^2-1}{2},\cdots,P_{n+1}(t)=\frac{2n+1}{n+1}tP_n(t)-\frac{n}{n+1}P_{n-1}(t). \qquad ②$$

一般来说，由数学归纳法可递推得

$P_n(t)=\frac{(2n-1)!!}{n!}\left[t^n-\frac{n(n-1)}{2(2n-1)}t^{n-2}+\frac{n(n-1)(n-2)(n-3)}{2\cdot4\cdot(2n-1)(2n-3)}t^{n-4}-\cdots\right]$（$n\geqslant1$，勒让德多项式）.

【2900】 设 $f(x)=\sum_{n=0}^{\infty}a_nx^n$，写出函数 $F(x)=\frac{f(x)}{1-x}$ 的展开式.

解 $F(x)=\sum_{n_1=0}^{\infty}a_{n_1}x^{n_1}\sum_{n_2=0}^{\infty}x^{n_2}=\sum_{n=0}^{\infty}\Big(\sum_{\substack{n_1+n_2=n\\ n_1\geqslant0,n_2\geqslant0}}a_{n_1}\Big)x^n=\sum_{n=0}^{\infty}\Big(\sum_{k=0}^{n}a_k\Big)x^n$（$|x|<1$）.

【2901】 写出函数 $f(x)=\left[\sum_{n=0}^{\infty}\frac{x^n}{n+1}\right]^{-1}$ 的幂级数展开式.

解 $f(x)=\left(1+\frac{x}{2}+\frac{x^2}{3}+\frac{x^3}{4}+\cdots\right)^{-1}$

$$=1-\left(\frac{x}{2}+\frac{x^2}{3}+\frac{x^3}{4}+\cdots\right)+\left(\frac{x}{2}+\frac{x^2}{3}+\frac{x^3}{4}+\cdots\right)^2-\left(\frac{x}{2}+\frac{x^2}{3}+\frac{x^3}{4}+\cdots\right)^3+\cdots$$

$$=1-\frac{x}{2}-\frac{x^2}{12}-\frac{x^3}{24}-\cdots(|x|<1).$$

习题 2902—2904 利用泰勒展开式求导数

【2902】 利用展开式

$$f(x+h)-f(x)=hf'(x)+\frac{h^2}{2!}f''(x)+\cdots$$

的唯一性，求下列函数的 n 阶导数：(1) $f(x)=\mathrm{e}^{x^2}$；(2) $f(x)=\mathrm{e}^{\frac{a}{x}}$；(3) $f(x)=\arctan x$.

解 (1) $f(x+h)-f(x)=\mathrm{e}^{(x+h)^2}-\mathrm{e}^{x^2}=\mathrm{e}^{x^2}(\mathrm{e}^{2xh+h^2}-1)$

$$=\mathrm{e}^{x^2}\left[(2xh+h^2)+\frac{1}{2!}(2xh+h^2)^2+\cdots+\frac{1}{n!}(2xh+h^2)^n+\cdots\right],$$

其中 h^n 的系数为

$$\mathrm{e}^{x^2}\left[\frac{1}{n!}(2x)^n+\frac{1}{(n-1)!}C_{n-1}^1(2x)^{n-2}+\frac{1}{(n-2)!}C_{n-2}^2(2x)^{n-4}+\cdots\right]$$

$$=\frac{\mathrm{e}^{x^2}}{n!}\left[(2x)^n+\frac{n(n-1)}{1!}(2x)^{n-2}+\frac{n(n-1)(n-2)(n-3)}{2!}(2x)^{n-4}+\cdots\right].$$

比较系数可得

$$(\mathrm{e}^{x^2})^{(n)}=\mathrm{e}^{x^2}\left[(2x)^n+\frac{n(n-1)}{1!}(2x)^{n-2}+\frac{n(n-1)(n-2)(n-3)}{2!}(2x)^{n-4}+\cdots\right].$$

(2) $$f(x+h)-f(x)=\mathrm{e}^{\frac{a}{x+h}}-\mathrm{e}^{\frac{a}{x}}=\mathrm{e}^{\frac{a}{x}}(\mathrm{e}^{-\frac{ah}{x(x+h)}}-1)=\mathrm{e}^{\frac{a}{x}}(\mathrm{e}^{\frac{-a\frac{h}{x^2}}{1+\frac{h}{x}}}-1)$$

$$=\mathrm{e}^{\frac{a}{x}}(\mathrm{e}^{-\frac{ah}{x^2}+\frac{ah^2}{x^3}-\frac{ah^3}{x^4}+\cdots+(-1)^{n+1}\frac{ah^{n+1}}{x^{n+2}}+\cdots}-1)=\mathrm{e}^{\frac{a}{x}}\sum_{m=1}^{\infty}\frac{1}{m!}\left[\sum_{n=0}^{\infty}(-1)^{n+1}a\frac{h^{n+1}}{x^{n+2}}\right]^m$$

$$=\mathrm{e}^{\frac{a}{x}}\sum_{m=1}^{\infty}\frac{a^m}{m!x^m}\sum_{k_1=0}^{\infty}(-1)^{k_1+1}\left(\frac{h}{x}\right)^{k_1+1}\sum_{k_2=0}^{\infty}(-1)^{k_2+1}\left(\frac{h}{x}\right)^{k_2+1}\cdots$$

$$\sum_{k_m=0}^{\infty}(-1)^{k_m+1}\left(\frac{h}{x}\right)^{k_m+1}$$

$$=\mathrm{e}^{\frac{a}{x}}\sum_{m=1}^{\infty}\frac{a^m}{m!x^m}\sum_{s=0}^{\infty}\sum_{k_1+\cdots+k_m=s}(-1)^{k_1+\cdots+k_m+m}\left(\frac{h}{x}\right)^{k_1+\cdots+k_m+m}$$

$$=\mathrm{e}^{\frac{a}{x}}\sum_{m=1}^{\infty}\left[\frac{(-1)^m a^m}{m!x^m}\left(\frac{h}{x}\right)^m\sum_{s=0}^{\infty}\left(\sum_{k_1+\cdots+k_m=s}1\right)(-1)^s\left(\frac{h}{x}\right)^s\right]$$

$$=\mathrm{e}^{\frac{a}{x}}\sum_{m=1}^{\infty}\left[\frac{(-1)^m a^m}{m!x^m}\left(\frac{h}{x}\right)^m\sum_{s=0}^{\infty}C_{s+m-1}^s(-1)^s\left(\frac{h}{x}\right)^s\right]$$

$$=\mathrm{e}^{\frac{a}{x}}\sum_{m=1}^{\infty}\sum_{s=0}^{\infty}\frac{(-1)^{m+s}a^m}{m!x^m}\left(\frac{h}{x}\right)^{m+s}C_{s+m-1}^s=\mathrm{e}^{\frac{a}{x}}\sum_{m=1}^{\infty}\sum_{\substack{s+m=n\\ s\geqslant 0,m\geqslant 1}}\frac{(-1)^n a^m}{m!x^m}\left(\frac{h}{x}\right)^n C_{n-1}^s$$

$$=\mathrm{e}^{\frac{a}{x}}\sum_{n=1}^{\infty}\frac{(-1)^n}{x^n}\left(\frac{h}{x}\right)^n\sum_{\substack{s+m=n\\ s\geqslant 0,m\geqslant 1}}C_{n-1}^s x^{n-m}\frac{a^m}{m!}$$

$$=\mathrm{e}^{\frac{a}{x}}\sum_{n=1}^{\infty}\frac{(-1)^n}{x^{2n}}h^n\sum_{s=0}^{n-1}C_{n-1}^s\frac{x^s a^{n-s}}{(n-s)!}=\mathrm{e}^{\frac{a}{x}}\sum_{n=1}^{\infty}\frac{1}{n!}A_n h^n,$$

其中 $A_n=\dfrac{(-1)^n}{x^{2n}}\sum\limits_{s=0}^{n-1}s!C_n^sC_{n-1}^s a^{n-s}x^s$. 比较系数可得

$$(\mathrm{e}^{\frac{a}{x}})^{(n)}=\frac{(-1)^n}{x^{2n}}\mathrm{e}^{\frac{a}{x}}\sum_{s=0}^{n-1}s!C_n^sC_{n-1}^s a^{n-s}x^s$$

$$=\frac{(-1)^n}{x^{2n}}\mathrm{e}^{\frac{a}{x}}\left[a^n+\frac{n(n-1)}{1!}a^{n-1}x+\frac{n(n-1)\cdot(n-1)(n-2)}{2!}a^{n-2}x^2+\right.$$

$$\left.\frac{n(n-1)(n-2)\cdot(n-1)(n-2)(n-3)}{3!}a^{n-3}x^3+\cdots\right].$$

注 $\sum\limits_{\substack{k_1+\cdots+k_m=s\\ k_1\geqslant 0,\cdots,k_m\geqslant 0}} 1=C_{s+m-1}^{s}$ 推导如下：

令 $|t|<1$，由 $\frac{1}{1-t}=\sum\limits_{k=0}^{\infty}t^k$，则

$$\left(\frac{1}{1-t}\right)^m=\sum_{k_1=0}^{\infty}t^{k_1}\sum_{k_2=0}^{\infty}t^{k_2}\cdots\sum_{k_m=0}^{\infty}t^{k_m}=\sum_{s=0}^{\infty}\sum_{k_1+\cdots+k_m=s}t^{k_1+k_2+\cdots+k_m}=\sum_{s=0}^{\infty}\left(\sum_{k_1+\cdots+k_m=s}1\right)t^s$$

$$=\sum_{s=0}^{\infty}P_s t^s,$$

其中 $P_s=\sum\limits_{k_1+\cdots+k_m=s}1$. 又

$$\left(\frac{1}{1-t}\right)^m=(1-t)^{-m}=\sum_{s=0}^{\infty}\frac{(-m)(-m-1)\cdots(-m-s+1)}{s!}(-1)^s t^s$$

$$=\sum_{s=0}^{\infty}(-1)^{2s}\frac{m(m+1)\cdots(m+s-1)}{s!}t^s=\sum_{s=0}^{\infty}C_{m+s-1}^{s}t^s,$$

从而 $P_s=C_{m+s-1}^{s}$.

(3) 根据 $\arctan x+\arctan y=\arctan\frac{x+y}{1-xy}$，令 $y=\dfrac{\frac{h}{1+x^2}}{1+\frac{x}{1+x^2}h}$，则 $\frac{x+y}{1-xy}=x+h$. 于是

$$f(x+h)-f(x)=\arctan(x+h)-\arctan x=\arctan\frac{x+y}{1-xy}-\arctan x=\arctan y$$

$$=\arctan\left(\frac{h}{1+x^2}\cdot\frac{1}{1+\frac{x}{1+x^2}h}\right).$$

由 2876 题的结果知，当 $|y|\leqslant 1$ 时，有

$$\arctan y=\sum_{m=0}^{\infty}(-1)^m\frac{y^{2m+1}}{2m+1}.$$

令 $|x|\leqslant 1$，则

$$y=\frac{h}{1+x^2}\cdot\frac{1}{1+\frac{x}{1+x^2}h}=\frac{h}{1+x^2}\sum_{k=0}^{\infty}(-1)^k\left(\frac{x}{1+x^2}h\right)^k.$$

于是

$$f(x+h)-f(x)=\sum_{m=0}^{\infty}(-1)^m\frac{1}{2m+1}\left[\frac{h}{1+x^2}\sum_{k=0}^{\infty}(-1)^k\left(\frac{x}{1+x^2}h\right)^k\right]^m$$

$$=1+\sum_{m=1}^{\infty}(-1)^m\frac{1}{2m+1}\left(\frac{h}{1+x^2}\right)^m\cdot\sum_{k_1=0}^{\infty}\sum_{k_2=0}^{\infty}\cdots\sum_{k_m=0}^{\infty}(-1)^{k_1+k_2+\cdots+k_m}\left(\frac{xh}{1+x^2}\right)^{k_1+k_2+\cdots+k_m}$$

$$=1+\sum_{m=1}^{\infty}(-1)^m\frac{1}{2m+1}\left(\frac{h}{1+x^2}\right)^m\cdot\sum_{s=0}^{\infty}\left(\sum_{k_1+\cdots+k_m=s}1\right)(-1)^s\left(\frac{xh}{1+x^2}\right)^s$$

$$=1+\sum_{m=1}^{\infty}\sum_{s=0}^{\infty}(-1)^m\frac{1}{2m+1}\left(\frac{h}{1+x^2}\right)^{m+s}x^s(-1)^s C_{m+s-1}^{s}$$

$$=1+\sum_{n=1}^{\infty}\sum_{\substack{m+s=n\\ m\geqslant 1,s\geqslant 0}}(-1)^{m+s}\left(\frac{h}{1+x^2}\right)^{m+s}\frac{x^s}{2m+1}C_{m+s-1}^{s}=1+\sum_{n=1}^{\infty}(-1)^n\left(\frac{h}{1+x^2}\right)^n A_n,$$

其中 $A_n=\sum\limits_{\substack{m+s=n\\ m\geqslant 1,s\geqslant 0}}\frac{x^s}{2m+1}C_{n-1}^{s}=\sum\limits_{s=0}^{n-1}\frac{x^s}{2(n-s)+1}C_{n-1}^{s}\ (n=1,2,\cdots)$.

比较系数可得

$$(\arctan x)^{(n)}=(-1)^n\frac{n!}{(1+x^2)^n}A_n=(-1)^n\frac{n!}{(1+x^2)^n}\sum_{s=0}^{n-1}\frac{x^s}{2(n-s)+1}C_{n-1}^s$$

$$=(-1)^n\frac{n!}{(1+x^2)^n}\left[\frac{1}{3}x^{n-1}+\frac{1}{5}(n-1)x^{n-2}+\cdots\right].$$

【2903】 证明:级数 $y=\sum\limits_{n=0}^{\infty}\frac{x^{4n}}{(4n)!}$ 满足方程 $y^{(4)}=y$.

证 级数收敛域为$(-\infty,+\infty)$. 逐项微分,则

$$y'=\sum_{n=1}^{\infty}\frac{x^{4n-1}}{(4n-1)!},y''=\sum_{n=1}^{\infty}\frac{x^{4n-2}}{(4n-2)!},y'''=\sum_{n=1}^{\infty}\frac{x^{4n-3}}{(4n-3)!},y^{(4)}=\sum_{n=1}^{\infty}\frac{x^{4n-4}}{(4n-4)!},$$

于是 $y^{(4)}=\sum\limits_{n=0}^{\infty}\frac{x^{4n}}{(4n)!}=y$.

【2904】 证明:级数 $y=\sum\limits_{n=0}^{\infty}\frac{x^n}{(n!)^2}$ 满足方程 $xy''+y'-y=0$.

证 级数收敛域为$(-\infty,+\infty)$. 逐项微分,则

$$y'=\sum_{n=1}^{\infty}\frac{x^{n-1}}{(n-1)!n!}=\sum_{n=0}^{\infty}\frac{x^n}{n!(n+1)!},y''=\sum_{n=1}^{\infty}\frac{x^{n-1}}{(n-1)!(n+1)!}.$$

于是

$$xy''+y'=1+\sum_{n=1}^{\infty}\left[\frac{1}{(n-1)!(n+1)!}+\frac{1}{n!(n+1)!}\right]x^n=1+\sum_{n=1}^{\infty}\frac{x^n}{(n!)^2}=\sum_{n=0}^{\infty}\frac{x^n}{(n!)^2}=y.$$

从而 $xy''+y'-y=0$.

习题 2905—2907 利用泰勒展开式研究函数之间的关系

【2905】 设 $f(x)=\sum\limits_{n=0}^{\infty}\frac{x^n}{n!}$,证明:$f(x)f(y)=f(x+y)$.

证
$$f(x)f(y)=\sum_{n_1=0}^{\infty}\frac{x^{n_1}}{(n_1)!}\sum_{n_2=0}^{\infty}\frac{y^{n_2}}{(n_2)!}=\sum_{n_1=0}^{\infty}\sum_{n_2=0}^{\infty}\frac{1}{(n_1)!(n_2)!}x^{n_1}y^{n_2}$$

$$=\sum_{n=0}^{\infty}\sum_{n_1+n_2=n}\frac{1}{(n_1)!(n_2)!}x^{n_1}y^{n_2}=\sum_{n=0}^{\infty}\frac{1}{n!}\Big(\sum_{n_1+n_2=n}\frac{n!}{(n_1)!(n_2)!}x^{n_1}y^{n_2}\Big)$$

$$=\sum_{n=0}^{\infty}\frac{1}{n!}\Big(\sum_{n_1=0}^{\infty}C_n^{n_1}x^{n_1}y^{n-n_1}\Big)=\sum_{n=0}^{\infty}\frac{(x+y)^n}{n!}=f(x+y).$$

上述级数在 $|x|<+\infty$ 及 $|y|<+\infty$ 都绝对收敛,故重新组合是允许的.

注 事实上,$f(x)=e^x$,等式 $f(x)f(y)=f(x+y)$ 即为指数函数的特征.

级数收敛半径为 R,故收敛域为 R. 由

$$f'(x)=\sum_{n=1}^{\infty}\frac{x^{n-1}}{(n-1)!}=\sum_{n=0}^{\infty}\frac{x^n}{n!}=f(x),\text{则 } f(x)=ce^x.$$

又 $f(0)=1$,则 $c=1$. 故 $f(x)=e^x$. 从而 $f(x)f(y)=f(x+y)$.

【2906】 若

$$\sin x=\sum_{n=0}^{\infty}(-1)^n\frac{x^{2n+1}}{(2n+1)!},\cos x=\sum_{n=0}^{\infty}(-1)^n\frac{x^{2n}}{(2n)!}.$$

证明:(1)$\sin x\cos x=\frac{1}{2}\sin 2x$;(2)$\sin^2x+\cos^2x=1$.

证 由于 $\sin x$ 及 $\cos x$ 的幂级数展开式在 $|x|<+\infty$ 内绝对收敛，故级数相乘或相加减后，仍绝对收敛，且可重新组合. 因此，以下的级数运算都是合理的.

(1)
$$\sin x\cos x=\sum_{n_1=0}^{\infty}(-1)^{n_1}\frac{x^{2n_1+1}}{(2n_1+1)!}\sum_{n_2=0}^{\infty}(-1)^{n_2}\frac{x^{2n_2}}{(2n_2)!}$$
$$=\sum_{n=0}^{\infty}\sum_{\substack{n_1+n_2=n\\ n_1\geqslant 0,n_2\geqslant 0}}(-1)^{n_1+n_2}\frac{x^{2n_1+2n_2+1}}{(2n_1+1)!(2n_2)!}$$
$$=\sum_{n=0}^{\infty}\left[(-1)^n x^{2n+1}\sum_{\substack{n_1+n_2=n\\ n_1\geqslant 0,n_2\geqslant 0}}\frac{1}{(2n_1+1)!(2n_2)!}\right]=\sum_{n=0}^{\infty}(-1)^n A_n x^{2n+1},$$

其中
$$A_n=\sum_{\substack{n_1+n_2=n\\ n_1\geqslant 0,n_2\geqslant 0}}\frac{1}{(2n_1+1)!(2n_2)!}=\sum_{\substack{2n_1+1+2n_2=2n+1\\ n_1\geqslant 0,\\ n_2\geqslant 0}}\frac{1}{(2n_1+1)!(2n_2)!}$$
$$=\frac{1}{(2n+1)!}\sum_{\substack{k_1+k_2=2n+1\\ k_1\text{奇数}\\ k_2\text{偶数}}}\frac{(2n+1)!}{(k_1)!(k_2)!}=\frac{1}{(2n+1)!}\cdot\frac{1}{2}\Big(\sum_{k_1\text{奇},k_2\text{偶}}+\sum_{k_1\text{偶},k_2\text{奇}}\Big)$$
$$=\frac{1}{(2n+1)!}\cdot\frac{1}{2}\sum_{k=0}^{2n+1}\frac{(2n+1)!}{k!(2n+1-k)!}=\frac{1}{2}\cdot\frac{1}{(2n+1)!}2^{2n+1}.$$

从而得 $\sin x\cos x=\frac{1}{2}\sum_{n=0}^{\infty}(-1)^n\frac{(2x)^{2n+1}}{(2n+1)!}=\frac{1}{2}\sin 2x.$

(2) $\sin^2 x+\cos^2 x$
$$=\sum_{n_1=0}^{\infty}\sum_{n_2=0}^{\infty}(-1)^{n_1+n_2}\frac{x^{2(n_1+n_2)+2}}{(2n_1+1)!(2n_2+1)!}+\sum_{k_1=0}^{\infty}\sum_{k_2=0}^{\infty}(-1)^{k_1+k_2}\frac{x^{2(k_1+k_2)}}{(2k_1)!(2k_2)!}$$
$$=\sum_{n=0}^{\infty}\left[(-1)^n x^{2n+2}\sum_{\substack{n_1+n_2=n\\ n_1\geqslant 0,n_2\geqslant 0}}\frac{1}{(2n_1+1)!(2n_2+1)!}\right]+\sum_{m=0}^{\infty}\left[(-1)^m x^{2m}\sum_{\substack{k_1+k_2=m\\ k_1\geqslant 0,k_2\geqslant 0}}\frac{1}{(2k_1)!(2k_2)!}\right]$$
$$=1+\sum_{m=1}^{\infty}+\sum_{n=0}^{\infty}=1+\sum_{n=0}^{\infty}(-1)^{n+1}x^{2n+2}A_n,$$

其中
$$A_n=\sum_{\substack{k_1+k_2=n+1\\ k_1\geqslant 0,k_2\geqslant 0}}\frac{1}{(2k_1)!(2k_2)!}-\sum_{\substack{n_1+n_2=n\\ n_1\geqslant 0,n_2\geqslant 0}}\frac{1}{(2n_1+1)!(2n_2+1)!}$$
$$=\frac{1}{(2n+2)!}\left[\sum_{\substack{2k_1+2k_2=2n+2\\ k_1\geqslant 0,k_2\geqslant 0}}\frac{(2n+2)!}{(2k_1)!(2k_2)!}-\sum_{\substack{(2n_1+1)+(2n_2+1)=2n+2\\ n_1\geqslant 0,n_2\geqslant 0}}\frac{(2n+2)!}{(2n_1+1)!(2n_2+1)!}\right]$$
$$=\frac{1}{(2n+2)!}\left[\sum_{k'=0,2,\cdots,2n+2}C_{2n+2}^{k'}-\sum_{l'=1,3,\cdots,2n+1}C_{2n+2}^{l'}\right]$$
$$=\frac{1}{(2n+2)!}\left[\sum_{s=0,2,\cdots,2n+2}(-1)^s C_{2n+2}^{s}+\sum_{s=1,3,\cdots,2n+1}(-1)^s C_{2n+2}^{s}\right]$$
$$=\frac{1}{(2n+2)!}\sum_{s=0}^{2n+2}(-1)^s C_{n+2}^{s}=\frac{1}{(2n+2)!}[1+(-1)]^{2n+2}=0(n=0,1,2,\cdots).$$

因而得 $\sin^2 x+\cos^2 x=1(|x|<+\infty)$.

【2907】 设
$$\sec x=\sum_{n=0}^{\infty}\frac{E_n}{(2n)!}x^{2n}.$$

求系数 E_n(欧拉数)的递推公式.

解 在等式 $\sec x=\sum_{n=0}^{\infty}\frac{E_n}{(2n)!}x^{2n}$ 的两端同乘 $\cos x$，并注意 $\cos x$ 的展开式，有

$$\begin{aligned}1=\cos x\sum_{s=0}^{\infty}\frac{E_s}{(2s)!}x^{2s}&=\sum_{k=0}^{\infty}(-1)^k\frac{x^{2k}}{(2k)!}\sum_{s=0}^{\infty}\frac{E_s}{(2s)!}x^{2s}\\&=\sum_{n=0}^{\infty}\sum_{s+k=n}(-1)^kx^{2(k+s)}\frac{E_s}{(2k)!(2s)!}\\&=\sum_{n=0}^{\infty}\left[\sum_{s+k=n}(-1)^k\frac{E_s}{(2k)!(2s)!}\right]x^{2n}=\sum_{n=0}^{\infty}A_nx^{2n}.\end{aligned}$$

故 $A_0=E_0=1,A_n=0(n=1,2,\cdots)$，其中

$$A_n=\sum_{k+s=n}(-1)^k\frac{E_s}{(2k)!(2s)!}=\sum_{k=0}^{\infty}(-1)^k\frac{E_{n-k}}{(2k)!(2n-2k)!}.$$

从而

$$\sum_{k=0}^{n}(-1)^k\frac{E_{n-k}}{(2k)!(2n-2k)!}=0(n=1,2,\cdots).$$

注 例如，已知 E_0，由上式令 $n=1$，可得 $E_1-E_0=0$，从而 $E_1=E_0=1$. 由 E_0 和 E_1，令 $n=2$，又可推出 $E_2,\cdots$. 一般来说，由 $E_0,E_1,E_2,\cdots,E_{n-1}$，从上式可推出 E_n.

习题 2908—2915 利用逐项微分和积分求幂级数的和

【运用逐项微分法计算下列级数的和(2908—2912)】

【2908】 $x+\frac{x^3}{3}+\frac{x^5}{5}+\cdots$.

解 设 $F(x)=x+\frac{x^3}{3}+\frac{x^5}{5}+\cdots,-1<x<1$. 逐项微分，得

$$F'(x)=1+x^2+x^4+\cdots=\frac{1}{1-x^2}.$$

注意 $F(0)=0$，即得

$$F(x)=\int_0^x\frac{\mathrm{d}t}{1-t^2}=\frac{1}{2}\ln\frac{1+x}{1-x}(|x|<1).$$

从而 $\sum_{n=0}^{\infty}\frac{x^{2n+1}}{2n+1}=\frac{1}{2}\ln\frac{1+x}{1-x},-1<x<1$.

【2909】 $x-\frac{x^3}{3}+\frac{x^5}{5}-\cdots$.

解 设 $F(x)=x-\frac{x^3}{3}+\frac{x^5}{5}-\frac{x^7}{7}+\cdots,-1\leqslant x\leqslant 1$. 逐项微分，则

$$F'(x)=1-x^2+x^4-\cdots=\frac{1}{1+x^2}.$$

注意 $F(0)=0$，即得

$$F(x)=\int_0^x\frac{\mathrm{d}t}{1+t^2}=\arctan x.$$

从而 $\sum_{n=0}^{\infty}(-1)^n\frac{x^{2n+1}}{2n+1}=\arctan x,|x|\leqslant 1$.

【2910】 $1+\frac{x^2}{2!}+\frac{x^4}{4!}+\cdots$.

解 设 $F(x)=1+\frac{x^2}{2!}+\frac{x^4}{4!}+\cdots,x\in\mathbf{R}$. 逐项微分，则

$$F'(x)=x+\frac{x^3}{3!}+\frac{x^5}{5!}+\cdots.$$

从而

$$F(x)-F'(x)=1-x+\frac{x^2}{2!}-\frac{x^3}{3!}+\cdots=e^{-x}. \quad ①$$

$$F(x)+F'(x)=1+x+\frac{x^2}{2!}+\frac{x^3}{3!}+\cdots=e^{x}. \quad ②$$

将 ① 式和 ② 式相加，可得 $F(x)=\sum_{n=0}^{\infty}\frac{x^{2n}}{(2n)!}=\frac{e^x+e^{-x}}{2}=\operatorname{ch}x(|x|<+\infty)$.

【2911】 $\frac{x}{1\cdot2}+\frac{x^2}{2\cdot3}+\frac{x^3}{3\cdot4}+\cdots$.

解 设 $F(x)=\frac{x}{1\cdot2}+\frac{x^2}{2\cdot3}+\frac{x^3}{3\cdot4}+\cdots,x\in[-1,1]$，逐项微分，则

$$F'(x)=\frac{1}{1\cdot2}+\frac{x}{3}+\frac{x^2}{4}+\cdots=-\frac{1}{x}+\frac{1}{x^2}\left(x+\frac{x^2}{2}+\frac{x^3}{3}+\frac{x^4}{4}+\cdots\right)$$

$$=-\frac{1}{x}+\frac{1}{x^2}[-\ln(1-x)](0<|x|<1).$$

注意 $F(0)=0$，则

$$F(x)=\int_0^x F'(t)\mathrm{d}t=1+\frac{1-x}{x}\ln(1-x)(0<|x|<1).$$

当 $x=0$ 时，级数收敛于零.

当 $x=1$ 时，级数化为$\frac{1}{1\cdot2}+\frac{1}{2\cdot3}+\frac{1}{3\cdot4}+\cdots$，记 $S_n=\frac{1}{1\cdot2}+\frac{1}{2\cdot3}+\cdots+\frac{1}{n(n+1)}$，则

$$S_n=\left(1-\frac{1}{2}\right)+\left(\frac{1}{2}-\frac{1}{3}\right)+\cdots+\left(\frac{1}{n}-\frac{1}{n+1}\right)=1-\frac{1}{n+1},$$

$$\lim_{n\to\infty}S_n=\lim_{n\to\infty}\left(1-\frac{1}{n+1}\right)=1,$$

故 $x=1$ 时，级数收敛于 1.

当 $x=-1$ 时，级数化为 $-\frac{1}{1\cdot2}+\frac{1}{2\cdot3}-\frac{1}{3\cdot4}+\cdots$. 由于

$$-\frac{1}{1\cdot2}+\frac{1}{2\cdot3}-\frac{1}{3\cdot4}+\cdots=-\left(1-\frac{1}{2}\right)+\left(\frac{1}{2}-\frac{1}{3}\right)-\left(\frac{1}{3}-\frac{1}{4}\right)+\cdots$$

$$=2\left(-1+\frac{1}{2}-\frac{1}{3}+\frac{1}{4}\cdots\right)+1=1-2\ln 2,$$

故 $x=-1$ 时，级数收敛于 $1-2\ln 2$.

综上可知

$$\sum_{n=1}^{\infty}\frac{x^n}{n(n+1)}=\begin{cases}1+\frac{1-x}{x}\ln(1-x), & 0<|x|<1.\\ 0, & x=0.\\ 1-2\ln 2, & x=-1.\\ 1, & x=1.\end{cases}$$

【2912】 $1+\frac{1}{2}x+\frac{1\cdot3}{2\cdot4}x^2+\frac{1\cdot3\cdot5}{2\cdot4\cdot6}x^3+\cdots$.

解 设 $F(x)=1+\frac{1}{2}x+\frac{1\cdot3}{2\cdot4}x^2+\frac{1\cdot3\cdot5}{2\cdot4\cdot6}x^3+\cdots$，在收敛域内逐项微分，得

$$F'(x)=\frac{1}{2}+\frac{1\cdot3}{2\cdot4}2x+\frac{1\cdot3\cdot5}{2\cdot4\cdot6}3x^2+\cdots.$$

两端同乘 $1-x$，则

$$(1-x)F'(x)=\frac{1}{2}+\frac{1}{4}x+\frac{1}{2}\cdot\frac{1\cdot3}{2\cdot4}x^2+\frac{1}{2}\cdot\frac{1\cdot3\cdot5}{2\cdot4\cdot6}x^4+\cdots=\frac{1}{2}F(x).$$

即 $\frac{F'(x)}{F(x)}=\frac{1}{2(1-x)}$，积分可得 $\ln F(x)=\ln\frac{1}{\sqrt{1-x}}$ 或

$$F(x)=\sum_{n=1}^{\infty}\frac{(2n-1)!!}{(2n)!!}x^n+1=\frac{1}{\sqrt{1-x}}(|x|<1).$$

当 $x=1$ 时，应用拉贝判别法：$\lim\limits_{n\to\infty}n\left(\frac{a_n}{a_{n+1}}-1\right)=\frac{1}{2}$. 因此，级数发散.

当 $x=-1$ 时，利用 2689 题的结果知，级数条件收敛. 于是

$$1+\sum_{n=1}^{\infty}\frac{(2n-1)!!}{(2n)!!}x^n=\frac{1}{\sqrt{1-x}}(-1\leqslant x<1).$$

【运用逐项积分法计算下列级数的和(2913—2915)】

【2913】 $x+2x^2+3x^3+\cdots$.

解 设 $F(x)=x+2x^2+3x^3+\cdots$，在收敛域 $(-1,1)$ 内逐项积分，得

$$\begin{aligned}\int_0^x F(t)\mathrm{d}t&=\frac{1}{2}x^2+\frac{2}{3}x^3+\frac{3}{4}x^4+\cdots\\&=\left(1-\frac{1}{2}\right)x^2+\left(1-\frac{1}{3}\right)x^3+\left(1-\frac{1}{4}\right)x^4+\cdots\\&=(x^2+x^3+x^4+\cdots)-\left(\frac{1}{2}x^2+\frac{1}{3}x^3+\frac{1}{4}x^4+\cdots\right)\\&=x(1+x+x^2+\cdots)-\left(x+\frac{1}{2}x^2+\frac{1}{3}x^3+\cdots\right)=\frac{x}{1-x}+\ln(1-x)(|x|<1).\end{aligned}$$

从而

$$F(x)=\sum_{n=1}^{\infty}nx^n=\left[\frac{x}{1-x}+\ln(1-x)\right]'=\frac{x}{(1-x)^2}(|x|<1).$$

当 $|x|=1$ 时，级数发散.

【2914】 $x-4x^2+9x^3-16x^4+\cdots$.

解 设 $F(x)=x-4x^2+9x^3-16x^4+\cdots$，在收敛域内逐项积分，得

$$\begin{aligned}\int_0^x F(t)\mathrm{d}t&=\frac{1}{2}x^2-\frac{4}{3}x^3+\frac{9}{4}x^4-\frac{16}{5}x^5+\cdots\\&=\frac{1}{2}x^2-\left(1+\frac{1}{3}\right)x^3+\left(2+\frac{1}{4}\right)x^4-\left(3+\frac{1}{5}\right)x^5+\cdots\\&=x+\left(-x+\frac{1}{2}x^2-\frac{1}{3}x^3+\cdots\right)-x^3(1-2x+3x^2-\cdots)\\&=x-\ln(1+x)-x^3\left(\frac{x}{1+x}\right)'=x-\ln(1+x)-\frac{x^3}{(1+x)^2}(|x|<1).\end{aligned}$$

从而

$$F(x)=\sum_{n=1}^{\infty}(-1)^{n-1}n^2x^n=\left[x-\ln(1+x)-\frac{x^4}{(1+x)^2}\right]'=\frac{x(1-x)}{(1+x)^3}(|x|<1).$$

当 $|x|=1$ 时，级数发散.

【2915】 $1\cdot2x+2\cdot3x^2+3\cdot4x^3+\cdots$.

解 设 $F(x)=1\cdot2x+2\cdot3x^2+3\cdot4x^3+\cdots$，在收敛域内逐项积分，并利用 2913 题得

$$\int_0^x F(t)\mathrm{d}t=x^2+2x^3+3x^4+\cdots=x(x+2x^2+3x^3+\cdots)=\frac{x^2}{(1-x)^2}(|x|<1).$$

于是

$$F(x)=\sum_{n=1}^{\infty}n(n+1)x^n=\frac{2x}{(1-x)^3}(|x|<1).$$

当 $|x|=1$ 时,级数发散.

知识点 4 复数域内的幂级数

研究级数

$$\sum_{n=0}^{\infty}c_n(z-a)^n,$$

其中 $c_n=a_n+\mathrm{i}b_n, a=\alpha+\mathrm{i}\beta, z=x+\mathrm{i}y, \mathrm{i}^2=-1$. 存在收敛圆 $|z-a|<R$,使得级数在其内收敛(并且绝对收敛),而在其外发散. 收敛半径 R 等于幂级数 $\sum\limits_{n=0}^{\infty}|c_n|r^n$ 在实数域内的收敛半径.

习题 2916—2920 在复数域内求幂级数的收敛半径和收敛圆

【求在复数域内下列幂级数的收敛半径及收敛圆(2916—2920)】

【2916】 $\sum\limits_{n=1}^{\infty}\dfrac{(z-1-\mathrm{i})^n}{n\cdot 2^n}$.

解 记 $c_n=\dfrac{1}{n\cdot 2^n}$. 由于 $\lim\limits_{n\to\infty}\left|\dfrac{c_n}{c_{n+1}}\right|=2$,故收敛半径 $R=2$. 收敛圆为 $|z-1-i|<2$,即

$$(x-1)^2+(y-1)^2<4.$$

【2917】 $\sum\limits_{n=1}^{\infty}\dfrac{(1+\mathrm{i})^n z^n}{(n+1)(n+2)}$.

解 记 $c_n=\dfrac{(1+\mathrm{i})^n}{(n+1)(n+2)}$. 由于 $\lim\limits_{n\to\infty}\left|\dfrac{c_n}{c_{n+1}}\right|=\dfrac{1}{|1+\mathrm{i}|}=\dfrac{1}{\sqrt{2}}$,故收敛半径 $R=\dfrac{1}{\sqrt{2}}$. 收敛圆为 $|z|<\dfrac{1}{\sqrt{2}}$,即 $x^2+y^2<\dfrac{1}{2}$.

【2918】 $\sum\limits_{n=1}^{\infty}\dfrac{n!z^n}{(1+\mathrm{i})(1+2\mathrm{i})\cdots(1+n\mathrm{i})}$.

解 记 $c_n=\dfrac{n!}{(1+\mathrm{i})(1+2\mathrm{i})\cdots(1+n\mathrm{i})}$. 由于

$$\lim_{n\to\infty}\left|\frac{c_n}{c_{n+1}}\right|=\lim_{n\to\infty}\frac{|1+(n+1)i|}{n+1}=\lim_{n\to\infty}\frac{\sqrt{1+(n+1)^2}}{n+1}=1,$$

故收敛半径 $R=1$. 收敛圆为 $|z|<1$,即 $x^2+y^2<1$.

【2919】 $\sum\limits_{n=1}^{\infty}\dfrac{z^n}{n^{\alpha+\mathrm{i}\beta}}$.

解 记 $c_n=\dfrac{1}{n^{\alpha+\mathrm{i}\beta}}$. 由于

$$\lim_{n\to\infty}\left|\frac{c_n}{c_{n+1}}\right|=\lim_{n\to\infty}\left|\left(\frac{n+1}{n}\right)^{\alpha+\mathrm{i}\beta}\right|=\lim_{n\to\infty}\left(\frac{n+1}{n}\right)^{\alpha}=1,$$

故收敛半径 $R=1$. 收敛圆为 $|z|<1$,即 $x^2+y^2<1$.

【2920】 $\sum\limits_{n=1}^{\infty}\dfrac{(z-\mathrm{e}^{\mathrm{i}\alpha})^n}{n(1-\mathrm{e}^{\mathrm{i}\alpha})^n}$.

解 记 $c_n=\dfrac{1}{n(1-e^{i\alpha})^n}$. 由于

$$\lim_{n\to\infty}\left|\frac{c_n}{c_{n+1}}\right|=\lim_{n\to\infty}\left|\frac{n+1}{n}(1-e^{i\alpha})\right|=|1-(\cos\alpha+i\sin\alpha)|$$

$$=\sqrt{(1-\cos\alpha)^2+\sin^2\alpha}=\left|2\sin\frac{\alpha}{2}\right|,$$

故收敛半径 $R=\left|2\sin\dfrac{\alpha}{2}\right|$. 收敛圆为 $|z-e^{i\alpha}|<\left|2\sin\dfrac{\alpha}{2}\right|$，即

$$(x-\cos\alpha)^2+(y-\sin\alpha)^2<4\sin^2\frac{\alpha}{2}.$$

知识点5 泰勒展开式余项 $R_n(x)$ 的表示

泰勒展开式余项 $R_n(x)$ 有以下3种表示形式：

(1) $R_n(x)=\dfrac{f^{(n+1)}[a+\theta(x-a)]}{(n+1)!}(x-a)^{n+1}\ (0<\theta<1)$（拉格朗日形式）；

(2) $R_n(x)=\dfrac{f^{(n+1)}[a+\theta_1(x-a)]}{n!}(1-\theta_1)^n(x-a)^{n+1}\ (0<\theta_1<1)$（柯西形式）；

(3) $R_n(x)=\dfrac{1}{n!}\int_0^x f^{(n+1)}(t)(x-a)^n\mathrm{d}t$（积分形式）.

习题2921—2935 利用余项进行近似计算

【2921】 利用牛顿二项式公式，近似计算 $\sqrt[3]{9}$，并且估计当只取展开式的前三项时的误差.

解 $\sqrt[3]{9}=2\left(1+\dfrac{1}{8}\right)^{\frac{1}{3}}=2\left(1+\dfrac{1}{3}\cdot\dfrac{1}{8}-\dfrac{1}{2!}\cdot\dfrac{1}{3}\cdot\dfrac{2}{3}\cdot\dfrac{1}{8^2}+\dfrac{1}{3!}\cdot\dfrac{1}{3}\cdot\dfrac{2}{3}\cdot\dfrac{5}{3}\cdot\dfrac{1}{8^3}-\cdots\right)$.

当 $n=3$ 时，误差

$$|R_3|<2\cdot\frac{1}{3!}\cdot\frac{2\cdot5}{3^3}\cdot\frac{1}{8^3}=\frac{10}{3^4\cdot8^3}<0.001.$$

故

$$\sqrt[3]{9}\approx2\left(1+\frac{1}{3}\cdot\frac{1}{8}-\frac{1}{2!}\cdot\frac{2}{3^2}\cdot\frac{1}{8^2}\right)\approx2.080.$$

【2922】 近似计算并估计相应误差：

(1) $\arctan 1.2$； (2) $\sqrt[10]{1\,000}$； (3) $\dfrac{1}{\sqrt{e}}$； (4) $\ln 1.25$.

解 (1) 利用 $\arctan x+\arctan y=\arctan\dfrac{x+y}{1-xy}$，设 $x=1$，$\dfrac{x+y}{1-xy}=1.2$，则 $y=\dfrac{1}{11}$. 故

$$\arctan 1.2=\arctan 1+\arctan\frac{1}{11}=\frac{\pi}{4}+\frac{1}{11}-\frac{1}{3}\left(\frac{1}{11}\right)^3+\frac{1}{5}\left(\frac{1}{11}\right)^5-\cdots.$$

当 $n=3$ 时，$|R_3|<\dfrac{1}{5}\cdot\left(\dfrac{1}{11}\right)^5<10^{-5}$. 故 $\arctan 1.2\approx0.876\,06$.

(2) $\sqrt[10]{1\,000}=\sqrt[10]{1\,024-24}\approx2(1-0.024)^{\frac{1}{10}}=2\left[1-\dfrac{0.024}{10}+\dfrac{\frac{1}{10}\left(\frac{1}{10}-1\right)}{2!}(0.024)^2-\cdots\right]$.

当 $n=3$ 时，

$$|R_3|<2\cdot\frac{\frac{1}{10}\left(\frac{1}{10}-1\right)\left(\frac{1}{10}-2\right)}{3!}(0.024)^3\cdot[1+0.024+(0.024)^2+\cdots]<10^{-6}.$$

故 $\sqrt[10]{1\ 000}\approx 1.995\ 263$.

(3) $\frac{1}{\sqrt{e}}=e^{-\frac{1}{2}}=1-\frac{1}{2}+\frac{1}{2!}\cdot\frac{1}{2^2}-\frac{1}{3!}\cdot\frac{1}{2^3}+\frac{1}{4!}\cdot\frac{1}{2^4}-\frac{1}{5!}\cdot\frac{1}{2^5}+\frac{1}{6!}\cdot\frac{1}{2^6}-\cdots$.

当 $n=7$ 时，$|R_7|<\frac{1}{7!2^7}<10^{-5}$. 故 $\frac{1}{\sqrt{e}}\approx 0.606\ 53$.

(4) $\ln 1.25=\ln\left(1+\frac{1}{4}\right)=\frac{1}{4}-\frac{1}{2\cdot 4^2}+\frac{1}{3\cdot 4^3}-\frac{1}{4\cdot 4^4}+\frac{1}{5\cdot 4^5}-\frac{1}{6\cdot 4^6}+\cdots$.

当 $n=6$ 时，$|R_6|<\frac{1}{7\cdot 4^7}<10^{-5}$. 故 $\ln 1.25\approx 0.223\ 14$.

注 本题并未注明取多少项以估计误差，因此，可任意选取，各小题均类似处理.

【利用适当的展开式，计算下列函数精确到所指出的程度的值(2923—2927)】

【2923】 $\sin 18°$，精确到 10^{-5}.

解
$$\sin 18°=\sin\frac{\pi}{10}=\frac{\pi}{10}-\frac{\pi}{3!10^3}+\frac{\pi}{5!10^5}-\cdots.$$

由

$$\Delta<\frac{1}{(2n+1)!}\left(\frac{\pi}{10}\right)^{2n+1},$$

令 $\Delta<10^{-5}$，即

$$\frac{1}{(2n+1)!}\left(\frac{\pi}{10}\right)^{2n+1}<10^{-5}.$$

当 $n=3$ 时，上式成立，故 $\sin 18°\approx 0.309\ 02$.

【2924】 $\cos 1°$，精确到 10^{-6}.

解
$$\cos 1°=\cos\frac{\pi}{180}=1-\frac{1}{2!}\left(\frac{\pi}{180}\right)^2+\frac{1}{4!}\left(\frac{\pi}{180}\right)^4-\cdots.$$

令 $\Delta<\frac{1}{4!}\left(\frac{\pi}{180}\right)^4<10^{-6}$，当 $n\geqslant 2$ 时，上式成立，故 $\cos 1°\approx 0.999\ 848$.

【2925】 $\tan 9°$，精确到 10^{-3}.

解 由 2855 题有

$$\tan 9°=\tan\frac{\pi}{20}=\frac{\pi}{20}+\frac{1}{3}\left(\frac{\pi}{20}\right)^3+\frac{2}{15}\left(\frac{\pi}{20}\right)^5+\cdots,$$

令

$$\Delta<\frac{2}{15}\left(\frac{\pi}{20}\right)^5\left[1+\left(\frac{\pi}{20}\right)^2+\left(\frac{\pi}{20}\right)^4+\cdots\right]<10^{-3},$$

则 $\tan 9°\approx 0.158$.

【2926】 e，精确到 10^{-6}.

解 $e=1+\sum\limits_{m=1}^{\infty}\frac{1}{m!}$，若取 $1+\sum\limits_{m=1}^{n}\frac{1}{m!}$ 作为 e 的近似值，则

$$\Delta=\sum_{m=n+1}^{\infty}\frac{1}{m!}=\frac{1}{n!}\sum_{m=n+1}^{\infty}\frac{1}{(n+1)\cdots m}<\frac{1}{n!}\sum_{m=n+1}^{\infty}\frac{1}{(n+1)^{m-n}}=\frac{1}{n!n}.$$

令 $\Delta<10^{-6}$，则 $n!n>10^6$. 取 $n=9$，故

$$e\approx 1+\sum_{n=1}^{9}\frac{1}{n!}\approx 2.718\ 282.$$

【2927】 ln 1.2,精确到 10^{-4}.

解 $$\ln 1.2=\ln(1+0.2)=0.2-\frac{1}{2}(0.2)^2+\frac{1}{3}(0.2)^3-\frac{1}{4}(0.2)^4+\cdots.$$

令 $\Delta<\frac{1}{n+1}(0.2)^{n+1}$,即$\frac{1}{n+1}(0.2)^{n+1}<10^{-4}$.取 $n=4$,则

$$\ln 1.2\approx 0.2-\frac{1}{2}(0.2)^2+\frac{1}{3}(0.2)^3-\frac{1}{4}(0.2)^4\approx 0.1823.$$

【2928】 由$\frac{\pi}{6}=\arcsin\frac{1}{2}$ 求 π,精确到 10^{-4}.

解

$$\begin{aligned}\pi&=6\arcsin\frac{1}{2}\\&=6\Big[\frac{1}{2}+\frac{1}{2}\cdot\frac{1}{3}\Big(\frac{1}{2}\Big)^3+\frac{1\cdot3}{2\cdot4}\cdot\frac{1}{5}\Big(\frac{1}{2}\Big)^5+\frac{1\cdot3\cdot5}{2\cdot4\cdot6}\cdot\frac{1}{7}\Big(\frac{1}{2}\Big)^7+\\&\quad\frac{1\cdot3\cdot5\cdot7}{2\cdot4\cdot6\cdot8}\cdot\frac{1}{9}\Big(\frac{1}{2}\Big)^9+\frac{1\cdot3\cdot5\cdot7\cdot9}{2\cdot4\cdot6\cdot8\cdot10}\cdot\frac{1}{11}\Big(\frac{1}{2}\Big)^{11}+\cdots\Big].\end{aligned}$$

令 $n=6$,则

$$\Delta<6\,\frac{1\cdot3\cdot5\cdot7\cdot9\cdot11}{2\cdot4\cdot6\cdot8\cdot10\cdot12}\cdot\frac{1}{13}\Big(\frac{1}{2}\Big)^{13}\Big[1+\Big(\frac{1}{2}\Big)^2+\Big(\frac{1}{2}\Big)^4+\cdots\Big]<10^{-4}.$$

故 $\pi\approx 3.1416$.

【2929】 利用等式$\frac{\pi}{4}=\arctan\frac{1}{2}+\arctan\frac{1}{3}$ 计算 π,精确到 0.001.

解 由

$$\frac{\pi}{4}=\Big(\frac{1}{2}-\frac{1}{3}\cdot\frac{1}{2^3}+\frac{1}{5}\cdot\frac{1}{2^5}-\frac{1}{7}\cdot\frac{1}{2^7}+\frac{1}{9}\cdot\frac{1}{2^9}-\cdots\Big)+\Big(\frac{1}{3}-\frac{1}{3}\cdot\frac{1}{3^3}+\frac{1}{5}\cdot\frac{1}{3^5}-\frac{1}{7}\cdot\frac{1}{3^7}+\cdots\Big),$$

令

$$0<\Delta_1<\frac{4}{11\cdot2^{11}}<0.0002,\quad 0<\Delta_2<\frac{4}{9\cdot3^9}<0.00002,$$

故 $\Delta\leqslant\Delta_1+\Delta_2<0.001$.从而

正项

$$\frac{4}{2}=2.0000$$
$$\frac{4}{5\cdot2^5}=0.0250$$
$$\frac{4}{9\cdot2^9}=0.0009(-)$$
$$\frac{4}{3}=1.3333(+)$$
$$+)\ \frac{4}{5\cdot3^5}=0.0033(-)$$

合计 3.3625

−0.2209

3.1416

负项

$$\frac{4}{3\cdot2^3}=0.1667(-)$$
$$\frac{4}{7\cdot2^7}=0.0045(-)$$
$$\frac{4}{3\cdot3^3}=0.0494(-)$$
$$+)\ \frac{4}{7\cdot3^7}=0.0003(-)$$

合计 0.2209

即 $3.1415<\pi<3.1420$.因此,取 $\pi\approx3.142$ 可精确到 0.001.

【2930】 利用等式

$$\frac{\pi}{4}=4\arctan\frac{1}{5}-\arctan\frac{1}{239},$$

求 π,精确到 10^{-9}.

解 由

$$\arctan x+\arctan y=\arctan\frac{x+y}{1-xy}\left(|x+y|<\frac{\pi}{2}\right),$$

$\forall x,y$ 满足 $(1+x)(1+y)=2$,有

$$\frac{\pi}{4}=\arctan x+\arctan y.$$

令 $x=\frac{1}{5}$,$\arctan\frac{1}{5}=\alpha$,则

$$\tan\alpha=\frac{1}{5},\tan 2\alpha=\frac{5}{12},\tan 4\alpha=\frac{120}{119}\approx 1,$$

故 $4\alpha\approx\frac{\pi}{4}$.

令 $\beta=4\alpha-\frac{\pi}{4}$,则 $\tan\beta=\frac{1}{239}$. 于是 $\beta=\arctan\frac{1}{239}$. 由此可得

$$\pi=4\alpha-\beta=4\arctan\frac{1}{5}-\arctan\frac{1}{239},$$

或

$$\begin{aligned}\pi&=16\arctan\frac{1}{5}-4\arctan\frac{1}{239}\\&=16\left(\frac{1}{5}-\frac{1}{3}\cdot\frac{1}{5^3}+\frac{1}{5}\cdot\frac{1}{5^5}-\frac{1}{7}\cdot\frac{1}{5^7}+\frac{1}{9}\cdot\frac{1}{5^9}-\frac{1}{11}\cdot\frac{1}{5^{11}}+\frac{1}{13}\cdot\frac{1}{5^{13}}-\cdots\right)-\\&\quad 4\left(\frac{1}{239}-\frac{1}{3}\cdot\frac{1}{239^3}+\cdots\right).\end{aligned}$$

结论成立,即马信(J. Machin) 公式.

利用上式计算 π,精确到 10^{-9}. 令

$$0<\Delta_1<\frac{16}{15\cdot 5^{15}}<\frac{1}{2}\cdot\frac{1}{10^9} \text{ 与 } 0<\Delta_2<\frac{4}{5\cdot 239^5}<\frac{1}{2}\cdot\frac{1}{10^9},$$

则总误差 $\Delta\leqslant\Delta_1+\Delta_2<\frac{1}{10^9}$. 故

$$\frac{16}{5}=3.200\,000\,000\,0$$

$$\frac{16}{5\cdot 5^5}=0.001\,024\,000\,0$$

$$\frac{16}{9\cdot 5^9}=0.000\,000\,910\,2(+)$$

$$+)\ \frac{16}{13\cdot 5^{13}}=0.000\,000\,001\,0(+)$$

$$3.201\,024\,911\,2$$

$$-)0.042\,695\,953\,6$$

$$3.158\,328\,957\,6$$

$$\frac{16}{3\cdot 5^3}=0.042\,666\,666\,7(-)$$

$$\frac{16}{7\cdot 5^7}=0.000\,029\,257\,1(+)$$

$$+)\ \frac{16}{11\cdot 5^{11}}=0.000\,000\,029\,8(-)$$

$$0.042\,695\,953\,6$$

$$\frac{4}{239}=0.016\,736\,401\,7(-)$$

$$\begin{array}{r}
-)\ \dfrac{4}{3\cdot 239^3}=0.000\ 000\ 097\ 7(+) \\
\hline
0.016\ 736\ 304\ 0
\end{array}$$

从而

$$3.158\ 328\ 957\ 6<16\alpha<3.158\ 328\ 957\ 7,-0.016\ 736\ 304\ 0=-4\beta=-0.016\ 736\ 304\ 0;$$

$$\pi=16\alpha-4\beta,3.141\ 592\ 653\ 6<\pi<3.141\ 592\ 653\ 7.$$

因此，取 $\pi\approx 3.141\ 592\ 654$ 可精确到 10^{-9}.

【2931】 利用公式 $\ln(n+1)=\ln n+2\left[\dfrac{1}{2n+1}+\dfrac{1}{3(2n+1)^3}+\cdots\right]$，求 $\ln 2$ 和 $\ln 3$，精确到 10^{-5}.

解 当 $n=1$ 时，$\ln 2=2\left(\dfrac{1}{3}+\dfrac{1}{3\cdot 3^3}+\dfrac{1}{5\cdot 3^5}+\dfrac{1}{7\cdot 3^7}+\dfrac{1}{9\cdot 3^9}+\cdots\right).$ ①

令

$$0<\Delta<2\left(\frac{1}{11}\cdot\frac{1}{3^{11}}+\frac{1}{13}\cdot\frac{1}{3^{13}}+\cdots\right)<\frac{2}{11\cdot 3^{11}}\cdot\frac{1}{1-\frac{1}{3^2}}<\frac{2}{10^6},$$

列下表：

$$\begin{array}{r}
\dfrac{2}{3}=0.666\ 667(-) \\
\dfrac{2}{3\cdot 3^3}=0.024\ 691(+) \\
\dfrac{2}{5\cdot 3^5}=0.001\ 646(+) \\
\dfrac{2}{7\cdot 3^7}=0.000\ 131(-) \\
+)\ \dfrac{2}{9\cdot 3^9}=0.000\ 011(+) \\
\hline
0.693\ 146
\end{array}$$

故 $0.693\ 146<\ln 2<0.693\ 148$.

精确到 10^{-5}，则 $\ln 2\approx 0.693\ 15$.

令 $n=2$，则

$$\ln 3=\ln 2+2\left(\frac{1}{5}+\frac{1}{3\cdot 5^3}+\frac{1}{5\cdot 5^5}+\frac{1}{7\cdot 5^7}+\frac{1}{9\cdot 5^9}\right)+\cdots.$$

列下表：

$$\begin{array}{r}
\dfrac{2}{5}=0.400\ 000 \\
\dfrac{2}{3\cdot 5^3}=0.005\ 333(+) \\
\dfrac{2}{5\cdot 5^5}=0.000\ 128 \\
\dfrac{2}{7\cdot 5^7}=0.000\ 004(-) \\
+)\ \dfrac{2}{9\cdot 5^9}=0.000\ 000(+) \\
\hline
0.405\ 465
\end{array}$$

故 $\ln 3\approx 0.693\ 146\cdots+0.405\ 465\cdots=1.098\ 61\cdots$. 精确到 10^{-5}，则 $\ln 3=1.098\ 61$.

【2932】 将被积函数展开成幂级数，从而计算下列积分的值，精确到 0.001：

(1) $\int_0^1 e^{-x^2}dx$；　(2) $\int_2^4 e^{\frac{1}{x}}dx$；　(3) $\int_0^2 \frac{\sin x}{x}dx$；　(4) $\int_0^1 \cos x^2 dx$；

(5) $\int_0^1 \frac{\operatorname{sh} x}{x}dx$；　(6) $\int_2^{+\infty} \frac{dx}{1+x^3}$；　(7) $\int_0^{\frac{1}{3}} \frac{dx}{\sqrt[3]{1-x^2}}$；　(8) $\int_0^1 \frac{dx}{\sqrt{1+x^4}}$；

(9) $\int_{10}^{100} \frac{\ln(1+x)}{x}dx$；　(10) $\int_0^{\frac{1}{2}} \frac{\arctan x}{x}dx$；　(11) $\int_0^{\frac{1}{2}} \frac{\arcsin x}{x}dx$；　(12) $\int_0^1 x^x dx$.

解 (1)
$$\int_0^1 e^{-x^2}dx = \int_0^1 \left(1-x^2+\frac{x^4}{2!}-\frac{x^6}{3!}+\frac{x^8}{4!}-\cdots\right)dx$$
$$= 1-\frac{1}{3}+\frac{1}{5\cdot 2!}-\frac{1}{7\cdot 3!}+\frac{1}{9\cdot 4!}-\cdots.$$

列下表：

$$1 = 1.000\ 0$$
$$\frac{1}{5\cdot 2!} = 0.100\ 0$$
$$+)\ \frac{1}{9\cdot 4!} = 0.004\ 6(+)$$
$$\overline{\qquad\qquad 1.104\ 6}$$
$$-0.357\ 1$$
$$\overline{\qquad 0.747\ 5}$$

$$\frac{1}{3} = 0.333\ 3(+)$$
$$+)\ \frac{1}{7\cdot 3!} = 0.023\ 8(+)$$
$$\overline{\qquad\qquad 0.357\ 1}$$

则 $0.747\ 3 < \int_0^1 e^{-x^2}dx < 0.747\ 6$，故 $\int_0^1 e^{-x^2}dx \approx 0.747$，精确到 0.001.

(2)
$$\int_2^4 e^{\frac{1}{x}}dx = \int_2^4 \left(1+\frac{1}{x}+\frac{1}{2!x^2}+\frac{1}{3!x^3}+\frac{1}{4!x^4}+\cdots\right)dx$$
$$= 2+\ln 2+\frac{1}{2!\cdot 4}+\frac{3}{3!\cdot 32}+\frac{7}{4!\cdot 192}+\cdots$$
$$= 2+0.693\ 1+0.125\ 0+0.015\ 6+0.001\ 5+\cdots \approx 2.835\ 2(0<\Delta<0.001).$$

于是 $\int_2^4 e^{\frac{1}{x}}dx \approx 2.835$，精确到 0.001.

(3)
$$\int_0^2 \frac{\sin x}{x}dx = \int_0^2 \frac{1}{x}\left(x-\frac{x^3}{3!}+\frac{x^5}{5!}-\frac{x^7}{7!}+\cdots\right)dx = 2-\frac{2^3}{3\cdot 3!}+\frac{2^5}{5\cdot 5!}-\frac{2^7}{7\cdot 7!}+\cdots,$$

令 $0<\Delta<\frac{2^9}{9\cdot 9!}<\frac{1}{10^3}$. 列下表：

$$2 = 2.000\ 0$$
$$+)\ \frac{2^5}{5\cdot 5!} = 0.053\ 3(+)$$
$$\overline{\qquad\qquad 2.053\ 3}$$
$$-0.448\ 0$$
$$\overline{\qquad 1.605\ 3}$$

$$\frac{2^3}{3\cdot 3!} = 0.444\ 4(+)$$

$$+)\ \frac{2^7}{7\cdot 7!}=0.003\ 6(+)$$

$$0.448\ 0$$

于是 $1.605\ 1<\int_0^2\frac{\sin x}{x}\mathrm{d}x<1.605\ 4$，即$\int_0^2\frac{\sin x}{x}\mathrm{d}x\approx 1.605.$

(4)$\int_0^1\cos x^2\,\mathrm{d}x=\int_0^1\left(1-\frac{x^4}{2!}+\frac{x^3}{4!}-\cdots\right)\mathrm{d}x=1-\frac{1}{5\cdot 2!}+\frac{1}{9\cdot 4!}-\cdots$，

令 $0<\Delta<\frac{1}{13\cdot 6!}<\frac{1}{10^3}$. 列下表：

$$1=1.000\ 0$$

$$+)\ \frac{1}{9\cdot 4!}=0.004\ 6(+)$$

$$1.004\ 6$$

$$-0.100\ 0$$

$$0.904\ 6$$

$$\frac{1}{5\cdot 2!}=0.100\ 0$$

所以$\int_0^1\cos x^2\,\mathrm{d}x\approx 0.904\ 6$. 故$\int_0^1\cos x^2\,\mathrm{d}x\approx 0.905$，精确到 0.001.

(5) $$\int_0^1\frac{\operatorname{sh}x}{x}\mathrm{d}x=\int_0^1\frac{1}{x}\left(x+\frac{x^3}{3!}+\frac{x^5}{5!}+\cdots\right)\mathrm{d}x=1+\frac{1}{3\cdot 3!}+\frac{1}{5\cdot 5!}+\cdots,$$

令

$$0<\Delta<\frac{1}{7\cdot 7!}\left(1+\frac{1}{7^2}+\frac{1}{7^4}+\cdots\right)=\frac{1}{7\cdot 7!}\cdot\frac{1}{1-\frac{1}{7^2}}<10^{-8}.$$

列表：

$$1=1.000\ 0$$

$$\frac{1}{3\cdot 3!}=0.055\ 6(-)$$

$$+)\ \frac{1}{5\cdot 5!}=0.001\ 7(+)$$

$$1.057\ 3$$

于是$\int_0^1\frac{\operatorname{sh}x}{x}\mathrm{d}x\approx 1.057$，精确到 0.001.

(6) 当 $x\geqslant 2$ 时，

$$\frac{1}{1+x^3}=\frac{1}{x^3}\cdot\frac{1}{1+\left(\frac{1}{x}\right)^3}=\left(\frac{1}{x}\right)^3\sum_{n=0}^{\infty}(-1)^n\left(\frac{1}{x}\right)^{3n}=\sum_{n=0}^{\infty}(-1)^n\left(\frac{1}{x}\right)^{3n+3}.$$

于是

$$I=\int_2^{+\infty}\frac{\mathrm{d}x}{1+x^3}=\sum_{n=0}^{\infty}(-1)^n\int_2^{+\infty}\left(\frac{1}{x}\right)^{3n+3}\mathrm{d}x=\sum_{n=0}^{\infty}\frac{(-1)^n}{3n+2}\left(\frac{1}{2}\right)^{3n+2}$$

$$=\frac{1}{8}-\frac{1}{5}\left(\frac{1}{2}\right)^5+\frac{1}{8}\left(\frac{1}{2}\right)^3-\frac{1}{11}\left(\frac{1}{2}\right)^{11}+\cdots.$$

令 $n=2$，则 $I\approx 0.119$，精确到 0.001.

(7) $\frac{1}{\sqrt[3]{1-x^2}}=(1-x^2)^{-\frac{1}{3}}=1+\frac{x^2}{3}+\frac{4x^4}{3^2\cdot 2!}+\cdots$，故$\int_0^{\frac{1}{3}}\frac{\mathrm{d}x}{\sqrt[3]{1-x^2}}=\frac{1}{3}+\frac{1}{3^5}+\cdots\approx 0.337$，精确

到 0.001.

(8) $\int_0^1 \frac{\mathrm{d}x}{\sqrt{1+x^4}} = \int_0^1 (1+x^4)^{-\frac{1}{2}}\mathrm{d}x = \int_1^1 \left(1-\frac{1}{2}x^4+\frac{1\cdot 3}{2^2\cdot 2!}x^8+\cdots\right)\mathrm{d}x$

$$= 1-\frac{1}{5\cdot 2}+\frac{1\cdot 3}{9\cdot 2^2\cdot 2!}-\cdots-\frac{1\cdot 3\cdots 45}{93\cdot 2^{23}\cdot 23!}+\cdots.$$

令 $0<\Delta<\frac{1\cdot 3\cdots 47}{97\cdot 2^{24}\cdot 24!}<10^{-3}$,则$\int_0^1 \frac{\mathrm{d}x}{\sqrt{1+x^4}}\approx 0.927$,精确到 0.001.

(9) 注意,当 $10\leqslant x\leqslant 100$ 时,有

$$\ln(1+x) = \ln\left[x\left(1+\frac{1}{x}\right)\right] = \ln x+\sum_{n=1}^{\infty}\frac{(-1)^{n-1}}{n}\left(\frac{1}{x}\right)^n.$$

于是

$$I = \int_{10}^{100}\frac{\ln(1+x)}{x}\mathrm{d}x = \int_{10}^{100}\frac{\ln x}{x}\mathrm{d}x+\sum_{n=1}^{\infty}\frac{(-1)^{n-1}}{n}\int_{10}^{100}x^{-n-1}\mathrm{d}x$$

$$= \frac{3}{2}\ln^2 10+\sum_{n=1}^{\infty}\frac{(-1)^{n+1}}{n^2}\cdot\frac{1}{10^n}\left(1-\frac{1}{10^n}\right)$$

$$= \frac{3}{2}\ln^2 10+\frac{1}{10}\left(1-\frac{1}{10}\right)-\frac{1}{4\cdot 10^2}\left(1-\frac{1}{10^2}\right)+$$

$$\frac{1}{9\cdot 10^3}\left(1-\frac{1}{10^3}\right)+\cdots\approx 8.041(\text{精确到 }0.001).$$

(10) $\int_0^{\frac{1}{2}}\frac{\arctan x}{x}\mathrm{d}x = \int_0^{\frac{1}{2}}\frac{1}{x}\left(x-\frac{x^3}{3}+\frac{x^5}{5}-\cdots\right)\mathrm{d}x = \frac{1}{2}-\frac{1}{3^2\cdot 2^3}+\frac{1}{5^2\cdot 2^5}-\frac{1}{7^2\cdot 2^7}+\cdots.$

令 $0<\Delta<\frac{1}{7^2\cdot 2^7}<\frac{1}{10^3}$,则

$$\int_0^{\frac{1}{2}}\frac{\arctan x}{x}\mathrm{d}x\approx 0.488(\text{精确到 }0.001).$$

(11) $\int_0^{\frac{1}{2}}\frac{\arcsin x}{x}\mathrm{d}x = \int_0^{\frac{1}{2}}\frac{1}{x}\left(x+\frac{x^3}{2\cdot 3}+\frac{1\cdot 3x^5}{2\cdot 4\cdot 5}+\cdots\right)\mathrm{d}x = \frac{1}{2}+\frac{1}{2^4\cdot 3^2}+\frac{1\cdot 3}{2\cdot 4\cdot 5^2\cdot 2^5}+\cdots.$

令

$$0<\Delta<\frac{1\cdot 3\cdot 5}{2\cdot 4\cdot 6}\cdot\frac{1}{7^2}\cdot\frac{1}{2^7}\left(1+\frac{1}{2^2}+\cdots\right)<\frac{1}{10^3},$$

则$\int_0^{\frac{1}{2}}\frac{\arcsin x}{x}\mathrm{d}x\approx 0.507$(精确到 0.001).

(12) 注意到

$$x^x = \mathrm{e}^{x\ln x} = 1+x\ln x+\frac{(x\ln x)^2}{2!}+\cdots+\frac{(x\ln x)^n}{n!}+\cdots,$$

并由 2291 题,当 $m=n$ 时,$\int_0^1 x^n\ln^n x\,\mathrm{d}x = (-1)^n\frac{n!}{(n+1)^{n+1}}$,故

$$\int_0^1 x^x\mathrm{d}x = 1-\frac{1}{4}+\frac{1}{27}-\frac{1}{256}+\cdots.$$

令

$$0<\Delta<\frac{4!}{4!\cdot(4+1)^{4+1}}<\frac{1}{10^3},$$

故 $\int_0^1 x^x\mathrm{d}x\approx 0.783$(精确到 0.001).

【2933】 求 $y=\sin x(0\leqslant x\leqslant\pi)$ 的弧长,并精确到 0.01.

解 设弧长为 s,则

$$s = \int_0^{\pi}\sqrt{1+y'^2}\mathrm{d}x = 2\int_0^{\frac{\pi}{2}}\sqrt{1+\cos^2 x}\,\mathrm{d}x$$

$$= 2\int_0^{\frac{\pi}{2}}\left(1+\frac{1}{2}\cos^2 x-\frac{1}{2!\cdot 2^2}\cos^4 x+\frac{1\cdot 3}{3!\cdot 2^3}\cos^6 x-\cdots\right)dx.$$

利用 2295 题 $m=0$ 的结果，$\int_0^{\frac{\pi}{2}}\cos^{2n}x\,dx=\frac{\pi(2n)!}{2^{2n+1}\cdot(n!)^2}$，则

$$s=2\left(\frac{\pi}{2}+\frac{\pi\cdot 2!}{2^4}-\frac{1}{2!2^2}\cdot\frac{\pi\cdot 4!}{2^5\cdot(2!)^2}+\frac{1\cdot 3}{3!2^3}\cdot\frac{\pi\cdot 6!}{2^7\cdot(3!)^2}-\cdots\right)$$

$$=\pi\left(1+\frac{1}{4}-\frac{3}{64}+\frac{5}{256}-\cdots\right).$$

令

$$0<\Delta<\frac{3\cdot 5\cdot 2\pi}{4!2^4}\cdot\frac{8!}{2^9\cdot 4!4!}<\frac{1}{10^2},$$

则 $s\approx 3.83$.

【2934】 设椭圆的长轴 $a=1$，短轴 $b=\frac{1}{2}$，求椭圆的弧长，并精确到 0.01.

解 设椭圆的参数方程为 $x=a\sin t, y=b\cos t$. 于是

$$ds=\sqrt{x'^2_{(t)}+y'^2_{(t)}}\,dt=\sqrt{a^2\cos^2 t+b^2\sin^2 t}\,dt=a\sqrt{1-\varepsilon^2\sin^2 t}\,dt,$$

其中 $\varepsilon=\frac{\sqrt{a^2-b^2}}{a}$ 为椭圆的离心率. 从而

$$s=4a\int_0^{\frac{\pi}{2}}\sqrt{1-\varepsilon^2\sin^2 t}\,dt=4a\int_0^{\frac{\pi}{2}}\left(1-\frac{1}{2}\varepsilon^2\sin^2 t-\frac{1}{2!2^2}\varepsilon^4\sin^4 t-\frac{1\cdot 3}{3!\cdot 2^3}\varepsilon^6\sin^6 t-\cdots\right)dt$$

$$=4a\left(\frac{\pi}{2}-\frac{1}{2}\varepsilon^2\cdot\frac{\pi\cdot 2!}{2^3}-\frac{1}{2!2^2}\varepsilon^4\cdot\frac{\pi\cdot 4!}{2^5\cdot 2!2!}-\frac{1\cdot 3}{3!2^3}\varepsilon^6\cdot\frac{\pi\cdot 6!}{2^7\cdot 3!3!}-\cdots\right).$$

令 $0<\Delta<10^{-2}$，则

$$s=2\pi\left(1-\frac{1}{4}\cdot\frac{3}{4}-\frac{3}{64}\cdot\frac{9}{16}-\frac{5}{256}\cdot\frac{27}{64}-\frac{5\cdot 27\cdot 3}{256\cdot 64\cdot 4}-\cdots\right)\approx 4.84.$$

【2935】 两根电线杆相距 $2l=20\text{m}$，电线形状为抛物线. 若电线下垂高度 $h=40\text{cm}$，计算电线的长度，并精确到 1cm.

解 先建立抛物线 AOB 的方程. 取坐标系如图 5.2 所示，则方程的标准形式为 $x^2=2py$.

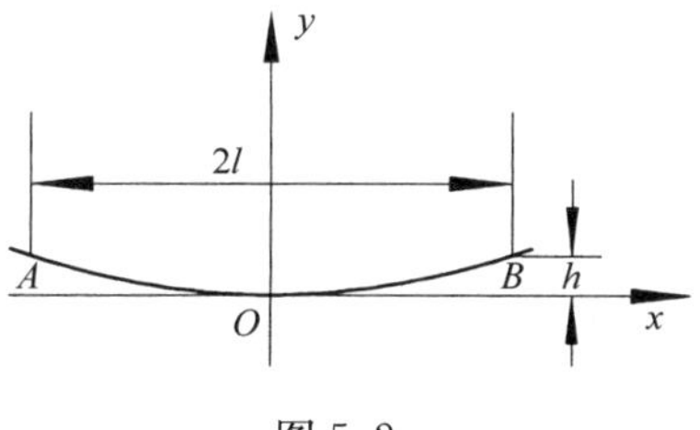

图 5.2

由抛物线过点 $B(10,0.4)$，则 $p=125$，即 $y=\frac{1}{250}x^2$. 故

$$s=2\int_0^{10}\sqrt{1+\left(\frac{1}{125}x\right)^2}\,dx=250\int_0^{\frac{2}{25}}(1+t^2)^{\frac{1}{2}}\,dt$$

$$=250\int_0^{\frac{2}{25}}\left(1+\frac{1}{2}t^2-\frac{1}{2!2^2}t^4+\frac{1\cdot 3}{3!2^3}t^6-\frac{1\cdot 3\cdot 5}{4!2^4}t^8+\cdots\right)dt$$

$$=250\left(\frac{2}{25}+\frac{1}{3}\cdot\frac{1}{2}\cdot\frac{2^3}{25^3}-\frac{1}{5\cdot 2!2^2}\cdot\frac{2^5}{25^5}+\cdots\right).$$

令 $0<\Delta<\frac{250}{5\cdot 2!\cdot 2^2}\cdot\frac{2^5}{25^5}<10^{-2}$，则

$$s \approx 250\left(\frac{2}{25}+\frac{1}{3}\cdot\frac{1}{2}\cdot\frac{2^3}{25^3}\right)\approx 20.02(\mathrm{m}).$$

故所求电线长为 20.02 m(精确到 0.01 m).

注 严格地说,若不计电线的伸长,电线的形状应为悬链线.

第6节 傅里叶级数(习题2936—2985)

知识点预览

序号	知识点	题目序号	所在页码
1	展开定理	2936—2981	P146
2	傅里叶级数的积分法	2982—2983	P166
3	完全性条件	2984—2985	P168

知识点1 展开定理

若函数 $f(x)$ 在区间 $(-l,l)$ 内分段连续,且导数 $f'(x)$ 也分段连续,在不连续点 ξ 处满足 $f(\xi)=\dfrac{f(\xi-0)+f(\xi+0)}{2}$,则函数 $f(x)$ 在 $(-l,l)$ 上可用傅里叶级数表示:

$$f(x)=\frac{a_0}{2}+\sum_{n=1}^{\infty}\left(a_n\cos\frac{n\pi x}{l}+b_n\sin\frac{n\pi x}{l}\right),$$

其中

$$a_n=\frac{1}{l}\int_{-l}^{l}f(x)\cos\frac{n\pi x}{l}\mathrm{d}x\,(n=0,1,2,\cdots),$$

$$b_n=\frac{1}{l}\int_{-l}^{l}f(x)\sin\frac{n\pi x}{l}\mathrm{d}x\,(n=1,2,\cdots).$$

特别地:

(1) 若 $f(x)$ 是偶函数,则

$$f(x)=\frac{a_0}{2}+\sum_{n=1}^{\infty}a_n\cos\frac{n\pi x}{l}, \qquad ①$$

其中 $a_n=\dfrac{2}{l}\displaystyle\int_0^{l}f(x)\cos\frac{n\pi x}{l}\mathrm{d}x\,(n=0,1,2,\cdots)$.

(2) 若 $f(x)$ 是奇函数,则

$$f(x)=\sum_{n=1}^{\infty}b_n\sin\frac{n\pi x}{l}, \qquad ②$$

其中 $b_n = \frac{2}{l}\int_0^l f(x)\sin\frac{n\pi x}{l}\mathrm{d}x(n=1,2,\cdots)$.

设 $f(x)$ 在 $(0,l)$ 上连续，则 $f(x)$ 可由 ① 或 ② 表示.

习题 2936—2951 求函数的傅里叶级数展开式

【2936】 将函数 $f(x)=\sin^4 x$ 展开成傅里叶级数.

解 将 $f(x)=\sin^4 x$ 在 $[-\pi,\pi]$ 上展开为傅立叶级数. 即

$$f(x)=\frac{a_0}{2}+\sum_{n=1}^{\infty}(a_n\cos nx+b_n\sin nx).$$

由于

$$\sin^4 x=\left(\frac{1-\cos 2x}{2}\right)^2=\frac{3}{8}-\frac{1}{2}\cos 2x+\frac{1}{8}\cos 4x,$$

故

$$a_0=\frac{3}{4},$$

$$a_n=\frac{2}{\pi}\int_0^{\pi}\sin^4 x\cos nx\,\mathrm{d}x=\frac{2}{\pi}\int_0^{\pi}\left(\frac{3}{8}\cos nx-\frac{1}{2}\cos 2x\cos nx+\frac{1}{8}\cos 4x\cos nx\right)\mathrm{d}x$$

$$=\begin{cases}0, & n\neq 2,n\neq 4,\\ -\frac{1}{2}, & n=2,\\ \frac{1}{8}, & n=4,\end{cases}$$

$$b_n=0(n=1,2,\cdots).$$

又 $f(x)$ 处处连续，故

$$f(x)=\frac{3}{8}-\frac{1}{2}\cos 2x+\frac{1}{8}\cos 4x.$$

注 由此题可以看出，周期为 2π 的三角多项式本身即为傅里叶级数. 下面一题将给出一般的证明.

【2937】 求三角多项式 $p_n(x)=\sum_{i=0}^{n}(\alpha_i\cos ix+\beta_i\sin ix)$ 的傅里叶级数.

解 $p_n(x)$ 是 2π 周期函数，不妨在 $[-\pi,\pi]$ 上展开成傅里叶级数. 由于

$$a_0=\frac{1}{\pi}\int_{-\pi}^{\pi}p_n(x)\mathrm{d}x=\frac{1}{\pi}\int_{-\pi}^{\pi}\sum_{i=0}^{n}(\alpha_i\cos ix+\beta_i\sin ix)\mathrm{d}x=2\alpha_0,$$

$$a_n=\frac{1}{\pi}\int_{-\pi}^{\pi}p_n(x)\cos nx\,\mathrm{d}x=\frac{1}{\pi}\int_{-\pi}^{\pi}\sum_{i=0}^{n}(\alpha_i\cos ix+\beta_i\sin ix)\cos nx\,\mathrm{d}x=\alpha_n,$$

$$b_n=\frac{1}{\pi}\int_{-\pi}^{\pi}p_n(x)\sin nx\,\mathrm{d}x=\frac{1}{\pi}\int_{-\pi}^{\pi}\sum_{i=0}^{n}(\alpha_i\cos ix+\beta_i\sin ix)\sin nx\,\mathrm{d}x=\beta_n,$$

故

$$p_n(x)=\frac{a_0}{2}+\sum_{n=1}^{\infty}(a_n\cos nx+b_n\sin nx)=\sum_{i=0}^{n}(\alpha_i\cos ix+\beta_i\sin ix).$$

【2938】 (1) 将函数 $f(x)=\operatorname{sgn} x(-\pi<x<\pi)$ 展开为傅里叶级数.

(2) 绘出函数的图像及此函数的傅里叶级数的若干部分和的图像.

(3) 利用傅里叶级数展开，求莱布尼茨级数 $\sum_{n=1}^{\infty}\frac{(-1)^{n-1}}{2n-1}$ 的和.

解 (1) 由于

$$a_0=\frac{1}{\pi}\int_{-\pi}^{\pi}\operatorname{sgn} x\mathrm{d}x=0,\quad a_n=\frac{1}{\pi}\int_{-\pi}^{\pi}\operatorname{sgn} x\cos nx\mathrm{d}x=0,$$

$$\begin{aligned}b_n&=\frac{1}{\pi}\int_{-\pi}^{\pi}\operatorname{sgn} x\sin nx\mathrm{d}x=\frac{2}{\pi}\int_{0}^{\pi}\operatorname{sgn} x\sin nx\mathrm{d}x\\&=\frac{2}{\pi}\int_{0}^{\pi}\sin nx\mathrm{d}x=\frac{2}{n\pi}[1-(-1)^n],\end{aligned}$$

$f(x)$ 在$(-\pi,\pi)$ 上只有一个第一类间断点,故

$$f(x)=\frac{4}{\pi}\sum_{n=1}^{\infty}\frac{\sin(2n-1)x}{2n-1}=\begin{cases}-1, & -\pi<x<0,\\ 0, & x=0,\\ 1, & 0<x<\pi.\end{cases}$$

(2) $f(x)$ 及其傅里叶级数的若干部分和的图像如图 5.3 所示,其中画的是一项 S_1、两项之和 S_2 及 $f(x)$ 的图像.

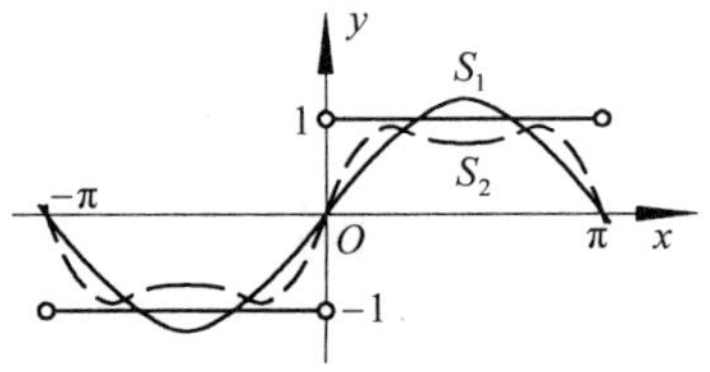

图 5.3

(3) 令 $x=\frac{\pi}{2}$,则$\frac{4}{\pi}\sum_{n=1}^{\infty}\frac{(-1)^{n-1}}{2n-1}=1$,即莱布尼茨级数$\sum_{n=1}^{\infty}\frac{(-1)^{n-1}}{2n-1}=\frac{\pi}{4}$.

【2939】 将 $f(x)=\begin{cases}A, & 0<x<l,\\ 0, & l<x<2l\end{cases}$在$(0,2l)$ 内展开为傅里叶级数,其中 A 为常数.

解 由于

$$a_0=\frac{1}{l}\int_{0}^{2l}f(x)\mathrm{d}x=\frac{1}{l}\int_{0}^{l}A\mathrm{d}x=A,$$

$$a_n=\frac{1}{l}\int_{0}^{2l}f(x)\cos\frac{n\pi x}{l}\mathrm{d}x=\frac{1}{l}\int_{0}^{l}A\cos\frac{n\pi x}{l}\mathrm{d}x=0,$$

$$b_n=\frac{1}{l}\int_{0}^{2l}f(x)\sin\frac{n\pi x}{l}\mathrm{d}x=\frac{1}{l}\int_{0}^{l}A\sin\frac{n\pi x}{l}\mathrm{d}x=\frac{A}{n\pi}[1-(-1)^n],$$

故

$$f(x)=\frac{A}{2}+\frac{2A}{\pi}\sum_{n=1}^{\infty}\frac{1}{2n-1}\sin(2n-1)\frac{\pi x}{l}=\begin{cases}A, & 0<x<l,\\ \frac{A}{2}, & x=l,\\ 0, & l<x<2l,\end{cases}$$

【2940】 将 $f(x)=x$ 在$(-\pi,\pi)$ 内展开为傅里叶级数.

解 因为 $f(x)=x$ 为奇函数,从而 $a_n=0(n\in\mathbf{N})$,且

$$b_n=\frac{1}{\pi}\int_{-\pi}^{\pi}x\sin nx\mathrm{d}x=\frac{2}{\pi}\int_{0}^{\pi}x\sin nx\mathrm{d}x=(-1)^{n-1}\frac{2}{n}.$$

故 $f(x)=2\sum_{n=1}^{\infty}(-1)^{n-1}\frac{\sin nx}{n}(-\pi<x<\pi)$.

【2941】 将 $f(x)=\dfrac{\pi-x}{2}$ 在$(0,2\pi)$内展开为傅里叶级数.

解 由于

$$a_0=\frac{1}{\pi}\int_0^{2\pi}\frac{\pi-x}{2}\mathrm{d}x=0,$$

$$a_n=\frac{1}{\pi}\int_0^{2\pi}\frac{\pi-x}{2}\cos nx\mathrm{d}x=0,$$

$$b_n=\frac{1}{\pi}\int_0^{2\pi}\frac{\pi-x}{2}\sin nx\mathrm{d}x=\frac{1}{n},$$

故

$$f(x)=\sum_{n=1}^{\infty}\frac{\sin nx}{n}(0<x<2\pi).$$

【2942】 将 $f(x)=|x|$ 在$(-\pi,\pi)$内展开为傅里叶级数.

解 因为 $f(x)=|x|$ 为偶函数,从而 $b_n=0(n\in\mathbf{N}_+)$,且

$$a_0=\frac{2}{\pi}\int_0^{\pi}x\mathrm{d}x=\pi,$$

$$a_n=\frac{2}{\pi}\int_0^{\pi}x\cos nx\mathrm{d}x=\frac{2}{n^2\pi}[(-1)^n-1].$$

故

$$f(x)=\frac{\pi}{2}-\frac{4}{\pi}\sum_{n=1}^{\infty}\frac{\cos(2n-1)x}{(2n-1)^2}(-\pi<x<\pi).$$

【2943】 将 $f(x)=\begin{cases}ax, & -\pi<x<0,\\ bx, & 0<x<\pi\end{cases}$ 在$(-\pi,\pi)$内展开为傅里叶级数,其中 a 和 b 为常数.

解 由于

$$a_0=\frac{1}{\pi}\int_{-\pi}^{0}ax\mathrm{d}x+\frac{1}{\pi}\int_0^{\pi}bx\mathrm{d}x=\frac{b-a}{2}\pi,$$

$$a_n=\frac{1}{\pi}\int_{-\pi}^{0}ax\cos nx\mathrm{d}x+\frac{1}{\pi}\int_0^{\pi}bx\cos nx\mathrm{d}x=\frac{a-b}{n^2\pi}[1-(-1)^n],$$

$$b_n=\frac{1}{\pi}\int_{-\pi}^{0}ax\sin nx\mathrm{d}x+\frac{1}{\pi}\int_0^{\pi}bx\sin nx\mathrm{d}x=\frac{a+b}{n}(-1)^{n+1},$$

故

$$\frac{b-a}{4}\pi+\frac{2(a-b)}{\pi}\sum_{n=1}^{\infty}\frac{\cos(2n-1)x}{(2n-1)^2}+(a+b)\sum_{n=1}^{\infty}\frac{(-1)^{n+1}}{n}\sin nx=\begin{cases}ax, & -\pi<x<0,\\ 0, & x=0,\\ bx, & 0<x<\pi.\end{cases}$$

【2944】 将 $f(x)=\pi^2-x^2$ 在$(-\pi,\pi)$内展开为傅里叶级数.

解 因为 $f(x)=\pi^2-x^2$ 为偶函数,从而 $b_n=0(n\in\mathbf{N}_+)$,且

$$a_0=\frac{2}{\pi}\int_0^{\pi}(\pi^2-x^2)\mathrm{d}x=\frac{4\pi^2}{3},$$

$$a_n=\frac{2}{\pi}\int_0^{\pi}(\pi^2-x^2)\cos nx\mathrm{d}x=-\frac{2}{\pi}\int_0^{\pi}x^2\cos nx\mathrm{d}x=\frac{4}{n^2}(-1)^{n+1}.$$

故 $f(x)=\dfrac{2\pi^2}{3}+4\displaystyle\sum_{n=1}^{\infty}\frac{(-1)^{n+1}}{n^2}\cos nx(-\pi<x<\pi)$.

【2945】 在区间$(-\pi,\pi)$内展开 $f(x)=\cos ax(a\overline{\in}\mathbf{N})$.

解 因为 $f(x)=\cos ax$ 为偶函数,从而 $b_n=0(n\in\mathbf{N}_+)$,且

$$a_0=\frac{2}{\pi}\int_0^{\pi}\cos ax\mathrm{d}x=\frac{2}{a\pi}\sin a\pi,$$

$$a_n=\frac{2}{\pi}\int_0^{\pi}\cos ax\cos nx\mathrm{d}x=\frac{2\sin a\pi}{\pi}\cdot\frac{(-1)^{n+1}a}{n^2-a^2}.$$

故 $f(x)=\dfrac{2\sin a\pi}{\pi}\left[\dfrac{1}{2a}+\sum\limits_{n=1}^{\infty}(-1)^{n+1}\dfrac{a\cos nx}{n^2-a^2}\right](-\pi<x<\pi).$

【2946】 将 $f(x)=\sin ax$ 在$(-\pi,\pi)$内展开为傅里叶级数($a\overline{\in}\mathbf{N}$).

解 因为 $f(x)=\sin ax$ 为奇函数,从而 $a_n=0(n\in\mathbf{N})$,且

$$b_n=\frac{2}{\pi}\int_0^{\pi}\sin ax\sin nx\mathrm{d}x=\frac{2\sin a\pi}{\pi}\cdot\frac{(-1)^{n+1}n}{n^2-a^2}.$$

故 $f(x)=\dfrac{2\sin a\pi}{\pi}\sum\limits_{n=1}^{\infty}\dfrac{(-1)^{n+1}n\sin nx}{n^2-a^2}(-\pi<x<\pi).$

【2947】 将 $f(x)=\operatorname{sh}ax$ 在$(-\pi,\pi)$内展开为傅里叶级数.

解 因为 $f(x)$ 为奇函数,从而 $a_n=0(n\in\mathbf{N})$,且

$$\begin{aligned}b_n&=\frac{2}{\pi}\int_0^{\pi}\operatorname{sh}ax\sin nx\mathrm{d}x=\frac{2}{\pi}\left[-\frac{1}{n}\operatorname{sh}ax\cos nx\Big|_0^{\pi}+\frac{a}{n}\int_0^{\pi}\cos nx\operatorname{ch}ax\mathrm{d}x\right]\\&=\frac{2}{\pi}\left[\frac{(-1)^{n+1}}{n}\operatorname{sh}a\pi+\frac{a}{n^2}\operatorname{ch}ax\sin nx\Big|_0^{\pi}-\frac{a^2}{n^2}\int_0^{\pi}\operatorname{sh}ax\sin nx\mathrm{d}x\right]\\&=\frac{2(-1)^{n+1}}{n\pi}\operatorname{sh}a\pi-\frac{a^2}{n^2}b_n,\end{aligned}$$

即 $b_n=\dfrac{(-1)^{n+1}2n}{(n^2+a^2)\pi}\operatorname{sh}a\pi$,故

$$f(x)=\frac{2\operatorname{sh}a\pi}{\pi}\sum_{n=1}^{\infty}(-1)^{n+1}\frac{n\sin nx}{n^2+a^2}(-\pi<x<\pi).$$

【2948】 在区间$(-h,h)$内展开 $f(x)=\mathrm{e}^{ax}$.

解 由于

$$a_0=\frac{1}{h}\int_{-h}^{h}\mathrm{e}^{ax}\mathrm{d}x=\frac{2}{ah}\operatorname{sh}ah,$$

$$a_n=\frac{1}{h}\int_{-h}^{h}\mathrm{e}^{ax}\cos\frac{n\pi x}{h}\mathrm{d}x=\frac{(-1)^n2ah}{(ah)^2+(n\pi)^2}\operatorname{sh}ah,$$

$$b_n=\frac{1}{h}\int_{-h}^{h}\mathrm{e}^{ax}\sin\frac{n\pi x}{h}\mathrm{d}x=\frac{(-1)^{n+1}2n\pi}{(ah)^2+(n\pi)^2}\operatorname{sh}ah,$$

故

$$f(x)=2\operatorname{sh}ah\left[\frac{1}{2ah}+\sum_{n=1}^{\infty}(-1)^n\frac{ah\cos\frac{n\pi x}{h}-n\pi\sin\frac{n\pi x}{h}}{(ah)^2+(n\pi)^2}\right](-h<x<h).$$

【2949】 在区间$(a,a+2l)$内展开 $f(x)=x$.

解 由于

$$a_0=\frac{1}{l}\int_a^{a+2l}x\mathrm{d}x=2(a+l),$$

$$a_n=\frac{1}{l}\int_a^{a+2l}x\cos\frac{n\pi x}{l}\mathrm{d}x=\frac{2l}{n\pi}\sin\frac{n\pi a}{l},$$

$$b_n=\frac{1}{l}\int_a^{a+2l}x\sin\frac{n\pi x}{l}\mathrm{d}x=-\frac{2l}{n\pi}\cos\frac{n\pi a}{l},$$

故

$$f(x)=a+l+\frac{2l}{\pi}\sum_{n=1}^{\infty}\frac{1}{n}\left(\sin\frac{n\pi a}{l}\cos\frac{n\pi x}{l}-\cos\frac{n\pi a}{l}\sin\frac{n\pi x}{l}\right)(a<x<a+2l).$$

【2950】 将 $f(x)=x\sin x$ 在 $(-\pi,\pi)$ 内展开为傅里叶级数.

解 因为 $f(x)$ 为偶函数，从而 $b_n=0(n\in\mathbf{N}_+)$，且

$$a_0=\frac{2}{\pi}\int_0^{\pi}x\sin x\mathrm{d}x=2,$$

$$a_n=\frac{2}{\pi}\int_0^{\pi}x\sin x\cos nx\mathrm{d}x=\frac{1}{\pi}\int_0^{\pi}x[\sin(n+1)x-\sin(n-1)x]\mathrm{d}x=\frac{2(-1)^{n+1}}{n^2-1}(n\geqslant 2),$$

$$a_1=\frac{2}{\pi}\int_0^{\pi}x\sin x\cos x\mathrm{d}x=\frac{1}{\pi}\int_0^{\pi}x\sin 2x\mathrm{d}x=-\frac{1}{2}.$$

故 $f(x)=1-\frac{1}{2}\cos x+2\sum_{n=2}^{\infty}\frac{(-1)^{n+1}}{n^2-1}\cos nx(-\pi<x<\pi)$.

【2951】 将 $f(x)=x\cos x$ 在 $\left(-\frac{\pi}{2},\frac{\pi}{2}\right)$ 内展开为傅里叶级数.

解 因为 $f(x)$ 为奇函数，从而 $a_n=0(n\in\mathbf{N})$，且

$$b_n=\frac{4}{\pi}\int_0^{\frac{\pi}{2}}x\cos x\sin 2nx\mathrm{d}x=\frac{2}{\pi}\int_0^{\frac{\pi}{2}}x[\sin(2n+1)x+\sin(2n-1)x]\mathrm{d}x=\frac{(-1)^{n+1}16}{\pi}\frac{n}{(4n^2-1)^2}.$$

故 $f(x)=\frac{16}{\pi}\sum_{n=1}^{\infty}\frac{(-1)^{n+1}n}{(4n^2-1)^2}\sin 2nx\left(-\frac{\pi}{2}<x<\frac{\pi}{2}\right)$.

习题 2952—2962 周期函数的傅里叶展开式

【将下列周期函数展开成傅里叶级数(2952—2959)】

【2952】 $f(x)=\mathrm{sgn}(\cos x)$.

解 由于

$$f(x+2\pi)=\mathrm{sgn}[\cos(x+2\pi)]=f(x),$$

故 $f(x)$ 为 2π 周期函数. 又 $f(x)$ 为偶函数，从而 $b_n=0(n\in\mathbf{N}_+)$，且

$$a_0=\frac{2}{\pi}\int_0^{\pi}\mathrm{sgn}(\cos x)\mathrm{d}x=0,$$

$$a_n=\frac{2}{\pi}\int_0^{\pi}\mathrm{sgn}(\cos x)\cos nx\mathrm{d}x=\frac{2}{\pi}\left(\int_0^{\frac{\pi}{2}}\cos nx\mathrm{d}x-\int_{\frac{\pi}{2}}^{\pi}\cos nx\mathrm{d}x\right)$$

$$=\frac{4}{n\pi}\sin\frac{n\pi}{2}=\begin{cases}0, & n=2k,\\ (-1)^{k-1}\frac{4}{(2k-1)\pi}, & n=2k-1\end{cases}(k\in\mathbf{N}_+).$$

故 $f(x)=\frac{4}{\pi}\sum_{n=1}^{\infty}\left[(-1)^{n-1}\frac{\cos(2n-1)x}{2n-1}\right](-\pi<x<\pi)$.

注 $f(x)$ 在不连续点 $x=-\frac{\pi}{2}$ 和 $x=\frac{\pi}{2}$ 处成立，因为在 $|x|=\frac{\pi}{2}$ 处

$$f(x)=\frac{f(x-0)+f(x+0)}{2}.$$

故傅里叶级数在 $\mathbf{R}$ 上成立.

【2953】 $f(x)=\arcsin(\sin x)$.

解 $f(x)$ 是 2π 周期连续函数，在 $(-\pi,\pi)$ 内为奇函数，从而 $a_n=0(n\in\mathbf{N})$，且

$$b_n=\frac{2}{\pi}\int_0^{\pi}\arcsin(\sin x)\sin nx\mathrm{d}x=\frac{2}{\pi}\left[\int_0^{\frac{\pi}{2}}x\sin nx\mathrm{d}x+\int_{\frac{\pi}{2}}^{\pi}(\pi-x)\sin nx\mathrm{d}x\right]$$

$$=\frac{4}{n^2\pi}\sin\frac{n\pi}{2}=\begin{cases}0, & n=2k,\\ (-1)^{k-1}\dfrac{4}{\pi(2k-1)^2}, & n=2k-1\end{cases}(k\in\mathbf{N}_+).$$

故 $f(x)=\dfrac{4}{\pi}\sum\limits_{n=1}^{\infty}\dfrac{(-1)^{n-1}}{(2n-1)^2}\sin(2n-1)x(-\infty<x<+\infty)$.

【2954】 $f(x)=\arcsin(\cos x)$.

解 $f(x)$ 是 2π 周期连续函数，在 $(-\pi,\pi)$ 内为偶函数，从而 $b_n=0(n\in\mathbf{N}_+)$，且

$$a_0=\frac{2}{\pi}\int_0^{\pi}\arcsin(\cos x)\mathrm{d}x=\frac{2}{\pi}\int_0^{\pi}\left(\frac{\pi}{2}-x\right)\mathrm{d}x=0,$$

$$a_n=\frac{2}{\pi}\int_0^{\pi}\arcsin(\cos x)\cos nx\mathrm{d}x=\frac{2}{\pi}\int_0^{\pi}\left(\frac{\pi}{2}-x\right)\cos nx\mathrm{d}x$$

$$=\frac{2}{\pi}\frac{1}{n^2}[1-(-1)^n]=\begin{cases}0, & n=2k,\\ \dfrac{4}{(2k-1)^2\pi}, & n=2k-1\end{cases}(k\in\mathbf{N}_+).$$

故 $f(x)=\dfrac{4}{\pi}\sum\limits_{n=1}^{\infty}\dfrac{\cos(2n-1)x}{(2n-1)^2}(-\infty<x<+\infty)$.

【2955】 $f(x)=x-[x]$.

解 因为

$$f(x+1)=x+1-[x+1]=x+1-[x]-1=f(x),$$

故 $f(x)$ 是 1 周期函数，且 $f(x)$ 在 $x\overline{\in}\mathbf{Z}$ 上连续. 由于

$$a_0=2\int_0^1\{x-[x]\}\mathrm{d}x=2\int_0^1 x\mathrm{d}x=1,$$

$$a_n=2\int_0^1\{x-[x]\}\cos 2n\pi x\mathrm{d}x=2\int_0^1 x\cos 2n\pi x\mathrm{d}x=0$$

$$b_n=2\int_0^1\{x-[x]\}\sin 2n\pi x\mathrm{d}x=2\int_0^1 x\sin 2n\pi x\mathrm{d}x=-\frac{1}{n\pi},$$

故 $f(x)=\dfrac{1}{2}-\dfrac{1}{\pi}\sum\limits_{n=1}^{\infty}\dfrac{\sin 2n\pi x}{n}(x\neq k,k\in\mathbf{Z})$.

【2956】 $f(x)=(x)$，其中 (x) 是 x 到与它最近整数的距离.

解 $f(x)$ 是 1 周期连续偶函数，因此 $b_n=0(n\in\mathbf{N}_+)$. 由于

$$a_0=2\int_0^1(x)\mathrm{d}x=2\left[\int_0^{\frac{1}{2}}x\mathrm{d}x+\int_{\frac{1}{2}}^1(1-x)\mathrm{d}x\right]=\frac{1}{2},$$

$$a_n=2\int_0^1(x)\cos 2n\pi x\mathrm{d}x=2\left[\int_0^{\frac{1}{2}}x\cos 2n\pi x\mathrm{d}x+\int_{\frac{1}{2}}^1(1-x)\cos 2n\pi x\mathrm{d}x\right]$$

$$=\frac{1}{(n\pi)^2}[(-1)^n-1]=\begin{cases}0, & n=2k,\\ -\dfrac{2}{\pi^2}\cdot\dfrac{1}{(2k-1)^2}, & n=2k-1\end{cases}(k=1,2,\cdots),$$

故 $f(x)=\dfrac{1}{4}-\dfrac{2}{\pi^2}\sum\limits_{n=1}^{\infty}\dfrac{\cos 2\pi(2n-1)x}{(2n-1)^2}(-\infty<x<+\infty)$.

【2957】 $f(x)=|\sin x|$.

解 $f(x)$ 是 π 周期连续偶函数，从而 $b_n=0(n\in\mathbf{N}_+)$，且

$$a_0=\frac{4}{\pi}\int_0^{\frac{\pi}{2}}|\sin x|\mathrm{d}x=\frac{4}{\pi},$$

$$a_n=\frac{4}{\pi}\int_0^{\frac{\pi}{2}}|\sin x|\cos 2nx\mathrm{d}x=-\frac{4}{\pi}\frac{1}{4n^2-1}.$$

故 $f(x)=\frac{2}{\pi}-\frac{4}{\pi}\sum_{n=1}^{\infty}\frac{\cos 2nx}{4n^2-1}(-\infty<x<+\infty)$.

【2958】 $f(x)=|\cos x|$.

解 由于

$$f(x)=\left|\sin\left(x+\frac{\pi}{2}\right)\right|,$$

故由 2957 题有

$$\begin{aligned}|\cos x|&=\frac{2}{\pi}-\frac{4}{\pi}\sum_{n=1}^{\infty}\frac{\cos 2n\left(x+\frac{\pi}{2}\right)}{4n^2-1}\\&=\frac{2}{\pi}+\frac{4}{\pi}\sum_{n=1}^{\infty}(-1)^{n+1}\frac{\cos 2nx}{4n^2-1}(-\infty<x<+\infty).\end{aligned}$$

【2959】 $f(x)=\sum_{n=1}^{\infty}\alpha^n\frac{\sin nx}{\sin x}(|\alpha|<1)$.

解 显然 $p_n(x)=\frac{\sin nx}{\sin x}$ 是$(-\infty,+\infty)$内的连续函数，注意，当 $x=k\pi(k=0,\pm1,\pm2,\cdots)$ 时，函数值理解为其极限值

$$\lim_{x\to k\pi}\frac{\sin nx}{\sin x}=\lim_{x\to k\pi}\frac{n\cos nx}{\cos x}=n(-1)^{(n-1)k},$$

由 $p_n(x)$ 为 2π 周期偶函数，则

$$p_n(x)=p_{n-1}(x)\cos x+\cos(n-1)x.$$

故

$$|p_n(x)|\leqslant|p_{n-1}(x)|+1(n=2,3,\cdots).$$

注意到 $p_1(x)\equiv1$，由上式，利用数学归纳法

$$|p_n(x)|\leqslant n(n=1,2,\cdots).$$

于是

$$\left|\alpha^n\frac{\sin nx}{\sin x}\right|\leqslant n|\alpha|^n(n=1,2,\cdots).$$

因为 $|\alpha|<1$，故级数 $\sum_{n=1}^{\infty}n|\alpha|^n$ 收敛，从而级数 $\sum_{n=1}^{\infty}\alpha^n\frac{\sin nx}{\sin x}$ 在定义域内一致收敛. 由此可知，$f(x)=\sum_{n=1}^{\infty}\alpha^n\frac{\sin nx}{\sin x}$ 在有限区间上均可逐项积分.

由 $f(x)$ 是 2π 周期偶函数，故 $b_n=0(n\in\mathbf{N}_+)$.

由 2296 题，$\int_0^{\pi}\frac{\sin nx}{\sin x}\mathrm{d}x=\begin{cases}0, & n=2k,\\ \pi, & n=2k-1\end{cases}(k\in\mathbf{N}_+)$，于是

$$a_0=\frac{2}{\pi}\int_0^{\pi}\sum_{n=1}^{\infty}\alpha^n\frac{\sin nx}{\sin x}\mathrm{d}x=\frac{2}{\pi}\sum_{n=1}^{\infty}\alpha^n\int_0^{\pi}\frac{\sin nx}{\sin x}\mathrm{d}x=\frac{2\alpha}{1-\alpha^2},$$

$$a_n=\frac{2}{\pi}\sum_{m=1}^{\infty}\alpha^m\int_0^{\pi}\frac{\sin mx\cos nx}{\sin x}\mathrm{d}x=\frac{1}{\pi}\sum_{m=1}^{\infty}\alpha^m\int_0^{\pi}\frac{\sin(m+n)x+\sin(m-n)x}{\sin x}\mathrm{d}x=I_1+I_2,$$

其中

$$I_1=\frac{1}{\pi}\sum_{m\leqslant n}\alpha^m\int_0^{\pi}\frac{\sin(m+n)x+\sin(m-n)x}{\sin x}\mathrm{d}x,$$

$$I_2=\frac{1}{\pi}\sum_{m>n}\alpha^m\int_0^{\pi}\frac{\sin(m+n)x+\sin(m-n)x}{\sin x}\mathrm{d}x.$$

当 $m\leqslant n$ 时，不论 $m+n$ 及 $m-n$ 都是偶数，还是 $m+n$ 及 $m-n$ 都是奇数，I_1 中诸积分都为零，故有 $I_1=0$. 当 $m>n$ 时，若 $m+n$ 及 $m-n$ 都为偶数，则 I_2 中对应的积分等于零；若 $m+n$ 及 $m-n$ 都为奇数，

则 I_2 中对应的积分等于 2π. 于是

$$I_2 = 2\sum_{k=0}^{\infty} \alpha^{(2k+1)+n} = \frac{2\alpha^{n+1}}{1-\alpha^2}.$$

故 $f(x) = \frac{\alpha}{1-\alpha^2}\left(1+2\sum_{n=1}^{\infty} \alpha^n \cos nx\right)(-\infty < x < +\infty)$.

【2960】 把函数 $f(x) = \sec x\left(-\frac{\pi}{4} < x < \frac{\pi}{4}\right)$展开为傅里叶级数.

解 显然 $f(x) = \sec x$ 在$\left(-\frac{\pi}{4}, \frac{\pi}{4}\right)$上为连续偶函数,故 $b_n = 0(n \in \mathbf{N}_+)$,且

$$a_0 = \frac{8}{\pi}\int_0^{\frac{\pi}{4}} \sec x\mathrm{d}x = \frac{8}{\pi}\left[\ln\left|\tan\left(\frac{x}{2}+\frac{\pi}{4}\right)\right|\right]\Big|_0^{\frac{\pi}{4}} = \frac{8}{\pi}\ln(1+\sqrt{2}),$$

$$a_n = \frac{8}{\pi}\int_0^{\frac{\pi}{4}} \frac{\cos 4nx}{\cos x}\mathrm{d}x(n = 1,2,\cdots).$$

由于

$$\cos 4nx - \cos(4nx - 4x) = 2[\cos(4nx - x) - \cos(4nx - 3x)]\cos x,$$

故

$$\begin{aligned} a_n &= \frac{8}{\pi}\int_0^{\frac{\pi}{4}} \frac{\cos 4nx}{\cos x}\mathrm{d}x \\ &= \frac{16}{\pi}\int_0^{\frac{\pi}{4}}[\cos(4n-1)x - \cos(4n-3)x]\mathrm{d}x + \frac{8}{\pi}\int_0^{\frac{\pi}{4}} \frac{\cos 4(n-1)x}{\cos x}\mathrm{d}x \\ &= \frac{16}{\pi}\,\frac{\sqrt{2}(-1)^n}{(4n-3)(4n-1)} + a_{n-1}(n = 1,2,\cdots). \end{aligned}$$

由递推公式可知

$$a_n = \frac{16\sqrt{2}}{\pi}\sum_{k=1}^{n} \frac{(-1)^k}{(4k-3)(4k-1)} + a_0 = \frac{16\sqrt{2}}{\pi}\sum_{k=1}^{n} \frac{(-1)^k}{(4k-3)(4k-1)} + \frac{8}{\pi}\ln(1+\sqrt{2})(n = 1,2,\cdots).$$

故

$$\sec x = \frac{4}{\pi}\ln(1+\sqrt{2}) + \sum_{n=1}^{\infty}\left[\frac{8}{\pi}\ln(1+\sqrt{2}) - \frac{16\sqrt{2}}{\pi}\sum_{k=1}^{n} \frac{(-1)^{k-1}}{(4k-3)(4k-1)}\right]\cos 4nx\left(-\frac{\pi}{4} < x < \frac{\pi}{4}\right).$$

【2961】 将函数 $f(x) = x^2$ 展开成傅里叶级数:(1) 在$(-\pi,\pi)$ 内按倍角的余弦;(2) 在$(0,\pi)$ 内 按倍角的正弦展开;(3) 在区间$(0,2\pi)$ 内展开.

绘出函数的图像及情形(1)(2) 与(3) 的傅里叶级数之和的图像.

利用傅里叶级数,求以下级数的和:$\sum_{n=1}^{\infty} \frac{1}{n^2}$,$\sum_{n=1}^{\infty} \frac{(-1)^{n+1}}{n^2}$ 及$\sum_{n=1}^{\infty} \frac{1}{(2n-1)^2}$.

解 (1) 由于 $b_n = 0(n \in \mathbf{N}_+)$,且

$$a_0 = \frac{2}{\pi}\int_0^{\pi} x^2\mathrm{d}x = \frac{2\pi^2}{3},$$

$$a_n = \frac{2}{\pi}\int_0^{\pi} x^2\cos nx\mathrm{d}x = \frac{2}{\pi}\left(\frac{x^2}{n}\sin nx + \frac{2x}{n^2}\cos nx - \frac{2}{n^3}\sin nx\right)\Big|_0^{\pi} = (-1)^n\frac{4}{n^2},$$

故 $f(x) = \frac{\pi^2}{3} + 4\sum_{n=1}^{\infty} \frac{(-1)^n}{n^2}\cos nx(-\pi \leqslant x \leqslant \pi)$.

(2) 由于 $a_0 = a_n = 0$,且

$$\begin{aligned} b_n &= \frac{2}{\pi}\int_0^{\pi} x^2\sin nx\mathrm{d}x = \frac{2}{\pi}\left(-\frac{x^2}{n}\cos nx + \frac{2}{n^2}x\sin nx + \frac{2}{n^3}\cos nx\right)\Big|_0^{\pi} \\ &= \frac{2\pi}{n}(-1)^{n+1} + \frac{4}{n^3\pi}[(-1)^n - 1], \end{aligned}$$

故 $f(x)=2\pi\sum_{n=1}^{\infty}\frac{(-1)^{n+1}}{n}\sin nx-\frac{8}{\pi}\sum_{n=1}^{\infty}\frac{\sin(2n-1)x}{(2n-1)^3}(0\leqslant x<\pi)$.

(3) 由于

$$a_0=\frac{1}{\pi}\int_0^{2\pi}x^2\mathrm{d}x=\frac{8\pi^2}{3},$$

$$a_n=\frac{1}{\pi}\int_0^{2\pi}x^2\cos nx\mathrm{d}x=\frac{1}{\pi}\left(\frac{x^2}{n}\sin nx+\frac{2x}{n^2}\cos nx-\frac{2}{n^3}\sin nx\right)\Bigg|_0^{2\pi}=\frac{4}{n^2},$$

$$b_n=\frac{1}{\pi}\int_0^{2\pi}x^2\sin nx\mathrm{d}x=\frac{1}{\pi}\left(-\frac{x^2}{n}\cos nx+\frac{2x}{n^2}\sin nx+\frac{2}{n^3}\cos nx\right)\Bigg|_0^{2\pi}=-\frac{4\pi}{n},$$

故 $f(x)=\frac{4\pi^2}{3}+4\sum_{n=1}^{\infty}\frac{\cos nx}{n^2}-4\pi\sum_{n=1}^{\infty}\frac{\sin nx}{n}(0<x<2\pi)$.

函数 $f(x)$ 图像(1)(2) 及(3) 的傅里叶级数之和的图像分别如图 5.4、图 5.5、图 5.6 及图 5.7 所示.

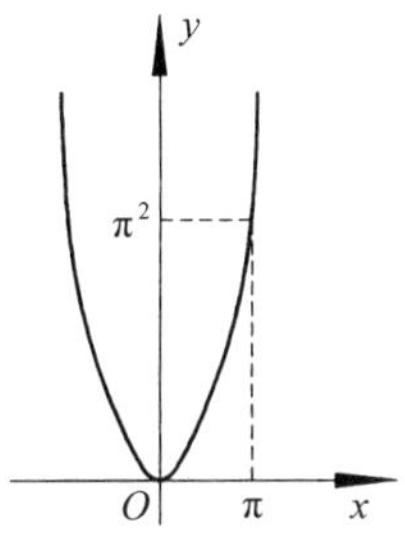

图 5.4

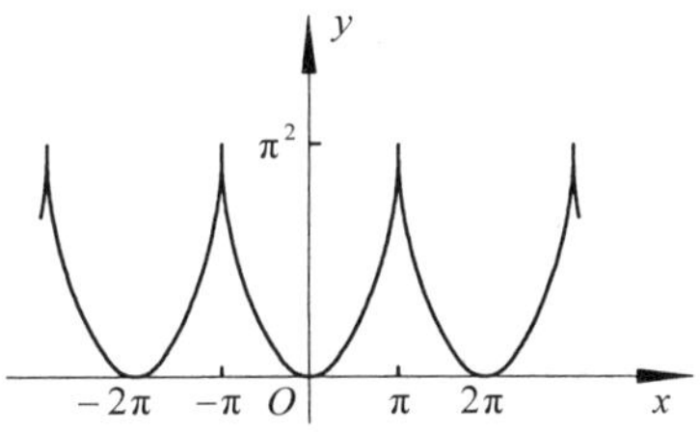

图 5.5

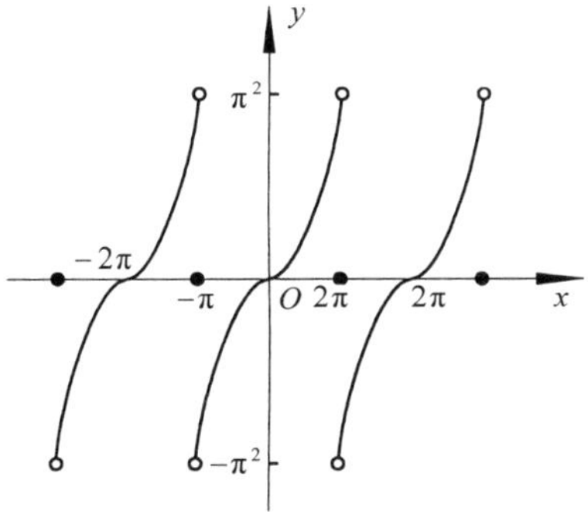

图 5.6

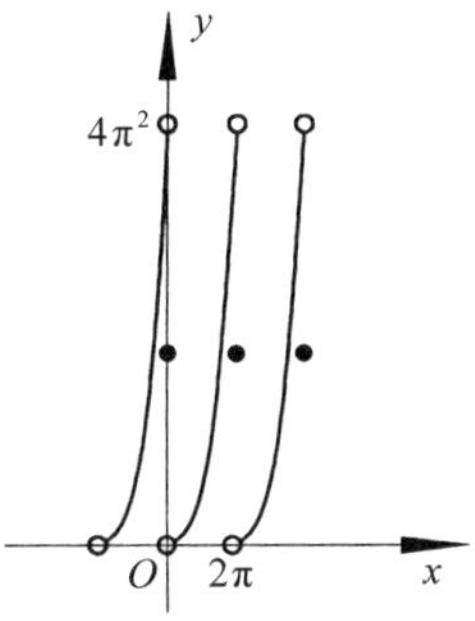

图 5.7

令 $x=\pi$,则$\frac{\pi^2}{3}+4\sum_{n=1}^{\infty}\frac{(-1)^n}{n^2}(-1)^n=\pi^2$. 故

$$\sum_{n=1}^{\infty}\frac{1}{n^2}=\frac{\pi^2}{6}. \qquad ①$$

令 $x=\pi$,则$\frac{4\pi^2}{3}+4\sum_{n=1}^{\infty}\frac{(-1)^n}{n^2}=\pi^2$. 故

$$\sum_{n=1}^{\infty}\frac{(-1)^{n+1}}{n^2}=\frac{\pi^2}{12}. \qquad ②$$

将级数 ① 和 ② 相加,得$\sum_{n=1}^{\infty}\left[\frac{1}{n^2}+\frac{(-1)^{n+1}}{n^2}\right]=\frac{\pi^2}{4}$,即

$$\sum_{n=1}^{\infty}\frac{1}{(2n-1)^2}=\frac{\pi^2}{8}.$$

【2962】 将函数 $f(x)=\begin{cases}x, & 0\leqslant x\leqslant 1,\\ 1, & 1<x<2,\\ 3-x, & 2\leqslant x\leqslant 3\end{cases}$ 展开成傅里叶级数.

解 将 $f(x)$ 作偶延拓,在[0,3]上作傅里叶展开,从而 $b_n=0(n\in\mathbf{N}_+)$,且

$$a_0=\frac{2}{3}\int_0^3 f(x)\mathrm{d}x=\frac{2}{3}\int_0^1 x\mathrm{d}x+\frac{2}{3}\int_1^2\mathrm{d}x+\frac{2}{3}\int_2^3(3-x)\mathrm{d}x=\frac{4}{3},$$

$$a_n=\frac{2}{3}\int_0^1 x\cos\frac{2n\pi x}{3}\mathrm{d}x+\frac{2}{3}\int_1^2\cos\frac{2n\pi x}{3}\mathrm{d}x+\frac{2}{3}\int_2^3(3-x)\cos\frac{2n\pi x}{3}\mathrm{d}x$$

$$=\frac{2}{3}\left\{\left[\frac{3}{2n\pi}x\sin\frac{2n\pi x}{3}+\frac{9}{4n^2\pi^2}\cos\frac{2n\pi x}{3}\right]\Bigg|_0^1+\frac{3}{2n\pi}\sin\frac{2n\pi x}{3}\Bigg|_1^2+\right.$$

$$\left.\left[\frac{9}{2n\pi}\sin\frac{2n\pi x}{3}-\frac{3}{2n\pi}x\sin\frac{2n\pi x}{3}-\frac{9}{4n^2\pi^2}\cos\frac{2n\pi x}{3}\right]\Bigg|_2^3\right\}$$

$$=-\frac{3}{(n\pi)^2}+\frac{3}{(n\pi)^2}(-1)^n\cos\frac{n\pi}{3}.$$

故 $f(x)$ 在[0,3]上可展开为余弦级数

$$\frac{2}{3}+\frac{3}{\pi^2}\sum_{n=1}^{\infty}\left[-\frac{1}{n^2}+\frac{(-1)^n}{n^2}\cos\frac{n\pi}{3}\right]\cos\frac{2n\pi x}{3}=f(x).$$

由于

$$\sum_{n=1}^{\infty}\left[-\frac{1}{n^2}+\frac{(-1)^n}{n^2}\cos\frac{n\pi}{3}\right]\cos\frac{2n\pi x}{3}$$

$$=\left(-\frac{1}{1^2}-\frac{1}{1^2}\cdot\frac{1}{2}\right)\cos\frac{2\pi x}{3}+\left(-\frac{1}{2^2}-\frac{1}{2^2}\cdot\frac{1}{2}\right)\cos\frac{4\pi x}{3}+\left(-\frac{1}{3^2}+\frac{1}{3^2}\right)\cos 2\pi x+$$

$$\left(-\frac{1}{4^2}-\frac{1}{4^2}\cdot\frac{1}{2}\right)\cos\frac{8\pi x}{3}+\left(-\frac{1}{5^2}-\frac{1}{5^2}\cdot\frac{1}{2}\right)\cos\frac{10\pi x}{3}+\left(-\frac{1}{6^2}+\frac{1}{6^2}\right)\cos 4\pi x+\cdots$$

$$=-\frac{3}{2}\sum_{n=1}^{\infty}\frac{1}{n^2}\cos\frac{2n\pi x}{3}+\frac{3}{2}\cdot\frac{1}{3^2}\sum_{n=1}^{\infty}\frac{1}{n^2}\cos 2n\pi x,$$

故

$$\frac{2}{3}-\frac{9}{2\pi^2}\sum_{n=1}^{\infty}\frac{1}{n^2}\cos\frac{2n\pi x}{3}+\frac{1}{2\pi^2}\sum_{n=1}^{\infty}\frac{1}{n^2}\cos 2n\pi x=f(x)(0\leqslant x\leqslant 3).$$

习题 2963—2966 无界周期函数的傅里叶展开式

【将下列无界周期函数展开成傅里叶级数(2963—2965)】

【2963】 $f(x)=\ln\left|\sin\frac{x}{2}\right|$.

解 $f(x)$ 是 2π 周期偶函数,$x=2k\pi(k\in\mathbf{Z})$ 为无穷间断点,从而 $b_n=0(n\in\mathbf{N}_+)$,且

$$a_0=\frac{2}{\pi}\int_0^{\pi}\ln\sin\frac{x}{2}\mathrm{d}x=\frac{4}{\pi}\int_0^{\frac{\pi}{2}}\ln\sin t\mathrm{d}t=-2\ln 2,$$

$$a_n=\frac{2}{\pi}\int_0^{\pi}\ln\sin\frac{x}{2}\cos nx\mathrm{d}x=-\frac{1}{n\pi}\int_0^{\pi}\frac{\sin nx\cos\frac{x}{2}}{\sin\frac{x}{2}}\mathrm{d}x$$

$$=-\frac{1}{2n\pi}\int_0^{\pi}\frac{\sin\left(n+\frac{1}{2}\right)x+\sin\left(n-\frac{1}{2}\right)x}{\sin\frac{x}{2}}\mathrm{d}x=-\frac{1}{n\pi}\int_0^{\frac{\pi}{2}}\frac{\sin(2n+1)t}{\sin t}\mathrm{d}t-\frac{1}{n\pi}\int_0^{\frac{\pi}{2}}\frac{\sin(2n-1)t}{\sin t}\mathrm{d}t.$$

由 2291 题有

$$\int_0^{\pi}\frac{\sin(2n+1)x}{\sin x}dt=\pi(n=0,1,2,\cdots),$$

故

$$\int_0^{\frac{\pi}{2}}\frac{\sin(2n+1)x}{\sin x}dx+\int_{\frac{\pi}{2}}^{\pi}\frac{\sin(2n+1)x}{\sin x}dx=\pi.$$

在上式左端第二个积分中令 $\pi-x=u$，即得与第一个积分相同的积分，从而

$$\int_0^{\frac{\pi}{2}}\frac{\sin(2n+1)}{\sin x}dx=\frac{\pi}{2}.$$

易得

$$a_n=-\frac{1}{n}(n=1,2,\cdots).$$

由于 $f(x)=\ln\left|\sin\frac{x}{2}\right|$ 在 $(-\pi,\pi)$ 内绝对可积（参看上面 a_0 计算），又由 2353 题，

$$\int_0^{\frac{\pi}{2}}\ln\sin x dx=-\frac{\pi}{2}\ln 2,$$

故

$$\int_{-\pi}^{\pi}|f(x)|dx=2\int_0^{\pi}\left|\ln\sin\frac{x}{2}\right|dx=-2\int_0^{\pi}\ln\sin\frac{x}{2}dx=2\pi\ln 2<+\infty,$$

当 $x\neq 2k\pi(k\in\mathbf{Z})$ 时，$f(x)$ 均可微，故根据傅里叶级数收敛的 Lipschitz 判别法（参看 T. M. 菲赫金哥尔茨著，微积分学教程，第三卷第三分册 658 目）知，$f(x)$ 的傅里叶级数收敛于 $f(x)$ 本身，即

$$\ln\left|\sin\frac{x}{2}\right|=-\ln 2-\sum_{n=1}^{\infty}\frac{\cos nx}{n}(x\neq 2k\pi,k\in\mathbf{Z}).$$

【2964】 $f(x)=\ln\left|\cos\frac{x}{2}\right|.$

解 利用 2963 题的结果，即得

$$\begin{aligned}\ln\left|\cos\frac{x}{2}\right|&=\ln\left|\sin\frac{\pi-x}{2}\right|=-\ln 2-\sum_{n=1}^{\infty}\frac{\cos n(\pi-x)}{n}\\&=-\ln 2+\sum_{n=1}^{\infty}\frac{(-1)^{n+1}}{n}\cos nx(x\neq(2m+1)\pi;m\in\mathbf{Z}).\end{aligned}$$

【2965】 $f(x)=\ln\left|\tan\frac{x}{2}\right|.$

解 利用 2963 题及 2964 题的结果，即得

$$\begin{aligned}\ln\left|\tan\frac{x}{2}\right|&=\ln\left|\sin\frac{x}{2}\right|-\ln\left|\cos\frac{x}{2}\right|\\&=\left[-\ln 2-\sum_{n=1}^{\infty}\frac{\cos nx}{n}\right]-\left[-\ln 2+\sum_{n=1}^{\infty}\frac{(-1)^{n+1}}{n}\cos nx\right]\\&=-2\sum_{n=1}^{\infty}\frac{\cos(2n-1)x}{2n-1}(x\neq k\pi,k\in\mathbf{Z}).\end{aligned}$$

【2966】 将函数 $f(x)=\int_0^x\ln\sqrt{\left|\cot\frac{t}{2}\right|}dt(-\pi\leqslant x\leqslant\pi)$ 展开成傅里叶级数.

解 将函数对 x 求导数，并由 2965 题的结果可得

$$f'(x)=\frac{1}{2}\ln\left|\cot\frac{x}{2}\right|=-\frac{1}{2}\ln\left|\tan\frac{x}{2}\right|=\sum_{n=1}^{\infty}\frac{\cos(2n-1)x}{2n-1}.$$

由于

$$f'(x)=\frac{1}{2}\ln\left|\cos\frac{x}{2}\right|-\frac{1}{2}\ln\left|\sin\frac{x}{2}\right|$$

在$(-\pi,\pi)$内绝对可积，故$\int_0^x \ln\sqrt{\left|\cot\frac{t}{2}\right|}\,\mathrm{d}t=\sum_{n=1}^{\infty}\frac{\sin(2n-1)x}{(2n-1)^2}(-\pi\leqslant x\leqslant\pi)$.

习题 2967—2971 利用三角级数求函数的傅里叶展开式

【利用欧拉公式，将下列函数展开成傅里叶级数(2967—2970)】

【2967】 $\cos^{2m}x$（m 为正整数）.

解 $\cos^{2m}x=\left(\frac{e^{ix}+e^{-ix}}{2}\right)^{2m}=\frac{1}{2^{2m}}\sum_{l=0}^{2m}C_{2m}^{l}e^{(2m-l)ix}e^{-lix}$

$$=\frac{1}{2^{2m}}C_{2m}^{m}+\frac{1}{2^{2m}}\left(\sum_{l=0}^{m-1}+\sum_{l=m+1}^{2m}\right)C_{2m}^{l}e^{2(m-l)ix}$$

$$=\frac{1}{2^{2m}}C_{2m}^{m}+\frac{1}{2^{2m}}\left[\sum_{l=0}^{m-1}C_{2m}^{l}e^{2(m-l)ix}+\sum_{l=0}^{m-1}C_{2m}^{2m-l}e^{-2(m-l)ix}\right]$$

$$=\frac{1}{2^{2m}}C_{2m}^{m}+\frac{1}{2^{2m}}\sum_{s=0}^{m-1}C_{2m}^{s}\left[e^{2(m-s)ix}+e^{-2(m-s)ix}\right]=\frac{1}{2^{2m}}C_{2m}^{m}+\frac{1}{2^{2m-1}}\sum_{s=0}^{m-1}C_{2m}^{s}\cos2(m-s)x$$

$$=\frac{1}{2^{2m}}C_{2m}^{m}+\frac{1}{2^{2m-1}}\sum_{k=1}^{m}C_{2m}^{m-k}\cos 2kx.$$

由于上述表达式为三角多项式，故在$(-\infty,+\infty)$内的傅里叶级数展开式即为它本身.

【2968】 $\frac{q\sin x}{1-2q\cos x+q^2}(|q|<1)$.

解 由于

$$\frac{q\sin x}{1-2q\cos x+q^2}=\frac{\frac{q}{2i}(e^{ix}-e^{-ix})}{1-q(e^{ix}+e^{-ix})+q^2}$$

$$=\frac{1}{2i}\frac{q(e^{ix}-e^{-ix})}{(1-qe^{ix})(1-qe^{-ix})}=\frac{1}{2i}\left(\frac{1}{1-qe^{ix}}-\frac{1}{1-qe^{-ix}}\right)$$

$$=\frac{1}{2i}\left[(1+qe^{ix}+q^2e^{2ix}+\cdots)-(1+qe^{-ix}+q^2e^{-2ix}+\cdots)\right]$$

$$=q\sin x+q^2\sin 2x+\cdots,$$

且$|q^n\sin nx|\leqslant q^n$，而$\sum_{n=1}^{\infty}q^n(|q|<1)$收敛，故级数

$$q\sin x+q^2\sin 2x+\cdots+q^n\sin nx+\cdots$$

在$(-\infty,+\infty)$内一致收敛. 因此

$$\frac{q\sin x}{1-2q\cos x+q^2}=\sum_{n=1}^{\infty}q^n\sin nx(-\infty<x<+\infty).$$

【2969】 $\frac{1-q^2}{1-2q\cos x+q^2}(|q|<1)$.

解 由于

$$\frac{1-q^2}{1-2q\cos x+q^2}=\frac{1-q^2}{1-q(e^{ix}+e^{-ix})+q^2}$$

$$=(1-q^2)\frac{1}{(1-qe^{ix})(1-qe^{-ix})}=-1+\frac{1}{1-qe^{ix}}+\frac{1}{1-qe^{-ix}}$$

$$=-1+(1+qe^{ix}+q^2e^{2ix}+\cdots)+(1+qe^{-ix}+q^2e^{-2ix}+\cdots)$$

$$=1+2\sum_{n=1}^{\infty}q^n\cos nx,$$

且级数在$(-\infty,+\infty)$内一致收敛，因而有

$$\frac{1-q^2}{1-2q\cos x+q^2}=1+2\sum_{n=1}^{\infty}q^n\cos nx(-\infty<x<+\infty).$$

【2970】 $\dfrac{1-q\cos x}{1-2q\cos x+q^2}(|q|<1)$.

解 由于

$$\begin{aligned}\frac{1-q\cos x}{1-2q\cos x+q^2}&=\frac{1-\frac{q}{2}(e^{ix}+e^{-ix})}{1-q(e^{ix}+e^{-ix})+q^2}\\&=\frac{1}{2}\frac{2-qe^{ix}-qe^{-ix}}{(1-qe^{ix})(1-qe^{-ix})}=\frac{1}{2}\left(\frac{1}{1-qe^{ix}}+\frac{1}{1-qe^{-ix}}\right)\\&=\frac{1}{2}[(1+qe^{ix}+q^2e^{2ix}+\cdots)+(1+qe^{-ix}+q^2e^{-2ix}+\cdots)]\\&=1+q\cos x+q^2\cos 2x+\cdots=\sum_{n=0}^{\infty}q^n\cos nx,\end{aligned}$$

且级数在$(-\infty,+\infty)$内一致收敛，因而

$$\frac{1-q\cos x}{1-2q\cos x+q^2}=\sum_{n=0}^{\infty}q^n\cos nx(-\infty<x<+\infty).$$

【2971】 函数 $x=x(s),y=y(s)(0\leqslant s\leqslant 4a)$ 是正方形：$0<x<a,0<y<a$ 围线的参数方程，其中 s 为逆时针方向从点 $O(0,0)$ 计算的弧长. 试将 $x(s),y(s)$ 展开成傅里叶级数.

解 由题意可知

$$x(s)=\begin{cases}s, & 0\leqslant s\leqslant a,\\ a, & a\leqslant s\leqslant 2a,\\ 3a-s, & 2a\leqslant s\leqslant 3a,\\ 0, & 3a\leqslant s\leqslant 4a.\end{cases}$$

设 $x(s)$ 在$[0,4a]$上的傅里叶级数为

$$\frac{a_0}{2}+\sum_{n=1}^{\infty}\left(a_n\cos\frac{n\pi s}{2a}+b_n\sin\frac{n\pi s}{2a}\right),$$

其中

$$a_0=\frac{1}{2a}\int_0^{4a}x(s)ds=\frac{1}{2a}\left[\int_0^a sds+\int_a^{2a}a\,ds+\int_{2a}^{3a}(3a-s)ds\right]=a,$$

$$a_n=\frac{1}{2a}\int_0^{4a}x(s)\cos\frac{n\pi s}{2a}ds=\frac{1}{2a}\left[\int_0^a s\cos\frac{n\pi s}{2a}ds+\int_a^{2a}a\cos\frac{n\pi s}{2a}ds+\int_{2a}^{3a}(3a-s)\cos\frac{n\pi s}{2a}ds\right]$$

$$=\frac{2a}{(n\pi)^2}\left(\cos\frac{n\pi}{2}-1-\cos\frac{3n\pi}{2}+\cos n\pi\right)=\begin{cases}0, & n=2k,\\ -\dfrac{4a}{\pi^2(2k-1)^2}, & n=2k-1,\end{cases}k\in\mathbf{Z}_+$$

$$b_n=\frac{1}{2a}\int_0^{4a}x(s)\sin\frac{n\pi s}{2a}ds=\frac{1}{2a}\left[\int_0^a s\sin\frac{n\pi s}{2a}ds+\int_a^{2a}a\sin\frac{n\pi s}{2a}ds+\int_{2a}^{3a}(3a-s)\sin\frac{n\pi s}{2a}ds\right]$$

$$=\frac{2a}{n^2\pi^2}\left(\sin\frac{n\pi}{2}-\sin\frac{3n\pi}{2}\right)=\begin{cases}0, & n=2k,\\ \dfrac{4a(-1)^{k-1}}{\pi^2(2k-1)^2}, & n=2k-1,\end{cases}k=1,2,3,\cdots.$$

由 $x(0)=x(4a)$，则

$$x(s)=\frac{a}{2}-\frac{4a}{\pi^2}\sum_{n=1}^{\infty}\frac{1}{(2n-1)^2}\cos\frac{(2n-1)\pi s}{2a}+\frac{4a}{\pi^2}\sum_{n=1}^{\infty}\frac{(-1)^{n-1}}{(2n-1)^2}\sin\frac{(2n-1)\pi s}{2a}(0\leqslant s\leqslant 4a).$$

同理

$$y(s)=\begin{cases}0, & 0\leqslant s\leqslant a,\\ s-a, & a\leqslant s\leqslant 2a,\\ a, & 2a\leqslant s\leqslant 3a,\\ 4a-s, & 3a\leqslant s\leqslant 4a.\end{cases}$$

设 $y(s)$ 在$[0,4a]$上的傅里叶级数为

$$\frac{A_0}{2}+\sum_{n=1}^{\infty}\left(A_n\cos\frac{n\pi s}{2a}+B_n\sin\frac{n\pi s}{2a}\right),$$

其中

$$A_0=\frac{1}{2a}\int_a^{4a}y(s)\mathrm{d}s=\frac{1}{2a}\left[\int_a^{2a}(s-a)\mathrm{d}s+\int_{2a}^{3a}a\,\mathrm{d}s+\int_{3a}^{4a}(4a-s)\mathrm{d}s\right]=a,$$

$$\begin{aligned}A_n&=\frac{1}{2a}\int_0^{4a}y(s)\cos\frac{n\pi s}{2a}\mathrm{d}s\\
&=\frac{1}{2a}\left[\int_a^{2a}(s-a)\cos\frac{n\pi s}{2a}\mathrm{d}s+\int_{2a}^{3a}a\cos\frac{n\pi s}{2a}\mathrm{d}s+\int_{3a}^{4a}(4a-s)\cos\frac{n\pi s}{2a}\mathrm{d}s\right]\\
&=\frac{1}{2a}\left\{\left[\left(-\frac{2a^2}{n\pi}\sin\frac{n\pi}{2}+\frac{4a^2}{n^2\pi^2}\left(\cos n\pi-\cos\frac{n\pi}{2}\right)\right)-\left(-\frac{2a^2}{n\pi}\sin\frac{n\pi}{2}\right)\right]+\right.\\
&\quad\left.\left[\frac{2a^2}{n\pi}\sin\frac{3n\pi}{2}\right]+\left[\left(-\frac{8a^2}{n\pi}\sin\frac{3n\pi}{2}\right)-\left(-\frac{6a^2}{n\pi}\sin\frac{3n\pi}{2}+\frac{4a^2}{n^2\pi^2}-\frac{4a^2}{n^2\pi^2}\cos\frac{3n\pi}{2}\right)\right]\right\}\\
&=\frac{2a}{n^2\pi^2}\left(\cos n\pi-\cos\frac{n\pi}{2}-1+\cos\frac{3n\pi}{2}\right)\\
&=\begin{cases}0, & n=2k,\\ -\dfrac{4a}{\pi^2(2k-1)^2}, & n=2k-1,\end{cases}\quad k=1,2,3,\cdots.\end{aligned}$$

$$\begin{aligned}B_n&=\frac{1}{2a}\int_0^{4a}y(s)\sin\frac{n\pi s}{2a}\mathrm{d}s\\
&=\frac{1}{2a}\left[\int_a^{2a}(s-a)\sin\frac{n\pi s}{2a}\mathrm{d}s+\int_{2a}^{3a}a\sin\frac{n\pi s}{2a}\mathrm{d}s+\int_{3a}^{4a}(4a-s)\sin\frac{n\pi s}{2a}\mathrm{d}s\right]\\
&=\frac{1}{2a}\left\{\left[\left(-\frac{4a^2}{n\pi}\cos n\pi+\frac{2a^2}{n\pi}\cos\frac{n\pi}{2}-\frac{4a^2}{n^2\pi^2}\sin\frac{n\pi}{2}\right)-\left(-\frac{2a^2}{n\pi}\cos n\pi+\frac{2a^2}{n\pi}\cos\frac{n\pi}{2}\right)\right]+\right.\\
&\quad\left(-\frac{2a^2}{n\pi}\cos\frac{3n\pi}{2}+\frac{2a^2}{n\pi}\cos n\pi\right)+\left[\left(-\frac{8a^2}{n\pi}+\frac{8a^2}{n\pi}\cos\frac{3n\pi}{2}\right)-\right.\\
&\quad\left.\left.\left(-\frac{8a^2}{n\pi}-\frac{6a^2}{n\pi}\cos\frac{3n\pi}{2}-\frac{4a^2}{n^2\pi^2}\sin\frac{3n\pi}{2}\right)\right]\right\}\\
&=\frac{2a}{n^2\pi^2}\left(\sin\frac{3n\pi}{2}-\sin\frac{n\pi}{2}\right)=\begin{cases}0, & n=2k,\\ \dfrac{4a(-1)^k}{\pi^2(2k-1)^2}, & n=2k-1,\end{cases}\quad k=1,2,3,\cdots.\end{aligned}$$

由 $y(0)=y(4a)$，则

$$y(s)=\frac{a}{2}-\frac{4a}{\pi^2}\sum_{n=1}^{\infty}\frac{1}{(2n-1)^2}\cos\frac{(2n-1)\pi s}{2a}+\frac{4a}{\pi^2}\sum_{n=1}^{\infty}\frac{(-1)^n}{(2n-1)^2}\sin\frac{(2n-1)\pi s}{2a}\,(0\leqslant s\leqslant 4a).$$

习题 2972—2974 奇偶展开

【2972】 将$\left(0,\frac{\pi}{2}\right)$内的可积函数 $f(x)$ 延拓到$(-\pi,\pi)$内，使得它展开成傅里叶级数后具有以下形式：

$$f(x)=\sum_{n=1}^{\infty}a_{2n-1}\cos(2n-1)x\,(-\pi<x<\pi).$$

解 将 $f(x)$ 作偶延拓，记 $f(x)$ 延拓到 $\left(\frac{\pi}{2},\pi\right)$ 的部分为 $g(x)$，则

$$a_{2n}=\int_0^{\frac{\pi}{2}}f(x)\cos 2nx\mathrm{d}x+\int_{\frac{\pi}{2}}^{\pi}g(x)\cos 2nx\mathrm{d}x=0(n=0,1,2,\cdots).$$

由 $\int_{\pi}^{\frac{\pi}{2}}f(x)\cos 2nx\mathrm{d}x=-\int_{\pi}^{\frac{\pi}{2}}f(\pi-y)\cos 2ny\mathrm{d}y$，则

$$-\int_{\pi}^{\frac{\pi}{2}}f(\pi-y)\cos 2ny\mathrm{d}y+\int_{\frac{\pi}{2}}^{\pi}g(x)\cos 2nx\mathrm{d}x=0,$$

即

$$\int_{\frac{\pi}{2}}^{\pi}[f(\pi-x)+g(x)]\cos 2nx\mathrm{d}x=0(n=0,1,2,\cdots).$$

取

$$g(x)=-f(\pi-x),$$

则

$$f(-x)=f(x),f(\pi-x)=-f(x)(-\pi<x<\pi).$$

注 若延拓后的函数记为 $h(x)$，则

$$h(x)=\begin{cases}-f(x+\pi), & x\in\left(-\pi,-\frac{\pi}{2}\right),\\ f(-x), & x\in\left(-\frac{\pi}{2},0\right),\\ f(x), & x\in\left(0,\frac{\pi}{2}\right),\\ -f(\pi-x), & x\in\left(\frac{\pi}{2},\pi\right).\end{cases}$$

【2973】 将 $\left(0,\frac{\pi}{2}\right)$ 内的可积函数 $f(x)$ 延拓到 $(-\pi,\pi)$ 内，使得它展开成傅里叶级数后具有以下形式：

$$f(x)=\sum_{n=1}^{\infty}b_{2n-1}\sin(2n-1)x(-\pi<x<\pi).$$

解 将 $f(x)$ 作奇延拓，记 $f(x)$ 延拓到 $\left(\frac{\pi}{2},\pi\right)$ 的部分为 $g(x)$，则

$$b_{2n}=\int_0^{\frac{\pi}{2}}f(x)\sin 2nx\mathrm{d}x+\int_{\frac{\pi}{2}}^{\pi}g(x)\sin 2nx\mathrm{d}x=0(n=1,2,\cdots).$$

由 $\int_0^{\frac{\pi}{2}}f(x)\sin 2nx\mathrm{d}x=\int_{\pi}^{\frac{\pi}{2}}f(\pi-y)\sin 2ny\mathrm{d}y$，则

$$\int_{\pi}^{\frac{\pi}{2}}f(\pi-y)\sin 2ny\mathrm{d}y+\int_{\frac{\pi}{2}}^{\pi}g(x)\sin 2nx\mathrm{d}x=0,$$

即

$$\int_{\frac{\pi}{2}}^{\pi}[-f(\pi-x)+g(x)]\sin 2nx\mathrm{d}x=0(n=1,2,\cdots).$$

取

$$g(x)=f(\pi-x),$$

则

$$f(-x)=-f(x),f(\pi-x)=f(x)(-\pi<x<\pi).$$

注 若延拓后的函数记为 $h(x)$，则

$$h(x)=\begin{cases}-f(x+\pi), & x\in\left(-\pi,-\dfrac{\pi}{2}\right),\\ -f(-x), & x\in\left(-\dfrac{\pi}{2},0\right),\\ f(x), & x\in\left(0,\dfrac{\pi}{2}\right),\\ f(\pi-x), & x\in\left(\dfrac{\pi}{2},\pi\right).\end{cases}$$

【2974】 将 $f(x)=x\left(\dfrac{\pi}{2}-x\right)$ 在 $\left(0,\dfrac{\pi}{2}\right)$ 内展开为傅里叶级数：(1) 依角的奇倍数的余弦展开；(2) 依角的奇倍数的正弦展开.

绘出情形(1) 与(2) 的傅里叶级数之和的图像.

解 (1) 利用 2972 题的结果，延拓函数，使 $f(-x)=f(x)$，$f(\pi-x)=-f(x)$，则

$$a_{2n-1}=\frac{2}{\pi}\left\{\int_0^{\frac{\pi}{2}}f(x)\cos(2n-1)x\mathrm{d}x+\int_{\frac{\pi}{2}}^{\pi}[-f(\pi-x)]\cos(2n-1)x\mathrm{d}x\right\}.$$

由 $\int_{\frac{\pi}{2}}^{\pi}[-f(\pi-x)]\cdot\cos(2n-1)x\mathrm{d}x=-\int_{\frac{\pi}{2}}^{0}[-f(x)]\cdot\cos(2n-1)(\pi-x)\mathrm{d}x=\int_0^{\frac{\pi}{2}}f(x)\cos(2n-1)x\mathrm{d}x$，则

$$\begin{aligned}a_{2n-1}&=\frac{4}{\pi}\int_0^{\frac{\pi}{2}}f(x)\cos(2n-1)x\mathrm{d}x=\frac{4}{\pi}\int_0^{\frac{\pi}{2}}x\left(\frac{\pi}{2}-x\right)\cos(2n-1)x\mathrm{d}x\\&=\frac{4}{(2n-1)\pi}x\left(\frac{\pi}{2}-x\right)\sin(2n-1)x\Big|_0^{\frac{\pi}{2}}-\frac{4}{(2n-1)\pi}\int_0^{\frac{\pi}{2}}\left(\frac{\pi}{2}-2x\right)\sin(2n-1)x\mathrm{d}x\\&=\frac{4}{(2n-1)^2\pi}\left[\frac{\pi}{2}\cos(2n-1)x-2x\cos(2n-1)x\right]\Big|_0^{\frac{\pi}{2}}+\frac{8}{(2n-1)^2\pi}\int_0^{\frac{\pi}{2}}\cos(2n-1)x\mathrm{d}x\\&=-\frac{2}{(2n-1)^2}+\frac{8}{(2n-1)^3\pi}\sin(2n-1)\frac{\pi}{2}\\&=-\frac{2}{(2n-1)^2}+\frac{8(-1)^{n-1}}{(2n-1)^3\pi}(n=1,2,\cdots).\end{aligned}$$

故

$$-2\sum_{n=1}^{\infty}\left[\frac{1}{(2n-1)^2}-\frac{4}{\pi}\frac{(-1)^{n-1}}{(2n-1)^3}\right]\cos(2n-1)x=f(x)\left(0\leqslant x\leqslant\frac{\pi}{2}\right).$$

和函数图像如图 5.8 所示.

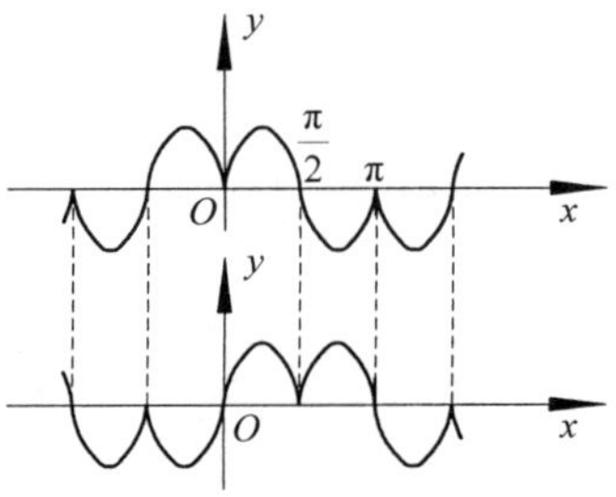

图 5.8

(2) 利用 2973 题的结果，延拓函数，使 $f(-x)=-f(x)$，$f(\pi-x)=f(x)$，则

$$b_{2n-1}=\frac{2}{\pi}\left[\int_0^{\frac{\pi}{2}}f(x)\sin(2n-1)x\mathrm{d}x+\int_{\frac{\pi}{2}}^{\pi}f(\pi-x)\sin(2n-1)x\mathrm{d}x\right].$$

由$\int_{\frac{\pi}{2}}^{\pi}f(\pi-x)\sin(2n-1)x\mathrm{d}x=-\int_{\frac{\pi}{2}}^{0}f(x)\sin(2n-1)(\pi-x)\mathrm{d}x=\int_0^{\frac{\pi}{2}}f(x)\sin(2n-1)x\mathrm{d}x$,则

$$\begin{aligned}b_{2n-1}&=\frac{4}{\pi}\int_0^{\frac{\pi}{2}}f(x)\sin(2n-1)x\mathrm{d}x=\frac{4}{\pi}\int_0^{\frac{\pi}{2}}x\left(\frac{\pi}{2}-x\right)\sin(2n-1)x\mathrm{d}x\\&=-\frac{4}{(2n-1)\pi}x\left(\frac{\pi}{2}-x\right)\cos(2n-1)x\Big|_0^{\frac{\pi}{2}}+\\&\quad\frac{4}{(2n-1)\pi}\int_0^{\frac{\pi}{2}}\left(\frac{\pi}{2}-2x\right)\cos(2n-1)x\mathrm{d}x\\&=\frac{4}{(2n-1)^2\pi}\left[\left(\frac{\pi}{2}-2x\right)\sin(2n-1)x\right]\Big|_0^{\frac{\pi}{2}}+\frac{8}{(2n-1)^2\pi}\int_0^{\frac{\pi}{2}}\sin(2n-1)x\mathrm{d}x\\&=\frac{2(-1)^n}{(2n-1)^2}+\frac{8}{(2n-1)^3\pi}(n=1,2,\cdots).\end{aligned}$$

故

$$2\sum_{n=1}^{\infty}\left[\frac{(-1)^n}{(2n-1)^2}+\frac{4}{(2n-1)^3\pi}\right]\sin(2n-1)x=f(x)\left(0\leqslant x\leqslant\frac{\pi}{2}\right).$$

和函数图像如图 5.8 所示.

习题 2975—2981 具有某些性质的函数的傅里叶系数

【2975】 设 $f(x)$ 是 π 周期的反周期函数,即 $f(x+\pi)=-f(x)$. 问此函数在$(-\pi,\pi)$内的傅里叶级数具有怎样的特性?

解 由于

$$a_n=\frac{1}{\pi}\int_{-\pi}^{\pi}f(x)\cos nx\mathrm{d}x=\frac{1}{\pi}[-\int_{-\pi}^{0}f(\pi+x)\cos nx\mathrm{d}x+\int_0^{\pi}f(x)\cos nx\mathrm{d}x](n=0,1,2,\cdots),$$

且$-\int_{-\pi}^{0}f(\pi+x)\cos nx\mathrm{d}x=-\int_0^{\pi}f(x)\cos n(x-\pi)\mathrm{d}x=(-1)^{n+1}\int_0^{\pi}f(x)\cos nx\mathrm{d}x$,则

$$a_n=\frac{1}{\pi}\int_0^{\pi}[(-1)^{n+1}+1]f(x)\cos nx\mathrm{d}x.$$

故 $a_{2n}=0(n=0,1,2,\cdots)$. 同理,$b_{2n}=0(n=1,2,\cdots)$. 因此,函数 $f(x)$ 在$(-\pi,\pi)$内的傅里叶级数满足

$$a_{2n}=0(n=0,1,2,\cdots),b_{2n}=0(n=1,2,\cdots).$$

【2976】 设 $f(x+\pi)=f(x)$,则函数 $f(x)$ 在$(-\pi,\pi)$内的傅里叶级数具有怎样的特性?

解 与 2975 题解法类似,可求得

$$a_n=\frac{1}{\pi}\int_0^{\pi}[(-1)^n+1]f(x)\cos nx\mathrm{d}x(n=0,1,2,\cdots),$$

则

$$a_{2n-1}=0(n=1,2,\cdots).$$

同理

$$b_{2n-1}=0(n=1,2,\cdots).$$

因此,函数 $f(x)$ 在$(-\pi,\pi)$内的傅里叶系数满足 $a_{2n-1}=b_{2n-1}=0(n=1,2,\cdots)$.

【2977】 设 $f(x)$ 为 2π 周期函数,若函数图像:(1) 以点$(0,0)$,$\left(\pm\frac{\pi}{2},0\right)$为对称中心,(2) 以坐标原点为对称中心并以 $x=\pm\frac{\pi}{2}$ 为对称轴,问其傅里叶系数 $a_n(n=0,1,2,\cdots)$,$b_n(n$

$=1,2,\cdots)$ 具有怎样的特性?

解 (1) 由

$$f(-x)=-f(x),f(\pi-x)=-f(x),$$

则 $a_n=0(n=0,1,2,\cdots)$,且

$$\begin{aligned}b_n&=\frac{2}{\pi}\left\{\int_0^{\frac{\pi}{2}}f(x)\sin nx\mathrm{d}x+\int_{\frac{\pi}{2}}^{\pi}[-f(\pi-x)]\sin nx\mathrm{d}x\right\}\\&=\frac{2}{\pi}\left[\int_0^{\frac{\pi}{2}}f(x)\sin nx\mathrm{d}x+(-1)^n\int_0^{\frac{\pi}{2}}f(y)\sin ny\mathrm{d}y\right]\\&=\frac{2}{\pi}\int_0^{\frac{\pi}{2}}[1+(-1)^n]f(x)\sin nx\mathrm{d}x.\end{aligned}$$

故 $b_{2n-1}=0(n=1,2,\cdots)$. 因此,$f(x)$ 的傅里叶系数满足

$$a_n=0(n=0,1,2,\cdots),b_{2n-1}=0(n=1,2,\cdots).$$

(2) 由

$$f(-x)=-f(x),f(\pi-x)=f(x),$$

则 $a_n=0(n=0,1,2,\cdots)$,且

$$b_n=\frac{2}{\pi}\int_0^{\frac{\pi}{2}}[1+(-1)^{n+1}]f(x)\sin nx\mathrm{d}x.$$

故 $b_{2n}=0(n=1,2,\cdots)$. 因此,$f(x)$ 的傅里叶系数满足

$$a_n=0(n=0,1,2,\cdots),b_{2n}=0(n=1,2,\cdots).$$

【2978】 若函数 $\varphi(-x)\equiv\psi(x)$,问 $\varphi(x)$ 与 $\psi(x)$ 的傅里叶系数 a_n,b_n 与 α_n,β_n 之间有何关系?

解 设 $\varphi(x),\psi(x)$ 的傅里叶系数分别为

$$a_n=\frac{1}{\pi}\int_{-\pi}^{\pi}\varphi(x)\cos nx\mathrm{d}x,b_n=\frac{1}{\pi}\int_{-\pi}^{\pi}\varphi(x)\sin nx\mathrm{d}x,$$

$$\alpha_n=\frac{1}{\pi}\int_{-\pi}^{\pi}\psi(x)\cos nx\mathrm{d}x,\beta_n=\frac{1}{\pi}\int_{-\pi}^{\pi}\psi(x)\sin nx\mathrm{d}x.$$

由于

$$a_n=\frac{1}{\pi}[\int_{-\pi}^{0}\varphi(x)\cos nx\mathrm{d}x+\int_0^{\pi}\varphi(x)\cos nx\mathrm{d}x],$$

且 $\int_{-\pi}^{0}\varphi(x)\cos nx\mathrm{d}x=\int_0^{\pi}\psi(x)\cos nx\mathrm{d}x,\int_0^{\pi}\varphi(x)\cos nx\mathrm{d}x=\int_{-\pi}^{0}\psi(x)\cos nx\mathrm{d}x$,则

$$a_n=\frac{1}{\pi}[\int_0^{\pi}\psi(x)\cos nx\mathrm{d}x+\int_{-\pi}^{0}\psi(x)\cos nx\mathrm{d}x]=\frac{1}{\pi}\int_{-\pi}^{\pi}\psi(x)\cos nx\mathrm{d}x=\alpha_n.$$

同理

$$\begin{aligned}b_n&=\frac{1}{\pi}[\int_{-\pi}^{0}\varphi(x)\sin nx\mathrm{d}x+\int_0^{\pi}\varphi(x)\sin nx\mathrm{d}x]\\&=\frac{1}{\pi}[-\int_0^{\pi}\psi(x)\sin nx\mathrm{d}x-\int_{-\pi}^{0}\psi(x)\sin nx\mathrm{d}x]\\&=-\frac{1}{\pi}\int_{-\pi}^{\pi}\psi(x)\sin nx\mathrm{d}x=-\beta_n.\end{aligned}$$

因此,$\varphi(x)$、$\psi(x)$ 的傅里叶系数 a_n、b_n 与 α_n、β_n 满足

$$a_n=\alpha_n(n=0,1,2,\cdots),b_n=-\beta_n(n=1,2,\cdots).$$

【2979】 若函数 $\varphi(-x)\equiv-\psi(x)$,问 $\varphi(x)$ 与 $\psi(x)$ 的傅里叶系数 a_n,b_n 与 α_n,β_n 之间有何关系?

解 设 $\varphi(x),\psi(x)$ 的傅里叶系数分别为

$$a_n = \frac{1}{\pi}\int_{-\pi}^{\pi}\varphi(x)\cos nx\mathrm{d}x, b_n = \frac{1}{\pi}\int_{-\pi}^{\pi}\varphi(x)\sin nx\mathrm{d}x,$$

$$\alpha_n = \frac{1}{\pi}\int_{-\pi}^{\pi}\psi(x)\cos nx\mathrm{d}x, \beta_n = \frac{1}{\pi}\int_{-\pi}^{\pi}\psi(x)\sin nx\mathrm{d}x.$$

由于

$$a_n = \frac{1}{\pi}\left[\int_{-\pi}^{0}\varphi(x)\cos nx\mathrm{d}x + \int_{0}^{\pi}\varphi(x)\cos nx\mathrm{d}x\right],$$

且$\int_{-\pi}^{0}\varphi(x)\cos nx\mathrm{d}x = -\int_{0}^{\pi}\psi(x)\cos nx\mathrm{d}x, \int_{0}^{\pi}\varphi(x)\cos nx\mathrm{d}x = -\int_{-\pi}^{0}\psi(x)\cos nx\mathrm{d}x$,则

$$a_n = \frac{1}{\pi}\left[-\int_{0}^{\pi}\psi(x)\cos nx\mathrm{d}x - \int_{-\pi}^{0}\psi(x)\cos nx\mathrm{d}x\right]$$

$$= -\frac{1}{\pi}\int_{-\pi}^{\pi}\psi(x)\cos nx\mathrm{d}x = -\alpha_n.$$

又

$$b_n = \frac{1}{\pi}\left[\int_{-\pi}^{0}\varphi(x)\sin nx\mathrm{d}x + \int_{0}^{\pi}\varphi(x)\sin nx\mathrm{d}x\right],$$

且$\int_{-\pi}^{0}\varphi(x)\sin nx\mathrm{d}x = \int_{0}^{\pi}\psi(x)\sin nx\mathrm{d}x, \int_{0}^{\pi}\varphi(x)\sin nx\mathrm{d}x = \int_{-\pi}^{0}\psi(x)\sin nx\mathrm{d}x$,则

$$b_n = \frac{1}{\pi}\left[\int_{-\pi}^{0}\varphi(x)\sin nx\mathrm{d}x + \int_{0}^{\pi}\varphi(x)\sin nx\mathrm{d}x\right]$$

$$= \frac{1}{\pi}\left[\int_{0}^{\pi}\psi(x)\sin nx\mathrm{d}x + \int_{-\pi}^{0}\psi(x)\sin nx\mathrm{d}x\right]$$

$$= \frac{1}{\pi}\int_{-\pi}^{\pi}\psi(x)\sin nx\mathrm{d}x = \beta_n.$$

因此,$\varphi(x)$、$\psi(x)$ 的傅里叶系数 a_n、b_n 与 α_n、β_n 满足

$$a_n = -\alpha_n(n = 0,1,2,\cdots), b_n = \beta_n(n = 1,2,\cdots).$$

【2980】 设2π周期可积函数 $f(x)$ 的傅里叶系数为 a_n,b_n,求函数 $f(x+h)$(h 为常数)的傅里叶系数$\bar{a}_n$,$\bar{b}_n$.

解 在傅里叶系数$\bar{a}_n$ 的表达式中作代换 $x+h=y$,并注意到 $f(x)$ 的周期性,即

$$\bar{a}_n = \frac{1}{\pi}\int_{-\pi}^{\pi}f(x+h)\cos nx\mathrm{d}x = \frac{1}{\pi}\int_{-\pi+h}^{\pi+h}f(y)[\cos nh\cos ny + \sin nh\sin ny]\mathrm{d}y$$

$$= a_n\cos nh + b_n\sin nh.$$

$$\bar{b}_n = \frac{1}{\pi}\int_{-\pi}^{\pi}f(x+h)\sin nx\mathrm{d}x = \frac{1}{\pi}\int_{-\pi+h}^{\pi+h}f(y)[\sin ny\cos nh - \cos ny\sin nh]\mathrm{d}y$$

$$= b_n\cos nh - a_n\sin nh.$$

【2981】 设 2π 周期可积函数 $f(x)$ 的傅里叶系数为 a_n,b_n,试计算斯捷克洛夫函数

$$f_h(x) = \frac{1}{2h}\int_{x-h}^{x+h}f(\xi)\mathrm{d}\xi$$

的傅里叶系数 A_n,B_n.

解 由于

$$f_h(x+2\pi) = \frac{1}{2h}\int_{x+2\pi-h}^{x+2\pi+h}f(\xi)\mathrm{d}\xi = \frac{1}{2h}\int_{x-h}^{x+h}f(\xi)\mathrm{d}\xi = f_h(x),$$

故 $f_h(x)$ 为 2π 周期函数.

由

$$A_n = \frac{1}{\pi}\int_{-\pi}^{\pi}f_h(x)\cos nx\mathrm{d}x = \frac{1}{2\pi h}\int_{-\pi}^{\pi}\cos nx\mathrm{d}x\int_{x-h}^{x+h}f(\xi)\mathrm{d}\xi$$

$$= \frac{1}{2\pi h}\int_{-\pi}^{\pi}\cos nx\mathrm{d}x\int_{-h}^{h}f(x+y)\mathrm{d}y = \frac{1}{2\pi h}\int_{-h}^{h}\mathrm{d}y\int_{-\pi}^{\pi}f(x+y)\cos nx\mathrm{d}x,$$

根据 2980 题的结果可知

$$\frac{1}{\pi}\int_{-\pi}^{\pi}f(x+y)\cos nx\mathrm{d}x = a_n\cos ny + b_n\sin ny,$$

故

$$A_n = \frac{1}{2h}\int_{-h}^{h}(a_n\cos ny + b_n\sin ny)\mathrm{d}y = \frac{a_n}{h}\int_0^h\cos ny\mathrm{d}y = \begin{cases} a_n, & n=0, \\ \dfrac{a_n\sin nh}{nh}, & n=1,2,\cdots, \end{cases}$$

即 $A_0 = a_0, A_n = \dfrac{a_n\sin nh}{nh}(n=1,2,\cdots)$.

$$B_n = \frac{1}{\pi}\int_{-\pi}^{\pi}f_h(x)\sin nx\mathrm{d}x = \frac{1}{2\pi h}\int_{-\pi}^{\pi}\sin nx\mathrm{d}x\int_{x-h}^{x+h}f(\xi)\mathrm{d}\xi$$
$$= \frac{1}{2\pi h}\int_{-\pi}^{\pi}\sin nx\mathrm{d}x\int_{-h}^{h}f(x+y)\mathrm{d}y = \frac{1}{2\pi h}\int_{-h}^{h}\mathrm{d}y\int_{-\pi}^{\pi}f(x+y)\sin nx\mathrm{d}x,$$

且

$$\frac{1}{\pi}\int_{-\pi}^{\pi}f(x+y)\sin nx\mathrm{d}x = b_n\cos ny - a_n\sin ny,$$

故

$$B_n = \frac{1}{2h}\int_{-h}^{h}(b_n\cos ny - a_n\sin ny)\mathrm{d}y = \frac{b_n}{2h}\int_{-h}^{h}\cos ny\mathrm{d}y = \frac{b_n}{nh}\sin nh.$$

即 $B_n = \dfrac{b_n\sin nh}{nh}(n=1,2,\cdots)$.

知识点 2 傅里叶级数的积分法

设 $f(x)$ 在 $(-l,l)$ 内黎曼可积,则傅里叶级数

$$\frac{a_0}{2} + \sum_{n=1}^{\infty}\left(a_n\cos\frac{n\pi x}{l} + b_n\sin\frac{n\pi x}{l}\right)$$

在 $(-l,l)$ 内可逐项积分.

习题 2982—2983 傅里叶级数积分法

【2982】 由

$$x = 2\sum_{n=1}^{\infty}(-1)^{n+1}\frac{\sin nx}{n}(-\pi < x < \pi),$$

用逐项积分的方法,求函数 x^2, x^3 和 x^4 在 $(-\pi,\pi)$ 内的傅里叶级数.

解 将原式在 $[0,x]$ 上逐项积分,得

$$\frac{x^2}{2} = 2\sum_{n=1}^{\infty}(-1)^n\frac{\cos nx - 1}{n^2}.$$

由于

$$\sum_{n=1}^{\infty}\frac{(-1)^{n+1}}{n^2} = \frac{\pi^2}{12},$$

故

$$x^2=\frac{\pi^2}{3}+4\sum_{n=1}^{\infty}(-1)^n\frac{\cos nx}{n^2}(-\pi<x<\pi). \quad ①$$

将①式在$[0,t]$上逐项积分，并将$x=2\sum\limits_{n=1}^{\infty}\frac{(-1)^{n+1}}{n}\sin nx$代入，则

$$x^3=2\pi^2\sum_{n=1}^{\infty}(-1)^{n+1}\frac{\sin nx}{n}+12\sum_{n=1}^{\infty}(-1)^n\frac{\sin nx}{n^3}(-\pi<x<\pi). \quad ②$$

将②式在$[-\pi,t]$上逐项积分，由$\sum\limits_{n=1}^{\infty}\frac{1}{n^2}=\frac{\pi^2}{6}$及$\sum\limits_{n=1}^{\infty}\frac{1}{n^4}=\frac{\pi^4}{90}$，则

$$\frac{x^4}{4}-\frac{\pi^4}{4}=2\pi^2\sum_{n=1}^{\infty}(-1)^n\frac{\cos nx}{n^2}-2\pi^2\cdot\frac{\pi^2}{6}+12\sum_{n=1}^{\infty}(-1)^{n+1}\frac{\cos nx}{n^4}+12\cdot\frac{\pi^4}{90},$$

即

$$x^4=\frac{\pi^4}{5}+8\pi^2\sum_{n=1}^{\infty}(-1)^n\frac{\cos nx}{n^2}+48\sum_{n=1}^{\infty}(-1)^{n+1}\frac{\cos nx}{n^4}(-\pi\leqslant x\leqslant\pi).$$

注 (1) 级数$\sum\limits_{n=1}^{\infty}\frac{1}{n^4}=\frac{\pi^4}{90}$的推导.

由$x=2\sum\limits_{n=1}^{\infty}(-1)^{n+1}\frac{\sin nx}{n}$及②式可得

$$x^3=\pi^2x+12\sum_{n=1}^{\infty}(-1)^n\frac{\sin nx}{n^3}.$$

从而

$$\sum_{n=1}^{\infty}(-1)^{n+1}\frac{\sin nx}{n^3}=\frac{\pi^2x-x^3}{12}(-\pi\leqslant x\leqslant\pi).$$

等式两端在$[0,t]$上逐项积分，则

$$\sum_{n=1}^{\infty}(-1)^n\frac{\cos nx-1}{n^4}=\frac{2\pi^2x^2-x^4}{48}(-\pi\leqslant x\leqslant\pi).$$

令$x=\pi$，则

$$\sum_{n=1}^{\infty}\frac{1}{(2n-1)^4}=\frac{\pi^4}{96}. \quad ③$$

设

$$\sum_{n=1}^{\infty}\frac{1}{n^4}=S, \quad ④$$

则$\frac{S}{16}+\frac{\pi^4}{96}=S$. 从而$S=\sum\limits_{n=1}^{\infty}\frac{1}{n^4}=\frac{\pi^4}{90}$.

(2) 同时，还可求出

$$\sum_{n=1}^{\infty}\frac{1}{(2n)^4}=\frac{\pi^4}{2^4\cdot 90},$$

$$\sum_{n=1}^{\infty}\frac{(-1)^{n+1}}{n^4}=\sum_{n=1}^{\infty}\frac{1}{(2n+1)^4}-\sum_{n=1}^{\infty}\frac{1}{(2n)^4}=\pi^4\left(\frac{1}{96}-\frac{1}{2^4\cdot 90}\right)=\frac{7}{720}\pi^4.$$

也可利用此结果求得x^4的展开式，事实上，将x^3的展开式从0到x积分，再以

$$\sum_{n=1}^{\infty}\frac{(-1)^{n+1}}{n^2}=\frac{\pi^2}{12}\text{及}\sum_{n=1}^{\infty}\frac{(-1)^{n+1}}{n^4}=\frac{7\pi^4}{720}$$

代入即得.

【2983】 将 $\ln(1-2q\cos x+q^2)(|q|<1)$ 展开成傅里叶级数.

解 由 $\ln(1-2q\cos x+q^2)$ 为连续 2π 周期偶函数,则

$$[\ln(1-2q\cos x+q^2)]'=\frac{2q\sin x}{1-2q\cos x+q^2}=2\sum_{n=1}^{\infty}q^n\sin nx(-\infty<x<+\infty).$$

由逐项积分性,则

$$\begin{aligned}\ln(1-2q\cos x+q^2)&=\int_0^x\frac{2q\sin x}{1-2q\cos x+q^2}\mathrm{d}x+2\ln(1-q)\\&=2\sum_{n=1}^{\infty}\int_0^x q^n\sin nx\mathrm{d}x+2\ln(1-q)\\&=-2\sum_{n=1}^{\infty}\frac{q^n}{n}\cos nx+2\sum_{n=1}^{\infty}\frac{q^n}{n}+2\ln(1-q).\end{aligned}$$

又 $\ln(1-q)=-\sum_{n=1}^{\infty}\frac{q^n}{n}$,故

$$\ln(1-2q\cos x+q^2)=-2\sum_{n=1}^{\infty}\frac{q^n}{n}\cos nx(-\infty<x<+\infty).$$

由于右端级数在 $(-\infty,+\infty)$ 内一致收敛,故它就是左端函数的傅里叶级数.

知识点3 完全性条件

对于任何在区间 $(-l,l)$ 上可积且其平方也可积的函数 $f(x)$,且可展开成傅里叶级数

$$f(x)=\frac{a_0}{2}+\sum_{n=1}^{\infty}\left(a_n\cos\frac{n\pi x}{l}+b_n\sin\frac{n\pi x}{l}\right),$$

其中

$$a_n=\frac{1}{l}\int_{-l}^{l}f(x)\cos\frac{n\pi x}{l}\mathrm{d}x(n=0,1,2,\cdots),$$

$$b_n=\frac{1}{l}\int_{-l}^{l}f(x)\sin\frac{n\pi x}{l}\mathrm{d}x(n=1,2,\cdots),$$

则李雅普诺夫等式成立:

$$\frac{a_0^2}{2}+\sum_{n=1}^{\infty}(a_n^2+b_n^2)=\frac{1}{l}\int_{-l}^{l}f^2(x)\mathrm{d}x.$$

注 当 $l=\pi$ 时,李雅普诺夫等式为帕塞瓦尔等式

习题 2984—2985 完全性条件

【2984】 求 $f(x)=\begin{cases}1, & |x|<\alpha,\\ 0, & \alpha<|x|<\pi\end{cases}$ 的李雅普诺夫等式.

利用李雅普诺夫等式,求级数 $\sum_{n=1}^{\infty}\frac{\sin^2 n\alpha}{n^2}$ 及 $\sum_{n=1}^{\infty}\frac{\cos^2 n\alpha}{n^2}$ 的和.

解 由于 $f(x)$ 为偶函数,从而 $b_n=0(n\in\mathbf{N}_+)$,且

$$a_0=\frac{2}{\pi}\int_0^{\alpha}\mathrm{d}x=\frac{2\alpha}{\pi},a_n=\frac{2}{\pi}\int_0^{\alpha}\cos nx\mathrm{d}x=\frac{2\sin n\alpha}{n\pi}.$$

又 $\frac{1}{\pi}\int_{-\pi}^{\pi}f^2(x)\mathrm{d}x=\frac{2\alpha}{\pi}$,故 $f(x)$ 在 $[-\pi,\pi]$ 上展开式的李雅普诺夫等式为

$$\frac{a_0^2}{2}+\sum_{n=1}^{\infty}(a_n^2+b_n^2)=\frac{2\alpha^2}{\pi^2}+\frac{4}{\pi^2}\sum_{n=1}^{\infty}\frac{\sin^2 n\alpha}{n^2}=\frac{1}{\pi}\int_{-\pi}^{\pi}f^2(x)\mathrm{d}x=\frac{2\alpha}{\pi}.$$

故$\sum\limits_{n=1}^{\infty}\dfrac{\sin^2 n\alpha}{n^2}=\dfrac{\alpha(\pi-\alpha)}{2}$，由 2961 题有$\sum\limits_{n=1}^{\infty}\dfrac{1}{n^2}=\dfrac{\pi^2}{6}$，则

$$\sum_{n=1}^{\infty}\frac{\cos^2 n\alpha}{n^2}=\sum_{n=1}^{\infty}\frac{1}{n^2}-\sum_{n=1}^{\infty}\frac{\sin^2 n\alpha}{n^2}=\frac{\pi^2-3\pi\alpha+3\alpha^2}{6}.$$

【2985】 (1) 设 $f(x)$ 是连续 2π 周期函数，a_n,b_n 为傅里叶系数，求卷积函数

$$F(x)=\frac{1}{\pi}\int_{-\pi}^{\pi}f(t)f(x+t)\mathrm{d}t$$

的傅里叶系数 A_n,B_n.

(2) 利用所得的结果，推出李雅普诺夫等式.

解 (1) 由于

$$F(x+2\pi)=\frac{1}{\pi}\int_{-\pi}^{\pi}f(t)f(x+2\pi+t)\mathrm{d}t=F(x),$$

故 $F(x)$ 为 2π 周期函数，且

$$A_0=\frac{1}{\pi}\int_{-\pi}^{\pi}F(x)\mathrm{d}x=\frac{1}{\pi^2}\int_{-\pi}^{\pi}\mathrm{d}x\int_{-\pi}^{\pi}f(t)f(x+t)\mathrm{d}t=\left[\frac{1}{\pi}\int_{-\pi}^{\pi}f(t)\mathrm{d}t\right]^2=a_0^2,$$

$$\begin{aligned}A_n&=\frac{1}{\pi}\int_{-\pi}^{\pi}F(x)\cos nx\mathrm{d}x=\frac{1}{\pi^2}\int_{-\pi}^{\pi}\cos nx\mathrm{d}x\int_{-\pi}^{\pi}f(t)f(x+t)\mathrm{d}t\\&=\frac{1}{\pi}\int_{-\pi}^{\pi}[a_nf(t)\cos nt+b_nf(t)\sin nt]\mathrm{d}t=a_n^2+b_n^2(n=1,2,3,\cdots),\end{aligned}$$

$$\begin{aligned}B_n&=\frac{1}{\pi}\int_{-\pi}^{\pi}F(x)\sin nx\mathrm{d}x=\frac{1}{\pi^2}\int_{-\pi}^{\pi}\sin nx\mathrm{d}x\int_{-\pi}^{\pi}f(t)f(x+t)\mathrm{d}t\\&=\frac{1}{\pi}\int_{-\pi}^{\pi}[b_nf(t)\cos nt-a_nf(t)\sin nt]\mathrm{d}t=0(n=1,2,\cdots).\end{aligned}$$

(2) 由 $f(x)$ 连续，则 $F(x)$ 连续，故

$$F(x)=\frac{A_0}{2}+\sum_{n=1}^{\infty}A_n\cos nx.$$

令 $x=0$，则

$$F(0)=\frac{1}{\pi}\int_{-\pi}^{\pi}f^2(t)\mathrm{d}t,$$

故

$$\frac{1}{\pi}\int_{-\pi}^{\pi}f^2(x)\mathrm{d}x=\frac{a_0^2}{2}+\sum_{n=1}^{\infty}(a_n^2+b_n^2).$$

这就是李雅普诺夫等式.

第7节 级数求和法(习题2986—3033)

知识点预览

序号	知识点	题目序号	所在页码
1	直接求和法	2986—3005	P170
2	阿贝尔方法	3006—3017	P176
3	三角级数求和法	3018—3033	P182

知识点1 直接求和法

1. 若 $u_n = v_{n+1} - v_n (n = 1, 2, \cdots)$ 及 $\lim\limits_{n\to\infty} v_n = v$,则

$$\sum_{n=1}^{\infty} u_n = v - v_1.$$

特别地,若 $u_n = \dfrac{1}{a_n a_{n+1} \cdots a_{n+m}}$,其中 a_n 为等差数列通项,且公差为 d,则

$$v_n = -\frac{1}{md} \cdot \frac{1}{a_n a_{n+1} \cdots a_{n+m-1}}.$$

2. 特殊级数的和

$$\sum_{n=0}^{\infty} \frac{1}{n!} = \mathrm{e}, \sum_{n=1}^{\infty} \frac{(-1)^{n-1}}{n} = \ln 2, \sum_{n=1}^{\infty} \frac{1}{n^2} = \frac{\pi^2}{6}, \sum_{n=1}^{\infty} \frac{(-1)^{n-1}}{n^2} = \frac{\pi^2}{12}.$$

习题 2986—2992 直接求和

【求下列级数的和(2986—2992)】

【2986】 $\dfrac{1}{1 \cdot 3} + \dfrac{1}{3 \cdot 5} + \dfrac{1}{5 \cdot 7} + \cdots.$

解 由 $\dfrac{1}{(2n-1)(2n+1)} = \dfrac{1}{2}\left(\dfrac{1}{2n-1} - \dfrac{1}{2n+1}\right)$,得

$$\frac{1}{1 \cdot 3} + \frac{1}{3 \cdot 5} + \cdots + \frac{1}{(2n-1)(2n+1)} + \cdots$$
$$= \frac{1}{2}\left\{\frac{1}{1} - \frac{1}{3} + \frac{1}{3} - \frac{1}{5} + \cdots + \frac{1}{2n-1} - \frac{1}{2n+1} + \cdots\right\}$$
$$= \lim_{n\to\infty}\left(\frac{1}{2} - \frac{1}{2} \cdot \frac{1}{2n+1}\right) = \frac{1}{2}.$$

【2987】 $\dfrac{1}{1 \cdot 2 \cdot 3} + \dfrac{1}{2 \cdot 3 \cdot 4} + \dfrac{1}{3 \cdot 4 \cdot 5} + \cdots.$

解 由 $\sum\limits_{n=1}^{\infty} \dfrac{1}{n(n+1)} = 1$,且

$$\frac{1}{n(n+1)(n+2)} = \frac{1}{2}\left[\frac{1}{n(n+1)} - \frac{1}{(n+1)(n+2)}\right],$$

故

$$\begin{aligned}&\frac{1}{1\cdot2\cdot3}+\frac{1}{2\cdot3\cdot4}+\cdots+\frac{1}{n(n+1)(n+2)}+\cdots\\&=\frac{1}{2}\left\{\frac{1}{1\cdot2}-\frac{1}{2\cdot3}+\frac{1}{2\cdot3}-\frac{1}{3\cdot4}+\cdots+\frac{1}{n(n+1)}-\frac{1}{(n+1)(n+2)}+\cdots\right\}\\&=\frac{1}{2}-\frac{1}{2}\left(1-\frac{1}{2}\right)=\frac{1}{4}.\end{aligned}$$

【2988】 $\frac{1}{1\cdot2}-\frac{1}{2\cdot3}+\frac{1}{3\cdot4}-\frac{1}{4\cdot5}+\cdots.$

解

$$\begin{aligned}&\frac{1}{1\cdot2}-\frac{1}{2\cdot3}+\frac{1}{3\cdot4}-\frac{1}{4\cdot5}+\cdots\\&=\left(1-\frac{1}{2}\right)-\left(\frac{1}{2}-\frac{1}{3}\right)+\left(\frac{1}{3}-\frac{1}{4}\right)-\left(\frac{1}{4}-\frac{1}{5}\right)+\cdots\\&=2\ln2-1.\end{aligned}$$

【2989】 $\sum\limits_{n=1}^{\infty}\frac{n}{(n+1)(n+2)(n+3)}.$

解 由于

$$\frac{1}{n+1}+\frac{1}{n+2}-\frac{2}{n+3}=\frac{3n+5}{(n+1)(n+2)(n+3)},$$

又由 2987 题可知，$\sum\limits_{n=1}^{\infty}\frac{1}{(n+1)(n+2)(n+3)}=\frac{1}{12}$，故

$$\begin{aligned}\sum_{n=1}^{\infty}\frac{n}{(n+1)(n+2)(n+3)}&=\frac{1}{3}\sum_{n=1}^{\infty}\left(\frac{1}{n+1}+\frac{1}{n+2}-\frac{2}{n+3}\right)-\frac{5}{3}\sum_{n=1}^{\infty}\frac{1}{(n+1)(n+2)(n+3)}\\&=\frac{1}{3}\left(\frac{1}{2}+\frac{2}{3}\right)-\frac{5}{3}\,\frac{1}{12}=\frac{1}{4}.\end{aligned}$$

【2990】 $\sum\limits_{n=1}^{\infty}\frac{1}{n(n+m)}(m\in\mathbf{N}_{+}).$

解 由$\frac{1}{n(n+m)}=\frac{1}{m}\left(\frac{1}{n}-\frac{1}{m+n}\right)$，则

$$\begin{aligned}\sum_{n=1}^{\infty}\frac{1}{n(n+m)}&=\frac{1}{m}\lim_{n\to\infty}\left(1+\frac{1}{2}+\cdots+\frac{1}{m}-\frac{1}{n+1}-\frac{1}{n+2}-\cdots-\frac{1}{n+m}\right)\\&=\frac{1}{m}\left(1+\frac{1}{2}+\cdots+\frac{1}{m}\right).\end{aligned}$$

【2991】 $\frac{1}{1\cdot2\cdot3}+\frac{1}{3\cdot4\cdot5}+\frac{1}{5\cdot6\cdot7}+\cdots.$

解 由

$$\frac{1}{(2n-1)2n(2n+1)}=\frac{1}{2}\left[\frac{1}{(2n-1)2n}-\frac{1}{2n(2n+1)}\right],$$

且$\frac{1}{1\cdot2}-\frac{1}{2\cdot3}+\frac{1}{3\cdot4}-\frac{1}{4\cdot5}+\cdots+\frac{1}{(2n-1)2n}-\frac{1}{2n(2n+1)}+\cdots=2\ln2-1$，则

$$\begin{aligned}&\frac{1}{1\cdot2\cdot3}+\frac{1}{3\cdot4\cdot5}+\cdots+\frac{1}{(2n-1)2n(2n+1)}+\cdots\\&=\frac{1}{2}\left[\frac{1}{1\cdot2}-\frac{1}{2\cdot3}+\frac{1}{3\cdot4}-\frac{1}{5\cdot6}+\cdots+\frac{1}{(2n-1)2n}-\frac{1}{2n(2n+1)}+\cdots\right]\\&=\ln2-\frac{1}{2}.\end{aligned}$$

【2992】 $\sum\limits_{n=2}^{\infty}\frac{1}{n^2-1}.$

解 $$\sum_{n=2}^{\infty}\frac{1}{n^2-1}=\frac{1}{2}\sum_{n=2}^{\infty}\left(\frac{1}{n-1}-\frac{1}{n+1}\right)$$
$$=\frac{1}{2}\left\{\frac{1}{1}-\frac{1}{3}+\frac{1}{2}-\frac{1}{4}+\frac{1}{3}-\frac{1}{5}+\cdots+\frac{1}{n-1}-\frac{1}{n+1}+\cdots\right\}$$
$$=\frac{1}{2}\left(1+\frac{1}{2}\right)=\frac{3}{4}.$$

习题 2993—3000 利用已知级数的和求其他级数的和

【求下列级数的和(2993—3000)】

【2993】 $\sum_{n=1}^{\infty}\frac{2n+1}{n^2(n+1)^2}$.

解 由 $\frac{2n+1}{n^2(n+1)^2}=\frac{1}{n^2}-\frac{1}{(n+1)^2}$,则
$$\sum_{n=1}^{\infty}\frac{2n+1}{n^2(n+1)^2}=\sum_{n=1}^{\infty}\frac{1}{n^2}-\sum_{n=1}^{\infty}\frac{1}{(n+1)^2}=1.$$

【2994】 $\sum_{n=1}^{\infty}\frac{1}{n(2n+1)}$.

解 **方法一** 由 $\frac{1}{n(2n+1)}=\frac{1}{n}-\frac{2}{2n+1}$ 及 118 题 $\sum_{k=1}^{n}\frac{1}{k}=C+\ln n+\varepsilon_n$,则
$$\sum_{k=1}^{n}\frac{1}{k(2k+1)}=\sum_{k=1}^{n}\frac{1}{k}-2\sum_{k=1}^{n}\frac{1}{2k+1}=2\ln\frac{n}{2n+1}+\alpha+2,$$
其中 $\lim\limits_{n\to\infty}\alpha=0$,故
$$\lim_{n\to\infty}\sum_{k=1}^{n}\frac{1}{k(2k+1)}=2\ln\frac{1}{2}+2=2(1-\ln 2).$$
从而 $\sum_{n=1}^{\infty}\frac{1}{n(2n+1)}=2(1-\ln 2)$.

方法二 $$\sum_{n=1}^{\infty}\frac{1}{n(2n+1)}=2\sum_{n=1}^{\infty}\frac{1}{2n(2n+1)}=2\sum_{n=1}^{\infty}\left(\frac{1}{2n}-\frac{1}{2n+1}\right)$$
$$=2\left[1-\sum_{n=1}^{\infty}\frac{(-1)^{n+1}}{n}\right]=2(1-\ln 2).$$

【2995】 $\sum_{n=1}^{\infty}\frac{n^2}{n!}$.

解 因 $\sum_{n=0}^{\infty}\frac{1}{n!}=\mathrm{e}$,故
$$\sum_{n=1}^{\infty}\frac{n^2}{n!}=\lim_{n\to\infty}\sum_{k=1}^{n}\frac{k^2}{k!}=\lim_{n\to\infty}\left\{3+\sum_{k=3}^{n}\left[\frac{1}{(k-1)!}+\frac{1}{(k-2)!}\right]\right\}$$
$$=\lim_{n\to\infty}\left\{3+\sum_{k=2}^{n-1}\frac{1}{k!}+\sum_{k=1}^{n-2}\frac{1}{k!}\right\}=\lim_{n\to\infty}\left\{2\left(1+\sum_{k=1}^{n}\frac{1}{k!}\right)+O\left(\frac{1}{n}\right)\right\}=2\mathrm{e}.$$

【2996】 $\sum_{n=0}^{\infty}\frac{2^n(n+1)}{n!}$.

解 $$\sum_{n=0}^{\infty}\frac{2^n(n+1)}{n!}=1+\sum_{n=1}^{\infty}\frac{2^n}{(n-1)!}+\sum_{n=1}^{\infty}\frac{2^n}{n!}=3\sum_{n=0}^{\infty}\frac{2^n}{n!}.$$
由 $\mathrm{e}^x=\sum_{n=0}^{\infty}\frac{x^n}{n!}$,令 $x=2$,则 $\mathrm{e}^2=\sum_{n=0}^{\infty}\frac{2^n}{n!}$,故 $\sum_{n=0}^{\infty}\frac{2^n(n+1)}{n!}=3\mathrm{e}^2$.

【2997】 $\sum_{n=1}^{\infty}\frac{1}{n^2(n+1)^2}$.

解 由$\frac{1}{n^2(n+1)^2}=\frac{1}{n^2}+\frac{1}{(n+1)^2}-\frac{2}{n(n+1)}$，则

$$\sum_{n=1}^{\infty}\frac{1}{n^2(n+1)^2}=\sum_{n=1}^{\infty}\frac{1}{n^2}+\sum_{n=1}^{\infty}\frac{1}{(n+1)^2}-2\sum_{n=1}^{\infty}\frac{1}{n(n+1)}=\frac{\pi^2}{3}-1-2=\frac{\pi^3}{3}-3.$$

【2998】 $\sum_{n=1}^{\infty}\frac{1}{n^2(n+1)^2(n+2)^2}$.

解 由

$$\frac{1}{n^2(n+1)^2(n+2)^2}=-\frac{1}{2}\left[\frac{1}{2}\cdot\frac{2n+1}{n^2(n+1)^2}-\frac{1}{n^2(n+1)^2}-\frac{1}{2}\cdot\frac{1}{(n+1)^2(n+2)^2}-\frac{1}{n(n+1)(n+2)}\right],$$

且由2993题，$\sum_{n=1}^{\infty}\frac{2n+1}{n^2(n+1)^2}=1$，由2997题，$\sum_{n=1}^{\infty}\frac{1}{n^2(n+1)^2}=\frac{\pi^2}{3}-3$，由2987题，$\sum_{n=1}^{\infty}\frac{1}{n(n+1)(n+2)}=\frac{1}{4}$，故

$$\sum_{n=1}^{\infty}\frac{1}{n^2(n+1)^2(n+2)^2}$$

$$=-\frac{1}{2}\left[\frac{1}{2}\cdot\sum_{n=1}^{\infty}\frac{2n+1}{n^2(n+1)^2}-\sum_{n=1}^{\infty}\frac{1}{n^2(n+1)^2}-\frac{1}{2}\sum_{n=1}^{\infty}\frac{1}{(n+1)^2(n+2)^2}-\sum_{n=1}^{\infty}\frac{1}{n(n+1)(n+2)}\right]$$

$$=-\frac{1}{2}\left[\frac{1}{2}\cdot 1-\left(\frac{\pi^2}{3}-3\right)-\frac{1}{2}\left(\frac{\pi^2}{3}-3-\frac{1}{4}\right)-\frac{1}{4}\right]=\frac{\pi^2}{4}-\frac{39}{16}.$$

【2999】 $\sum_{n=1}^{\infty}\frac{(-1)^n n}{(2n+1)!}$.

解 **方法一** 注意到

$$-\frac{1}{3!}=-\frac{1}{2}\left(\frac{1}{2!}-\frac{1}{3!}\right),\frac{2}{5!}=\frac{1}{2}\left(\frac{1}{4!}-\frac{1}{5!}\right),\cdots,\frac{(-1)^n n}{(2n+1)!}=\frac{(-1)^n}{2}\left[\frac{1}{(2n)!}-\frac{1}{(2n+1)!}\right],\cdots,$$

相加即得

$$\sum_{n=1}^{\infty}\frac{(-1)^n n}{(2n+1)!}=\frac{1}{2}\left(-\frac{1}{2!}+\frac{1}{3!}+\frac{1}{4!}-\frac{1}{5!}-\cdots+\frac{(-1)^n}{(2n)!}-\frac{(-1)^n}{(2n+1)!}+\cdots\right)$$

$$=\frac{1}{2}\left\{\left[\sum_{n=0}^{\infty}\frac{(-1)^n}{(2n)!}-1\right]-\left[\sum_{n=0}^{\infty}\frac{(-1)^n}{(2n+1)!}-1\right]\right\}$$

$$=\frac{1}{2}\left[\sum_{n=0}^{\infty}\frac{(-1)^n}{(2n)!}-\sum_{n=0}^{\infty}\frac{(-1)^n}{(2n+1)!}\right]=\frac{1}{2}(\cos 1-\sin 1).$$

方法二 由$\cos x=\sum_{n=0}^{\infty}(-1)^n\frac{x^{2n}}{(2n)!}$，$\sin x=\sum_{n=0}^{\infty}(-1)^n\frac{x^{2n+1}}{(2n+1)!}$，则

$$\cos 1-\sin 1=\sum_{n=0}^{\infty}(-1)^n\cdot\left\{\frac{1}{(2n)!}-\frac{1}{(2n+1)!}\right\}=\sum_{n=1}^{\infty}(-1)^n\frac{2n}{(2n+1)!}.$$

故$\sum_{n=1}^{\infty}\frac{(-1)^n n}{(2n+1)!}=\frac{\cos 1-\sin 1}{2}$.

注 绝对收敛级数求和与顺序无关.

【3000】 $\sum_{n=2}^{\infty}\frac{(-1)^n}{n^2+n-2}$.

解 **方法一** 考虑部分和

$$S_n=\sum_{k=2}^{n+1}\frac{(-1)^k}{k^2+k-2}=\sum_{k=2}^{n+1}\frac{(-1)^k}{3}\left(\frac{1}{k-1}-\frac{1}{k+2}\right)=\frac{1}{3}\sum_{k=1}^{n}\frac{(-1)^{k+1}}{k}+\frac{1}{3}\sum_{k=4}^{n+3}\frac{(-1)^{k+1}}{k}$$

$$=\frac{2}{3}\sum_{k=1}^{n}\frac{(-1)^{k-1}}{k}+\frac{1}{3}\left(-1+\frac{1}{2}-\frac{1}{3}\right)+O\left(\frac{1}{n}\right)$$

$$=\frac{2}{3}\sum_{k=1}^{n}\frac{(-1)^{k-1}}{k}-\frac{5}{18}+O\left(\frac{1}{n}\right)=\frac{2}{3}\ln 2-\frac{5}{18}+O\left(\frac{1}{n}\right),$$

故得 $\sum\limits_{n=2}^{\infty}\frac{(-1)^n}{n^2+n-2}=\lim\limits_{n\to\infty}S_n=\frac{2}{3}\ln 2-\frac{5}{18}=\frac{1}{18}(12\ln 2-5).$

方法二 由 $\sum\limits_{n=2}^{\infty}\frac{(-1)^n}{(n+2)(n-1)}=\sum\limits_{n=2}^{\infty}\frac{(-1)^n}{3}\left\{\frac{1}{n-1}-\frac{1}{n+2}\right\}=\frac{1}{3}$,

$\sum\limits_{n=1}^{\infty}\frac{(-1)^{n+1}}{n}-\frac{1}{3}\sum\limits_{n=4}^{\infty}\frac{(-1)^n}{n}$，且 $\ln 2=1-\frac{1}{2}+\frac{1}{3}-\cdots=\sum\limits_{n=1}^{\infty}(-1)^{n+1}\frac{1}{n}$,

故 $\sum\limits_{n=2}^{\infty}\frac{(-1)^n}{(n+2)(n-1)}=\frac{2}{3}\ln 2-\frac{1}{3}\sum\limits_{n=1}^{3}\frac{(-1)^{n+1}}{n}=\frac{2}{3}\ln 2-\frac{5}{18}.$

习题 3001—3005 利用已知函数项级数的展开式求和

【3001】 设 $P(x)=a_0+a_1x+\cdots+a_mx^m$. 求级数 $\sum\limits_{n=0}^{\infty}\frac{P(n)}{n!}x^n$ 的和.

解 令 $P(n)=a_0+a_1n+\cdots+a_mn^m\equiv\alpha_0+\alpha_1n+\cdots+\alpha_mn(n-1)\cdots(n-m+1)$，其中 $\alpha_i\,(i=0,1,\cdots,m)$ 可由上述恒等式求出，则

$$\sum_{n=0}^{\infty}\frac{P(n)}{n!}x^n=\sum_{n=0}^{\infty}\frac{\alpha_0+\alpha_1n+\cdots+\alpha_mn(n-1)\cdots(n-m+1)}{n!}x^n$$

$$=\alpha_0\sum_{n=0}^{\infty}\frac{x^n}{n!}+\alpha_1x\sum_{n=1}^{\infty}\frac{x^{n-1}}{(n-1)!}+\cdots+\alpha_mx^m\sum_{n=m}^{\infty}\frac{x^{n-m}}{(n-m)!}$$

$$=\alpha_0e^x+\alpha_1xe^x+\cdots+\alpha_mx^me^x=e^x(\alpha_0+\alpha_1x+\cdots+\alpha_mx^m).$$

【求下列级数的和(3002—3005)】

【3002】 $\sum\limits_{n=0}^{\infty}\frac{n^2+1}{2^nn!}x^n.$

解 **方法一** $\forall x\in\mathbf{R}$. 考虑部分和

$$S_n=\sum_{k=0}^{n-1}\frac{k^2+1}{k!}\left(\frac{x}{2}\right)^k=1+2\left(\frac{x}{2}\right)+\frac{5}{2!}\left(\frac{x}{2}\right)^2+\sum_{k=3}^{n-1}\left[\frac{1}{(k-2)!}+\frac{1}{(k-1)!}+\frac{1}{k!}\right]\left(\frac{x}{2}\right)^k$$

$$=\left[\left(\frac{x}{2}\right)^2+\left(\frac{x}{2}\right)^2\sum_{k=1}^{n-3}\frac{1}{k!}\left(\frac{x}{2}\right)^k\right]+\left[\left(\frac{x}{2}\right)+\left(\frac{x}{2}\right)^2+\left(\frac{x}{2}\right)\sum_{k=2}^{n-2}\frac{1}{k!}\left(\frac{x}{2}\right)^k\right]+$$

$$\left[1+\left(\frac{x}{2}\right)+\frac{1}{2!}\left(\frac{x}{2}\right)^2+\sum_{k=3}^{n-1}\frac{1}{k!}\left(\frac{x}{2}\right)^k\right]$$

$$=\left[\left(\frac{x}{2}\right)^2+\left(\frac{x}{2}\right)+1\right]\sum_{k=0}^{n}\frac{1}{k!}\left(\frac{x}{2}\right)^k+O\left(\frac{1}{n}\right),$$

故

$$\sum_{n=0}^{\infty}\frac{n^2+1}{n!}\left(\frac{x}{2}\right)^n=\lim_{n\to\infty}S_n=\left(1+\frac{x}{2}+\frac{x^2}{4}\right)\sum_{n=0}^{\infty}\frac{1}{n!}\left(\frac{x}{2}\right)^n=\left(1+\frac{x}{2}+\frac{x^2}{4}\right)e^{\frac{x}{2}}.$$

方法二 $\sum\limits_{n=0}^{\infty}\frac{n^2+1}{2^nn!}x^n=\sum\limits_{n=0}^{\infty}\frac{n^2+1}{n!}\left(\frac{x}{2}\right)^n=\sum\limits_{n=1}^{\infty}\frac{n}{(n-1)!}\left(\frac{x}{2}\right)^n+\sum\limits_{n=0}^{\infty}\frac{1}{n!}\left(\frac{x}{2}\right)^n$

$$=\sum_{n=0}^{\infty}\frac{1}{n!}\left(\frac{x}{2}\right)^{n+2}+\sum_{n=0}^{\infty}\frac{1}{n!}\left(\frac{x}{2}\right)^{n+1}+\sum_{n=0}^{\infty}\frac{1}{n!}\left(\frac{x}{2}\right)^n=\left(1+\frac{x}{2}+\frac{x^2}{4}\right)e^{\frac{x}{2}}.$$

【3003】 $\sum\limits_{n=0}^{\infty}\frac{(-1)^nn^3}{(n+1)!}x^n.$

解 由$\dfrac{n^3}{(n+1)!}=\dfrac{1}{(n-2)!}+\dfrac{1}{n!}-\dfrac{1}{(n+1)!}$，得

$$\begin{aligned}\sum_{n=0}^{\infty}\frac{(-1)^n n^3}{(n+1)!}x^n &= \sum_{n=0}^{\infty}\frac{n^3}{(n+1)!}(-x)^n\\ &= \frac{1}{2}(-x)+\sum_{n=2}^{\infty}\frac{(-x)^n}{(n-2)!}+\sum_{n=2}^{\infty}\frac{(-x)^n}{n!}-\sum_{n=2}^{\infty}\frac{(-x)^n}{(n+1)!}\\ &= -\frac{x}{2}+x^2e^{-x}+(e^{-x}-1+x)+\frac{1}{x}\left(e^{-x}-1+x-\frac{x^2}{2!}\right)\\ &= e^{-x}\left(x^2+1+\frac{1}{x}\right)-\frac{1}{x}.\end{aligned}$$

【3004】 $\displaystyle\sum_{n=0}^{\infty}\frac{(-1)^n(2n^2+1)}{(2n)!}x^{2n}$.

解 由$\dfrac{2n^2+1}{(2n)!}=\dfrac{1}{2}\dfrac{1}{(2n-2)!}+\dfrac{1}{2}\dfrac{1}{(2n-1)!}+\dfrac{1}{(2n)!}$，得

$$\begin{aligned}\sum_{n=0}^{\infty}\frac{(-1)^n(2n^2+1)}{(2n)!}x^{2n} &= 1+\frac{1}{2}\sum_{n=1}^{\infty}\frac{(-1)^n}{(2n-2)!}x^{2n}+\frac{1}{2}\sum_{n=1}^{\infty}\frac{(-1)^n}{(2n-1)!}x^{2n}+\sum_{n=1}^{\infty}\frac{(-1)^n}{(2n)!}x^{2n}\\ &= 1-\frac{x^2}{2}\cos x-\frac{x}{2}\sin x+\cos x-1=\left(1-\frac{x^2}{2}\right)\cos x-\frac{x}{2}\sin x.\end{aligned}$$

【3005】 $\displaystyle\sum_{n=0}^{\infty}\frac{n^2x^n}{(2n+1)!}$.

解 **方法一** 当$x=0$时，$\displaystyle\sum_{n=0}^{\infty}\frac{n^2x^n}{(2n+1)!}=0$.

若$x>0$，记$t=\sqrt{x}$. 考虑部分和，有

$$\begin{aligned}S_n &= \sum_{k=0}^{n-1}\frac{k^2t^{2k}}{(2k+1)!}=\frac{1}{4t}\sum_{n=0}^{n-1}\frac{(2k)^2-1}{(2k+1)!}t^{2k+1}+\frac{1}{4t}\sum_{k=0}^{n-1}\frac{t^{2k+1}}{(2k+1)!}\\ &= \frac{1}{4t}\sum_{k=0}^{n-1}\frac{(2k-1)(2k+1)}{(2k+1)!}t^{2k+1}+\frac{1}{4t}\mathrm{sh}\,t+o(1)\\ &= \frac{1}{4t}\left[t^2\sum_{k=1}^{n-1}\frac{t^{2k-1}}{(2k-1)!}-t\sum_{k=0}^{n}\frac{t^{2k}}{(2k)!}\right]+\frac{1}{4t}\mathrm{sh}\,t+o(1)\\ &= \frac{1}{4t}[t^2\,\mathrm{sh}\,t-t\,\mathrm{ch}t+o(1)]+\frac{1}{4t}\mathrm{sh}\,t+o(1)\\ &= \frac{1}{4}\left(\frac{t^2+1}{t}\mathrm{sh}\,t-\mathrm{ch}t\right)+o(1)\\ &= \frac{1}{4}\left(\frac{x+1}{\sqrt{x}}\mathrm{sh}\sqrt{x}-\mathrm{ch}\sqrt{x}\right)+o(1).\end{aligned}$$

因此，当$x>0$时，$\displaystyle\sum_{n=0}^{\infty}\frac{n^2x^n}{(2n+1)!}=\lim_{n\to\infty}S_n=\frac{1}{4}\left(\frac{x+1}{\sqrt{x}}\mathrm{sh}\sqrt{x}-\mathrm{ch}\sqrt{x}\right)$.

若$x<0$，记$y=\sqrt{|x|}$，则$x=-y^2$. 与上述讨论类似，有

$$\begin{aligned}S_n &= \sum_{k=0}^{n-1}\frac{k^2(-1)^ky^{2k}}{(2k+1)!}=\frac{1}{4y}\sum_{k=0}^{n-1}\frac{(-1)^k[(2k)^2-1]}{(2k+1)!}y^{2k+1}+\frac{1}{4y}\sum_{k=0}^{n-1}\frac{(-1)^ky^{2k+1}}{(2k+1)!}\\ &= \frac{1}{4y}\sum_{n=0}^{n-1}\frac{(-1)^k(2k-1)(2k+1)}{(2k+1)!}y^{2k+1}+\frac{1}{4y}\sin y+o(1)\\ &= \frac{1}{4y}\left[y^2\sum_{k=1}^{n-1}\frac{(-1)^ky^{2k-1}}{(2k-1)!}-y\sum_{n=0}^{n-1}\frac{(-1)^ky^{2k}}{(2k)!}\right]+\frac{1}{4y}\sin y+o(1)\\ &= \frac{1}{4y}[-y^2\sin y-y\cos y+o(1)]+\frac{1}{4y}\sin y+o(1)\\ &= \frac{1}{4}\left(\frac{-y^2+1}{y}\sin y-\cos y\right)+o(1)\end{aligned}$$

$$= \frac{1}{4}\left(\frac{x+1}{\sqrt{|x|}}\sin\sqrt{|x|} - \cos\sqrt{|x|}\right) + o(1).$$

因此，当 $x<0$ 时，$\sum_{n=0}^{\infty}\frac{n^2x^n}{(2n+1)!} = \lim_{n\to\infty} S_n = \frac{1}{4}\left(\frac{x+1}{\sqrt{|x|}}\sin\sqrt{|x|} - \cos\sqrt{|x|}\right)$.

方法二 当 $x\neq 0$ 时，

$$\begin{aligned}\sum_{n=0}^{\infty}\frac{n^2x^n}{(2n+1)!} &= \frac{1}{4}\sum_{n=0}^{\infty}\frac{(2n+1)^2-2(2n+1)+1}{(2n+1)!}x^n \\ &= \frac{1}{4}\sum_{n=0}^{\infty}\frac{2n+1}{(2n)!}x^n - \frac{1}{2}\sum_{n=0}^{\infty}\frac{x^n}{(2n)!} + \frac{1}{4}\sum_{n=0}^{\infty}\frac{x^n}{(2n+1)!} \\ &= \frac{1}{4}\sum_{n=1}^{\infty}\frac{x^n}{(2n-1)!} - \frac{1}{4}\sum_{n=0}^{\infty}\frac{x^n}{(2n)!} + \frac{1}{4}\sum_{n=0}^{\infty}\frac{x^n}{(2n+1)!}.\end{aligned}$$

当 $x>0$ 时，$\frac{1}{4}\sum_{n=1}^{\infty}\frac{x^n}{(2n-1)!} - \frac{1}{4}\sum_{n=0}^{\infty}\frac{x^n}{(2n)!} + \frac{1}{4}\sum_{n=0}^{\infty}\frac{x^n}{(2n+1)!} = \frac{1}{4}\left(\frac{x+1}{\sqrt{x}}\operatorname{sh}\sqrt{x} - \operatorname{ch}\sqrt{x}\right)$.

当 $x<0$ 时，$\frac{1}{4}\sum_{n=1}^{\infty}\frac{x^n}{(2n-1)!} - \frac{1}{4}\sum_{n=0}^{\infty}\frac{x^n}{(2n)!} + \frac{1}{4}\sum_{n=0}^{\infty}\frac{x^n}{(2n+1)!} = \frac{1}{4}\left(\frac{x+1}{\sqrt{-x}}\sin\sqrt{x} - \cos\sqrt{-x}\right)$.

故 $$\sum_{n=0}^{\infty}\frac{n^2x^n}{(2n+1)!} = \begin{cases}\frac{1}{4}\left(\frac{x+1}{-\sqrt{x}}\sin\sqrt{-x} - \cos\sqrt{-x}\right), & x<0, \\ 0, & x=0, \\ \frac{1}{4}\left(\frac{x+1}{\sqrt{x}}\operatorname{sh}\sqrt{x} - \operatorname{ch}\sqrt{x}\right), & x>0.\end{cases}$$

知识点 2 阿贝尔方法

阿贝尔定理 若级数 $\sum_{n=0}^{\infty} a_n$ 收敛. 则

$$\sum_{n=0}^{\infty} a_n = \lim_{x\to 1^-}\sum_{n=0}^{\infty} a_n x^n.$$

可利用逐项微分或逐项积分求幂级数 $\sum_{n=0}^{\infty} a_n x^n$ 的和.

习题 3006—3009 利用阿贝尔方法求级数的和

【利用阿贝尔方法，求下列级数的和(3006—3009)】

【3006】 $1-\frac{1}{4}+\frac{1}{7}-\frac{1}{10}+\cdots$.

解 易知级数 $x-\frac{x^4}{4}+\frac{x^7}{7}-\frac{x^{10}}{10}+\cdots$ 的收敛域为$(-1,1]$. 当 $|x|<1$ 时，令

$$f(x) = x-\frac{x^4}{4}+\frac{x^7}{7}-\frac{x^{10}}{10}+\cdots,$$

逐项微分，得

$$f'(x) = 1-x^3+x^6-x^9+\cdots = \frac{1}{1+x^3}.$$

由于 $f(0)=0$，故由 1881 题可得

$$f(x) = \int_0^x f'(t)\,dt = \int_0^x \frac{dt}{1+t^3} = \frac{1}{6}\ln\frac{(x+1)^2}{x^2-x+1} + \frac{1}{\sqrt{3}}\arctan\frac{2x-1}{\sqrt{3}} + \frac{\pi}{6\sqrt{3}}\,(-1<x<1).$$

从而 $1-\frac{1}{4}+\frac{1}{7}-\frac{1}{10}+\cdots=\lim\limits_{x\to1^-}f(x)=\frac{1}{3}\ln 2+\frac{\pi}{3\sqrt{3}}$.

【3007】 $1-\frac{1}{3}+\frac{1}{5}-\frac{1}{7}+\cdots$.

解 级数 $x-\frac{x^3}{3}+\frac{x^5}{5}-\frac{x^7}{7}+\cdots$ 的收敛域为$[-1,1]$，利用 2909 题的结果知，当 $x\in(-1,1)$ 时，

$$\arctan x=x-\frac{x^3}{3}+\frac{x^5}{5}-\frac{x^7}{7}+\cdots.$$

由阿贝尔定理，可得

$$1-\frac{1}{3}+\frac{1}{5}-\frac{1}{7}+\cdots=\lim_{x\to1^-}\arctan x=\frac{\pi}{4}.$$

【3008】 $1-\frac{1}{2}+\frac{1\cdot3}{2\cdot4}-\frac{1\cdot3\cdot5}{2\cdot4\cdot6}+\cdots$.

解 级数

$$1-\frac{x}{2}+\frac{1\cdot3}{2\cdot4}x^2-\frac{1\cdot3\cdot5}{2\cdot4\cdot6}x^3+\cdots$$

的收敛域为$(-1,1]$. 利用 2912 题的结果（将 x 换成 $-x$）或利用基本展开式知，当 $x\in(-1,1)$ 时，

$$\frac{1}{\sqrt{1+x}}=1-\frac{1}{2}x+\frac{1\cdot3}{2\cdot4}x^2-\frac{1\cdot3\cdot5}{2\cdot4\cdot6}x^3+\cdots,$$

由阿贝尔定理，即得

$$1-\frac{1}{2}+\frac{1\cdot3}{2\cdot4}-\frac{1\cdot3\cdot5}{2\cdot4\cdot6}+\cdots=\lim_{x\to1^-}\frac{1}{\sqrt{1+x}}=\frac{1}{\sqrt{2}}.$$

【3009】 $1+\frac{1}{2}\cdot\frac{1}{3}+\frac{1\cdot3}{2\cdot4}\cdot\frac{1}{5}+\cdots$.

解 级数 $x+\frac{1}{2}\cdot\frac{x^3}{3}+\frac{1\cdot3}{2\cdot4}\cdot\frac{x^5}{5}+\cdots$ 的收敛域为$[-1,1]$. 利用 2877 题的结果知 $x\in(-1,1)$ 时，

$$\arcsin x=x+\frac{1}{2}\cdot\frac{x^3}{3}+\frac{1\cdot3}{2\cdot4}\cdot\frac{x^5}{5}+\cdots.$$

由阿贝尔定理，可得

$$1+\frac{1}{2}\cdot\frac{1}{3}+\frac{1\cdot3}{2\cdot4}\cdot\frac{1}{5}+\cdots=\lim_{x\to1^-}\arcsin x=\frac{\pi}{2}.$$

习题 3010—3014 利用逐项微分法求级数的和

【利用逐项微分法求下列级数的和(3010—3014)】

【3010】 $\sum\limits_{n=1}^{\infty}\frac{x^n}{n}$.

解 设 $a_n=\frac{1}{n}$，由于$\lim\limits_{n\to\infty}\left|\frac{a_n}{a_{n+1}}\right|=1$，故收敛半径为 1. 当 $x=1$ 时，级数发散，当 $x=-1$ 时，级数收敛. 因此，级数的收敛域为$[-1,1)$.

当 $x\in[-1,1)$ 时，令 $f(x)=\sum\limits_{n=1}^{\infty}\frac{x^n}{n}$. 当 $|x|<1$ 时，

$$f'(x)=\sum_{n=1}^{\infty}x^{n-1}=\frac{1}{1-x}.$$

由于 $f(0)=0$，故

$$f(x)=\int_0^x f'(t)\mathrm{d}t=\int_0^x\frac{\mathrm{d}t}{1-t}=\ln\frac{1}{1-x}(|x|<1). \quad ①$$

由幂级数$\sum\limits_{n=1}^{\infty}\frac{x^n}{n}$在$x=-1$收敛，且其和为$-\ln 2=\ln\frac{1}{2}$，利用阿贝尔定理知，上述结果①当$-1\leqslant x<1$时成立.

【3011】 $\sum\limits_{n=1}^{\infty}\frac{(-1)^{n-1}x^{2n}}{n(2n-1)}$.

解 设$a_n=\frac{(-1)^{n-1}}{n(2n-1)}$，由$\lim\limits_{n\to\infty}\left|\frac{a_n}{a_{n+1}}\right|=1$，故收敛半径为1. 当$|x|=1$时，级数绝对收敛. 因此，级数的收敛域为$[-1,1]$.

当$x\in[-1,1]$时，令$f(x)=\sum\limits_{n=1}^{\infty}\frac{(-1)^{n-1}x^{2n}}{n(2n-1)}$. 当$|x|<1$时，逐项微分，并由2909题可得

$$f'(x)=2\sum_{n=1}^{\infty}\frac{(-1)^{n-1}x^{2n-1}}{2n-1}=2\arctan x.$$

由于$f(0)=0$，故

$$f(x)=\int_0^x f'(t)\mathrm{d}t=2\int_0^x\arctan t\mathrm{d}t=2x\arctan x-\ln(1+x^2).$$

当$|x|=1$时，由2938题知$\sum\limits_{n=1}^{\infty}\frac{(-1)^{n-1}}{2n-1}=\frac{\pi}{4}$，从而有

$$\sum_{n=1}^{\infty}\frac{(-1)^{n-1}}{n(2n-1)}=2\sum_{n=1}^{\infty}\frac{(-1)^{n-1}}{2n-1}-\sum_{n=1}^{\infty}\frac{(-1)^{n-1}}{n}=\frac{\pi}{2}-\ln 2. \qquad ①$$

故$\sum\limits_{n=1}^{\infty}\frac{(-1)^{n-1}x^{2n}}{n(2n-1)}=2x\arctan x-\ln(1+x^2)$，$|x|\leqslant 1$.

【3012】 $\sum\limits_{n=0}^{\infty}\frac{x^{4n+1}}{4n+1}$.

解 设$a_n=\frac{1}{4n+1}$，由于$\lim\limits_{n\to\infty}\left|\frac{a_n}{a_{n+1}}\right|=1$，故收敛半径为1. 当$|x|=1$时，级数发散. 因此，级数的收敛域为$(-1,1)$.

当$x\in(-1,1)$时，令$f(x)=\sum\limits_{n=0}^{\infty}\frac{x^{4n+1}}{4n+1}$，则

$$f'(x)=\sum_{n=0}^{\infty}x^{4n}=\frac{1}{1-x^4}.$$

由于$f(0)=0$，故

$$f(x)=\int_0^x f'(t)\mathrm{d}t=\int_0^x\frac{\mathrm{d}t}{1-t^4}=\frac{1}{2}\int_0^x\frac{\mathrm{d}t}{1-t^2}+\frac{1}{2}\int_0^x\frac{\mathrm{d}t}{1+t^2}$$
$$=\frac{1}{4}\ln\frac{1+x}{1-x}+\frac{1}{2}\arctan x(|x|<1).$$

【3013】 $\sum\limits_{n=1}^{\infty}\frac{a(a+d)\cdots[a+(n-1)d]}{d\cdot 2d\cdots nd}x^n(d>0)$.

提示 用$(1-x)$去乘级数的导数，得一阶线性微分方程并求其解.

解 设

$$a\neq -md(m=0,1,2,\cdots),$$

若不然，$a=-md$(m为某正整数或零)，则原级数从第$m+1$项开始恒为零，此时原级数为一多项式

$$\sum_{n=1}^{m}\frac{a(a+d)\cdots[a+(n-1)d]}{d\cdot 2d\cdots nd}x^n,$$

它对任何x均收敛.

令$a_n=\frac{a(a+d)\cdots[a+(n-1)d]}{d\cdot 2d\cdots nd}(n=1,2,\cdots)$，由

$$\lim_{n\to\infty}\left|\frac{a_n}{a_{n+1}}\right|=1,$$

故收敛半径为1.

当 $x\in(-1,1)$ 时,令

$$f(x)=\sum_{n=1}^{\infty}\frac{a(a+d)\cdots[a+(n-1)d]}{d\cdot 2d\cdots nd}x^n,$$

则

$$f'(x)=\frac{a}{d}+\sum_{n=1}^{\infty}\frac{a(a+d)\cdots(a+nd)}{d\cdot d\cdot 2d\cdots nd}x^n.$$

故

$$(1-x)f'(x)=\frac{a}{d}+\frac{a}{d}\sum_{n=1}^{\infty}\frac{a(a+d)\cdots[a+(n-1)d]}{d\cdot 2d\cdots nd}x^n=\frac{a}{d}+\frac{a}{d}f(x).$$

上述方程为一阶线性微分方程：

$$f'(x)-\frac{a}{d}\cdot\frac{1}{1-x}f(x)=\frac{a}{d}\cdot\frac{1}{1-x},$$

解得

$$f(x)=C(1-x)^{-\frac{a}{d}}-1(-1<x<1),$$

其中 C 为常数. 由 $f(0)=0$,得 $C=1$. 于是,当 $|x|<1$ 时,

$$f(x)=(1-x)^{-\frac{a}{d}}-1. \tag{①}$$

当 $x=1$ 时,级数为 $\sum\limits_{n=1}^{\infty}a_n$. n 充分大时,$a+nd>0$,故

$$\lim_{n\to\infty}n\left(\frac{|a_n|}{|a_{n+1}|}-1\right)=\lim_{n\to\infty}\frac{(d-a)n}{a+nd}=\frac{d-a}{d}.$$

由拉贝判别法,当 $a<0$ 时,级数 $\sum\limits_{n=1}^{\infty}|a_n|$ 收敛,当 $a>0$ 时,级数 $\sum\limits_{n=1}^{\infty}|a_n|$ 发散. 故 $a<0$ 时,$\sum\limits_{n=1}^{\infty}a_n$ 收敛;$a>0$ 时,$\sum\limits_{n=1}^{\infty}a_n$ 发散.

当 $x=-1$ 时,级数为 $\sum\limits_{n=1}^{\infty}(-1)^n a_n$. 当 $a<0$ 时,$\sum\limits_{n=1}^{\infty}|a_n|$ 收敛,故 $\sum\limits_{n=1}^{\infty}(-1)^n a_n$ 收敛. 下设 $a>0$,若 $a\geqslant d$,则

$$\frac{a_n}{a_{n+1}}=\frac{(n+1)d}{a+nd}\leqslant 1,$$

故

$$a_{n+1}\geqslant a_n>0(n=1,2,\cdots).$$

从而级数 $\sum\limits_{n=1}^{\infty}(-1)^n a_n$ 发散. 下设 $0<a<d$. 故

$$\ln a_n=\sum_{k=1}^{n}\ln\left[\frac{a+(k-1)d}{kd}\right]=\sum_{k=1}^{n}\ln\left(1-\frac{d-a}{kd}\right). \tag{②}$$

由于 $0<a<d$,故 $\ln\left(1-\frac{d-a}{kd}\right)<0(k\in\mathbf{N}_+)$. 注意到

$$\lim_{k\to\infty}\frac{\ln\left(1-\frac{d-a}{kd}\right)}{-\frac{d-a}{kd}}=1,$$

则级数 $\sum\limits_{k=1}^{\infty}\ln\left(1-\frac{d-a}{kd}\right)$ 发散,从而

$$\sum_{k=1}^{\infty}\ln\left(1-\frac{d-a}{kd}\right)=-\infty,$$

于是,根据②式即知$\lim\limits_{n\to\infty}\ln a_n=-\infty$,故

$$\lim_{n\to\infty}a_n=0. \qquad ③$$

另外,因$0<a<d$,有$\frac{a_n}{a_{n+1}}>1$,故

$$a_n>a_{n+1}>0(n=1,2,\cdots). \qquad ④$$

于是,由③式及④式,根据莱布尼茨判别法知,级数$\sum\limits_{n=1}^{\infty}(-1)^n a_n$收敛.

综上所述,当$a<0$时,原幂级数的收敛域为$[-1,1]$,且公式①成立.当$0<a<d$时,原幂级数的收敛域为$[-1,1)$,且公式①成立.当$a\geqslant d$时,原幂级数的收敛域为$(-1,1)$,且公式①成立.

【3014】 $\frac{1}{3}\left(\frac{x}{2}\right)+\frac{1\cdot 4}{3\cdot 6}\left(\frac{x}{2}\right)^2+\frac{1\cdot 4\cdot 7}{3\cdot 6\cdot 9}\left(\frac{x}{2}\right)^3+\cdots.$

提示 用$\left(1-\frac{x}{2}\right)$去乘级数的导数,解法参照3013题.

解 记$a_n=\frac{1\cdot 4\cdots(3n-2)}{3\cdot 6\cdots 3n}\cdot\frac{1}{2^n}$,由于

$$\lim_{n\to\infty}\left|\frac{a_n}{a_{n+1}}\right|=2,$$

故收敛半径为2.

当$x\in(-2,2)$时,令$f(x)=\sum\limits_{n=1}^{\infty}\frac{1\cdot 4\cdots(3n-2)}{3\cdot 6\cdots 3n}\left(\frac{x}{2}\right)^n$,则

$$f'(x)=\frac{1}{2\cdot 3}+\frac{1}{2}\sum_{n=2}^{\infty}\frac{1\cdot 4\cdots(3n-2)}{3\cdot 3\cdot 6\cdots(3n-3)}\left(\frac{x}{2}\right)^{n-1}.$$

从而

$$\left(1-\frac{x}{2}\right)f'(x)=\frac{1}{6}f(x)+\frac{1}{6},$$

解得

$$f(x)=C\left(1-\frac{x}{2}\right)^{-\frac{1}{3}}-1(-2<x<2).$$

由$f(0)=0$,得$C=1$.故

$$f(x)=\left(1-\frac{x}{2}\right)^{-\frac{1}{3}}-1,-2<x<2. \qquad ①$$

当$x=2$时,设原级数为$\sum\limits_{n=1}^{\infty}b_n$,其中

$$b_n=\frac{1\cdot 4\cdots(3n-2)}{3\cdot 6\cdots 3n}(n=1,2,\cdots).$$

由于

$$\lim_{n\to\infty}n\left(\frac{b_n}{b_{n+1}}-1\right)=\frac{2}{3}<1,$$

故由拉贝判别法知,级数$\sum\limits_{n=1}^{\infty}b_n$发散.

当$x=-2$时,设原级数为$\sum\limits_{n=1}^{\infty}(-1)^n b_n$.由于$\frac{b_n}{b_{n+1}}=\frac{3n+3}{3n+1}>1$,故

$$b_n>b_{n+1}>0(n=1,2,\cdots).$$

由

$$\ln b_n=\sum_{k=1}^{n}\ln\frac{3k-2}{3k}=\sum_{k=1}^{n}\ln\left(1-\frac{2}{3k}\right),$$

且

$$\lim_{k\to\infty}\frac{\ln\left(1-\frac{2}{3k}\right)}{-\frac{2}{3k}}=1,$$

故级数$\sum\limits_{k=1}^{\infty}\ln\left(1-\frac{2}{3k}\right)$发散，且$\sum\limits_{k=1}^{\infty}\ln\left(1-\frac{2}{3k}\right)=-\infty$. 于是

$$\lim_{n\to\infty}\ln b_n=-\infty,\text{即}\lim_{n\to\infty}b_n=0.$$

根据莱布尼茨判别法知，级数$\sum\limits_{n=1}^{\infty}(-1)^n b_n$收敛.

综上所述，原幂级数的收敛域为$[-2,2)$，且公式①成立.

习题 3015—3017 利用逐项积分法求级数的和

【利用逐项积分法求下列级数的和(3015—3017)】

【3015】 $\sum\limits_{n=1}^{\infty}n^2x^{n-1}$.

解 设$a_n=n^2$，由于$\lim\limits_{n\to\infty}\left|\frac{a_n}{a_{n+1}}\right|=1$，故收敛半径为1. 当$|x|=1$时，级数发散. 因此，级数的收敛域为$(-1,1)$.

当$x\in(-1,1)$时，令$f(x)=\sum\limits_{n=1}^{\infty}n^2x^{n-1}$. 逐项积分，并由2913题可得

$$\int_0^x f(t)\mathrm{d}t=\sum_{n=1}^{\infty}\int_0^x n^2t^{n-1}\mathrm{d}t=\sum_{n=1}^{\infty}nx^n=\frac{x}{(1-x)^2}.$$

故$f(x)=\left[\frac{x}{(1-x)^2}\right]'=\frac{1+x}{(1-x)^3}$，$-1<x<1$.

【3016】 $\sum\limits_{n=1}^{\infty}n(n+2)x^n$.

解 设$a_n=n(n+2)$，由于$\lim\limits_{n\to\infty}\left|\frac{a_n}{a_{n+1}}\right|=1$，故收敛半径为1. 当$|x|=1$时，级数发散. 因此，级数的收敛域为$(-1,1)$.

当$x\in(-1,1)$时，令

$$f(x)=\sum_{n=1}^{\infty}n(n+2)x^n=x\sum_{n=1}^{\infty}n(n+2)x^{n-1}=xg(x),$$

其中$g(x)=\sum\limits_{n=1}^{\infty}n(n+2)x^{n-1}$. 故

$$G(x)=\int_0^x g(t)\mathrm{d}t=\sum_{n=1}^{\infty}n(n+2)\int_0^x t^{n-1}\mathrm{d}t=\sum_{n=1}^{\infty}(n+2)x^n$$
$$=\sum_{n=1}^{\infty}nx^n+2\sum_{n=1}^{\infty}x^n=\frac{x}{(1-x)^2}+\frac{2x}{1-x}=\frac{3x-2x^2}{(1-x)^2}.$$

从而

$$g(x)=[G(x)]'=\frac{3-x}{(1-x)^3}.$$

故$f(x)=xg(x)=\frac{x(3-x)}{(1-x)^3}$，$-1<x<1$.

【3017】 $\sum\limits_{n=0}^{\infty}\frac{(2n+1)x^{2n}}{n!}$.

解 **方法一** 设 $a_n=\dfrac{2n+1}{n!}$，由于 $\lim\limits_{n\to\infty}\left|\dfrac{a_n}{a_{n+1}}\right|=\lim\limits_{n\to\infty}\dfrac{(n+1)(2n+1)}{2n+3}=+\infty$，故收敛域为 $(-\infty,+\infty)$.

当 $x\in(-\infty,+\infty)$ 时，令 $f(x)=\sum\limits_{n=0}^{\infty}\dfrac{(2n+1)x^{2n}}{n!}$，则

$$\int_0^x f(t)\mathrm{d}t=\sum_{n=0}^{\infty}\int_0^x\frac{(2n+1)t^{2n}}{n!}\mathrm{d}t=\sum_{n=0}^{\infty}\frac{x^{2n+1}}{n!}=x\sum_{n=0}^{\infty}\frac{(x^2)^n}{n!}=x\mathrm{e}^{x^2}.$$

故 $f(x)=\mathrm{e}^{x^2}(1+2x^2)$，$x\in\mathbf{R}$.

方法二

$$\begin{aligned}f(x)&=\sum_{n=0}^{\infty}\frac{(2n+1)x^{2n}}{n!}=1+\sum_{n=1}^{\infty}\left[\frac{2}{(n-1)!}+\frac{1}{n!}\right]x^{2n}\\&=1+2x^2\mathrm{e}^{x^2}+(\mathrm{e}^{x^2}-1)=\mathrm{e}^{x^2}(1+2x^2).\end{aligned}$$

方法三

$$\begin{aligned}f'(x)&=\sum_{n=1}^{\infty}\frac{2(2n+1)}{(n-1)!}x^{2n-1}=2\sum_{n=1}^{\infty}\frac{[2(n-1)+1]+2}{(n-1)!}x^{2(n-1)+1}\\&=2x\sum_{m=0}^{\infty}\frac{2m+1}{m!}x^{2m}+4x\sum_{k=0}^{\infty}\frac{(x^2)^k}{k!}=2xf(x)+4x\mathrm{e}^{x^2}.\end{aligned}$$

解得 $f(x)=\mathrm{e}^{x^2}(2x^2+C)$. 由 $f(0)=1$，得 $C=1$. 故 $f(x)=\mathrm{e}^{x^2}(2x^2+1)$，$x\in\mathbf{R}$.

知识点 3 三角级数求和法

求级数 $\sum\limits_{n=0}^{\infty}a_n\cos nx$，$\sum\limits_{n=0}^{\infty}a_n\sin nx$ 的和，可利用复数域内幂级数

$$\sum_{n=0}^{\infty}a_nz^n\text{(其中 }z=\mathrm{e}^{\mathrm{i}x}\text{)}$$ 的实部和虚部.

常用结论

$$\sum_{n=1}^{\infty}\frac{z^n}{n}=\ln\frac{1}{1-z}(|z|<1).$$

习题 3018—3027 求三角级数的和

【求下列三角级数的和(3018—3026)】

【3018】 $\sum\limits_{n=1}^{\infty}\dfrac{\sin nx}{n}$.

解 注意到 $\sum\limits_{n=1}^{\infty}\dfrac{z^n}{n}=\ln\dfrac{1}{1-z}$，其中 $z=\mathrm{e}^{\mathrm{i}x}$，以及

$$\begin{aligned}\ln\frac{1}{1-z}&=-\ln(1-\cos x-\mathrm{i}\sin x)=-\frac{1}{2}\ln(2-2\cos x)+\mathrm{i}\arctan\frac{\sin x}{1-\cos x}\\&=-\ln\left|2\sin\frac{x}{2}\right|+\mathrm{i}\arctan\frac{\sin x}{1-\cos x},\end{aligned}\qquad ①$$

且

$$\sum_{n=1}^{\infty}\frac{z^n}{n}=\sum_{n=1}^{\infty}\frac{\cos nx}{n}+\mathrm{i}\sum_{n=1}^{\infty}\frac{\sin nx}{n},\qquad ②$$

比较 ①② 两式的实部及虚部，即得

$$\sum_{n=1}^{\infty}\frac{\cos nx}{n}=-\ln\left|2\sin\frac{x}{2}\right|\ (0<x<2\pi),\qquad ③$$

$$\sum_{n=1}^{\infty}\frac{\sin nx}{n}=\arctan\frac{\sin x}{1-\cos x}=\arctan\left(\cot\frac{x}{2}\right)=\frac{\pi-x}{2}(0<x<2\pi).$$

注 $\ln z=\ln(|z|\,e^{i\arg z})=\ln|z|+i\arg z.$

若 $z=x+iy$，则 $\ln|z|=\frac{1}{2}\ln(x^2+y^2)$，而 $\arg z=\arctan\frac{y}{x}$.

【3019】 $\sum_{n=1}^{\infty}\frac{\cos nx}{n}$.

解 参看 3018 题中的结果(3).

【3020】 $\sum_{n=1}^{\infty}\frac{\sin n\alpha\sin nx}{n}$.

解 利用积化和差公式及 3019 题的结果，即得

$$\sum_{n=1}^{\infty}\frac{\sin n\alpha\sin nx}{n}=\frac{1}{2}\sum_{n=1}^{\infty}\frac{\cos n(x-\alpha)}{n}-\frac{1}{2}\sum_{n=1}^{\infty}\frac{\cos n(x+\alpha)}{n}$$

$$=-\frac{1}{2}\ln\left|2\sin\frac{x-\alpha}{2}\right|+\frac{1}{2}\ln\left|2\sin\frac{x+\alpha}{2}\right|=\frac{1}{2}\ln\left|\frac{\sin\frac{x+\alpha}{2}}{\sin\frac{x-\alpha}{2}}\right|.$$

当 $\alpha>0$ 时，取 $x\in(\alpha,2\pi-\alpha)$，当 $\alpha<0$ 时，取 $x\in(-\alpha,2\pi+\alpha)$.

【3021】 $\sum_{n=1}^{\infty}\frac{\sin^2 n\alpha\sin nx}{n}\left(0<\alpha<\frac{\pi}{2}\right)$.

解 利用半角公式、积化和差公式以及 3018 题的结果，即得

$$\sum_{n=1}^{\infty}\frac{\sin^2 n\alpha\sin nx}{n}=\frac{1}{2}\sum_{n=1}^{\infty}\frac{\sin nx}{n}-\frac{1}{2}\sum_{n=1}^{\infty}\frac{\cos 2n\alpha\sin nx}{n}$$

$$=\frac{1}{2}\sum_{n=1}^{\infty}\frac{\sin nx}{n}-\frac{1}{4}\sum_{n=1}^{\infty}\frac{\sin n(x+2\alpha)}{n}-\frac{1}{4}\sum_{n=1}^{\infty}\frac{\sin n(x-2\alpha)}{n}.$$

设级数的和为 S，则

$x\in(2\alpha,2\pi-2\alpha)$ 时，

$$S=\frac{\pi-x}{4}-\frac{\pi-(x+2\alpha)}{8}-\frac{\pi-(x-2\alpha)}{8}=0.$$

$x\in(0,2\alpha)$ 时，$S=\frac{\pi-x}{4}-\frac{\pi-(x+2\alpha)}{8}+\frac{\pi-(2\alpha-x)}{8}=\frac{\pi}{4}$.

$x\in(2\pi-2\alpha,2\pi)$ 时.

$$S=\frac{\pi-x}{4}-\frac{\pi-(x+2\alpha-2\pi)}{8}-\frac{\pi-(x-2\alpha)}{8}=-\frac{\pi}{4}.$$

【3022】 $\sum_{n=1}^{\infty}\frac{\sin(2n-1)x}{2n-1}$.

解 记 $I(x)=\sum_{n=1}^{\infty}\frac{\sin nx}{n}$，利用 3018 题的结果，有

$$I(x)=(\operatorname{sgn}x)\sum_{n=1}^{\infty}\frac{\sin n|x|}{n}=(\operatorname{sgn}x)\frac{\pi-|x|}{2}(|x|<2\pi).$$

记

$$I_1(x)=\sum_{n=1}^{\infty}\frac{\sin(2n-1)x}{2n-1},I_2(x)=\sum_{n=1}^{\infty}\frac{\sin 2nx}{2n},$$

则

$$I_2(x)=(\operatorname{sgn} x)\frac{1}{2}\sum_{n=1}^{\infty}\frac{\sin n(2|x|)}{n}=\frac{1}{2}(\operatorname{sgn} x)\frac{\pi-2|x|}{2}(|x|<\pi).$$

由 $I(x)=I_1(x)+I_2(x)$，当 $|x|<\pi$ 时，

$$(\operatorname{sgn} x)\frac{\pi-|x|}{2}=I_1(x)+(\operatorname{sgn} x)\frac{\pi-2|x|}{4}.$$

故 $I_1(x)=(\operatorname{sgn} x)\left(\frac{\pi-|x|}{2}-\frac{\pi-2|x|}{4}\right)=\frac{\pi}{4}\operatorname{sgn} x(|x|<\pi)$.

【3023】 $\sum\limits_{n=2}^{\infty}(-1)^n\dfrac{\cos nx}{n^2-1}$.

解 仿照 3018 题的解法，只要在公式 $\sum\limits_{n=1}^{\infty}\dfrac{z^n}{n}=\ln\dfrac{1}{1-z}$ 中令 $z=-e^{ix}$，并注意幅角主值的取法，有

$$\sum_{n=1}^{\infty}(-1)^n\frac{\sin nx}{n}=-\frac{x}{2}(|x|<\pi),$$

$$\sum_{n=1}^{\infty}(-1)^n\frac{\cos nx}{n}=-\ln\left(2\cos\frac{x}{2}\right),$$

则

$$\begin{aligned}\sum_{n=2}^{\infty}(-1)^n\frac{\cos nx}{n^2-1}&=\frac{1}{2}\sum_{n=2}^{\infty}(-1)^n\frac{\cos nx}{n-1}-\frac{1}{2}\sum_{n=2}^{\infty}(-1)^n\frac{\cos nx}{n+1}\\&=-\frac{1}{2}\sum_{m=1}^{\infty}(-1)^m\frac{\cos(m+1)x}{m}+\frac{1}{2}\sum_{m=3}^{\infty}(-1)^m\frac{\cos(m-1)x}{m}\\&=\frac{1}{2}\sum_{m=1}^{\infty}(-1)^m\frac{1}{m}[\cos(m-1)x-\cos(m+1)x]-\left(-\frac{1}{2}+\frac{1}{2}\cdot\frac{1}{2}\cos x\right)\\&=\frac{1}{2}\left(1-\frac{\cos x}{2}\right)+\sum_{m=1}^{\infty}(-1)^m\frac{1}{m}\sin mx\sin x\\&=\frac{1}{2}\left(1-\frac{\cos x}{2}\right)-\frac{x}{2}\sin x(|x|<\pi).\end{aligned}$$

【3024】 $\sum\limits_{n=1}^{\infty}\dfrac{\cos(2n-1)x}{(2n-1)^2}$.

解 记 $F(x)=\sum\limits_{n=1}^{\infty}\dfrac{\cos(2n-1)x}{(2n-1)^2}$，显然级数 $\sum\limits_{n=1}^{\infty}\dfrac{\cos(2n-1)x}{(2n-1)^2}$ 在 $(-\infty,+\infty)$ 内一致收敛，故 $F(x)$ 为 $\mathbf{R}$ 上以 2π 周期的连续函数. $\forall x\in[-\pi,\pi]$，有

$$2\sin x\sum_{k=1}^{n}\sin(2k-1)x=1-\cos 2nx.$$

故 $\forall\tau\in\left(0,\frac{\pi}{2}\right)$，当 $x\in[\tau,\pi-\tau]$ 时，

$$\left|\sum_{k=1}^{n}\sin(2k-1)x\right|\leqslant\frac{1}{\sin\tau}.$$

由狄利克雷判别法，$\sum\limits_{n=1}^{\infty}\dfrac{\sin(2n-1)x}{2n-1}$ 在 $[\tau,\pi-\tau]$ 上一致收敛.

从而，由逐项求导数法则知，当 $x\in[\tau,\pi-\tau]$ 时，由 3022 题的结果有

$$F'(x)=-\sum_{n=1}^{\infty}\frac{\sin(2n-1)x}{2n-1}=-\frac{\pi}{4}. \quad ①$$

故

$$F(x)=-\frac{\pi}{4}x+C(0<x<\pi), \quad ②$$

其中 C 是常数. 又由 2961 题有

$$F(0)=\sum_{n=1}^{\infty}\frac{1}{(2n-1)^2}=\frac{\pi^2}{8},$$

则

$$F(x)=-\frac{\pi}{4}x+\frac{\pi^2}{8}(0\leqslant x<\pi).$$

由 $F(x)$ 是连续偶函数，则 $F(x)=\frac{\pi^2}{8}-\frac{\pi}{4}\mid x\mid(\mid x\mid\leqslant\pi)$.

【3025】 $\sum\limits_{n=1}^{\infty}(-1)^{n-1}\frac{\sin nx}{n(n+1)}$.

解 由 3023 题有，$\sum\limits_{n=1}^{\infty}(-1)^n\frac{\sin nx}{n}=-\frac{x}{2}(\mid x\mid<\pi)$，$\sum\limits_{n=1}^{\infty}(-1)^n\frac{\cos nx}{n}=-\ln\left(2\cos\frac{x}{2}\right)$，则

$$\begin{aligned}\sum_{n=1}^{\infty}(-1)^{n-1}\frac{\sin nx}{n(n+1)}&=-\sum_{n=1}^{\infty}(-1)^n\frac{\sin nx}{n}+\sum_{n=1}^{\infty}(-1)^n\frac{\sin nx}{n+1}\\&=-\sum_{n=1}^{\infty}(-1)^n\frac{\sin nx}{n}-\sum_{m=2}^{\infty}(-1)^m\frac{\sin(m-1)x}{m}\\&=-\sum_{n=1}^{\infty}(-1)^n\frac{\sin nx}{n}-\sum_{m=2}^{\infty}(-1)^m\frac{\sin mx}{m}\cos x+\sum_{m=2}^{\infty}(-1)^m\frac{\cos mx}{m}\sin x\\&=\frac{x}{2}(1+\cos x)-\sin x\ln\left(2\cos\frac{x}{2}\right)(\mid x\mid<\pi).\end{aligned}$$

【3026】 $\sum\limits_{n=0}^{\infty}\frac{\cos nx}{n!}$.

解 令 $z=e^{ix}$，由 $\sum\limits_{n=0}^{\infty}\frac{z^n}{n!}=e^z$，则

$$\sum_{n=0}^{\infty}\frac{\cos nx}{n!}=e^{\cos x}\cos(\sin x)(\mid x\mid<+\infty).$$

【3027】 画出曲线 $\sum\limits_{n=1}^{\infty}\frac{\sin nx\cdot\sin ny}{n^2}=0$.

解 记

$$f(x,y)=\sum_{n=1}^{\infty}\frac{\sin nx\sin ny}{n^2}.$$

由 $f(x,y)$ 为 x,y 的以 2π 为周期的周期函数，取定义域 $D=\{0\leqslant x<2\pi,0\leqslant y<2\pi\}$. 令

$$g(t)=\sum_{n=1}^{\infty}\frac{\cos nt}{n^2}(\mid t\mid<+\infty),$$

则

$$g'(t)=-\sum_{n=1}^{\infty}\frac{\sin nt}{n}=-(\operatorname{sgn}t)\frac{\pi-\mid t\mid}{2}(0<\mid t\mid<2\pi).$$

由 $g(0)=\frac{\pi^2}{6}$，则

$$g(t)=g(0)+\int_0^t g'(t)\mathrm{d}t=g(0)-\frac{\pi}{2}\mid t\mid+\frac{1}{4}t^2.$$

由积化和差公式，则

$$\begin{aligned}f(x,y)&=\frac{1}{2}\sum_{n=1}^{\infty}\frac{\cos n(x-y)-\cos n(x+y)}{n^2}=\frac{1}{2}[g(x-y)-g(x+y)]\\&=\frac{1}{2}\left\{\left[g(0)-\frac{\pi}{2}\mid x-y\mid+\frac{1}{4}(x-y)^2\right]-\left[g(0)-\frac{\pi}{2}\mid x+y\mid+\frac{1}{4}(x+y)^2\right]\right\}\\&=\frac{\pi}{4}(\mid x+y\mid-\mid x-y\mid)+\frac{1}{8}[(x-y)^2-(x+y)^2]\end{aligned}$$

$$= \frac{1}{2}[\pi - \max\{x,y\}]\min\{x,y\}.$$

若 $x \leqslant y$,则 $f(x,y) = \frac{1}{2}(\pi - y)x$.

若 $x \geqslant y$,则 $f(x,y) = \frac{1}{2}(\pi - x)y$.

令 $f(x,y) = 0$,则 $x \leqslant y$ 时,$x = 0$ 或 $y = \pi$,$x \geqslant y$ 时,$x = \pi$ 或 $y = 0$,图像显然故略.

习题 3028—3033 综合练习

【求下列级数的和(3028—3033)】

【3028】 $\sum\limits_{n=1}^{\infty} \frac{[(n-1)!]^2}{(2n)!}(2x)^{2n}$.

解 由于

$$\lim_{n\to\infty} \frac{\frac{(n!)^2}{(2n+2)!}(2x)^{2n+2}}{\frac{[(n-1)!]^2}{(2n)!}(2x)^{2n}} = \lim_{n\to\infty} \frac{4n^2x^2}{(2n+2)(2n+1)} = x^2,$$

故 $|x| < 1$ 时,幂级数收敛,$|x| > 1$ 时,幂级数发散. 从而收敛区间为$(-1,1)$. 当 $|x| = 1$,原级数化为

$$\sum_{n=1}^{\infty} \frac{[(n-1)!]^2 4^n}{(2n)!} = \sum_{n=1}^{\infty} a_n.$$

由于

$$\lim_{n\to\infty} n\left(\frac{a_n}{a_{n+1}} - 1\right) = \frac{3}{2} > 1,$$

故由拉贝判别法知,当 $|x| = 1$ 时原幂级数也收敛. 因此,原幂级数在$[-1,1]$上一致收敛. 从而,和函数 $f(x)$ 在$[-1,1]$上连续,且

$$f'(x) = \sum_{n=1}^{\infty} \frac{[(n-1)!]^2}{(2n)!} 4n(2x)^{2n-1} \quad (-1 < x < 1),$$

$$f''(x) = \sum_{n=1}^{\infty} \frac{[(n-1)!]^2}{(2n)!} 8n(2n-1)(2x)^{2n-2} \quad (-1 < x < 1).$$

故

$$\begin{aligned}
&-xf'(x) + (1-x^2)f''(x) \\
=& -\sum_{n=1}^{\infty} \frac{[(n-1)!]^2}{(2n)!} 2n(2x)^{2n} + \sum_{n=1}^{\infty} \frac{[(n-1)!]^2}{(2n)!} 8n(2n-1)(2x)^{2n-2} - \\
&\sum_{n=1}^{\infty} \frac{[(n-1)!]^2}{(2n)!} 2n(2n-1)(2x)^{2n} \\
=& -\sum_{n=1}^{\infty} \frac{[(n-1)!]^2}{(2n)!} 4n^2(2x)^{2n} + 4 + \sum_{n=2}^{\infty} \frac{[(n-1)!]^2}{(2n)!} 8n(2n-1)(2x)^{2n-2} \\
=& -\sum_{n=1}^{\infty} \frac{[(n-1)!]^2}{(2n)!} 4n^2(2x)^{2n} + 4 + \sum_{n=1}^{\infty} \frac{(n!)^2}{(2n+2)!} 8(n+1)(2n+1)(2x)^{2n} = 4 \quad (-1 < x < 1),
\end{aligned}$$

即

$$-\frac{x}{\sqrt{1-x^2}} f'(x) + \sqrt{1-x^2} f''(x) = \frac{4}{\sqrt{1-x^2}} \quad (-1 < x < 1).$$

两端积分,得

$$\sqrt{1-x^2} f'(x) = 4\arcsin x + C \quad (-1 < x < 1).$$

由 $f'(0) = 0$,从而

$$f'(x)=\frac{4\arcsin x}{\sqrt{1-x^2}}(-1<x<1).$$

两端再积分，得

$$f(x)=2(\arcsin x)^2+C_1(-1<x<1).$$

再由 $f(0)=0$，得 $C_1=0$. 故

$$f(x)=2(\arcsin x)^2(-1<x<1).$$

从而

$$\sum_{n=1}^{\infty}\frac{[(n-1)!]^2}{(2n)!}(2x)^{2n}=2(\arcsin x)^2(-1\leqslant x\leqslant 1).$$

【3029】 $\sum_{n=0}^{\infty}\frac{(n!)^2}{(2n)!}x^n$.

解 由于

$$\lim_{n\to\infty}\frac{\frac{[(n+1)!]^2}{(2n+2)!}}{\frac{(n!)^2}{(2n)!}}=\lim_{n\to\infty}\frac{(n+1)^2}{(2n+2)(2n+1)}=\frac{1}{4},$$

故原幂级数的收敛半径等于4，即当 $|x|<4$ 时收敛，当 $|x|>4$ 时发散. 当 $x=\pm4$ 时，原幂级数化为

$$\sum_{n=0}^{\infty}\frac{(n!)^2}{(2n)!}(\pm 4)^n=\sum_{n=0}^{\infty}a_n. \quad ①$$

由于 $\left|\frac{a_{n+1}}{a_n}\right|>1$，故 $|a_{n+1}|>|a_n|$ 从而，级数①发散. 故收敛域为 $-4<x<4$.

当 $0\leqslant x<4$ 时，令 $x=(2t)^2$，$0\leqslant t<1$，则

$$\sum_{n=0}^{\infty}\frac{(n!)^2}{(2n)!}x^n=\sum_{n=0}^{\infty}\frac{(n!)^2}{(2n)!}(2t)^{2n}=F(t)(0\leqslant t<1).$$

显然

$$(1-t^2)F(t)-1=\frac{t}{4}\sum_{n=1}^{\infty}\frac{[(n-1)!]^2}{(2n)!}4n(2t)^{2n-1}(0\leqslant t<1).$$

利用3028题的结果，得

$$(1-t^2)F(t)-1=\frac{t}{4}[2(\arcsin t)^2]'=\frac{t}{\sqrt{1-t^2}}\arcsin t(0\leqslant t<1).$$

从而

$$F(t)=\frac{1}{1-t^2}\left(1+\frac{t}{\sqrt{1-t^2}}\arcsin t\right)(0\leqslant t<1).$$

将 $t=\frac{\sqrt{x}}{2}$ 代入，即

$$\sum_{n=0}^{\infty}\frac{(n!)^2}{(2n)!}x^n=\frac{4}{4-x}+\frac{4\sqrt{x}}{(4-x)^{\frac{3}{2}}}\arcsin\frac{\sqrt{x}}{2}(0\leqslant x<4).$$

当 $-4<x<0$ 时，令 $x=-(2t)^2$，$0<t<1$，则

$$\sum_{n=0}^{\infty}\frac{(n!)^2}{(2n)!}x^n=\sum_{n=0}^{\infty}\frac{(n!)^2}{(2n)!}(-1)^n(2t)^{2n}=G(t)(0<t<1).$$

显然

$$1-(1+t^2)G(t)=t\sum_{n=1}^{\infty}(-1)^{n-1}\frac{[(n-1)!]^2}{(2n)!}n(2t)^{2n-1}=tg(t)(0<t<1),$$

其中

$$g(t)=\sum_{n=1}^{\infty}(-1)^{n-1}\frac{[(n-1)!]^2}{(2n)!}n(2t)^{2n-1}. \quad ②$$

易知 ② 式右端幂级数的收敛半径等于 1. 于是，当 $|t|<1$ 时，

$$g'(t)=\sum_{n=1}^{\infty}(-1)^{n-1}\frac{[(n-1)!]^2}{(2n)!}2n(2n-1)(2t)^{2n-2}.$$

故

$$\begin{aligned}&(1+t^2)g'(t)+tg(t)\\&=\sum_{n=1}^{\infty}(-1)^{n-1}\frac{[(n-1)!]^2}{(2n)!}\cdot 2n(2n-1)(2t)^{2n-2}+\\&\sum_{n=1}^{\infty}(-1)^{n-1}\frac{[(n-1)!]^2}{(2n)!}\cdot\frac{1}{2}n(2n-1)(2t)^{2n}+\sum_{n=1}^{\infty}(-1)^{n-1}\frac{[(n-1)!]^2}{(2n)!}\cdot\frac{n}{2}(2t)^{2n}\\&=1+\sum_{n=1}^{\infty}(-1)^n\frac{(n!)^2}{(2n+2)!}2(n+1)(2n+1)(2t)^{2n}+\sum_{n=1}^{\infty}(-1)^{n-1}\frac{[(n-1)!]^2}{(2n)!}n^2(2t)^{2n}\\&=1(-1<t<1),\end{aligned}$$

即

$$\sqrt{1+t^2}\,g'(t)+\frac{t}{\sqrt{1+t^2}}g(t)=\frac{1}{\sqrt{1+t^2}}(-1<t<1).$$

两端积分，由 $g(0)=0$，则

$$g(t)=\frac{1}{\sqrt{1+t^2}}\ln(t+\sqrt{1+t^2})(-1<t<1).$$

故

$$G(t)=\frac{1}{1+t^2}[1-tg(t)](0<t<1).$$

将 $t=\frac{\sqrt{|x|}}{2}$ 代入，则

$$\sum_{n=0}^{\infty}\frac{(n!)^2}{(2n)!}x^n=\frac{4}{4-x}-\frac{4\sqrt{|x|}}{(4-x)^{\frac{3}{2}}}\ln\frac{\sqrt{|x|}+\sqrt{4-x}}{2}(-4<x<0).$$

【3030】 $\frac{1!}{x+1}+\frac{2!}{(x+1)(x+2)}+\frac{3!}{(x+1)(x+2)(x+3)}+\cdots.$

解 设 $x\overline{\in}-\mathbf{N}_+$，记

$$u_n=\frac{n!}{(x+1)(x+2)\cdots(x+n)}(n=1,2,\cdots).$$

由

$$\begin{aligned}\frac{1}{x-1}&=\frac{x+1}{x-1}\cdot\frac{1}{x+1}=\frac{1}{x+1}\left(1+\frac{2}{x-1}\right)=\frac{1}{x+1}+\frac{1}{x+1}\cdot\frac{2}{x-1}\\&=\frac{1}{x+1}+\frac{1}{x+1}\cdot\frac{2}{x+2}+\frac{1}{x+1}\cdot\frac{2}{x+2}\cdot\frac{3}{x-1}\\&=\frac{1!}{x+1}+\frac{2!}{(x+1)(x+2)}+\frac{3!}{(x+1)(x+2)(x+3)}+\frac{3!}{(x+1)(x+2)(x+3)}\cdot\frac{4}{x-1}\\&=\cdots\\&=\frac{1!}{x+1}+\frac{2!}{(x+1)(x+2)}+\frac{3!}{(x+1)(x+2)(x+3)}+\cdots+\\&\quad\frac{n!}{(x+1)(x+2)\cdots(x+n)}+\frac{n!}{(x+1)(x+2)\cdots(x+n)}\cdot\frac{n+1}{x-1}\\&=u_1+u_2+\cdots+u_n+R_n,\end{aligned}\tag{①}$$

其中

$$R_n=u_n\cdot\frac{n+1}{x-1}=\frac{1}{x-1}\prod_{k=1}^{n}\frac{k+1}{x+k}=\frac{1}{x-1}\prod_{k=1}^{n}\frac{1+\frac{1}{k}}{1+\frac{x}{k}}=\frac{1}{x-1}\prod_{k=1}^{n}(1+\alpha_k).$$

k 充分大时,

$$\alpha_k=\frac{1+\frac{1}{k}}{1+\frac{x}{k}}-1=\left(1+\frac{1}{k}\right)\left(1-\frac{x}{k}+\frac{x^2}{k^2}+O\left(\frac{1}{k^3}\right)\right)-1=\frac{1-x}{k}+O\left(\frac{1}{k^2}\right).\qquad ②$$

若 R_n 收敛,即 $\lim\limits_{n\to\infty}R_n=\tau$,则

$$\sum_{n=1}^{\infty}u_n=\frac{1}{x-1}-\tau.$$

令 $v_n=\prod\limits_{k=1}^{n}(1+\alpha_k)$.

若 $x>1$,则

$$\lim_{k\to\infty}\alpha_k=0.\qquad ③$$

由②式与③式知:$\sum\limits_{k=1}^{\infty}\alpha_k$ 发散,且 $\sum\limits_{k=1}^{\infty}\alpha_k=-\infty$. 故级数 $\sum\limits_{n=1}^{\infty}\ln(1+\alpha_n)$ 发散,且 $\sum\limits_{n=1}^{\infty}\ln(1+\alpha_n)=-\infty$. 从而 $\lim\limits_{n\to\infty}v_n=0$. 于是 $\lim\limits_{n\to\infty}R_n=0$,故 $\sum\limits_{n=1}^{\infty}u_n=\frac{1}{x-1}$.

若 $x<1$,设 $-m<x<-m+1$,其中 $m\in\mathbf{N}_+$,则

$$1+\alpha_k=\frac{k+1}{x+k}<0(k=1,2,\cdots,m-1),$$

$$1+\alpha_k=\frac{k+1}{x+k}>0(k=m,m+1,\cdots).$$

令 $b_n=\prod\limits_{k=m}^{n}(1+\alpha_k)(n=m,m+1,\cdots)$,则

$$\ln b_n=\sum_{k=m}^{n}\ln(1+\alpha_k)(n=m,m+1,\cdots).$$

当 k 充分大时,$\alpha_k>0$,且级数 $\sum\limits_{k=m}^{\infty}\alpha_k$ 发散. 类似可知,级数 $\sum\limits_{k=m}^{\infty}\ln(1+\alpha_k)$ 发散,且 $\sum\limits_{k=m}^{\infty}\ln(1+\alpha_k)=+\infty$. 从而 $\lim\limits_{n\to\infty}\ln b_n=+\infty$,$\lim\limits_{n\to\infty}b_n=+\infty$. 由此可知

$$\lim_{n\to\infty}R_n=\pm\infty.$$

故 $\sum\limits_{n=1}^{\infty}u_n$ 发散.

若 $x=1$,原级数 $\sum\limits_{n=1}^{\infty}\frac{1}{n+1}$ 发散.

综上所述,当 $x>1$ 时,级数收敛,且 $\sum\limits_{n=1}^{\infty}\frac{n!}{(x+1)(x+2)\cdots(x+n)}=\frac{1}{x-1}$.

【3031】 $\frac{a_1}{a_2+x}+\frac{a_1}{a_2+x}\cdot\frac{a_2}{a_3+x}+\cdots$,$x>0$,$a_n>0(n=1,2,\cdots)$,且 $\sum\limits_{n=1}^{\infty}\frac{1}{a_n}$ 发散.

解 记

$$u_n=\frac{a_1}{a_2+x}\cdot\frac{a_2}{a_3+x}\cdots\frac{a_n}{a_{n+1}+x}(n=1,2,\cdots).$$

由 $x>0$,$a_n>0$,则

$$\begin{aligned}\frac{a_1}{x}&=\frac{a_1}{a_2+x}\cdot\frac{a_2+x}{x}=\frac{a_1}{a_2+x}+\frac{a_1}{a_2+x}\cdot\frac{a_2}{x}\\&=\frac{a_1}{a_2+x}+\frac{a_1}{a_2+x}\cdot\frac{a_2}{a_3+x}+\frac{a_1}{a_2+x}\cdot\frac{a_2}{a_3+x}\cdot\frac{a_3}{x}=\cdots\\&=\frac{a_1}{a_2+x}+\frac{a_1}{a_2+x}\cdot\frac{a_2}{a_3+x}+\cdots+\frac{a_1}{a_2+x}\cdot\frac{a_2}{a_3+x}\cdots\frac{a_{n-1}}{a_n+x}\cdot\frac{a_n}{a_{n+1}+x}+\end{aligned}$$

$$\frac{a_1}{a_2+x}\cdot\frac{a_2}{a_3+x}\cdots\cdot\frac{a_{n-1}}{a_n+x}\cdot\frac{a_n}{a_{n+1}+x}\cdot\frac{a_{n+1}}{x}$$
$$=u_1+u_2+\cdots+u_n+R_n,$$

其中

$$R_n=\frac{a_{n+1}}{x}u_n=\frac{a_1}{x}\cdot\frac{a_2}{a_2+x}\cdot\frac{a_3}{a_3+x}\cdots\frac{a_n}{a_n+x}\cdot\frac{a_{n+1}}{a_{n+1}+x}=\frac{a_1}{x}\prod_{k=2}^{n+1}\frac{a_k}{a_k+x}=\frac{a_1}{x}\prod_{k=2}^{n+1}(1+\alpha_k),$$
$$\alpha_k=-\frac{x}{a_k+x}(k=2,3,\cdots,n+1).$$

若 R_n 收敛,即 $\lim\limits_{n\to\infty}R_n=\tau$,则

$$\sum_{n=1}^{\infty}u_k=\lim_{n\to\infty}\left(\frac{a_1}{x}-R_n\right)=\frac{a_1}{x}-\tau.$$

显然

$$0<1+\alpha_k<1(k=2,3,\cdots).$$

令 $v_n=\prod\limits_{k=2}^{n+1}(1+\alpha_k)$,则 $\ln v_n=\sum\limits_{k=2}^{n+1}\ln(1+\alpha_k)$.

由 $\sum\limits_{n=1}^{\infty}\frac{1}{a_n}$ 发散,则有以下情况.

若 $a_n\geqslant x(n=2,3,\cdots)$,则

$$\frac{1}{a_n+x}\geqslant\frac{1}{2}\cdot\frac{1}{a_n}.$$

故 $\sum\limits_{n=2}^{\infty}\frac{1}{a_n+x}$ 发散.

若 $\exists m\in\mathbf{N}_+$,当 $n>m$ 时,$a_n\geqslant x$,则 $\sum\limits_{n=2}^{\infty}\frac{1}{a_n+x}$ 发散.

若 $\exists\{a_{n_i}\}$ 使得 $a_{n_i}<x(i=1,2,\cdots)$,则

$$\frac{1}{a_{n_i}+x}>\frac{1}{2x}(i=1,2,\cdots).$$

显然

$$\sum_{i=1}^{n}\frac{1}{a_{n_i}+x}>\frac{n}{2x}\to\infty(n\to\infty).$$

故级数 $\sum\limits_{n=2}^{\infty}\frac{1}{a_n+x}$ 发散. 从而

$$\sum_{n=2}^{\infty}\frac{1}{a_n+x}=+\infty,\sum_{n=2}^{\infty}\alpha_n=-\infty.$$

注意到 $-1<\alpha_n<0,\ln(1+\alpha_n)<\alpha_n<0(n=2,3,\cdots)$,可知

$$\sum_{n=2}^{\infty}\ln(1+\alpha_n)=-\infty.$$

从而 $\tau=0$. 综上可知,原级数收敛,且

$$\frac{a_1}{a_2+x}+\frac{a_1}{a_2+x}\cdot\frac{a_2}{a_3+x}+\cdots=\frac{a_1}{x}.$$

【3032】 $\frac{x}{1-x^2}+\frac{x^2}{1-x^4}+\frac{x^4}{1-x^8}+\cdots$,(1) $|x|<1$,(2) $|x|>1$.

解 记

$$u_n=\frac{x^{2^n}}{1-x^{2^{n+1}}}(n\in\mathbf{N},|x|\neq1).$$

当 $x\neq\pm1$ 时,

$$\frac{x}{1-x}=\frac{x}{1-x^2}(1+x)=\frac{x}{1-x^2}+\frac{x^2}{1-x^2}=\frac{x}{1-x^2}+\frac{x^2}{1-x^4}(1+x^2)$$
$$=\frac{x}{1-x^2}+\frac{x^2}{1-x^4}+\frac{x^4}{1-x^4}=\cdots=\frac{x}{1-x^2}+\frac{x^2}{1-x^4}+\cdots+\frac{x^{2^n}}{1-x^{2^{n+1}}}+\frac{x^{2^{n+1}}}{1-x^{2^{n+1}}}$$
$$=u_1+u_2+\cdots+u_n+R_n,$$

其中 $R_n=\dfrac{x^{2^{n+1}}}{1-x^{2^{n+1}}}$.

当 $|x|<1$ 时，$\lim\limits_{n\to\infty}R_n=0$. 故

$$\sum_{n=1}^{\infty}u_n=\lim_{n\to\infty}\sum_{k=1}^{n}u_k=\frac{x}{1-x}.$$

当 $|x|>1$ 时，

$$\lim_{n\to\infty}R_n=-1.$$

故 $\sum\limits_{n=1}^{\infty}u_n=\lim\limits_{n\to\infty}\sum\limits_{k=1}^{n}u_k=\dfrac{1}{1-x}$.

【3033】 $\sum\limits_{n=1}^{\infty}\dfrac{x^{n+1}}{(1-x^n)(1-x^{n+1})}$，(1) $|x|<1$；(2) $|x|>1$.

解 记 $u_n=\dfrac{x^{n+1}}{(1-x^n)(1-x^{n+1})}(n\in\mathbf{N},|x|\neq 1)$.

当 $x\neq\pm 1$ 时，

$$\frac{1}{1-x^n}-\frac{1}{1-x^{n+1}}=\frac{x^n(1-x)}{(1-x^n)(1-x^{n+1})}=\frac{1-x}{x}\,\frac{x^{n+1}}{(1-x^n)(1-x^{n+1})}=\frac{1-x}{x}u_n(n=1,2,\cdots),$$

即

$$\sum_{k=1}^{n}\frac{1-x}{x}u_k=\sum_{k=1}^{n}\frac{1}{1-x^k}-\sum_{k=1}^{n}\frac{1}{1-x^{k+1}}=\frac{1}{1-x}-\frac{1}{1-x^{n+1}}.$$

故

$$\sum_{k=1}^{n}u_k=\frac{x}{(1-x)^2}-\frac{x}{1-x}\cdot\frac{1}{1-x^{n+1}}.$$

当 $|x|<1$ 时，

$$\sum_{n=1}^{\infty}u_n=\lim_{n\to\infty}\sum_{k=1}^{n}u_k=\frac{x}{(1-x)^2}-\frac{x}{1-x}=\frac{x^2}{(1-x)^2}.$$

当 $|x|>1$ 时，

$$\sum_{n=1}^{\infty}u_n=\lim_{n\to\infty}\sum_{k=1}^{n}u_k=\frac{x}{(1-x)^2}.$$

第8节 利用级数求定积分（习题3034—3050）

知识点预览

知识点	题目序号	所在页码
利用级数求定积分	3034—3050	P192

知识点 利用级数求定积分

对于一些无法求得原函数且被积函数可以表示成无穷级数的积分，可以采用级数展开的方法对每一项进行积分来解决。前提条件是保证逐项可积可行。

习题 3034—3046 利用被积函数的级数展开式计算定积分

【利用被积函数的级数展开式计算下列积分(3034—3040)】

【3034】 $\int_0^1 \ln\frac{1}{1-x}\mathrm{d}x$.

解 由 2549 题知$\frac{1}{1\cdot 2}+\frac{1}{2\cdot 3}+\frac{1}{3\cdot 4}+\cdots=1$,则

$$\int_0^1 \ln\frac{1}{1-x}\mathrm{d}x=-\int_0^1 \ln(1-x)\mathrm{d}x=-\int_0^1\left(-x-\frac{x^2}{2}-\frac{x^2}{3}-\cdots\right)\mathrm{d}x$$

$$=\frac{1}{1\cdot 2}+\frac{1}{2\cdot 3}+\frac{1}{3\cdot 4}+\cdots=1.$$

注 由于当 $x=1$ 时，幂级数(收敛半径为 1)$\ln(1-x)=-x-\frac{x^2}{2}-\frac{x^2}{3}-\cdots$ 发散，故应证明在$[0,1]$上可逐项积分. 事实上 $\forall\tau\in(0,1)$，有

$$\int_0^\tau \ln(1-x)\mathrm{d}x=\int_0^\tau\left(-x-\frac{x^2}{2}-\cdots-\frac{x^n}{n}\right)\mathrm{d}x+R_n, \qquad ①$$

其中 $R_n=\int_0^\tau\left(-\frac{x^{n+1}}{n+1}-\frac{x^{n+2}}{n+2}-\cdots\right)\mathrm{d}x$.

由于 $0<\tau<1$，故

$$R_n=-\left[\frac{\tau^{n+2}}{(n+1)(n+2)}+\frac{\tau^{n+3}}{(n+2)(n+3)}+\cdots\right]$$

$$>-\left[\frac{1}{(n+1)(n+2)}+\frac{1}{(n+2)(n+3)}+\cdots\right]=-\frac{1}{n+1}.$$

由 ① 式知

$$\left|\int_0^\tau \ln(1-x)\mathrm{d}x-\left(-\frac{\tau^2}{1\cdot 2}-\frac{\tau^3}{2\cdot 3}-\cdots-\frac{\tau_{n+1}}{n(n+1)}\right)\right|<\frac{1}{n+1}. \qquad ②$$

在 ② 式中让 n 固定而令 $\tau\to 1^-$，则

$$\left|\int_0^1 \ln(1-x)\mathrm{d}x-\left(-\frac{1}{1\cdot 2}-\frac{1}{2\cdot 3}-\cdots-\frac{1}{n(n+1)}\right)\right|<\frac{1}{n+1},\ \forall n\in\mathbf{N}_+,$$

故

$$\int_0^1 \ln(1-x)\mathrm{d}x=\lim_{n\to\infty}\left(-\frac{1}{1\cdot 2}-\frac{1}{2\cdot 3}-\cdots-\frac{1}{n(n+1)}\right)=-\frac{1}{1\cdot 2}-\frac{1}{2\cdot 3}-\frac{1}{3\cdot 4}-\cdots,$$

即

$$\int_0^1\left(-x-\frac{x^2}{2}-\frac{x^3}{3}-\cdots\right)\mathrm{d}x=\int_0^1(-x)\mathrm{d}x+\int_0^1\left(-\frac{x^2}{2}\right)\mathrm{d}x+\int_0^1\left(-\frac{x^3}{3}\right)\mathrm{d}x+\cdots,$$

逐项积分公式成立.

本节以下诸题中，凡在端点发散的级数的逐项积分的合理性问题，都可仿照上面类似地证明，不再一一写出.

【3035】 $\int_0^1 \frac{\ln(x+\sqrt{1+x^2})}{x}dx.$

解 由2878题，$\ln(x+\sqrt{1+x^2})=x+\sum_{n=1}^{\infty}\left[(-1)^n\frac{(2n-1)!!}{(2n)!!}\frac{x^{2n+1}}{2n+1}\right]$，则

$$\int_0^1 \frac{\ln(x+\sqrt{1+x^2})}{x}dx=\int_0^1 \frac{x+\sum_{n=1}^{\infty}\left[(-1)^n\frac{(2n-1)!!}{(2n)!!}\frac{x^{2n+1}}{2n+1}\right]}{x}dx$$

$$=1+\sum_{n=1}^{\infty}(-1)^n\frac{(2n-1)!!}{(2n)!!}\frac{1}{(2n+1)^2}.$$

【3036】 $\int_0^1 \frac{\ln(1+x)}{x}dx.$

解 $$\int_0^1 \frac{\ln(1+x)}{x}dx=\int_0^1 \frac{x-\frac{x^2}{2}+\frac{x^3}{3}-\cdots}{x}dx=\int_0^1\left(1-\frac{x}{2}+\frac{x^2}{3}-\cdots\right)dx$$

$$=1-\frac{1}{2^2}+\frac{1}{3^2}-\cdots=\frac{\pi^2}{12}.\text{（2961 题结论）}$$

【3037】 $\int_0^1 x^{p-1}\ln(1-x^q)dx(p>0,q>0).$

解 $$\int_0^1 x^{p-1}\ln(1-x^q)dx=\int_0^1 x^{p-1}\left(-x^q-\frac{x^{2q}}{2}-\frac{x^{3q}}{3}-\cdots\right)dx$$

$$=-\int_0^1\left(x^{p+q-1}+\frac{1}{2}x^{p+2q-1}+\frac{1}{3}x^{p+3q-1}+\cdots\right)dx$$

$$=-\left(\frac{1}{p+q}+\frac{1}{p+2q}\cdot\frac{1}{2}+\frac{1}{p+3q}\cdot\frac{1}{3}+\cdots\right)=-\sum_{n=1}^{\infty}\frac{1}{n(p+nq)}.$$

【3038】 $\int_0^1 \ln x\cdot\ln(1-x)dx.$

解 $$\int_0^1 \ln x\cdot\ln(1-x)dx=-\int_0^1\left(\ln x\cdot\sum_{n=1}^{\infty}\frac{x^n}{n}\right)dx$$

$$=-\sum_{n=1}^{\infty}\frac{x^{n+1}}{n(n+1)}\ln x\Big|_0^1+\sum_{n=1}^{\infty}\frac{x^{n+1}}{n(n+1)^2}\Big|_0^1=\sum_{n=1}^{\infty}\frac{1}{n(n+1)^2}$$

$$=\sum_{n=1}^{\infty}\frac{1}{n(n+1)}-\sum_{n=1}^{\infty}\frac{1}{(n+1)^2}=2-\frac{\pi^2}{6}.$$

注 本题用到2549题 $\sum_{n=1}^{\infty}\frac{1}{n(n+1)}=1$ 和2961题的结果 $\sum_{n=1}^{\infty}\frac{1}{n^2}=\frac{\pi^2}{6}$.

【3039】 $\int_0^{+\infty}\frac{xdx}{e^{2\pi x}-1}.$

解 $$\int_0^{+\infty}\frac{xdx}{e^{2\pi x}-1}=\int_0^{+\infty}\frac{xe^{-2\pi x}}{1-e^{-2\pi x}}dx=\int_0^{+\infty}xe^{-2\pi x}(1+e^{-2\pi x}+e^{-4\pi x}+\cdots)dx$$

$$=\left[-\frac{x}{2\pi}e^{-2\pi x}-\frac{1}{(2\pi)^2}e^{-2\pi x}\right]\Big|_0^{+\infty}+\left[-\frac{x}{4\pi}e^{-4\pi x}-\frac{1}{(4\pi)^2}e^{-4\pi x}\right]\Big|_0^{+\infty}+$$

$$\left[-\frac{x}{6\pi}e^{-6\pi x}-\frac{1}{(6\pi)^2}e^{-6\pi x}\right]\Big|_0^{+\infty}+\cdots$$

$$=\frac{1}{(2\pi)^2}\left(\frac{1}{1^2}+\frac{1}{2^2}+\frac{1}{3^2}+\cdots\right)=\frac{1}{24}.$$

注 本题用到2961题的结果 $\sum_{n=1}^{\infty}\frac{1}{n^2}=\frac{\pi^2}{6}$.

【3040】 $\int_0^{+\infty}\frac{x\mathrm{d}x}{\mathrm{e}^x+1}$.

解 $\int_0^{+\infty}\frac{x\mathrm{d}x}{\mathrm{e}^x+1}=\int_0^{+\infty}\frac{x\mathrm{e}^{-x}\mathrm{d}x}{1+\mathrm{e}^{-x}}=\int_0^{+\infty}x\mathrm{e}^{-x}(1-\mathrm{e}^{-x}+\mathrm{e}^{-2x}-\cdots)\mathrm{d}x$

$$=(-x\mathrm{e}^{-x}-\mathrm{e}^{-x})\Big|_0^{+\infty}-\left(-\frac{1}{2}x\mathrm{e}^{-2x}-\frac{1}{2^2}\mathrm{e}^{-2x}\right)\Big|_0^{+\infty}+\left(-\frac{1}{3}x\mathrm{e}^{-3x}-\frac{1}{3^2}\mathrm{e}^{-3x}\right)\Big|_0^{+\infty}-\cdots$$

$$=1-\frac{1}{2^2}+\frac{1}{3^2}-\cdots=\frac{\pi^2}{12}.$$

注 本题用到 2961 题的结果 $\sum_{n=1}^{\infty}\frac{(-1)^{n+1}}{n^2}=\frac{\pi^2}{12}$.

【3041】 按模数 $k(0\leqslant k<1)$ 的正整数次幂展开第一类完全椭圆积分

$$F(k)=\int_0^{\frac{\pi}{2}}\frac{\mathrm{d}\varphi}{\sqrt{1-k^2\sin^2\varphi}}.$$

解 $F(k)=\int_0^{\frac{\pi}{2}}\frac{\mathrm{d}\varphi}{\sqrt{1-k^2\sin^2\varphi}}$

$$=\int_0^{\frac{\pi}{2}}\left(1+\frac{1}{2}k^2\sin^2\varphi+\frac{3}{8}k^4\sin^4\varphi+\frac{5}{16}k^6\sin^6\varphi+\cdots+\frac{(2n-1)!!}{(2n)!!}k^{2n}\sin^{2n}\varphi+\cdots\right)\mathrm{d}\varphi$$

$$=\frac{\pi}{2}\left\{1+\sum_{n=1}^{\infty}\left[\frac{(2n-1)!!}{(2n)!!}\right]^2k^{2n}\right\}.$$

注 本题用到 2286 题的结果 $\int_0^{\frac{\pi}{2}}\sin^{2n}\varphi\mathrm{d}\varphi=\frac{(2n-1)!!}{(2n)!!}\cdot\frac{\pi}{2}$.

【3042】 按模数 $k(0\leqslant k<1)$ 的正整数次幂展开第二类完全椭圆积分

$$E(k)=\int_0^{\frac{\pi}{2}}\sqrt{1-k^2\sin^2\varphi}\,\mathrm{d}\varphi.$$

解 $E(k)=\int_0^{\frac{\pi}{2}}\sqrt{1-k^2\sin^2\varphi}\,\mathrm{d}\varphi$

$$=\int_0^{\frac{\pi}{2}}\left[1-\sum_{n=1}^{\infty}\frac{(2n-3)!!}{(2n)!!}k^{2n}\sin^{2n}\varphi\right]\mathrm{d}\varphi=\frac{\pi}{2}\left\{1-\sum_{n=1}^{\infty}\left[\frac{(2n-1)!!}{(2n)!!}\right]^2\frac{k^{2n}}{2n-1}\right\}.$$

注 本题用到 2286 题的结果.

【3043】 用按椭圆离心率的正整数次幂展开的级数表示椭圆 $x=a\cos t,y=b\sin t(0\leqslant t\leqslant 2\pi)$ 的弧长.

解 设 $a>b$,则 $\varepsilon=\frac{\sqrt{a^2-b^2}}{a}$,$\left(\frac{b}{a}\right)^2=1-\varepsilon^2$,弧长

$$s=4\int_0^{\frac{\pi}{2}}\sqrt{a^2\sin^2t+b^2\cos^2t}\,\mathrm{d}t=4a\int_0^{\frac{\pi}{2}}\sqrt{1-\varepsilon^2\cos^2t}\,\mathrm{d}t$$

$$=4a\int_0^{\frac{\pi}{2}}\left[1-\sum_{n=1}^{\infty}\frac{(2n-3)!!}{(2n)!!}\varepsilon^{2n}\cos^{2n}t\right]\mathrm{d}t=4a\cdot\frac{\pi}{2}\left\{1-\sum_{n=1}^{\infty}\left[\frac{(2n-1)!!}{(2n)!!}\right]^2\frac{\varepsilon^{2n}}{2n-1}\right\}$$

$$=2\pi a\left[1-\left(\frac{1}{2}\right)^2\varepsilon^2-\left(\frac{1\cdot 3}{2\cdot 4}\right)^2\cdot\frac{\varepsilon^4}{3}-\cdots\right].$$

【3044】 求 $\int_0^{2\pi}\mathrm{e}^{a\cos x}\cos(a\sin x-nx)\mathrm{d}x(n\in\mathbf{N}_+)$.

解 $I=\int_0^{2\pi}e^{a\cos x}\cos(a\sin x-nx)\mathrm{d}x=\int_0^{2\pi}\mathrm{Re}(e^{ae^{ix}-inx})\mathrm{d}x=\mathrm{Re}\left[\int_0^{2\pi}\sum_{m=0}^{\infty}\frac{(ae^{ix})^m}{m!}e^{-inx}\mathrm{d}x\right]$

$$=\mathrm{Re}\left[\sum_{m=0}^{\infty}\frac{a^m}{m!}\int_0^{2\pi}e^{i(m-n)x}\mathrm{d}x\right]=\mathrm{Re}\left[\frac{a^n}{n!}\cdot 2\pi+\sum_{\substack{m=0\\m\neq n}}^{\infty}\frac{a^m}{m!}\int_0^{2\pi}e^{i(m-n)x}\mathrm{d}x\right]=\frac{2\pi a^n}{n!}.$$

【3045】 求$\int_0^{\pi}\frac{x\sin x}{1-2\alpha\cos x+\alpha^2}\mathrm{d}x$.

解 利用2871题的结果，即得

$$\frac{x\sin x}{1-2\alpha\cos x+\alpha^2}=\sum_{n=1}^{\infty}\alpha^n x\sin nx(|\alpha|<1),$$

且$\int_0^{\pi}x\sin nx\mathrm{d}x=(-1)^{n-1}\frac{\pi}{n}$，故

$$\int_0^{\pi}\frac{x\sin x}{1-2\alpha\cos x+\alpha^2}\mathrm{d}x=\sum_{n=1}^{\infty}(-1)^{n-1}\alpha^n\frac{\pi}{n}=\pi\ln(1+\alpha),\ |\alpha|<1.$$

当$|\alpha|>1$，即$\left|\frac{1}{\alpha}\right|<1$时，

$$\frac{x\sin x}{1-2\alpha\cos x+\alpha^2}=\frac{1}{\alpha^2}\cdot\frac{x\sin x}{1-2\left(\frac{1}{\alpha}\right)\cos x+\left(\frac{1}{\alpha}\right)^2}.$$

故$|\alpha|>1$时，$\int_0^{\pi}\frac{x\sin x}{1-2\alpha\cos x+\alpha^2}\mathrm{d}x=\frac{\pi}{\alpha^2}\ln\left(1+\frac{1}{\alpha}\right)$.

【3046】 求$\int_0^{\pi}\ln(1-2\alpha\cos x+\alpha^2)\mathrm{d}x$.

解 利用2879题的结果，即得：当$|\alpha|\leqslant 1$时，

$$\int_0^{\pi}\ln(1-2\alpha\cos x+\alpha^2)\mathrm{d}x=-2\sum_{n=1}^{\infty}\int_0^{\pi}\frac{\alpha^n\cos nx}{n}\mathrm{d}x=0.$$

当$|\alpha|>1$，即$\left|\frac{1}{\alpha}\right|<1$时，

$$\ln(1-2\alpha\cos x+\alpha^2)=\ln\left[\alpha^2\left(1-2\frac{1}{\alpha}\cos x+\frac{1}{\alpha^2}\right)\right]=\ln\alpha^2+\ln\left(1-\frac{2}{\alpha}\cos\alpha+\frac{1}{\alpha^2}\right).$$

故$\int_0^{\pi}\ln(1-2\alpha\cos x+\alpha^2)\mathrm{d}x=\pi\ln\alpha^2=2\pi\ln|\alpha|,\ |\alpha|>1$.

习题3047—3050 利用级数展开式证明等式

【证明下列等式(3047—3049)】

【3047】 $\int_0^1\frac{\mathrm{d}x}{x^x}=\sum_{n=1}^{\infty}\frac{1}{n^n}$.

解 $\int_0^1\frac{\mathrm{d}x}{x^x}=\int_0^1 e^{-x\ln x}\mathrm{d}x=\int_0^1\left(1-x\ln x+\frac{1}{2!}x^2\ln^2x-\frac{1}{3!}x^3\ln^3x+\cdots\right)\mathrm{d}x$

$$=\left(x-\frac{x^2}{2}\ln x+\frac{x^2}{2^2}+\frac{x^3}{2!\cdot 3}\ln^2x-\frac{x^3}{3^2}\ln x+\frac{x^3}{3^3}-\frac{x^4}{3!\cdot 4}\ln^3x+\frac{x^4}{2\cdot 4^2}\ln^2x-\frac{x^4}{4^3}\ln x+\frac{x^4}{4^4}+\cdots\right)\Bigg|_0^1$$

$$=1+\frac{1}{2^2}+\frac{1}{3^3}+\frac{1}{4^4}+\cdots=\sum_{n=1}^{\infty}\frac{1}{n^n}.$$

【3048】 $\int_0^{+\infty}e^{-x^2}\sin ax\mathrm{d}x=\frac{1}{2}\sum_{n=0}^{\infty}\frac{(-1)^n n!}{(2n+1)!}a^{2n+1}$.

解 $$\int_0^{+\infty} e^{-x^2}\sin ax\,dx = \int_0^{+\infty} e^{-x^2}\sum_{n=0}^{\infty}(-1)^n\frac{a^{2n+1}}{(2n+1)!}x^{2n+1}\,dx$$

$$= \sum_{n=0}^{\infty}\frac{(-1)^n a^{2n+1}}{(2n+1)!}\int_0^{+\infty} e^{-x^2}x^{2n+1}\,dx = \frac{1}{2}\sum_{n=0}^{\infty}\frac{(-1)^n a^{2n+1}}{(2n+1)!}\int_0^{+\infty} t^n e^{-t}\,dt$$

$$= \frac{1}{2}\sum_{n=0}^{\infty}\frac{(-1)^n n!}{(2n+1)!}a^{2n+1}.$$

注 $\int_0^{+\infty} t^n e^{-t}\,dt = \Gamma(n+1) = n!$.

【3049】 $\int_0^{2\pi} e^{\cos x}\cos(\sin x)\cos nx\,dx = \frac{\pi}{n!}$.

解 由 $\mathrm{Re}\{e^{e^{ix}}\} = e^{\cos x}\cos(\sin x)$，则

$$I_n = \int_0^{2\pi} e^{\cos x}\cos(\sin x)\cos nx\,dx$$

$$= \mathrm{Re}\{\int_0^{2\pi} e^{e^{ix}}\cos nx\,dx\} = \mathrm{Re}\left[\int_0^{2\pi} e^{e^{ix}}\cdot\frac{1}{2}(e^{inx}+e^{-inx})\,dx\right]$$

$$= \frac{1}{2}\mathrm{Re}\left[\int_0^{2\pi}\sum_{m=0}^{\infty}\frac{(e^{ix})^m}{m!}(e^{inx}+e^{-inx})\,dx\right]$$

$$= \frac{1}{2}\left[\sum_{m_1=0}^{\infty}\frac{1}{m_1!}\mathrm{Re}\{\int_0^{2\pi} e^{i(m_1+n)x}\,dx\} + \sum_{m_2=0}^{\infty}\frac{1}{m_2!}\mathrm{Re}\{\int_0^{2\pi} e^{i(m_2-n)x}\,dx\}\right].$$

由

$$\int_0^{2\pi} e^{ikx}\,dx = \begin{cases}2\pi, & k=0,\\ 0, & k\neq 0,\end{cases}$$

当 $n=0$ 时，

$$\int_0^{2\pi} e^{i(m+n)x}\,dx = \begin{cases}2\pi, & m=0,\\ 0, & m\neq 0,\end{cases}\qquad \int_0^{2\pi} e^{i(m-n)x}\,dx = \begin{cases}2\pi, & m=n,\\ 0, & m\neq n.\end{cases}$$

从而 $I_0 = \frac{1}{2}(2\pi+2\pi) = 2\pi$.

当 $n\in\mathbf{N}_+$ 时，

$$\int_0^{2\pi} e^{i(m+n)x}\,dx = 0,\qquad \int_0^{2\pi} e^{i(m-n)x}\,dx = \begin{cases}2\pi, & m=n,\\ 0, & m\neq n.\end{cases}$$

从而 $I_n = \frac{1}{2}\cdot\left(\frac{1}{n!}2\pi\right) = \frac{\pi}{n!}$.

【3050】 证明：

$$\int_0^{+\infty}\frac{e^{-x}}{a+x}\,dx = \frac{1}{a}-\frac{1!}{a^2}+\frac{2!}{a^3}-\cdots+(-1)^{n-1}\frac{(n-1)!}{a^n}+(-1)^n\frac{\theta_n n!}{a^{n+1}},\tag{①}$$

其中 $a>0, 0<\theta_n<1$.

若在公式 ① 中取两项来表示积分 $\int_0^{+\infty}\frac{e^{-x}}{100+x}\,dx$，其精确程度如何？

解 设 $f(x) = \frac{1}{x+a}\ (x\geqslant 0)$，则

$$f(x) = \frac{1}{x+a} = f(0)+f'(0)x+\frac{f''(0)}{2!}x^2+\cdots+\frac{f^{(n-1)}(0)}{(n-1)!}x^{n-1}+\frac{f^{(n)}(\theta x)}{n!}x^n$$

$$= \frac{1}{a}-\frac{x}{a^2}+\frac{x^2}{a^3}-\cdots+(-1)^{n-1}\frac{x^{n-1}}{a^n}+(-1)^n\frac{1}{(a+\theta x)^{n+1}}x^n$$

$$=\frac{1}{a}-\frac{x}{a^2}+\frac{x^2}{a^3}-\cdots+(-1)^{n-1}\frac{x^{n-1}}{a^n}+(-1)^n\frac{x^n}{a^{n+1}}\cdot\frac{1}{\left(1+\theta\cdot\frac{x}{a}\right)^{n+1}}$$

$$=\frac{1}{a}-\frac{x}{a^2}+\frac{x^2}{a^3}-\cdots+(-1)^{n-1}\frac{x^{n-1}}{a^n}+(-1)^n\bar{\theta}_n(x)\frac{x^n}{a^{n+1}},$$

其中 $0<\theta<1$，$\bar{\theta}_n(x)=\dfrac{1}{\left(1+\theta\frac{x}{a}\right)^{n+1}}$，也有 $0<\bar{\theta}_n(x)<1(0<x<+\infty)$. 由

$$\int_0^{+\infty}x^n\mathrm{e}^{-x}\mathrm{d}x=n!,0<\int_0^{+\infty}x^n\mathrm{e}^{-x}\bar{\theta}_n(x)\mathrm{d}x<\int_0^{+\infty}x^n\mathrm{e}^{-x}\mathrm{d}x=n!,$$

则 $\int_0^{+\infty}x^n\mathrm{e}^{-x}\bar{\theta}_n(x)\mathrm{d}x=\theta_n n!$. 故

$$\int_0^{+\infty}\frac{\mathrm{e}^{-x}}{a+x}\mathrm{d}x=\int_0^{+\infty}f(x)\mathrm{e}^{-x}\mathrm{d}x=\sum_{k=1}^{\infty}\frac{(-1)^{k-1}}{a^k}\int_0^{+\infty}x^{k-1}\mathrm{e}^{-x}\mathrm{d}x+(-1)^n\frac{1}{a^{n+1}}\int_0^{+\infty}\theta_n(x)x^n\mathrm{e}^{-x}\mathrm{d}x$$

$$=\frac{1}{a}-\frac{1!}{a^2}+\frac{2!}{a^3}-\cdots+(-1)^{n-1}\frac{(n-1)!}{a^n}+(-1)^n\frac{n!}{a^{n+1}}\theta_n.$$

结论成立.

令 $a=100$，则

$$\int_0^{+\infty}\frac{\mathrm{e}^{-x}}{100+x}\mathrm{d}x=10^{-2}-1!10^{-4}+2!10^{-6}-\cdots+(-1)^{n-1}(n-1)!10^{-2n}+(-1)^n\theta_n n!10^{-2n-2}$$

$$(0<\theta_n<1).$$

取 $n=2$，则误差为 $\theta_2 2!10^{-6}$，绝对值小于 $2\cdot10^{-6}$. 故

$$\left|\int_0^{+\infty}\frac{\mathrm{e}^{-x}}{100+x}\mathrm{d}x-0.01+0.000\,1\right|\leqslant 0.000\,002=2\cdot10^{-6}.$$

第9节 无穷乘积（习题3051—3110）

知识点预览

序号	知识点	题目序号	所在页码
1	无穷乘积的收敛性	3051—3064	P197
2	无穷乘积收敛的条件	3065—3088	P201
3	绝对收敛性	3089—3098	P209
4	函数的无穷乘积展开	3099—3110	P214

知识点1 无穷乘积的收敛性

若

$$\lim_{n\to\infty}\prod_{i=1}^{n}p_i=\lim_{n\to\infty}P_n=P<\infty,$$

且 $p\neq0$，称无穷乘积

$$p_1p_2\cdots p_n\cdots=\prod_{n=1}^{\infty}p_n \qquad ①$$

收敛.

若$\{P_n\}$的极限不存在或$P=0$,称无穷乘积①发散.

习题 3051—3059 用定义证明无穷乘积的等式

【证明下列等式(3051—3059)】

【3051】 $\prod_{n=2}^{\infty}\left(1-\frac{1}{n^2}\right)=\frac{1}{2}.$

证 记$p_n=1-\frac{1}{n^2}$,由

$$P_n=\prod_{i=2}^{n+1}p_i=\left(1-\frac{1}{2^2}\right)\left(1-\frac{1}{3^2}\right)\cdots\left(1-\frac{1}{(n+1)^2}\right)=\frac{n+2}{2(n+1)},\lim_{n\to\infty}P_n=\lim_{n\to\infty}\frac{n+2}{2(n+1)}=\frac{1}{2},$$

故$\prod_{n=2}^{\infty}\left(1-\frac{1}{n^2}\right)=\frac{1}{2}$.

【3052】 $\prod_{n=2}^{\infty}\frac{n^3-1}{n^3+1}=\frac{2}{3}.$

证 记$p_n=\frac{n^3-1}{n^3+1}$,由

$$P_n=\prod_{i=2}^{n+1}p_i=\frac{2^3-1}{2^3+1}\cdot\frac{3^3-1}{3^3+1}\cdots\frac{(n+1)^3-1}{(n+1)^3+1}=\frac{2[(n+1)^2+(n+1)+1]}{3(n+1)(n+2)},$$

$$\lim_{n\to\infty}P_n=\lim_{n\to\infty}\frac{2[(n+1)^2+(n+1)+1]}{3(n+1)(n+2)}=\frac{2}{3},$$

故$\prod_{n=2}^{\infty}\frac{n^3-1}{n^3+1}=\frac{2}{3}$.

【3053】 $\prod_{n=2}^{\infty}\left[1-\frac{2}{n(n+1)}\right]=\frac{1}{3}.$

证 记$p_n=1-\frac{2}{n(n+1)}$,由

$$P_n=\prod_{i=2}^{n+1}p_i=\frac{4\cdot 1}{2\cdot 3}\cdot\frac{5\cdot 2}{3\cdot 4}\cdots\frac{(n+3)n}{(n+1)(n+2)}=\frac{n+3}{3(n+1)},\lim_{n\to\infty}P_n=\lim_{n\to\infty}\frac{n+3}{3(n+1)}=\frac{1}{3},$$

故$\prod_{n=2}^{\infty}\left[1-\frac{2}{n(n+1)}\right]=\frac{1}{3}$.

【3054】 $\prod_{n=0}^{\infty}\left[1+\left(\frac{1}{2}\right)^{2^n}\right]=2.$

证 记$p_n=1+\left(\frac{1}{2}\right)^{2^n}$,由

$$\left(1-\frac{1}{2}\right)P_n=\left(1-\frac{1}{2}\right)\left(1+\frac{1}{2}\right)\left(1+\frac{1}{2^2}\right)\cdots\left(1+\frac{1}{2^{2^{n-1}}}\right)=1-\left(\frac{1}{2}\right)^{2^n},$$

从而$P_n=\dfrac{1-\frac{1}{2^{2^n}}}{1-\frac{1}{2}}=2-\frac{1}{2^{2^n-1}},\lim_{n\to\infty}P_n=\lim_{n\to\infty}\left(2-\frac{1}{2^{2^n-1}}\right)=2$,故$\prod_{n=0}^{\infty}\left[1+\left(\frac{1}{2}\right)^{2^n}\right]=2$.

【3055】 $\prod_{n=0}^{\infty}(1+x^{2^n})=\frac{1}{1-x}(|x|<1).$

证 记 $p_n = 1 + x^{2n}$,由

$$(1-x)P_n = (1-x)(1+x)\cdots(1+x^{2^{n-1}}) = 1-x^{2^n},$$

从而 $P_n = \frac{1-x^{2^n}}{1-x}$,$\lim\limits_{n\to\infty} P_n = \lim\limits_{n\to\infty}\frac{1-x^{2^n}}{1-x} = \frac{1}{1-x}$,故$\prod\limits_{n=0}^{\infty}(1+x^{2^n}) = \frac{1}{1-x}$.

令 $x = \frac{1}{2}$,则

$$\prod_{n=0}^{\infty}\left[1+\left(\frac{1}{2}\right)^{2^n}\right] = \frac{1}{1-\frac{1}{2}} = 2.$$

此即 3054 题的结果.

【3056】 $\prod\limits_{n=1}^{\infty}\cos\frac{\pi}{2^{n+1}} = \frac{2}{\pi}$.

证 记 $p_n = \cos\frac{\pi}{2^{n+1}}$,由

$$P_n = \cos\frac{\pi}{2^2}\cos\frac{\pi}{2^3}\cdots\cos\frac{\pi}{2^{n+1}} = \frac{\cos\frac{\pi}{2^2}\cos\frac{\pi}{2^3}\cdots\left(\cos\frac{\pi}{2^{n+1}}\cdot 2\sin\frac{\pi}{2^{n+1}}\right)}{2\sin\frac{\pi}{2^{n+1}}} = \cdots = \frac{\sin\frac{\pi}{2}}{2^n\sin\frac{\pi}{2^{n+1}}},$$

$$\lim_{n\to\infty}P_n = \lim_{n\to\infty}\frac{\sin\frac{\pi}{2}}{2^n\sin\frac{\pi}{2^{n+1}}} = \lim_{n\to\infty}\frac{\frac{\pi}{2^{n+1}}}{\sin\frac{\pi}{2^{n+1}}}\cdot\frac{2}{\pi} = \frac{2}{\pi},$$

故$\prod\limits_{n=1}^{\infty}\cos\frac{\pi}{2^{n+1}} = \frac{2}{\pi}$.

【3057】 $\prod\limits_{n=1}^{\infty}\cos\frac{x}{2^n} = \frac{\sin x}{x}$.

证 当 $x \neq 0$ 时,记 $p_n = \cos\frac{x}{2^n}$,由

$$P_n = \cos\frac{x}{2}\cos\frac{x}{2^2}\cdots\cos\frac{x}{2^n} = \frac{\sin x}{2^n\sin\frac{x}{2^n}},$$

$$\lim_{n\to\infty}P_n = \lim_{n\to\infty}\frac{\sin x}{2^n\sin\frac{x}{2^n}} = \frac{\sin x}{x}\lim_{n\to\infty}\frac{\frac{x}{2^n}}{\sin\frac{x}{2^n}} = \frac{\sin x}{x}.$$

故$\prod\limits_{n=1}^{\infty}\cos\frac{x}{2^n} = \frac{\sin x}{x}$.

当 $x = 0$ 时,显然$\prod\limits_{n=1}^{\infty}\cos\frac{x}{2^n} = 1$.

【3058】 $\frac{\pi}{2} = \frac{2}{\sqrt{2}}\cdot\frac{2}{\sqrt{2+\sqrt{2}}}\cdot\frac{2}{\sqrt{2+\sqrt{2+\sqrt{2}}}}\cdots$.

证 **方法一** 在 3057 题中,令 $x = \frac{\pi}{2}$,利用半角公式,有

$$\cos\frac{\pi}{4} = \frac{\sqrt{2}}{2}, \cos\frac{\pi}{8} = \sqrt{\frac{1+\cos\frac{\pi}{4}}{2}} = \frac{\sqrt{2+\sqrt{2}}}{2}, \cdots,$$

于是有

$$\frac{2}{\pi} = \frac{\sqrt{2}}{2}\cdot\frac{\sqrt{2+\sqrt{2}}}{2}\cdot\frac{\sqrt{2+\sqrt{2+\sqrt{2}}}}{2}\cdots,$$

也即

$$\frac{\pi}{2}=\frac{2}{\sqrt{2}}\cdot\frac{2}{\sqrt{2+\sqrt{2}}}\cdot\frac{2}{\sqrt{2+\sqrt{2+\sqrt{2}}}}\cdots.$$

方法二 由 $\sec\frac{\pi}{4}=\frac{2}{\sqrt{2}},\sec\frac{\pi}{8}=\frac{2}{\sqrt{2+\sqrt{2}}},\sec\frac{\pi}{16}=\frac{2}{\sqrt{2+\sqrt{2+\sqrt{2}}}},\cdots$,则

$$\prod_{n=1}^{\infty}\sec\frac{\pi}{2^{n+1}}=\frac{\pi}{2}.$$

故 $\frac{\pi}{2}=\frac{2}{\sqrt{2}}\cdot\frac{2}{\sqrt{2+\sqrt{2}}}\cdot\frac{2}{\sqrt{2+\sqrt{2+\sqrt{2}}}}\cdots$.

【3059】 $\prod_{n=1}^{\infty}\operatorname{ch}\frac{x}{2^n}=\frac{\operatorname{sh}x}{x}$.

证 记 $p_n=\operatorname{ch}\frac{x}{2^n}$,由

$$P_n=\operatorname{ch}\frac{x}{2}\operatorname{ch}\frac{x}{2^2}\cdots\operatorname{ch}\frac{x}{2^n}=\frac{\operatorname{sh}x}{2^n\operatorname{sh}\frac{x}{2^n}},\lim_{n\to\infty}P_n=\frac{\operatorname{sh}x}{x}\lim_{n\to\infty}\frac{\frac{x}{2^n}}{\operatorname{sh}\frac{x}{2^n}},$$

因为 $\lim_{y\to0}\frac{y}{\operatorname{sh}y}=\lim_{y\to0}\frac{1}{\operatorname{ch}y}=1$,所以由归结原则 $\lim_{n\to\infty}P_n=\frac{\operatorname{sh}x}{x}$. 故 $\prod_{n=1}^{\infty}\operatorname{ch}\frac{x}{2^n}=\frac{\operatorname{sh}x}{x}$.

习题 3060—3063 用定义求无穷乘积的值

【试证下列无穷乘积的收敛性并求出其值(3060—3063)】

【3060】 $\prod_{n=3}^{\infty}\frac{n^2-4}{n^2-1}$.

证 记 $p_n=\frac{n^2-4}{n^2-1}$,由

$$P_n=\frac{1\cdot5}{2\cdot4}\cdot\frac{2\cdot6}{3\cdot5}\cdot\frac{3\cdot7}{4\cdot6}\cdots\frac{(n-2)(n+2)}{(n-1)(n+1)}\cdot\frac{(n-1)(n+3)}{n(n+2)}\cdot\frac{n(n+4)}{(n+1)(n+3)}=\frac{n+4}{4(n+1)},$$

$$\lim_{n\to\infty}P_n=\lim_{n\to\infty}\frac{n+4}{4(n+1)}=\frac{1}{4},$$

故 $\prod_{n=3}^{\infty}\frac{n^2-4}{n^2-1}=\frac{1}{4}$.

【3061】 $\prod_{n=1}^{\infty}\left[1+\frac{1}{n(n+2)}\right]$.

证 记 $p_n=1+\frac{1}{n(n+2)}=\frac{(n+1)^2}{n(n+2)}$,由

$$P_n=\frac{2^2}{1\cdot3}\cdot\frac{3^2}{2\cdot4}\cdot\frac{4^2}{3\cdot5}\cdots\frac{(n-1)^2}{(n-2)n}\cdot\frac{n^2}{(n-1)(n+1)}\cdot\frac{(n+1)^2}{n(n+2)}=\frac{2(n+1)}{n+2},$$

$$\lim_{n\to\infty}P_n=\lim_{n\to\infty}\frac{2(n+1)}{n+2}=2,$$

故 $\prod_{n=1}^{\infty}\left[1+\frac{1}{n(n+2)}\right]=2$.

【3062】 $\prod_{n=1}^{\infty}\frac{(2n+1)(2n+7)}{(2n+3)(2n+5)}$.

证 记 $p_n=\frac{(2n+1)(2n+7)}{(2n+3)(2n+5)}$,由于

$$P_n = \frac{3\cdot 9}{5\cdot 7}\cdot\frac{5\cdot 11}{7\cdot 9}\cdot\frac{7\cdot 13}{9\cdot 11}\cdots\frac{(2n-3)(2n+3)}{(2n-1)(2n+1)}\cdot\frac{(2n-1)(2n+5)}{(2n+1)(2n+3)}\cdot\frac{(2n+1)(2n+7)}{(2n+3)(2n+5)} = \frac{3(2n+7)}{7(2n+3)},$$

$$\lim_{n\to\infty} P_n = \lim_{n\to\infty}\frac{3(2n+7)}{7(2n+3)} = \frac{3}{7},$$

故$\prod_{n=1}^{\infty}\frac{(2n+1)(2n+7)}{(2n+3)(2n+5)} = \frac{3}{7}$.

【3063】 $\prod_{n=1}^{\infty} a^{\frac{(-1)^n}{n}}(a>0)$.

证 记 $p_n = a^{\frac{(-1)^n}{n}}$，由

$$P_n = a^{-1}\cdot a^{\frac{1}{2}}\cdots a^{\frac{(-1)^n}{n}} = a^{-\left[1-\frac{1}{2}+\cdots+(-1)^{n-1}\frac{1}{n}\right]},\lim_{n\to\infty} P_n = \lim_{n\to\infty} a^{-\left[1-\frac{1}{2}+\cdots+(-1)^{n-1}\frac{1}{n}\right]} = a^{-\ln 2},$$

故$\prod_{n=1}^{\infty} a^{\frac{(-1)^n}{n}} = a^{-\ln 2}$.

习题 3064—3064 无穷乘积的运算性质

【3064】 设$\prod_{n=1}^{\infty} p_n$ 与$\prod_{n=1}^{\infty} q_n$ 收敛，判断

(1)$\prod_{n=1}^{\infty}(p_n+q_n)$，(2)$\prod_{n=1}^{\infty} p_n^2$，(3)$\prod_{n=1}^{\infty} p_nq_n$，(4)$\prod_{n=1}^{\infty}\frac{p_n}{q_n}$

的收敛性.

解 (1) 发散，例如，乘积$\prod_{n=1}^{\infty}\left(1-\frac{1}{n^2}\right)$及$\prod_{n=1}^{\infty}\left(1+\frac{1}{n^2}\right)$均收敛，但

$$\prod_{n=1}^{\infty}\left[\left(1-\frac{1}{n^2}\right)+\left(1+\frac{1}{n^2}\right)\right]=\prod_{n=1}^{\infty} 2$$

发散.

(2) 收敛. 由

$$T_n = p_1^2\cdot p_2^2\cdots p_n^2 = (p_1p_2\cdots p_n)^2,\lim_{n\to\infty} T_n = \lim_{n\to\infty}(p_1p_2\cdots p_n)^2 = P^2,$$

且$\prod_{n=1}^{\infty} p_n = p$ 收敛，故$\prod_{n=1}^{\infty} {p_n}^2 = P^2$ 收敛.

(3) 收敛. 由

$$T_n = (p_1p_2\cdots p_n)(q_1q_2\cdots q_n),\lim_{n\to\infty} T_n = \lim_{n\to\infty}(p_1p_2\cdots p_n)(q_1q_2\cdots q_n) = PQ,$$

且$\prod_{n=1}^{\infty} p_n$，$\prod_{n=1}^{\infty} q_n$ 收敛，故$\prod_{n=1}^{\infty} p_nq_n$ 收敛.

(4) 收敛. 由

$$T_n = \frac{p_1p_2\cdots p_n}{q_1q_2\cdots q_n}(q_i\neq 0, i=1,2,\cdots),\lim_{n\to\infty} T_n = \lim_{n\to\infty}\frac{p_1p_2\cdots p_n}{q_1q_2\cdots q_n} = \frac{P}{Q},$$

且$\prod_{n=1}^{\infty} p_n$，$\prod_{n=1}^{\infty} q_n$ 收敛，故$\prod_{n=1}^{\infty}\frac{p_n}{q_n}$ 收敛.

知识点 2 无穷乘积收敛的条件

1. 必要条件 无穷乘积$\prod_{n=1}^{\infty} p_n$ 收敛的必要条件为：$\lim_{n\to\infty} p_n = 1$.

2. 设 $p_n>0(n\in\mathbf{N}_+)$，则无穷乘积$\prod\limits_{n=1}^{\infty}p_n$ 与级数$\sum\limits_{n=1}^{\infty}\ln p_n$ 的敛散性相同.

3. 设 $p_n=1+\alpha_n(n\in\mathbf{N}_+)$，且 α_n 不变号，则无穷乘积$\prod\limits_{n=1}^{\infty}p_n$ 收敛的充要条件为级数

$$\sum_{n=1}^{\infty}\alpha_n=\sum_{n=1}^{\infty}(p_n-1)$$

收敛.

4. 当 α_n 变号，且级数$\sum\limits_{n=1}^{\infty}\alpha_n$ 收敛时，无穷乘积$\prod\limits_{n=1}^{\infty}p_n$ 与级数$\sum\limits_{n=1}^{\infty}\alpha_n^2$ 的敛散性相同，且无穷乘积发散时，乘积发散于零.

习题 3065—3088 判定无穷乘积的敛散性

【研究下列无穷乘积的收敛性(3065—3084)】

【3065】 $\prod\limits_{n=1}^{\infty}\dfrac{1}{n}$.

解 记 $p_n=\dfrac{1}{n}$，由 $\lim\limits_{n\to\infty}p_n=0$，则$\prod\limits_{n=1}^{\infty}\dfrac{1}{n}$ 发散.

【3066】 $\prod\limits_{n=1}^{\infty}\dfrac{(n+1)^2}{n(n+2)}$.

解 记 $p_n=\dfrac{(n+1)^2}{n(n+2)}=1+\dfrac{1}{n(n+2)}$，由$\sum\limits_{n=1}^{\infty}\dfrac{1}{n(n+2)}$ 收敛，且$\dfrac{1}{n(n+2)}$ 不变号，则无穷乘积$\prod\limits_{n=1}^{\infty}\dfrac{(n+1)^2}{n(n+2)}$ 收敛.

【3067】 $\prod\limits_{n=1}^{\infty}\left(1+\dfrac{1}{n^p}\right)$.

解 记 $p_n=1+\dfrac{1}{n^p}$，由$\dfrac{1}{n^p}$ 不变号，且 $p>1$ 时，$\sum\limits_{n=1}^{\infty}\dfrac{1}{n^p}$ 收敛，$p\leqslant 1$ 时，$\sum\limits_{n=1}^{\infty}\dfrac{1}{n^p}$ 发散，故 $p>1$ 时，无穷乘积收敛，$p\leqslant 1$ 时，无穷乘积发散.

【3068】 $\prod\limits_{n=2}^{\infty}\left(1-\dfrac{1}{n}\right)$.

解 **方法一** 记 $p_n=1-\dfrac{1}{n}$，由 $p_n-1=-\dfrac{1}{n}$ 不变号，且$\sum\limits_{n=1}^{\infty}\left(-\dfrac{1}{n}\right)$发散，故无穷乘积发散.

方法二 由

$$P_n=\frac{1}{2}\cdot\frac{2}{3}\cdots\frac{n-2}{n-1}\cdot\frac{n-1}{n}\cdot\frac{n}{n+1}=\frac{1}{n+1},$$

故无穷乘积发散于零.

【3069】 $\prod\limits_{n=2}^{\infty}\left(\dfrac{n^2-1}{n^2+1}\right)^p$.

解 记 $p_n=\left(\dfrac{n^2-1}{n^2+1}\right)^p=\left(1-\dfrac{2}{n^2+1}\right)^p$. 由

$$\sum_{n=2}^{\infty}\ln\left(1-\frac{2}{n^2+1}\right)^p=p\sum_{n=2}^{\infty}\ln\left(1-\frac{2}{n^2+1}\right),$$

且$\sum\limits_{n=2}^{\infty}\frac{2}{n^2+1}$收敛,故 $\forall p\neq 0$,$\sum\limits_{n=2}^{\infty}\ln\left(1-\frac{2}{n^2+1}\right)$收敛.从而无穷乘积$\prod\limits_{n=2}^{\infty}\left(\frac{n^2-1}{n^2+1}\right)^p$收敛.

【3070】 $\prod\limits_{n=n_0}^{\infty}\frac{n^2+a_1n+b_1}{n^2+an+b}$,其中 $n^2+an+b>0$.

解 记 $p_n=\frac{n^2+a_1n+b_1}{n^2+an+b}=1+\frac{(a_1-a)n+(b_1-b)}{n^2+an+b}$,令

$$a_n=\frac{(a_1-a)n+(b_1-b)}{n^2+an+b}.$$

当 $a_1=a$ 时,$a_n\sim\frac{1}{n^2}$.由于$\sum\limits_{n=n_0}^{\infty}\frac{1}{n^2}$收敛,故无穷乘积$\prod\limits_{n=n_0}^{\infty}\frac{n^2+a_1n+b_1}{n^2+an+b}$收敛.

当 $a_1\neq a$ 时,由于 $n^2+an+b>0$,且 $a_n\sim\frac{a_1-a}{n}$,故$\sum\limits_{n=n_0}^{\infty}a_n$发散,从而$\prod\limits_{n=n_0}^{\infty}\frac{n^2+a_1n+b_1}{n^2+an+b}$发散.

【3071】 $\prod\limits_{n=n_0}^{\infty}\frac{(n-a_1)(n-a_2)\cdots(n-a_p)}{(n-b_1)(b-b_2)\cdots(n-b_p)}$,其中 $n_0>b_i(i=1,2,\cdots,p)$.

解 记 $p_n=\frac{(n-a_1)(n-a_2)\cdots(n-a_p)}{(n-b_1)(b-b_2)\cdots(n-b_p)}$,则

$$p_n=1+\frac{\left(\sum\limits_{i=1}^{p}b_i-\sum\limits_{i=1}^{p}a_i\right)n^{p-1}+\cdots+(-1)^p\left(\prod\limits_{i=1}^{p}a_i-\prod\limits_{i=1}^{p}b_i\right)}{\prod\limits_{i=1}^{p}(n-b_i)}.$$

令

$$a_n=\frac{\left(\sum\limits_{i=1}^{p}b_i-\sum\limits_{i=1}^{p}a_i\right)n^{p-1}+\cdots+(-1)^p\left(\prod\limits_{i=1}^{p}a_i-\prod\limits_{i=1}^{p}b_i\right)}{\prod\limits_{i=1}^{p}(n-b_i)}.$$

当$\sum\limits_{i=1}^{p}a_i=\sum\limits_{i=1}^{p}b_i$时,$a_n=O\left(\frac{1}{n^2}\right)$,故$\sum\limits_{n=n_0}^{\infty}a_n$收敛,从而无穷乘积收敛.

当$\sum\limits_{i=1}^{p}a_i\neq\sum\limits_{i=1}^{p}b_i$时,由于当 $n>n_0$ 时,$\prod\limits_{i=1}^{p}(n-b_i)>0$,且 $a_n\sim\frac{1}{n}\left(\sum\limits_{i=1}^{p}b_i-\sum\limits_{i=1}^{p}a_i\right)$,故级数$\sum\limits_{n=n_0}^{\infty}a_n$发散,从而无穷乘积发散.

【3072】 $\prod\limits_{n=0}^{\infty}\sqrt{\frac{n+1}{n+2}}$.

解 记 $p_n=\sqrt{\frac{n+1}{n+2}}$,则 $\ln p_n=\frac{1}{2}\ln\frac{n+1}{n+2}=\frac{1}{2}\ln\left(1-\frac{1}{n+2}\right)$.考虑级数

$$\sum_{n=0}^{\infty}\ln p_n=\frac{1}{2}\sum_{n=0}^{\infty}\ln\left(1-\frac{1}{n+2}\right).$$

由于$\sum\limits_{n=0}^{\infty}\left(-\frac{1}{n+2}\right)$发散,故$\sum\limits_{n=0}^{\infty}\ln\left(1-\frac{1}{n+2}\right)$发散,从而无穷乘积$\prod\limits_{n=0}^{\infty}\sqrt{\frac{n+1}{n+2}}$发散.

【3073】 $\prod\limits_{n=1}^{\infty}\frac{n}{\sqrt{n^2+1}}$.

解 记 $p_n=\frac{n}{\sqrt{n^2+1}}=\frac{1}{\sqrt{1+\frac{1}{n^2}}}$,则 $\ln p_n=-\frac{1}{2}\ln\left(1+\frac{1}{n^2}\right)$.考虑级数

$$\sum_{n=1}^{\infty}\ln p_n=-\frac{1}{2}\sum_{n=1}^{\infty}\ln\left(1+\frac{1}{n^2}\right).$$

由于$\sum\limits_{n=1}^{\infty}\frac{1}{n^2}$收敛,故$\sum\limits_{n=1}^{\infty}\ln\left(1+\frac{1}{n^2}\right)$收敛,从而无穷乘积$\prod\limits_{n=1}^{\infty}\frac{n}{\sqrt{n^2+1}}$收敛.

【3074】 $\prod\limits_{n=1}^{\infty}\sqrt[n]{1+\frac{1}{n}}$.

解 记 $p_n=\sqrt[n]{1+\frac{1}{n}}$,则 $\ln p_n=\frac{1}{n}\ln\left(1+\frac{1}{n}\right)$,且

$$\lim_{n\to\infty}\frac{\frac{1}{n}\ln\left(1+\frac{1}{n}\right)}{\frac{1}{n^2}}=1.$$

由于$\sum\limits_{n=1}^{\infty}\frac{1}{n^2}$收敛,故$\sum\limits_{n=1}^{\infty}\frac{1}{n}\ln\left(1+\frac{1}{n}\right)$收敛,从而无穷乘积$\prod\limits_{n=1}^{\infty}\sqrt[n]{1+\frac{1}{n}}$收敛.

【3075】 $\prod\limits_{n=1}^{\infty}\sqrt[n^2]{n}$.

解 记 $p_n=\sqrt[n^2]{n}$,则 $\ln p_n=\frac{1}{n^2}\ln n$. 考虑级数$\sum\limits_{n=1}^{\infty}\ln p_n=\sum\limits_{n=1}^{\infty}\frac{1}{n^2}\ln n$,由于

$$\lim_{n\to\infty}\frac{\frac{1}{n^2}\ln n}{n^{-\frac{3}{2}}}=\lim_{n\to\infty}\frac{\ln n}{\sqrt{n}}=0,$$

且$\sum\limits_{n=1}^{\infty}\frac{1}{n^{\frac{3}{2}}}$收敛,故$\sum\limits_{n=1}^{\infty}\frac{1}{n^2}\ln n$收敛,从而无穷乘积$\prod\limits_{n=1}^{\infty}\sqrt[n^2]{n}$收敛.

【3076】 $\prod\limits_{n=1}^{\infty}\left(1+\frac{x}{n}\right)e^{-\frac{x}{n}}$.

解 记 $p_n=\left(1+\frac{x}{n}\right)e^{-\frac{x}{n}}$,则

$$p_n=\left(1+\frac{x}{n}\right)\left[1-\frac{x}{n}+\frac{x^2}{2n^2}+O\left(\frac{1}{n^2}\right)\right]=1-\frac{x^2}{2n^2}+O\left(\frac{1}{n^2}\right).$$

记 $p_n=1+\alpha_n$,则

$$\alpha_n=-\frac{x^2}{2n^2}+O\left(\frac{1}{n^2}\right)<0(n\to\infty).$$

$\forall x\in\mathbf{R}$,显然

$$\sum_{n=n_0}^{\infty}\left[-\frac{x^2}{2n^2}+O\left(\frac{1}{n^2}\right)\right]$$

收敛,从而$\sum\limits_{n=1}^{\infty}\alpha_n$收敛. 因此,无穷乘积$\prod\limits_{n=1}^{\infty}\left(1+\frac{x}{n}\right)e^{-\frac{x}{n}}$收敛.

【3077】 $\prod\limits_{n=1}^{\infty}\left(1-\frac{x}{c+n}\right)e^{-\frac{x}{n}}$,其中 $c>0$.

解 记 $p_n=\left(1-\frac{x}{c+n}\right)e^{-\frac{x}{n}}$,则

$$\begin{aligned}p_n&=\left(1-\frac{x}{c+n}\right)e^{\frac{x}{n}}=\left(1-\frac{x}{c+n}\right)\left[1+\frac{x}{n}+O\left(\frac{1}{n^2}\right)\right]=1-\frac{x}{c+n}+\frac{x}{n}-\frac{x^2}{n(c+n)}+O\left(\frac{1}{n^2}\right)\\&=1-\frac{x^2-cx}{n(c+n)}+O\left(\frac{1}{n^2}\right)=1+O\left(\frac{1}{n^2}\right),\forall x\in\mathbf{R}.\end{aligned}$$

由$(p_n-1)^2=O\left(\frac{1}{n^4}\right)$,且$\sum\limits_{n=1}^{\infty}O\left(\frac{1}{n^4}\right)$收敛,故无穷乘积$\prod\limits_{n=1}^{\infty}\left(1-\frac{x}{c+n}\right)e^{-\frac{x}{n}}$收敛.

注 也可由级数$\sum\limits_{n=1}^{\infty}\ln p_n$收敛得到无穷乘积的收敛.

【3078】 $\prod\limits_{n=1}^{\infty}(1-x^n)$.

解 当$|x|\geqslant 1$时，记$p_n=1-x^n$，则$\lim\limits_{n\to\infty}p_n=\lim\limits_{n\to\infty}(1-x^n)\neq 1$，故无穷乘积$\prod\limits_{n=1}^{\infty}(1-x^n)$发散.

当$|x|<1$时，若$x=0$显然收敛.

若$x\neq 0$，则

$$\ln p_n=\ln(1-x^n)=-x^n\ln[(1-x^n)^{-\frac{1}{x^n}}].$$

由于

$$\lim_{n\to\infty}\ln[(1-x^n)^{-\frac{1}{x^n}}]=1,$$

从而$\ln p_n=O(|x|^n)$. 当$|x|<1$时，级数$\sum\limits_{n=1}^{\infty}|x|^n$收敛，故$|x|<1$时，无穷乘积$\prod\limits_{n=1}^{\infty}(1-x^n)$收敛.

【3079】 $\prod\limits_{n=1}^{\infty}\left(1+\frac{x^n}{2^n}\right)$.

解 当$|x|\geqslant 2$时，记$p_n=1+\left(\frac{x}{2}\right)^n$，则$\lim\limits_{n\to\infty}p_n\neq 1$，故无穷乘积$\prod\limits_{n=1}^{\infty}\left(1+\frac{x^n}{2^n}\right)$发散.

当$|x|<2$时，若$x=0$显然收敛.

若$x\neq 0$，由于

$$\lim_{n\to\infty}\left(1+\frac{x^n}{2^n}\right)^{\frac{2^n}{x^n}}=e,$$

则

$$\ln p_n=\ln\left(1+\frac{x^n}{2^n}\right)=\frac{x^n}{2^n}\ln\left(1+\frac{x^n}{2^n}\right)^{\frac{2^n}{x^n}}=O\left(\left|\frac{x}{2}\right|^n\right).$$

当$|x|<2$时，$\sum\limits_{n=1}^{\infty}\left|\frac{x}{2}\right|^n$收敛，从而$\sum\limits_{n=1}^{\infty}\ln p_n$收敛. 故$|x|<2$时，无穷乘积$\prod\limits_{n=1}^{\infty}\left(1+\frac{x^n}{2^n}\right)$收敛.

【3080】 $\prod\limits_{n=1}^{\infty}\left[1+\frac{\left(1+\frac{1}{n}\right)^{n^2}}{x^n}\right]$.

解 (1) 当$|x|<e$时，由

$$\left(1+\frac{1}{n}\right)^n=e+o(1),$$

则$\exists n_0$，当$n\geqslant n_0$时，有$\left(1+\frac{1}{n}\right)^n>|x|$，故

$$\left|\frac{\left(1+\frac{1}{n}\right)^{n^2}}{x^n}\right|=\left[\frac{\left(1+\frac{1}{n}\right)^n}{|x|}\right]^n>1.$$

从而

$$\lim_{n\to\infty}\left[1+\frac{\left(1+\frac{1}{n}\right)^{n^2}}{x^n}\right]\neq 1,$$

即无穷乘积发散.

(2) 当$|x|=e$时，记

$$p_n=1+(\operatorname{sgn}x)^n\frac{\left(1+\frac{1}{n}\right)^{n^2}}{e^n}=1+(\operatorname{sgn}x)^n\left[\frac{\left(1+\frac{1}{n}\right)^n}{e}\right]^n=1+\alpha_n,$$

其中

$$|\alpha_n|=\left[\frac{\left(1+\frac{1}{n}\right)^n}{e}\right]^n,$$

$$\ln|\alpha_n|=\frac{\ln\left(1+\frac{1}{n}\right)-\frac{1}{n}}{\frac{1}{n^2}}.$$

由于

$$\lim_{x\to0}\frac{\ln(1+x)-x}{x^2}=-\frac{1}{2},$$

因而

$$\lim_{n\to\infty}|\alpha_n|=\lim_{n\to\infty}\left[\frac{\left(1+\frac{1}{n}\right)^n}{e}\right]^n=e^{-\frac{1}{2}},$$

故$\lim\limits_{n\to\infty}\alpha_n\neq0$，即$\lim\limits_{n\to\infty}p_n\neq1$. 从而无穷乘积发散.

(3) 当$|x|>e$时，记$p_n=1+\alpha_n$. 由

$$\left(1+\frac{1}{n}\right)^n=e+o(1)(n\to\infty),$$

则$\exists n_0$，当$n\geqslant n_0$时，有

$$\left(1+\frac{1}{n}\right)^n<\frac{1}{2}(e+|x|).$$

记$q=\frac{1}{2}\cdot\frac{|x|+e}{|x|}$，当$q\in(0,1)$时，

$$|\alpha_n|=\left[\frac{\left(1+\frac{1}{n}\right)^{n^2}}{x^n}\right]=\left[\frac{\left(1+\frac{1}{n}\right)^n}{|x|}\right]^n<\left[\frac{\frac{1}{2}(e+|x|)}{|x|}\right]^n=q^n.$$

于是，级数$\sum\limits_{n=1}^{\infty}\alpha_n$绝对收敛. 由$\ln p_n=\ln(1+\alpha_n)$，从而$\sum\limits_{n=1}^{\infty}\ln p_n$绝对收敛. 因此，无穷乘积收敛.

【3081】 $\prod\limits_{n=1}^{\infty}\left(1-\frac{x}{\sqrt{n}}\right)e^{\frac{x}{\sqrt{n}}+\frac{x^2}{2n}}$.

解 $\forall x\in\mathbf{R}$，记$p_n=\left(1-\frac{x}{\sqrt{n}}\right)e^{\frac{x}{\sqrt{n}}+\frac{x^2}{2n}}$，则

$$\begin{aligned}p_n&=\left(1-\frac{x}{\sqrt{n}}\right)\left[1+\left(\frac{x}{\sqrt{n}}+\frac{x^2}{2n}\right)+\frac{1}{2}\left(\frac{x}{\sqrt{n}}+\frac{x^2}{2n}\right)^2+O\left(\frac{1}{\sqrt{n^3}}\right)\right]\\&=\left[1+\frac{x}{\sqrt{n}}+\frac{x^2}{2n}+\frac{1}{2}\cdot\frac{x^2}{n}+O\left(\frac{1}{\sqrt{n^3}}\right)\right]+\left[-\frac{x}{\sqrt{n}}-\frac{x^2}{n}+O\left(\frac{1}{\sqrt{n^3}}\right)\right]\\&=1+O\left(\frac{1}{\sqrt{n^3}}\right).\end{aligned}$$

记$\alpha_n=O\left(\frac{1}{\sqrt{n^3}}\right)$，则级数$\sum\limits_{n=1}^{\infty}\alpha_n$绝对收敛，故级数$\sum\limits_{n=1}^{\infty}\ln(1+\alpha_n)$绝对收敛，从而$\prod\limits_{n=1}^{\infty}\left(1-\frac{x}{\sqrt{n}}\right)e^{\frac{x}{\sqrt{n}}+\frac{x^2}{2n}}$收敛.

【3082】 $\prod\limits_{n=1}^{\infty}\left(1+\frac{x^n}{n^p}\right)\cos\frac{x^n}{n^q}$.

解 (1) 当$|x|<1$时，设

$$p_n=\left(1+\frac{x^n}{n^p}\right)\cos\frac{x^n}{n^q}=\left(1+\frac{x^n}{n^p}\right)\left[1+O\left(\frac{x^{2n}}{n^{2q}}\right)\right]-1+O\left(\frac{x^n}{n^p}\right)+O\left(\frac{x^{3n}}{n^{p+2q}}\right).$$

当n充分大时，$\forall p,q\in\mathbf{R}$，

$$\frac{x^n}{n^p}=O(|x|^{\frac{n}{2}}),\frac{x^{3n}}{n^{p+2q}}=O(|x|^{\frac{n}{2}}).$$

记 $p_n=1+\alpha_n,\alpha_n=O(|x|^{\frac{n}{2}})$. 故

$$|\ln p_n|=O(|\alpha_n|)=O(|x|^{\frac{n}{2}}).$$

当 $|x|<1$ 时，级数 $\sum\limits_{n=1}^{\infty}(\sqrt{|x|})^n$ 收敛，从而 $\sum\limits_{n=1}^{\infty}\ln p_n$ 绝对收敛，故无穷乘积 $\prod\limits_{n=1}^{\infty}\left(1+\frac{x^n}{n^p}\right)\cos\frac{x^n}{n^q}$ 收敛.

(2) 当 $x=1$ 时，设 $p>1,q>\frac{1}{2}$，则

$$p_n=\left(1+\frac{1}{n^p}\right)\cos\frac{1}{n^q}=\left(1+\frac{1}{n^p}\right)\left[1-\frac{1}{2n^{2q}}+O\left(\frac{1}{n^{4q}}\right)\right]=1+\frac{1}{n^p}+O\left(\frac{1}{n^{2q}}\right).$$

记 $p_n=1+\alpha_n$，则 $\alpha_n=\frac{1}{n^p}+O\left(\frac{1}{n^{2q}}\right)$，显然 $\sum\limits_{n=1}^{\infty}\alpha_n$ 绝对收敛，且

$$\alpha_n^2=\frac{1}{n^{2p}}+O\left(\frac{1}{n^{4q}}\right),$$

易知 $\sum\limits_{n=1}^{\infty}\alpha_n^2$ 收敛. 故无穷乘积 $\prod\limits_{n=1}^{\infty}\left(1+\frac{x^n}{n^p}\right)\cos\frac{x^n}{n^q}$ 收敛.

(3) 当 $x=-1$ 时，设 $p>\frac{1}{2},q>\frac{1}{2}$，则

$$p_n=\left(1+\frac{(-1)^n}{n^p}\right)\cos\frac{(-1)^n}{n^q}=\left(1+\frac{(-1)^n}{n^p}\right)\left[1-\frac{1}{2}\cdot\frac{1}{n^{2q}}+O\left(\frac{1}{n^{4q}}\right)\right]=1+\frac{(-1)^n}{n^p}+O\left(\frac{1}{n^{2q}}\right).$$

记 $p_n=1+\beta_n,\beta_n=\frac{(-1)^n}{n^p}+O\left(\frac{1}{n^{2q}}\right)$，则

$$\ln p_n=\ln(1+\beta_n)=\beta_n+O(\beta_n^2).$$

由 $\sum\limits_{n=1}^{\infty}\beta_n$ 收敛，且

$$\beta_n^2=\frac{1}{n^{2p}}+O\left(\frac{1}{n^{2q}}\right),$$

故 $\sum\limits_{n=1}^{\infty}\beta_n^2$ 绝对收敛，从而 $\sum\limits_{n=1}^{\infty}\ln p_n$ 收敛. 无穷乘积 $\prod\limits_{n=1}^{\infty}\left(1+\frac{x^n}{n^p}\right)\cos\frac{x^n}{n^q}$ 收敛.

【3083】 $\prod\limits_{n=1}^{\infty}\left(\dfrac{\sin\frac{x}{n}}{\frac{x}{n}}\right)^p$.

解 记 $p_n=(1+\alpha_n)^p$，其中

$$\alpha_n=\frac{\sin\frac{x}{n}}{\frac{x}{n}}-1=\left[1-\frac{x^2}{6n^2}+o\left(\frac{1}{n^2}\right)\right]-1=-\frac{x^2}{6n^2}+o\left(\frac{1}{n^2}\right)(n\to\infty).$$

故

$$\ln p_n=p\ln(1+\alpha_n)=p\ln\left[1-\frac{x^2}{6n^2}+o\left(\frac{1}{n^2}\right)\right].$$

由于 $\sum\limits_{n=1}^{\infty}\ln(1+\alpha_n)$ 收敛，则 $\sum\limits_{n=1}^{\infty}\ln p_n$ 收敛，故无穷乘积 $\prod\limits_{n=1}^{\infty}\left(\dfrac{\sin\frac{x}{n}}{\frac{x}{n}}\right)^p$ 收敛.

【3084】 $\prod\limits_{n=1}^{\infty}\sqrt[n]{\ln(n+x)-\ln n}$.

解 记 $p_n=\sqrt[n]{\ln(n+x)-\ln n}$，令 $x\geqslant 0$.

当 $x=0$ 时,无穷乘积发散.

当 $x>0$ 时,由 $\ln p_n=\frac{1}{n}\ln\ln\left(1+\frac{x}{n}\right)$,则 $n\geqslant\frac{x}{e-1}$ 时,$\ln\left(1+\frac{x}{n}\right)\leqslant 1$,故 $\ln\ln\left(1+\frac{x}{n}\right)\leqslant 0$. 由

$$\lim_{n\to\infty}\frac{-\frac{1}{n}\ln\ln\left(1+\frac{x}{n}\right)}{\frac{1}{n}}=+\infty,$$

则 $\sum_{n=1}^{\infty}\frac{-1}{n}\ln\ln\left(1+\frac{x}{n}\right)$ 发散,故 $\sum_{n=1}^{\infty}\ln p_n$ 发散. 因此无穷乘积 $\prod_{n=1}^{\infty}\sqrt[n]{\ln(n+x)-\ln n}$ 发散.

【3085】 证明:若级数 $\sum_{n=1}^{\infty}x_n^2$ 收敛,则无穷乘积 $\prod_{n=1}^{\infty}\cos x_n$ 收敛.

证 记 $p_n=\cos x_n=1+\alpha_n$,其中

$$\alpha_n=-\frac{1}{2}x_n^2+o(x_n^2),\alpha_n\leqslant 0.$$

由 $\sum_{n=1}^{\infty}\alpha_n=\sum_{n=1}^{\infty}\left[-\frac{x_n^2}{2}+o(x_n^2)\right]$ 收敛,故 $\sum_{n=1}^{\infty}\ln(1+\alpha_n)$ 收敛,即 $\sum_{n=1}^{\infty}\ln p_n$ 收敛,故无穷乘积 $\prod_{n=1}^{\infty}\cos x_n$ 收敛.

【3086】 证明:若级数 $\sum_{n=1}^{\infty}\alpha_n$ 绝对收敛,则无穷乘积 $\prod_{n=1}^{\infty}\tan\left(\frac{\pi}{4}+\alpha_n\right)$ $\left(|\alpha_n|<\frac{\pi}{4}\right)$ 收敛.

证 由于级数 $\sum_{n=1}^{\infty}\alpha_n$ 收敛,故 $\lim_{n\to\infty}\alpha_n=0$. 由

$$\tan\left(\frac{\pi}{4}+\alpha_n\right)=\frac{1+\tan\alpha_n}{1-\tan\alpha_n}=(1+\tan\alpha_n)(1+\tan\alpha_n+\tan^2\alpha_n+\cdots)=1+2\alpha_n+o(\alpha_n),$$

且 $\sum_{n=1}^{\infty}[2\alpha_n+o(\alpha_n)]$ 收敛,故

$$\sum_{n=1}^{\infty}[2\alpha_n+o(\alpha_n)]^2=\sum_{n=1}^{\infty}4\alpha_n^2+4\sum_{n=1}^{\infty}[\alpha_n\cdot o(\alpha_n)]+\sum_{n=1}^{\infty}[o(\alpha_n)]^2$$

收敛. 从而无穷乘积 $\prod_{n=1}^{\infty}\tan\left(\frac{\pi}{4}+\alpha_n\right)$ $\left(|\alpha_n|<\frac{\pi}{4}\right)$ 收敛.

注 由于 $\sum_{n=1}^{\infty}\alpha_n$ 绝对收敛,故 $\{\alpha_n\}$ 有界,从而 $\sum_{n=1}^{\infty}\alpha_n^2\leqslant M\sum_{n=1}^{\infty}|\alpha_n|$,即 $\sum_{n=1}^{\infty}\alpha_n^2$ 收敛. 当 n 充分大时,

$$|\alpha_n\cdot o(\alpha_n)|\leqslant|\alpha_n|,\ |[o(\alpha_n)]^2|\leqslant|\alpha_n|,$$

故 $\sum_{n=1}^{\infty}[\alpha_n\cdot o(\alpha_n)]$,$\sum_{n=1}^{\infty}[o(\alpha_n)]^2$ 收敛.

【3087】 证明:级数

$$\left(\frac{1}{\sqrt{2}}+\frac{1}{2}\right)+\left(-\frac{1}{\sqrt{2}}\right)+\left(\frac{1}{\sqrt{3}}+\frac{1}{3}\right)+\left(-\frac{1}{\sqrt{3}}\right)+\cdots \qquad ①$$

发散,无穷乘积

$$\left(1+\frac{1}{\sqrt{2}}+\frac{1}{2}\right)\left(1-\frac{1}{\sqrt{2}}\right)\left(1+\frac{1}{\sqrt{3}}+\frac{1}{3}\right)\left(1-\frac{1}{\sqrt{3}}\right)\cdots \qquad ②$$

收敛.

证 设级数 ① 的通项为 u_n,则

$$u_{2k-1}=\frac{1}{\sqrt{k+1}}+\frac{1}{k+1},u_{2k}=-\frac{1}{\sqrt{k+1}}(k\in\mathbf{N}_+).$$

令 $a_k = u_{2k-1} + u_{2k} = \dfrac{1}{k+1}$，则$\sum\limits_{k=1}^{\infty} a_k$ 发散，故$\sum\limits_{n=1}^{\infty} u_n$ 发散.

记$\sum\limits_{n=1}^{\infty} v_n = \sum\limits_{n=1}^{\infty} \ln(1+u_n)$，则$\lim\limits_{n\to\infty} v_n = 0$，且

$$v_{2k-1} = \ln(1+u_{2k-1}) = \ln\left(1+\frac{1}{\sqrt{k+1}}+\frac{1}{k+1}\right),$$

$$v_{2k} = \ln(1+u_{2k}) = \ln\left(1-\frac{1}{\sqrt{k+1}}\right)(k \in \mathbf{N}_+).$$

从而

$$b_k = v_{2k-1} + v_{2k} = \ln\left(1-\frac{1}{(k+1)\sqrt{k+1}}\right).$$

由$\sum\limits_{k=1}^{\infty} b_k$ 收敛，则$\sum\limits_{n=1}^{\infty} v_n$ 收敛，故无穷乘积 ② 收敛.

【3088】 证明：尽管级数$\sum\limits_{n=1}^{\infty} \alpha_n$ 和$\sum\limits_{n=1}^{\infty} \alpha_n^2$ 二者都发散，而乘积$\prod\limits_{n=1}^{\infty}(1+\alpha_n)$ 收敛，其中

$$\alpha_n = \begin{cases} -\dfrac{1}{\sqrt{k}}, & n = 2k-1, \\ \dfrac{1}{\sqrt{k}}+\dfrac{1}{k}+\dfrac{1}{k\sqrt{k}}, & n = 2k. \end{cases}$$

证 令 $a_n = \alpha_{2n-1} + \alpha_{2n}$，则

$$a_n = \frac{1}{n} + \frac{1}{n\sqrt{n}}(n \in \mathbf{N}_+).$$

由$\sum\limits_{n=1}^{\infty} \dfrac{1}{n\sqrt{n}}$ 收敛，$\sum\limits_{n=1}^{\infty} \dfrac{1}{n}$ 发散，则$\sum\limits_{n=1}^{\infty} a_n$ 发散. 故$\sum\limits_{n=1}^{\infty} \alpha_n$ 发散.

记 $b_n = \alpha_{2n-1}^2 + \alpha_{2n}^2$，则

$$b_n = \left(\frac{1}{n}\right)+\left(\frac{1}{n}+\frac{2}{n\sqrt{n}}+\frac{3}{n^2}+\frac{2}{n^2\sqrt{n}}+\frac{1}{n^3}\right) = \frac{2}{n} + O\left(\frac{1}{\sqrt{n^3}}\right).$$

由级数$\sum\limits_{n=1}^{\infty} \dfrac{1}{\sqrt{n^3}}$ 收敛，级数$\sum\limits_{n=1}^{\infty} \dfrac{2}{n}$ 发散，则$\sum\limits_{n=1}^{\infty} b_n$ 发散，故$\sum\limits_{n=1}^{\infty} \alpha_n^2$ 发散.

再考虑$\sum\limits_{n=1}^{\infty} v_n$，其中 $v_n = \ln(1+\alpha_n)$，令

$$c_n = v_{2n-1} + v_{2n},$$

则 $c_n = \ln\left(1-\dfrac{1}{n^2}\right)$.

于是，级数$\sum\limits_{n=1}^{\infty} c_n$ 收敛. 由$\lim\limits_{n\to\infty} v_n = 0$，则$\sum\limits_{n=1}^{\infty} v_n$ 收敛. 故无穷乘积$\prod\limits_{n=1}^{\infty}(1+\alpha_n)$ 收敛.

知识点3 绝对收敛性

1. 定义 若级数$\sum\limits_{n=1}^{\infty} \ln p_n$ 绝对收敛或条件收敛，则称无穷乘积$\prod\limits_{n=1}^{\infty} p_n$ 绝对收敛或条件收敛.

2. 充要条件 若 $p_n = 1+\alpha_n (n \in \mathbf{N}_+)$，且 α_n 不变号，则无穷乘积$\prod\limits_{n=1}^{\infty} p_n$ 绝对收敛的充要条件为级数

$$\sum_{n=1}^{\infty}\alpha_n=\sum_{n=1}^{\infty}(p_n-1)$$

绝对收敛.

习题 3089—3098 无穷乘积的绝对收敛性判定

【研究下列无穷乘积的绝对收敛性和条件收敛性(3089—3098)】

【3089】 $\prod_{n=1}^{\infty}\left[1+\frac{(-1)^{n+1}}{n}\right]$.

解 由于$\sum_{n=1}^{\infty}\frac{(-1)^{n+1}}{n}$条件收敛,且$\sum_{n=1}^{\infty}\left[\frac{(-1)^{n+1}}{n}\right]^2$绝对收敛,故$\prod_{n=1}^{\infty}\left[1+\frac{(-1)^{n+1}}{n}\right]$条件收敛.

【3090】 $\prod_{n=1}^{\infty}\left[1+\frac{(-1)^{n+1}}{\sqrt{n}}\right]$.

解 由于$\sum_{n=1}^{\infty}\frac{(-1)^{n+1}}{\sqrt{n}}$条件收敛,且$\sum_{n=1}^{\infty}\left[\frac{(-1)^{n+1}}{\sqrt{n}}\right]^2$发散,故$\prod_{n=1}^{\infty}\left[1+\frac{(-1)^{n+1}}{\sqrt{n}}\right]$发散.

【3091】 $\prod_{n=1}^{\infty}\left[1+\frac{(-1)^{n+1}}{n^p}\right]$.

解 当$p>1$时,由于$\sum_{n=1}^{\infty}\frac{(-1)^{n+1}}{n^p}$绝对收敛,故$\prod_{n=1}^{\infty}\left[1+\frac{(-1)^{n+1}}{n^p}\right]$绝对收敛.

当$\frac{1}{2}<p\leqslant 1$时,由于$\sum_{n=1}^{\infty}\frac{(-1)^{n+1}}{n^p}$条件收敛,且$\sum_{n=1}^{\infty}\left[\frac{(-1)^{n+1}}{n^p}\right]^2$绝对收敛,故$\prod_{n=1}^{\infty}\left[1+\frac{(-1)^{n+1}}{n^p}\right]$条件收敛.

当$0<p\leqslant\frac{1}{2}$时,由于$\sum_{n=1}^{\infty}\frac{1}{n^{2p}}$发散,故$\prod_{n=1}^{\infty}\left[1+\frac{(-1)^{n+1}}{n^p}\right]$发散.

当$p\leqslant 0$时,由于$\lim_{n\to\infty}\frac{(-1)^{n+1}}{n^p}\neq 0$,故$\prod_{n=1}^{\infty}\left[1+\frac{(-1)^{n+1}}{n^p}\right]$发散.

【3092】 $\prod_{n=2}^{\infty}\left[1+\frac{(-1)^n}{\ln n}\right]$.

解 由于$\sum_{n=2}^{\infty}\frac{(-1)^n}{\ln n}$条件收敛,且$\sum_{n=2}^{\infty}\frac{1}{\ln^2 n}$发散,故$\prod_{n=2}^{\infty}\left[1+\frac{(-1)^n}{\ln n}\right]$发散.

注 当n充分大时,$n>\ln^2 n$,故$\frac{1}{\ln^2 n}>\frac{1}{n}$.由$\sum_{n=2}^{\infty}\frac{1}{n}$发散,则$\sum_{n=2}^{\infty}\frac{1}{\ln^2 n}$发散.

【3093】 $\prod_{n=2}^{\infty}\frac{\sqrt{n}}{\sqrt{n}+(-1)^n}$.

解 记$p_n=\frac{\sqrt{n}}{\sqrt{n}+(-1)^n}$,则$\ln p_n=\ln\left[1-\frac{(-1)^n}{\sqrt{n}+(-1)^n}\right]$.令$u_k=\ln p_{2k}+\ln p_{2k+1}(k\in\mathbf{N}_+)$,则

$$u_k=\ln\left(1-\frac{1}{\sqrt{2k}+1}\right)+\ln\left(1+\frac{1}{\sqrt{2k+1}-1}\right)=\ln\left[1-\frac{\sqrt{2k+1}-\sqrt{2k}-1}{(\sqrt{2k}+1)(\sqrt{2k+1}-1)}\right]>0.$$

由于

$$\lim_{k\to\infty}\ln\left[1-\frac{\sqrt{2k+1}-\sqrt{2k}-1}{(\sqrt{2k}+1)(\sqrt{2k+1}-1)}\right]^{-\frac{(\sqrt{2k}+1)(\sqrt{2k+1}-1)}{\sqrt{2k+1}-\sqrt{2k}-1}}=1,$$

故

$$\lim_{k\to\infty}\frac{u_k}{\frac{1}{2k}}=\lim_{k\to\infty}\frac{-2k(\sqrt{2k+1}+\sqrt{2k}+1)}{(\sqrt{2k}+1)(\sqrt{2k+1}-1)}=1.$$

由此可知 $\sum_{k=1}^{\infty}u_k$ 发散,从而级数 $\sum_{n=2}^{\infty}\ln p_n$ 发散. 因此 $\prod_{n=2}^{\infty}\frac{\sqrt{n}}{\sqrt{n}+(-1)^n}$ 发散.

【3094】 $\prod_{n=1}^{\infty}n^{(-1)^n}$.

解 记 $p_n=n^{(-1)^n}$,存在子列

$$p_{2k}=(2k)^{(-1)^{2k}}=2k.$$

由 $\lim_{n\to\infty}p_n\neq1$,则 $\prod_{n=1}^{\infty}n^{(-1)^n}$ 发散.

【3095】 $\prod_{n=1}^{\infty}\sqrt[n]{n^{(-1)^n}}$.

解 记 $p_n=\sqrt[n]{n^{(-1)^n}}$,则

$$\ln p_n=\frac{(-1)^n}{n}\ln n.$$

由 $\sum_{n=1}^{\infty}(-1)^n\frac{\ln n}{n}$ 条件收敛,因此 $\prod_{n=1}^{\infty}\sqrt[n]{n^{(-1)^n}}$ 条件收敛.

【3096】 $\prod_{n=1}^{\infty}\left[1+\frac{(-1)^{\frac{n(n-1)}{2}}}{n}\right]$.

解 记 $p_n=1+\frac{(-1)^{\frac{n(n-1)}{2}}}{n}$,则

$$|\ln p_n|\sim\frac{1}{n}(n\to\infty).$$

故 $\sum_{n=1}^{\infty}|\ln p_n|$ 发散. 令 $u_n=\ln p_n$,则

$$u_{2k-1}=\ln\left[1+\frac{(-1)^{k-1}}{2k-1}\right],u_{2k}=\ln\left[1+\frac{(-1)^k}{2k}\right](k\in\mathbf{N}_+).$$

记 $a_k=u_{2k-1}+u_{2k}$,则

$$a_k=\ln\left[1+\frac{(-1)^{k-1}}{2k-1}+\frac{(-1)^k}{2k}+\frac{(-1)^{2k-1}}{2k(2k-1)}\right]=\ln\left[1+\frac{(-1)^{k-1}-1}{2k(2k-1)}\right].$$

故

$$a_{2m-1}=0,a_{2m}=\ln\left[1-\frac{2}{4m(4m-1)}\right].$$

由 $\sum_{n=1}^{\infty}a_n$ 收敛,则 $\sum_{n=1}^{\infty}u_n$ 收敛. 因此,无穷乘积条件收敛.

【3097】 $\left(1+\frac{1}{\sqrt{1}}\right)\left(1-\frac{1}{\sqrt{3}}\right)\left(1-\frac{1}{\sqrt{5}}\right)\left(1+\frac{1}{\sqrt{2}}\right)\left(1-\frac{1}{\sqrt{7}}\right)\left(1-\frac{1}{\sqrt{9}}\right)\left(1+\frac{1}{\sqrt{3}}\right)\cdots$.

解 无穷乘积转化为

$$\ln\left(1+\frac{1}{\sqrt{1}}\right)+\ln\left(1-\frac{1}{\sqrt{3}}\right)+\ln\left(1-\frac{1}{\sqrt{5}}\right)+\ln\left(1+\frac{1}{\sqrt{2}}\right)+\ln\left(1-\frac{1}{\sqrt{7}}\right)+\ln\left(1-\frac{1}{\sqrt{9}}\right)+\ln\left(1+\frac{1}{\sqrt{3}}\right)+\cdots. \quad ①$$

将级数 ① 每三项依次加括号,考虑新级数

$$\sum_{n=1}^{\infty}\left[\ln\left(1+\frac{1}{\sqrt{n}}\right)+\ln\left(1-\frac{1}{\sqrt{4n-1}}\right)+\ln\left(1-\frac{1}{\sqrt{4n+1}}\right)\right]. \quad ②$$

以下将指出 ② 发散，从而 ① 也发散，因此，原无穷乘积发散. 现将 ② 的通项记成

$$u_n = \ln\left(1+\frac{1}{\sqrt{n}}\right)+\ln\left(1-\frac{1}{\sqrt{4n-1}}\right)+\ln\left(1-\frac{1}{\sqrt{4n+1}}\right),$$

则

$$\begin{aligned}
u_n &= \ln\left(1+\frac{1}{\sqrt{n}}\right)+\ln\left[\left(1-\frac{1}{\sqrt{4n-1}}\right)\left(1-\frac{1}{\sqrt{4n+1}}\right)\right]\\
&= \ln\left(1+\frac{1}{\sqrt{n}}\right)+\ln\left[1-\frac{1}{\sqrt{4n-1}}-\frac{1}{\sqrt{4n+1}}+\frac{1}{\sqrt{16n^2-1}}\right]\\
&= \ln\left\{\left(1+\frac{1}{\sqrt{n}}\right)\left[1-\frac{\sqrt{4n-1}+\sqrt{4n+1}}{\sqrt{16n^2-1}}+\frac{1}{\sqrt{16n^2-1}}\right]\right\}\\
&= \ln\left[1+\frac{1}{\sqrt{n}}-\frac{\sqrt{4n-1}+\sqrt{4n+1}}{\sqrt{16n^2-1}}-\frac{\sqrt{4n-1}+\sqrt{4n+1}}{\sqrt{n}\,\sqrt{16n^2-1}}+\frac{1}{\sqrt{16n^2-1}}+\frac{1}{\sqrt{n}\,\sqrt{16n^2-1}}\right]\\
&= \ln\left[1+\frac{1}{\sqrt{n}}-\frac{2(\sqrt{n}+1)\left(\sqrt{1-\frac{1}{4n}}+\sqrt{1+\frac{1}{4n}}\right)-1}{\sqrt{16n^2-1}}+\frac{1}{\sqrt{n}\,\sqrt{16n^2-1}}\right]\\
&= \ln\left[1+\frac{1}{\sqrt{n}}-\frac{2(\sqrt{n}+1)\left[1-\frac{1}{8n}+O\left(\frac{1}{n^2}\right)+1+\frac{1}{8n}+O\left(\frac{1}{n^2}\right)\right]-1}{\sqrt{16n^2-1}}+O\left(\frac{1}{n^{\frac{3}{2}}}\right)\right]\\
&= \ln\left[1+\frac{1}{\sqrt{n}}-\frac{2(\sqrt{n}+1)\left[2+O\left(\frac{1}{n^2}\right)\right]-1}{\sqrt{16n^2-1}}+O\left(\frac{1}{n^{\frac{3}{2}}}\right)\right]\\
&= \ln\left[1+\frac{1}{\sqrt{n}}-\frac{4\sqrt{n}}{\sqrt{16n^2-1}}-\frac{3}{\sqrt{16n^2-1}}+O\left(\frac{1}{n^{\frac{3}{2}}}\right)\right]\\
&= \ln\left[1-\frac{1}{\sqrt{n}\,\sqrt{16n^2-1}(\sqrt{16n^2-1}+4n)}-\frac{3}{\sqrt{16n^2-1}}+O\left(\frac{1}{n^{\frac{3}{2}}}\right)\right]\\
&= \ln\left[1-\frac{3}{\sqrt{16n^2-1}}+O\left(\frac{1}{n^{\frac{3}{2}}}\right)\right]=\ln(1+\alpha_n),
\end{aligned}$$

其中 $\alpha_n = -\frac{3}{\sqrt{16n^2-1}}+O\left(\frac{1}{n^{\frac{3}{2}}}\right)$. 当 n 充分大时，$\alpha_n < 0$.

由于 $\sum\limits_{n=1}^{\infty}\frac{3}{\sqrt{16n^2-1}}$ 发散，$\sum\limits_{n=1}^{\infty}\frac{1}{n^{\frac{3}{2}}}$ 收敛，故 $\sum\limits_{n=1}^{\infty}\alpha_n$ 发散. 因此 $\sum\limits_{n=1}^{\infty}u_n=\sum\limits_{n=1}^{\infty}\ln(1+\alpha_n)$ 发散. 综上可知，无穷乘积发散.

【3098】 $\left(1+\frac{1}{1^\alpha}\right)\left(1-\frac{1}{2^\alpha}\right)^2\left(1+\frac{1}{3^\alpha}\right)\left(1+\frac{1}{4^\alpha}\right)\left(1-\frac{1}{5^\alpha}\right)^2\left(1+\frac{1}{6^\alpha}\right)\cdots$.

解 记 $q_1 = 1+\frac{1}{1^\alpha}$，$q_2=\left(1-\frac{1}{2^\alpha}\right)^2$，$q_3=1+\frac{1}{3^\alpha}$，$q_4=1+\frac{1}{4^\alpha}$，$q_5=\left(1-\frac{1}{5^\alpha}\right)^2$，$q_6=1+\frac{1}{6^\alpha}$，$\cdots$.

记 $q_n = 1+\alpha_n$，则

$$\alpha_1=\frac{1}{1^\alpha},\alpha_2=-\frac{2}{2^\alpha}+\frac{1}{2^{2\alpha}},\alpha_3=\frac{1}{3^\alpha},\alpha_4=\frac{1}{4^\alpha},\alpha_5=-\frac{2}{5^\alpha}+\frac{1}{5^{2\alpha}},\alpha_6=\frac{1}{6^\alpha},\cdots.$$

(ⅰ) 当 $\alpha>1$ 时，

$$\sum_{n=1}^{\infty}|\alpha_n|=\frac{1}{1^\alpha}+\left(\frac{2}{2^\alpha}-\frac{1}{2^{2\alpha}}\right)+\frac{1}{3^\alpha}+\frac{1}{4^\alpha}+\left(\frac{2}{5^\alpha}-\frac{1}{5^{2\alpha}}\right)+\frac{1}{6^\alpha}+\cdots \qquad ①$$

收敛. 故 $\sum\limits_{n=1}^{\infty}q_n$ 绝对收敛.

(ⅱ) 当 $\alpha\leqslant 0$ 时，$\lim\limits_{n\to\infty}q_n\neq 1$，故 $\sum\limits_{n=1}^{\infty}q_n$ 发散.

（ⅲ）当 $0<\alpha\leqslant 1$ 时，则原级数代为

$$\left(1+\frac{1}{1^\alpha}\right)\left(1-\frac{1}{2^\alpha}\right)\left(1-\frac{1}{2^\alpha}\right)\left(1+\frac{1}{3^\alpha}\right)\left(1+\frac{1}{4^\alpha}\right)\left(1-\frac{1}{5^\alpha}\right)\left(1-\frac{1}{5^\alpha}\right)$$

$$\cdot\left(1+\frac{1}{6^\alpha}\right)\left(1+\frac{1}{7^\alpha}\right)\left(1-\frac{1}{8^\alpha}\right)\left(1-\frac{1}{8^\alpha}\right)\left(1+\frac{1}{9^\alpha}\right)\cdots.$$

记

$$p_1=1+\frac{1}{1^\alpha},p_2=1-\frac{1}{2^\alpha},p_3=1-\frac{1}{2^\alpha},p_4=1+\frac{1}{3^\alpha},p_5=1+\frac{1}{4^\alpha},$$

$$p_6=1-\frac{1}{5^\alpha},p_7=1-\frac{1}{5^\alpha},p_8=1+\frac{1}{6^\alpha},p_9=1+\frac{1}{7^\alpha},\cdots,p_n=1+\alpha_n^*\ (n\in\mathbf{N}_+),$$

其中

$$\alpha_n^*=\begin{cases}\dfrac{1}{(1+3k)^\alpha}, & n=4k+1,\\ -\dfrac{1}{(2+3k)^\alpha}, & n=4k+2,n=4k+3,\\ \dfrac{1}{(3+3k)^\alpha}, & n=4k+4.\end{cases}$$

令

$$\sum_{n=0}^{\infty}\left[\frac{1}{(1+3n)^\alpha}-\frac{2}{(2+3n)^\alpha}+\frac{1}{(3+3n)^\alpha}\right]=\sum_{n=0}^{\infty}\alpha_n,$$

则

$$\begin{aligned}\alpha_n&=\frac{1}{(1+3n)^\alpha}-\frac{2}{(2+3n)^\alpha}+\frac{1}{(3+3n)^\alpha}\\&=\left[\frac{1}{(1+3n)^\alpha}-\frac{1}{(2+3n)^\alpha}\right]-\left[\frac{1}{(2+3n)^\alpha}-\frac{1}{(3+3n)^\alpha}\right]\\&=\frac{\alpha}{(3n+1+\theta_1)^{\alpha+1}}-\frac{\alpha}{(3n+2+\theta_2)^{\alpha+1}}=\frac{\alpha(\alpha+1)}{[3n+1+\theta(1+\theta_2-\theta_1)]^{\alpha+2}}(1+\theta_2-\theta_1),\end{aligned}$$

其中 $0<\theta_1<1,0<\theta_2<1,0<\theta<1$. 令 $\delta=1+\theta_2-\theta_1$，则 $0<\delta<2$，且 $\theta(1+\theta_2-\theta_1)=\theta\delta\in(0,2)$. 故

$$0<\alpha_n=\frac{\alpha(\alpha+1)\delta}{(3n+1+\theta\delta)^{\alpha+2}}\leqslant\frac{2\alpha(\alpha+1)}{(3n+1)^{\alpha+2}}.$$

由 $\sum\limits_{n=1}^{\infty}\dfrac{1}{(3n+1)^{\alpha+2}}$ 收敛，则 $\sum\limits_{n=1}^{\infty}\alpha_n$ 收敛，故 $\sum\limits_{n=1}^{\infty}\alpha_n^*$ 收敛. 由

$$\alpha_n^*=\begin{cases}\dfrac{1}{(1+3k)^{2\alpha}}, & n=4k+1,\\ \dfrac{1}{(2+3k)^{2\alpha}}, & n=4k+2,n=4k+3,\\ \dfrac{1}{(3+3k)^{2\alpha}}, & n=4k+4,\end{cases}$$

则

$$\frac{1}{\left(\dfrac{3}{4}n+\dfrac{9}{4}\right)^{2\alpha}}<\alpha_n^{*\,2}<\frac{1}{\left(\dfrac{3}{4}n+\dfrac{1}{4}\right)^{2\alpha}}.$$

当 $0<\alpha\leqslant\dfrac{1}{2}$ 时，$\sum\limits_{n=1}^{\infty}\dfrac{1}{\left(\dfrac{3}{4}n+\dfrac{9}{4}\right)^{2\alpha}}$ 发散，故 $\sum\limits_{n=1}^{\infty}\alpha_n^{*2}$ 发散，从而 $\prod\limits_{n=1}^{\infty}p_n$ 发散，因此 $\prod\limits_{n=1}^{\infty}q_n$ 发散.

当 $\dfrac{1}{2}<\alpha\leqslant 1$ 时，$\sum\limits_{n=1}^{\infty}\dfrac{1}{\left(\dfrac{3}{4}n+\dfrac{1}{4}\right)^{2\alpha}}$ 收敛，故 $\sum\limits_{n=1}^{\infty}\alpha_n^{*2}$ 收敛，从而 $\prod\limits_{n=1}^{\infty}p_n$ 收敛，因此 $\prod\limits_{n=1}^{\infty}q_n$ 收敛.

当$\frac{1}{2}<\alpha\leqslant 1$时，由①式知$\sum\limits_{n=1}^{\infty}|\alpha_n|$发散. 故$\frac{1}{2}<\alpha\leqslant 1$时，$\prod\limits_{n=1}^{\infty}q_n$条件收敛.

知识点4 函数的无穷乘积展开

当$x\in\mathbf{R}$时，

$$\sin x=x\prod_{n=1}^{\infty}\left(1-\frac{x^2}{n^2\pi^2}\right),\cos x=\prod_{n=1}^{\infty}\left[1-\frac{4x^2}{(2n-1)^2\pi^2}\right].$$

取$x=\frac{\pi}{2}$时得沃利斯公式

$$\frac{\pi}{2}=\prod_{n=1}^{\infty}\left(\frac{2n}{2n-1}\cdot\frac{2n}{2n+1}\right).$$

习题 3099—3100 函数的无穷乘积展开

【3099】 证明：$\prod\limits_{n=1}^{\infty}\left(\frac{3n}{3n-1}\cdot\frac{3n}{3n+1}\right)=\frac{2\pi}{3\sqrt{3}}$.

证 由$\sin x=x\prod\limits_{n=1}^{\infty}\left(1-\frac{x^2}{n^2\pi^2}\right)$，令$x=\frac{\pi}{3}$，则

$$\sin\frac{\pi}{3}=\frac{\pi}{3}\prod_{n=1}^{\infty}\frac{(3n-1)(3n+1)}{(3n)^2}.$$

故$\prod\limits_{n=1}^{\infty}\left(\frac{3n}{3n-1}\cdot\frac{3n}{3n+1}\right)=\dfrac{\frac{\pi}{3}}{\sin\frac{\pi}{3}}=\frac{2\pi}{3\sqrt{3}}$.

【3100】 设$\zeta(x)=\sum\limits_{n=1}^{\infty}\frac{1}{n^x}$（黎曼$\zeta$函数），$\{p_n\}$是素数数列. 证明：

$$\prod_{n=1}^{\infty}\left(1-\frac{1}{p_n^x}\right)^{-1}=\zeta(x).$$

证 设$x>1$，则

$$\left(1-\frac{1}{p_n^x}\right)^{-1}=1+\frac{1}{p_n^x}+\frac{1}{(p_n^2)^x}+\cdots+\frac{1}{(p_n^m)^x}+\cdots.$$

设$p_n\leqslant N$，则

$$\prod_{p_n\leqslant N}\left(1-\frac{1}{p_n^x}\right)^{-1}=1+\frac{1}{n_1^x}+\frac{1}{n_2^x}+\cdots,$$

其中$n_i\in\mathbf{N}_+$，不包含超过N的素因子. 故

$$\left|\zeta(x)-\prod_{p_n\leqslant N}\left(1-\frac{1}{p_n^x}\right)^{-1}\right|=\left|\zeta(x)-1-\frac{1}{n_1^x}-\frac{1}{n_2^x}-\cdots\right|\leqslant\frac{1}{(N+1)^x}+\frac{1}{(N+2)^x}+\cdots,$$

取极限即得$\prod\limits_{n=1}^{\infty}\left(1-\frac{1}{p_n^x}\right)^{-1}=\zeta(x)(x>1)$.

习题 3101—3110 综合练习

【3101】 设$\{p_n\}$是素数数列，证明：$\prod\limits_{n=1}^{\infty}\left(1-\frac{1}{p_n}\right)^{-1}$和$\sum\limits_{n=1}^{\infty}\frac{1}{p_n}$发散.

证 与3100题的处理方法类似，考虑部分乘积，易见也有

$$\prod_{p_n\leqslant N}\frac{1}{1-\frac{1}{p_n}}>\sum_{n=1}^{N}\frac{1}{n},$$

且$\sum\limits_{n=1}^{\infty}\frac{1}{n}$发散，故$\prod\limits_{n=1}^{\infty}\left(1-\frac{1}{p_n}\right)^{-1}$发散.

由$\prod\limits_{n=1}^{\infty}\left(1-\frac{1}{p_n}\right)$发散于零，且$\frac{1}{p_n}>0$不变号，故$\sum\limits_{n=1}^{\infty}\frac{1}{p_n}$发散.

【3102】 设$a_n>0(n\in\mathbf{N}_+)$，且$\frac{a_n}{a_{n+1}}=1+\frac{p}{n}+O\left(\frac{1}{n^{1+\varepsilon}}\right)(\varepsilon>0)$，证明：$a_n=O^*\left(\frac{1}{n^p}\right)$.

证 设$p_n=\frac{a_{n+1}}{a_n}\left(1+\frac{1}{n}\right)^p$，则

$$\begin{aligned}\ln p_n&=\ln\frac{a_{n+1}}{a_n}+p\ln\left(1+\frac{1}{n}\right)=-\ln\frac{a_n}{a_{n+1}}+p\left[\frac{1}{n}+O\left(\frac{1}{n^2}\right)\right]\\&=-\ln(1+\Delta_n)+\frac{p}{n}+O\left(\frac{1}{n^2}\right)=-\Delta_n+O(\Delta_n^2)+\frac{p}{n}+O\left(\frac{1}{n^2}\right),\end{aligned}$$

其中$\Delta_n=\frac{p}{n}+O\left(\frac{1}{n^{1+\varepsilon}}\right)(\varepsilon>0)$. 故

$$\ln p_n=O\left(\frac{1}{n^2}\right).$$

由$\sum\limits_{n=1}^{\infty}\frac{1}{n^2}$收敛，则$\sum\limits_{n=1}^{\infty}\ln p_n$收敛，从而无穷乘积$\prod\limits_{n=1}^{\infty}p_n$收敛，记$k_0=\prod\limits_{n=1}^{\infty}p_n$，则$k_0>0$.

记$P_{n-1}=a_1\prod\limits_{k=1}^{n-1}p_k$，由$\lim\limits_{n\to\infty}P_{n-1}=a_1k_0>0$，且

$$P_{n-1}=a_1\prod_{k=1}^{n-1}\frac{a_{k+1}}{a_k}\left(1+\frac{1}{k}\right)^p=a_n\prod_{k=1}^{n-1}\left(1+\frac{1}{k}\right)^p=a_nn^p,$$

故

$$\lim_{n\to\infty}\frac{a_n}{\frac{1}{n^p}}=\lim_{n\to\infty}a_nn^p=a_1k_0,\text{即 }a_n=O^*\left(\frac{1}{n^p}\right).$$

【3103】 利用沃利斯公式证明：$\frac{1\cdot3\cdot5\cdots(2n-1)}{2\cdot4\cdot6\cdots(2n)}\sim\frac{1}{\sqrt{\pi n}}(n\to\infty)$.

证 由$\prod\limits_{n=1}^{\infty}\left(\frac{2n}{2n-1}\cdot\frac{2n}{2n+1}\right)=\frac{\pi}{2}$，即$\lim\limits_{n\to\infty}\left\{\left[\frac{(2n)!!}{(2n-1)!!}\right]^2\frac{1}{2n+1}\right\}=\frac{\pi}{2}$，故

$$\left[\frac{(2n-1)!!}{(2n)!!}\right]^2\sim\frac{2}{\pi(2n+1)}(n\to\infty).$$

从而$\frac{1\cdot3\cdot5\cdots(2n-1)}{2\cdot4\cdot6\cdots(2n)}\sim\frac{1}{\sqrt{\pi n}}(n\to\infty)$.

【3104】 证明：设$a_n=\frac{n!\,\mathrm{e}^n}{n^{n+\frac{1}{2}}}$，$\lim\limits_{n\to\infty}a_n=A\neq0$. 由此推出斯特林公式$n!=An^{n+\frac{1}{2}}\mathrm{e}^{-n}(1+\varepsilon_n)$，其中$\lim\limits_{n\to\infty}\varepsilon_n=0$，$A=\sqrt{2\pi}$.

证 由$\frac{a_n}{a_{n+1}}=\frac{\left(1+\frac{1}{n}\right)^{n+\frac{1}{2}}}{\mathrm{e}}$，下证

$$\mathrm{e}<\left(1+\frac{1}{n}\right)^{n+\frac{1}{2}}<\mathrm{e}^{1+\frac{1}{12n(n+1)}}. \qquad ①$$

由

$$\ln\frac{1+x}{1-x}=2x\left(1+\frac{x^2}{3}+\frac{x^4}{5}+\cdots\right),$$

令 $x=\dfrac{1}{2n+1}$,则

$$\ln\frac{n+1}{n}=\frac{2}{2n+1}\left[1+\frac{1}{3(2n+1)^2}+\frac{1}{5(2n+1)^4}+\cdots\right],$$

即

$$\left(n+\frac{1}{2}\right)\ln\left(1+\frac{1}{n}\right)=1+\frac{1}{3(2n+1)^2}+\frac{1}{5(2n+1)^4}+\cdots.$$

显然

$$1<\left(n+\frac{1}{2}\right)\ln\left(1+\frac{1}{n}\right)<1+\frac{1}{12n(n+1)},$$

则

$$e<\left(1+\frac{1}{n}\right)^{n+\frac{1}{2}}<e^{1+\frac{1}{12n(n+1)}}.$$

故

$$0<a_{n+1}<a_n,a_n e^{-\frac{1}{12n}}<a_{n+1}e^{-\frac{1}{12(n+1)}}.$$

由数列$\{a_n\}$单调递减有下界,则极限存在,不妨设为 A. 由 $\{a_n e^{-\frac{1}{12n}}\}$单调递增有上界,故极限存在. 由于$\lim\limits_{n\to\infty}e^{-\frac{1}{12n}}=1$,则极限相同. $\forall n\in\mathbf{N}_+$,$a_n e^{-\frac{1}{12n}}<A<a_n$ 成立,故 $\exists\theta\in(0,1)$,使得

$$A=a_n e^{-\frac{\theta}{12n}},a_n=Ae^{\frac{\theta}{12n}}.$$

故$\dfrac{n!e^n}{n^{n+\frac{1}{2}}}=Ae^{\frac{\theta}{12n}}$,即

$$n!=An^{n+\frac{1}{2}}e^{-n}(1+\varepsilon_n),$$

其中$\lim\limits_{n\to\infty}\varepsilon_n=0$.

由沃利斯公式

$$\frac{\pi}{2}=\lim_{n\to\infty}\frac{1}{2n+1}\left[\frac{(2n)!!}{(2n-1)!!}\right]^2,$$

则

$$\frac{\pi}{2}=\lim_{n\to\infty}\frac{1}{2n+1}\left\{\frac{[(2n)!!]^2}{(2n)!}\right\}^2=\lim_{n\to\infty}\frac{1}{2n+1}\left\{\frac{2^{2n}(n!)^2}{(2n)!}\right\}^2$$

$$=\lim_{n\to\infty}\frac{1}{2n+1}\left(\frac{2^{2n}A^2n^{2n+1}e^{-2n}e^{\frac{\theta}{6n}}}{A\cdot 2^{2n+\frac{1}{2}}n^{2n+\frac{1}{2}}e^{-2n}e^{\frac{\theta}{24n}}}\right)^2=\lim_{n\to\infty}\left(\frac{1}{2n+1}A^2\cdot\frac{n}{2}e^{\frac{\theta}{4n}}\right)=\frac{A^2}{4},$$

故 $A=\sqrt{2\pi}$. 从而斯特林公式为

$$n!=\sqrt{2\pi n}\left(\frac{n}{e}\right)^n e^{\frac{\theta}{12n}}\ (0<\theta<1).$$

【3105】 根据欧拉的定义,Γ 函数 $\Gamma(x)$ 由下面的公式来确定:

$$\Gamma(x)=\lim_{n\to\infty}\frac{n!n^x}{x(x+1)\cdots(x+n)}.$$

由这个公式出发:(1) 将 $\Gamma(x)$ 表示为无穷乘积;(2) 证明:$\Gamma(x)$ 对于不为负整数的一切实数 x 皆有意义;(3) 证明:$\Gamma(x+1)=x\Gamma(x)$;(4) $\forall n\in\mathbf{N}_+$,求 $\Gamma(n)$.

解 (1) 由于

$$\frac{n!n^x}{x(x+1)\cdots(x+n)}=\frac{n^x}{x}\cdot\frac{1}{\left(1+\frac{x}{1}\right)\left(1+\frac{x}{2}\right)\cdots\left(1+\frac{x}{n}\right)}$$

$$= \frac{1}{x} \cdot \frac{\left(1+\frac{1}{1}\right)^x\left(1+\frac{1}{2}\right)^x\cdots\left(1+\frac{1}{n-1}\right)^x\left(1+\frac{1}{n}\right)^x}{\left(1+\frac{x}{1}\right)\left(1+\frac{x}{2}\right)\cdots\left(1+\frac{x}{n}\right)} \cdot \frac{1}{\left(1+\frac{1}{n}\right)^x},$$

则

$$\Gamma(x) = \frac{1}{x}\prod_{n=1}^{\infty}\frac{\left(1+\frac{1}{n}\right)^x}{1+\frac{x}{n}}.$$

（2）显然 $x \neq -n(n \in \mathbf{N})$，即当 x 为非负整数时 $\Gamma(x)$ 才允许写成上述形式．另一方面，由于

$$p_n = \frac{\left(1+\frac{1}{n}\right)^x}{1+\frac{x}{n}} = 1+\alpha_n (n \in \mathbf{N}_+),$$

且 $\alpha_n = \frac{x(x-1)}{2n^2} + O\left(\frac{1}{n^3}\right)$，故级数 $\sum\limits_{n=1}^{\infty}\alpha_n$ 绝对收敛，从而无穷乘积

$$\frac{1}{x}\prod_{n=1}^{\infty}p_n = \frac{1}{x}\prod_{n=1}^{\infty}\frac{\left(1+\frac{1}{n}\right)^x}{1+\frac{x}{n}}$$

绝对收敛，也即 $\Gamma(x)$ 对于 $x \neq -n(n=0,1,2,\cdots)$ 的一切实数 x 皆有意义．

（3）由于

$$\frac{\Gamma(x+1)}{\Gamma(x)} = \frac{\lim\limits_{n\to\infty}\frac{n!n^{x+1}}{(x+1)\cdots(x+n)(x+n+1)}}{\lim\limits_{n\to\infty}\frac{n!n^x}{x(x+1)\cdots(x+n)}}$$

$$= \lim_{n\to\infty}\frac{\frac{n!n^{x+1}}{x(x+1)\cdots(x+n)(x+n+1)}}{\frac{n!n^x}{x(x+1)\cdots(x+n)}} = \lim_{n\to\infty}\frac{nx}{x+n+1} = x,$$

故 $\Gamma(x+1) = x\Gamma(x)$．

（4）令 $x=n-1$，则 $\Gamma(n) = (n-1)\Gamma(n-1) = (n-1)(n-2)\Gamma(n-2) = \cdots = (n-1)!$．

【3106】 设 $f(x)$ 在 $[a,b]$ 上可积，且

$$\delta_n = \frac{b-a}{n}, f_{in} = f(a+i\delta_n)(i=1,2,\cdots,n),$$

证明：$\lim\limits_{n\to\infty}\prod\limits_{i=1}^{n}(1+\delta_n f_{in}) = e^{\int_a^b f(x)dx}$．

证 令 $y_n = \prod\limits_{i=1}^{n}(1+\delta_n f_{in})$，则

$$\ln y_n = \sum_{i=1}^{n}\ln(1+\delta_n f_{in}) = \sum_{i=1}^{n}[f_{in}\delta_n + O(\delta_n^2)] = \sum_{i=1}^{n}f_{in}\delta_n + O\left(\frac{1}{n}\right).$$

故

$$\lim_{n\to\infty}\ln y_n = \lim_{n\to\infty}\left[\sum_{i=1}^{n}f_{in}\delta_n + O\left(\frac{1}{n}\right)\right] = \int_a^b f(x)dx,$$

即 $\lim\limits_{n\to\infty}\prod\limits_{i=1}^{n}(1+\delta_n f_{in}) = e^{\int_a^b f(x)dx}$．

【3107】 证明：$\lim\limits_{n\to\infty}\frac{\sqrt[n]{\prod\limits_{i=0}^{n-1}(a+ib)}}{\frac{1}{n}\sum\limits_{i=0}^{n-1}(a+ib)} = \frac{2}{e}$，其中 $a>0, b>0$．

证 记 $t=\dfrac{b}{a}$，则 $t>0$，且

$$S_n=\frac{\sqrt[n]{\prod\limits_{i=0}^{n-1}(a+ib)}}{\frac{1}{n}\sum\limits_{i=0}^{n-1}(a+ib)}=\frac{\sqrt[n]{a^n}\sqrt[n]{\prod\limits_{i=0}^{n-1}(1+it)}}{\frac{a}{n}\prod\limits_{i=0}^{n-1}(1+it)}=\frac{\sqrt[n]{\prod\limits_{i=0}^{n-1}(1+it)}}{\frac{1}{n}\sum\limits_{i=0}^{n-1}(1+it)}.$$

当 n 充分大时，

$$\sum_{i=0}^{n-1}(1+it)=n+t\sum_{i=0}^{n-1}i=n+\frac{t}{2}(n-1)n=\frac{t}{2}n^2+O(n).$$

记 $Q_n=\sqrt[n]{\prod\limits_{i=0}^{n-1}(1+it)}$，则

$$\begin{aligned}\ln Q_n&=\frac{1}{n}\sum_{i=0}^{n-1}\ln(1+it)=\frac{1}{n}\sum_{i=0}^{n-1}\ln\Big[\frac{1+it}{1+nt}(1+nt)\Big]\\&=\frac{1}{n}\sum_{i=0}^{n-1}\ln(1+nt)+\frac{1}{n}\sum_{i=0}^{n-1}\ln\frac{1+it}{1+nt}=\ln(1+nt)+\frac{1}{n}\sum_{i=0}^{n-1}(1-\Delta_i),\end{aligned}$$

其中 $\Delta_i=1-\dfrac{1+it}{1+nt}=\dfrac{(n-i)t}{1+nt}(i=0,1,2,\cdots,n-1)$. 故

$$\begin{aligned}\ln Q_n&=\ln(nt)+\ln\Big(1+\frac{1}{nt}\Big)+\frac{1}{n}\sum_{j=1}^{n}\ln\Big(1-\frac{t}{1+nt}j\Big)\\
&=\ln(nt)+O\Big(\frac{1}{n}\Big)-\frac{1}{n}\sum_{j=1}^{n}\sum_{k=1}^{\infty}\frac{1}{k}\Big(\frac{tj}{1+nt}\Big)^k\\
&=\ln(nt)+O\Big(\frac{1}{n}\Big)-\frac{1}{n}\sum_{k=1}^{\infty}\frac{1}{k}\Big(\frac{t}{1+nt}\Big)^k\sum_{j=1}^{n}j^k\\
&=\ln(nt)+O\Big(\frac{1}{n}\Big)-\frac{1}{n}\sum_{k=1}^{\infty}\frac{1}{k}\Big(\frac{t}{1+nt}\Big)^k\Big[\frac{1}{k+1}n^{k+1}+O(n^k)\Big]\\
&=\ln(nt)+O\Big(\frac{1}{n}\Big)-\sum_{k=1}^{\infty}\frac{1}{k(k+1)}\Big(\frac{nt}{1+nt}\Big)^k+O\Big[\frac{1}{n}\sum_{k=1}^{\infty}\frac{1}{k}\Big(\frac{nt}{1+nt}\Big)^k\Big]\\
&=\ln(nt)-\sum_{k=1}^{\infty}\Big(\frac{1}{k}-\frac{1}{k+1}\Big)\Big(\frac{nt}{1+nt}\Big)^k+O\Big(\frac{1}{n}\ln n\Big)\\
&=\ln(nt)-\sum_{k=1}^{\infty}\frac{1}{k}\Big(\frac{nt}{1+nt}\Big)^k+\sum_{k=1}^{\infty}\frac{1}{k+1}\Big(\frac{nt}{1+nt}\Big)^k+O\Big(\frac{1}{n}\ln n\Big)\\
&=\ln(nt)+\ln\Big(1-\frac{nt}{1+nt}\Big)+\Big(\frac{1+nt}{nt}\Big)\sum_{k=1}^{\infty}\frac{1}{k+1}\Big(\frac{nt}{1+nt}\Big)^{k+1}+O\Big(\frac{1}{n}\ln n\Big)\\
&=\ln(nt)+\ln\frac{1}{1+nt}+\frac{1+nt}{nt}\Big[\sum_{s=1}^{\infty}\frac{1}{s}\Big(\frac{nt}{1+nt}\Big)^s-\frac{nt}{1+nt}\Big]+O\Big(\frac{1}{n}\ln n\Big)\\
&=\ln(nt)-\ln(1+nt)-\frac{1+nt}{nt}\ln\Big(1-\frac{nt}{1+nt}\Big)-1+O\Big(\frac{1}{n}\ln n\Big)\\
&=\ln(nt)-\ln(1+nt)-\ln\frac{1}{1+nt}-1+O\Big(\frac{1}{n}\ln n\Big)=\ln(nt)-1+O\Big(\frac{1}{n}\ln n\Big).\end{aligned}$$

从而 $Q_n=\dfrac{nt}{e}e^{O\left(\frac{1}{n}\ln n\right)}$. 故

$$S_n=\frac{Q_n}{\frac{t}{2}n+O(1)}=\frac{\frac{nt}{e}e^{O\left(\frac{1}{n}\ln n\right)}}{\frac{t}{2}n+O(1)}=\frac{2}{e}\,\frac{e^{O\left(\frac{1}{n}\ln n\right)}}{1+O\left(\frac{1}{n}\right)},$$

即

$$\lim_{n\to\infty}S_n=\frac{2}{e}\lim_{n\to\infty}\frac{e^{O\left(\frac{1}{n}\ln n\right)}}{1+O\left(\frac{1}{n}\right)}=\frac{2}{e}.$$

注 原题实际上为由序列 $\{a+ib\}$ 的几何平均与算术平均之比的极限，分母应为 $\frac{1}{n}\sum_{i=0}^{n-1}(a+ib)$，而不是 $\sum_{i=0}^{n-1}(a+ib)$，这样改更确切些.

【3108】 设 $f_n(x)(n\in\mathbf{N}_+)$ 在 (a,b) 内连续，且 $|f_n(x)|\leqslant c_n$，其中 $\sum_{n=1}^{\infty}c_n$ 收敛. 证明：$F(x)=\prod_{n=1}^{\infty}[1+f_n(x)]$ 在 (a,b) 内连续.

证 （ⅰ）首先证明上述乘积对 $\forall x\in(a,b)$ 是收敛的. 由 $\sum_{n=1}^{\infty}c_n$ 收敛，则 $\lim_{n\to\infty}c_n=0$，故 $\lim_{n\to\infty}f_n(x)=0$. 故 $\forall\delta\in(0,1)$，$\exists N_0\in\mathbf{N}_+$，当 $n\geqslant N_0$ 时，$|f_n(x)|<\delta$. 下只须证乘积 $\prod_{n=N_0+1}^{\infty}[1+f_n(x)]$ 收敛即可.

由 $|f_n(x)|<\delta(n>N_0)$，因而 $1+f_n(x)>0$. 由 $|f_n(x)|\leqslant c_n$，且 $\sum_{n=1}^{\infty}c_n$ 收敛，则 $\sum_{n=1}^{\infty}f_n(x)$ 绝对收敛，从而 $\prod_{n=N_0+1}^{\infty}[1+f_n(x)]$ 绝对收敛.

（ⅱ）再证函数 $G(x)=\prod_{n=N_0+1}^{\infty}[1+f_n(x)]$ 连续. 注意当 $x\in(a,b)$ 时 $G(x)>0$，故可考虑它的对数函数 $L(x)=\ln G(x)$. 若能证得 $L(x)$ 在 (a,b) 内连续，则 $G(x)$ 也在 (a,b) 内连续. 由于

$$L(x)=\ln G(x)=\ln\prod_{n=N_0+1}^{\infty}[1+f_n(x)]=\sum_{n=N_0+1}^{\infty}\ln[1+f_n(x)],$$

且 $|f_n(x)|\leqslant c_n$，$\lim_{n\to\infty}c_n=0$，故 n 充分大时 $(n>N^*\geqslant N_0)$，$\forall x\in(a,b)$，

$$|\ln[1+f_n(x)]|\leqslant 2|f_n(x)|\leqslant 2c_n.$$

故 $L(x)$ 在 (a,b) 内连续. 从而 $G(x)$ 在 (a,b) 内连续，即 $F(x)$ 在 (a,b) 内连续.

【3109】 求 $F(x)=\prod_{n=1}^{\infty}[1+f_n(x)]$ 的导数和 $F'(x)$ 存在的充分条件.

解 设 $1+f_n(x)\neq 0(a<x<b,n\in\mathbf{N}_+)$. 若 $\forall x\in(a,b)$，$\{f_n(x)\}$ 绝对收敛，即

$$\sum_{n=1}^{\infty}|f_n(x)|<+\infty, \tag{①}$$

则无穷乘积 $F(x)=\prod_{n=1}^{\infty}[1+f_n(x)]$ 在 (a,b) 内（绝对）收敛，且 $F(x)\neq 0$. 记

$$G(x)=\ln|F(x)|. \tag{②}$$

为研究 $F(x)$ 的导数的计算式，先对 ② 作形式求导，有

$$G'(x)=\frac{F'(x)}{F(x)}\text{ 即 }F'(x)=F(x)G'(x). \tag{③}$$

再研究 $G'(x)$，即研究形式导数

$$G'(x)=\left(\ln\left|\prod_{n=1}^{\infty}[1+f_n(x)]\right|\right)'=\left(\sum_{n=1}^{\infty}\ln|1+[f_n(x)]|\right)'$$
$$=\sum_{n=1}^{\infty}(\ln|1+f_n(x)|)'=\sum_{n=1}^{\infty}\frac{f'_n(x)}{1+f_n(x)}, \tag{④}$$

为使 ④ 式的一切运算有意义，可给出如下充分条件：$f_n(x)$ 可导，且

$$|f'_n(x)|\leqslant c_n,\ \sum_{n=1}^{\infty}c_n<+\infty(x\in(a,b)). \tag{⑤}$$

下面证明：在条件 ①⑤ 之下，$F(x)$ 在 (a,b) 内可导，且

$$F'(x) = F(x)\sum_{n=1}^{\infty}\frac{f'_n(x)}{1+f_n(x)}. \tag{6}$$

只要证明 ⑥ 式对(a,b)内的任一点 x_0 成立. 固定 $x_0 \in (a,b)$，取 a_1, b_1 满足 $a < a_1 < x_0 < b_1 < b$. 首先，证明级数

$$\sum_{n=1}^{\infty} | f_n(x) | \tag{7}$$

在(a_1,b_1)内一致收敛. 由$\sum\limits_{n=1}^{\infty} | f_n(x_0) |$收敛，为此只要证明级数

$$\sum_{n=1}^{\infty} | f_n(x) - f_n(x_0) | \tag{8}$$

在(a_1,b_1)内一致收敛. 但根据 ⑤ 式，当 $x \in (a_1,b_1)$ 时，

$$| f_n(x) - f_n(x_0) | = | f'_n(\xi_n)(x-x_0) | \leqslant (b_1-a_1)c_n, \tag{9}$$

其中 ξ_n 介于x_0与x之间. 由$\sum\limits_{n=1}^{\infty}c_n$收敛，根据优级数判别法知级数 ⑧ 在$(a_1,b_1)$内一致收敛，从而 ⑦ 在$(a_1,b_1)$内一致收敛. 故 $\exists N \in \mathbf{N}_+$，当 $n > N$ 时，$\forall x \in (a_1,b_1)$，恒有

$$| f_n(x) | < \frac{1}{2}, \tag{10}$$

$$| \ln[1+f_n(x)] | \leqslant 2 | f_n(x) |. \tag{11}$$

由 ⑩ 式与 ⑤ 式又知当 $n > N$ 时，$\forall x \in (a_1,b_1)$，有

$$\left|\frac{f'_n(x)}{1+f_n(x)}\right| \leqslant 2c_n. \tag{12}$$

根据 ⑪⑫ 式，注意到级数 ⑦ 在(a_1,b_1)内一致收敛，则$\sum\limits_{n=1}^{\infty}\ln| 1+f_n(x) |$，$\sum\limits_{n=1}^{\infty}\frac{f'_n(x)}{1+f_n(x)}$在$(a_1,b_1)$内一致收敛. 从而知 ④ 式中的逐项求导是允许的，即 $G(x)$ 在(a_1,b_1)内可导，且 ④ 式成立. 由 ② 式知

$$| F(x) | = e^{G(x)}. \tag{13}$$

由 ⑨ 式得当 $a_1 < x < b_1$ 时，

$$| f_n(x) | \leqslant (b_1-a_1)c_n + | f_n(x_0) | = d_n,$$

且$\sum\limits_{n=1}^{\infty}d_n$收敛，故根据 3108 题的结果可知，$F(x)$ 在(a_1,b_1)内连续. 由 $F(x) \neq 0$，故在(a_1,b_1)内或是 $F(x)$ 恒大于零，这时 ⑬ 式为

$$F(x) = e^{G(x)} \ (a_1 < x < b_1); \tag{14}$$

或是 $F(x)$ 恒小于零，这时 ⑬ 式为

$$F(x) = -e^{G(x)} \ (a_1 < x < b_1), \tag{15}$$

在 ⑭ 式成立的情形，由 $G(x)$ 在(a_1,b_1)内可导知，$F(x)$ 在(a_1,b_1)内可导，且注意到 ④ 式，有

$$F'(x) = e^{G(x)}G'(x) = F(x)\sum_{n=1}^{\infty}\frac{f'_n(x)}{1+f_n(x)};$$

在 ⑮ 式成立的情形下，由 $G(x)$ 在(a_1,b_1)内可导知，$F(x)$ 在(a_1,b_1)内可导，且注意到 ④ 式，有

$$F'(x) = -e^{G(x)}G'(x) = F(x)\sum_{n=1}^{\infty}\frac{f'_n(x)}{1+f_n(x)},$$

在(a_1,b_1)内 ⑥ 式必成立. 特别在点 x_0 成立.

总之，在条件 ① 和条件 ⑤ 之下，再假定 $1+f_n(x) \neq 0 (a < x < b, n = 1,2,\cdots)$，即可推出在$(a,b)$内 $F'(x)$ 存在且公式 ⑥ 成立.

【3110】 证明：若 $0 < x < y$，则$\lim\limits_{n\to\infty}\frac{x(x+1)\cdots(x+n)}{y(y+1)\cdots(y+n)} = 0$.

证 记 $p_n = \frac{x+n}{y+n}(n \in \mathbf{N}_+)$，则 $0 < p_n < 1$. 由$\prod\limits_{k=1}^{n}p_k > 0$，且单调递减，记 $p_n = 1+\alpha_n$，则

$$\alpha_n = p_n - 1 = \frac{1+\frac{x}{n}}{1+\frac{y}{n}} - 1 = \left(1+\frac{x}{n}\right)\left(1+\frac{y}{n}\right)^{-1} - 1$$

$$= \left(1+\frac{x}{n}\right)\left[1-\frac{y}{n}+O\left(\frac{1}{n^2}\right)\right]-1 = -\frac{y-x}{n}+O\left(\frac{1}{n^2}\right).$$

故当 n 充分大时，α_n 保号. 由 $\sum\limits_{n=1}^{\infty}\frac{1}{n^2}$ 收敛，$\sum\limits_{n=1}^{\infty}\frac{y-x}{n}$ 发散，则 $\sum\limits_{n=1}^{\infty}\alpha_n$ 发散. 故无穷乘积 $\prod\limits_{n=1}^{\infty}p_n$ 发散，即

$$\lim_{n\to\infty}\frac{x(x+1)\cdots(x+n)}{y(y+1)\cdots(y+n)} = \lim_{n\to\infty}\frac{x}{y}\prod_{k=1}^{n}\frac{x+k}{y+k} = \frac{x}{y}\prod_{n=1}^{\infty}p_n = 0.$$

第10节 斯特林公式（习题3111—3220）

知识点预览

知识点	题目序号	所在页码
斯特林公式	3111—3220	P221

知识点 斯特林公式

$$n! = \sqrt{2\pi n}n^n e^{-n+\frac{\theta_n}{12n}}(0<\theta_n<1),$$

可用来近似计算 $n!$.

习题 3111—3119 利用斯特林公式近似计算

【利用斯特林公式，近似计算(3111—3119)】

【3111】 $\lg 100!$.

解

$$\lg 100! = \lg\sqrt{2\pi\cdot 100}\cdot 100^{100}e^{-100}e^{\frac{\theta}{12\cdot 100}}$$

$$= \frac{1}{2}(\lg 2+\lg\pi+\lg 100)+100\lg 100-100\lg e+\frac{\theta}{1\,200}\lg e$$

$$= \frac{1}{2}(0.301\,0+0.497\,1+2)+200-100\cdot 0.434\,3+0.000\,4\theta$$

$$= 157.969\,1+0.000\,4\theta,$$

其中 $0<\theta<1$.

【3112】 $1\cdot 3\cdot 5\cdots 1\,999$.

解

$$1\cdot 3\cdot 5\cdots 1\,999 = \frac{2\,000!}{2^{1\,000}\cdot 1\,000!} = \frac{\sqrt{2\pi\cdot 2\,000}\cdot 2\,000^{2\,000}e^{-2\,000}e^{\frac{\theta_1}{24\,000}}}{2^{1\,000}\sqrt{2\pi\cdot 1\,000}\cdot 1\,000^{1\,000}e^{-1\,000}e^{\frac{\theta_2}{12\,000}}}$$

$$= 7.09\cdot 10^{2\,866}e^{\frac{\theta}{12\,000}} \approx 7.09\cdot 10^{2\,866}\left(1+\frac{\theta}{12\,000}\right),$$

其中 $|\theta|<1(0<\theta_1<1, 0<\theta_2<1)$.

【3113】 $\dfrac{1\cdot 3\cdot 5\cdots 99}{2\cdot 4\cdot 6\cdots 100}$.

解 $$\frac{1\cdot 3\cdot 5\cdots 99}{2\cdot 4\cdot 6\cdots 100}=\frac{100!}{2^{100}(50!)^2}=\frac{\sqrt{2\pi\cdot 100}\cdot 100^{100}\mathrm{e}^{-100}\mathrm{e}^{\frac{\theta_1}{1\,200}}}{2^{100}\cdot 100\pi\cdot 50^{100}\mathrm{e}^{-100}\mathrm{e}^{\frac{\theta_2}{300}}}=0.079\,8\mathrm{e}^{\frac{\theta}{300}}$$

$$\approx 0.079\,8\left(1+\frac{\theta}{300}\right),$$

其中 $|\theta|<1(0<\theta_1<1,0<\theta_2<1)$.

【3114】 C_{100}^{40}.

解 $$C_{100}^{40}=\frac{100!}{40!60!}=\frac{\sqrt{200\pi}\cdot 100^{100}\mathrm{e}^{-100}\mathrm{e}^{\frac{\theta_1}{1\,200}}}{\sqrt{2\pi\cdot 40}\sqrt{2\pi\cdot 60}\cdot 60^{60}\cdot 40^{40}\mathrm{e}^{-100}\mathrm{e}^{\frac{\theta_2}{480}+\frac{\theta_3}{720}}}$$

$$=10^{28}\cdot 1.378\mathrm{e}^{\frac{\theta}{288}}\approx 10^{28}\cdot 1.378\left(1+\frac{\theta}{288}\right),$$

其中 $|\theta|<1(0<\theta_1<1,0<\theta_2<1,0<\theta_3<1)$.

【3115】 $\dfrac{100!}{20!30!50!}$.

解 $$\frac{100!}{20!30!50!}=\frac{\sqrt{2\pi\cdot 100}\cdot 100^{100}\mathrm{e}^{-100}\mathrm{e}^{\frac{\theta_1}{1\,200}}}{\sqrt{2^3\pi^3 20\cdot 30\cdot 50}\cdot 20^{20}\cdot 30^{30}\cdot 50^{50}\mathrm{e}^{-100}\mathrm{e}^{\frac{\theta_2}{240}+\frac{\theta_3}{360}+\frac{\theta_4}{600}}}$$

$$=10^{42}\cdot 4.792\mathrm{e}^{\frac{\theta}{120}}\approx 10^{42}\cdot 4.792\left(1+\frac{\theta}{120}\right),$$

其中 $|\theta|<1(0<\theta_1<1,0<\theta_2<1,0<\theta_3<1,0<\theta_4<1)$.

【3116】 $\displaystyle\int_0^1(1-x^2)^{50}\mathrm{d}x$.

解 令 $x=\sin t$,则 $\mathrm{d}x=\cos t\mathrm{d}t$. 故

$$\int_0^1(1-x^2)^{50}\mathrm{d}x=\int_0^{\frac{\pi}{2}}\cos^{101}t\mathrm{d}t=\frac{(100)!!}{(101)!!}=\frac{2^{101}\cdot(50!)^2}{101!}=\frac{2^{100}\cdot 100\pi\cdot 50^{100}\mathrm{e}^{-100}\mathrm{e}^{\frac{\theta_1}{300}}}{101\sqrt{2\pi\cdot 100}\cdot 100^{100}\mathrm{e}^{-100}\mathrm{e}^{\frac{\theta_2}{1\,200}}}$$

$$=\frac{10\sqrt{\pi}}{101\sqrt{2}}\mathrm{e}^{\frac{\theta}{300}}=0.1241\mathrm{e}^{\frac{\theta}{300}}\approx 0.124\,1\left(1+\frac{\theta}{300}\right),$$

其中 $|\theta|<1(0<\theta_1<1,0<\theta_2<1)$.

【3117】 $\displaystyle\int_0^{2\pi}\sin^{200}x\mathrm{d}x$.

解 将 $\int_0^{2\pi}$ 分成 $\int_0^{\frac{\pi}{2}}$, $\int_{\frac{\pi}{2}}^{\pi}$, $\int_{\pi}^{\frac{3\pi}{2}}$ 及 $\int_{\frac{3\pi}{2}}^{2\pi}$ 四部分,分别作代换 $x=t,x=t+\dfrac{\pi}{2},x=t+\pi$ 及 $x=t+\dfrac{3\pi}{2}$,再利用结果 $\int_0^{\frac{\pi}{2}}\sin^n t\mathrm{d}t=\int_0^{\frac{\pi}{2}}\cos^n t\mathrm{d}t$,易得

$$\int_0^{2\pi}\sin^{200}x\mathrm{d}x=4\int_0^{\frac{\pi}{2}}\sin^{200}x\mathrm{d}x.$$

利用 2286 题的结果及斯特林公式,得

$$\int_0^{2\pi}\sin^{200}x\mathrm{d}x=4\frac{(199)!!}{(200)!!}\frac{\pi}{2}=\frac{200!}{2^{200}(100!)^2}\cdot 2\pi=\frac{2\pi\sqrt{2\pi\cdot 200}\cdot 200^{200}\mathrm{e}^{-200}\mathrm{e}^{\frac{\theta_1}{2\,400}}}{2^{200}\cdot 200\pi\cdot 100^{200}\mathrm{e}^{-200}\mathrm{e}^{\frac{\theta_2}{600}}}$$

$$=0.355\mathrm{e}^{\frac{\theta}{600}}\approx 0.355\left(1+\frac{\theta}{600}\right),$$

其中 $|\theta|<1(0<\theta_1<1,0<\theta_2<1)$.

【3118】 求双阶乘 $(2n-1)!!=1\cdot 3\cdot 5\cdots(2n-1)$ 的渐近公式.

解　$$(2n-1)!!=\frac{(2n)!}{2^n n!}=\frac{\sqrt{2\pi\cdot 2n}(2n)^{2n}\mathrm{e}^{-2n}\mathrm{e}^{\frac{\theta_1}{24n}}}{2^n\sqrt{2\pi n}n^n\mathrm{e}^{-n}\mathrm{e}^{\frac{\theta_2}{12n}}}=\sqrt{2}(2n)^n\mathrm{e}^{-n+\frac{\theta}{12n}},$$

其中 $|\theta|<1(0<\theta_1<1,0<\theta_2<1)$.

【3119】　近似计算 C_{2n}^n.

解　$$C_{2n}^n=\frac{2n(2n-1)\cdots(2n-n+1)}{n!}=\frac{(2n)!}{(n!)^2}=\frac{\sqrt{2\pi\cdot 2n}(2n)^{2n}\mathrm{e}^{-2n}\mathrm{e}^{\frac{\theta_1}{24n}}}{2\pi n n^{2n}\mathrm{e}^{-2n}\mathrm{e}^{\frac{\theta_2}{6n}}}=\frac{2^{2n}}{\sqrt{n\pi}}\mathrm{e}^{\frac{\theta}{6n}},$$

其中 $|\theta|<1(0<\theta_1<1,0<\theta_2<1)$.

习题 3120—3120　利用斯特林公式求极限

【3120】　利用斯特林公式求极限：

(1) $\lim\limits_{n\to\infty}\sqrt[n^2]{n!}$；　(2) $\lim\limits_{n\to\infty}\frac{n}{\sqrt[n]{n!}}$；　(3) $\lim\limits_{n\to\infty}\frac{n}{\sqrt[n]{(2n-1)!!}}$；　(4) $\lim\limits_{n\to\infty}\frac{\ln n!}{\ln n^n}$.

解　(1) $\lim\limits_{n\to\infty}\sqrt[n^2]{n!}=\lim\limits_{n\to\infty}\left[\sqrt[2n^2]{2\pi n}\,\sqrt[n]{n}\,\mathrm{e}^{-\frac{1}{n}}\mathrm{e}^{\frac{\theta}{12n^3}}\right]=1$.

(2) $\lim\limits_{n\to\infty}\frac{n}{\sqrt[n]{n!}}=\lim\limits_{n\to\infty}\frac{n}{\sqrt[2n]{2\pi n}n\mathrm{e}^{-1}\mathrm{e}^{\frac{\theta}{12n^2}}}=\lim\limits_{n\to\infty}\frac{\mathrm{e}}{\sqrt[2n]{2\pi n}\mathrm{e}^{\frac{\theta}{12n^2}}}=\mathrm{e}$.

(3) 利用 3118 题的结果即得 $\lim\limits_{n\to\infty}\frac{n}{\sqrt[n]{(2n-1)!!}}=\lim\limits_{n\to\infty}\frac{n}{\sqrt[2n]{2}\,2n\mathrm{e}^{-1}\mathrm{e}^{\frac{\theta}{12n^2}}}=\frac{\mathrm{e}}{2}$.

(4) $$\lim_{n\to\infty}\frac{\ln n!}{\ln n^n}=\lim_{n\to\infty}\frac{\frac{1}{2}(\ln 2+\ln\pi+\ln n)+n\ln n-n+\frac{\theta}{12n}}{n\ln n}=1.$$

第11节　用多项式逼近连续函数（习题3121—3135）

知识点预览

序号	知识点	题目序号	所在页码
1	拉格朗日插值公式	3121—3126	P223
2	伯恩斯坦多项式	3127—3135	P226

知识点 1　拉格朗日插值公式

拉格朗日插值多项式

$$P_n(x)=\sum_{i=0}^{n}\frac{(x-x_0)\cdots(x-x_{i-1})(x-x_{i+1})\cdots(x-x_n)}{(x_i-x_0)\cdots(x_i-x_{i-1})(x_i-x_{i+1})\cdots(x_i-x_n)}y_i,$$

其中 $P_n(x_i)=y_i(i=0,1,\cdots,n)$.

习题 3121—3125 求拉格朗日多项式

【3121】 求过插值节点的 n 次多项式 $P_n(x)$：

x	-2	0	4	5
y	5	1	-3	1

并近似计算 $P_n(-1)$，$P_n(1)$，$P_n(6)$

解 令 $x_0=-2, x_1=0, x_2=4, x_3=5, y_0=5, y_1=1, y_2=-3, y_3=1$，则

$$P_3(x)=\frac{(x-x_1)(x-x_2)(x-x_3)}{(x_0-x_1)(x_0-x_2)(x_0-x_3)}y_0+\frac{(x-x_0)(x-x_2)(x-x_3)}{(x_1-x_0)(x_1-x_2)(x_1-x_3)}y_1+\frac{(x-x_0)(x-x_1)(x-x_3)}{(x_2-x_0)(x_2-x_1)(x_2-x_3)}y_2+\frac{(x-x_0)(x-x_1)(x-x_2)}{(x_3-x_0)(x_3-x_1)(x_3-x_2)}y_3.$$

代入表中数据化简可得

$$P_3(x)=1-\frac{55}{21}x-\frac{1}{14}x^2+\frac{5}{42}x^3, P_3(-1)=1+\frac{55}{21}-\frac{1}{14}-\frac{5}{42}\approx 3.43,$$

$$P_3(1)=1-\frac{55}{21}-\frac{1}{14}+\frac{5}{42}\approx -1.57, P_3(6)=1-\frac{110}{7}-\frac{18}{7}+\frac{180}{7}\approx 8.43.$$

【3122】 求过 $A(x_0-h, y_{-1})$，$B(x_0, y_0)$，$C(x_0+h, y_1)$ 的抛物线方程

$$y=ax^2+bx+c.$$

解 将三点坐标代入拉格朗日插值公式，则

$$y=\frac{(x-x_0)(x-x_0-h)}{[(x_0-h)-x_0][(x_0-h)-(x_0+h)]}y_{-1}+\frac{(x-x_0+h)(x-x_0-h)}{[x_0-(x_0-h)][x_0-(x_0+h)]}y_0+\frac{(x-x_0+h)(x-x_0)}{[(x_0+h)-(x_0-h)][(x_0+h)-x_0]}y_1$$

$$=y_0+\frac{y_1-y_{-1}}{2h}(x-x_0)+\frac{y_1-2y_0+y_{-1}}{2h^2}(x-x_0)^2.$$

【3123】 利用 $x_0=1, y_0=1, x_1=25, y_1=5, x_2=100, y_2=10$，求 $y=\sqrt{x}(1\leqslant x\leqslant 100)$ 的近似公式.

解 $y=\sqrt{x}$ 的近似公式可由拉格朗日插值公式表示：

$$y\approx\frac{(x-25)(x-100)}{(-24)\cdot(-99)}\cdot 1+\frac{(x-1)(x-100)}{24\cdot(-75)}\cdot 5+\frac{(x-1)(x-25)}{99\cdot 75}\cdot 10$$

$$=0.808+0.193x-0.001\ 01x^2.$$

注 例如，

$x=4, y\approx 1.564$(应为 2)； $x=9, y\approx 2.463$(应为 3)；

$x=16, y\approx 3.637$(应为 4)； $x=36, y\approx 6.447$(应为 6)；

由此看来，误差还较大.

【3124】 利用 $\sin 0°=0$，$\sin 30°=\frac{1}{2}$，$\sin 90°=1$，求近似公式：

$$\sin x°\approx ax+bx^3(0\leqslant x\leqslant 90).$$

近似计算：$\sin 20°$，$\sin 40°$，$\sin 80°$.

解 将 $x=30, \sin 30°=\frac{1}{2}, x=90, \sin 90°=1$ 代入，则 $\begin{cases}30a+27\ 000b=\frac{1}{2},\\90a+729\ 000b=1.\end{cases}$

解得 $a=\frac{5}{288}, b=-\frac{5}{288}\left(\frac{1}{150}\right)^2$. 故 $\sin x^\circ \approx \frac{5x}{288}\left[1-\left(\frac{x}{150}\right)^2\right]$. 从而

$$\sin 20^\circ \approx 0.341, \sin 40^\circ \approx 0.645, \sin 80^\circ \approx 0.994.$$

注 这与查表(四位数学用表)所得的

$$\sin 20^\circ = 0.3420, \sin 40^\circ = 0.6428, \sin 80^\circ = 0.9848,$$

近似.

【3125】 取插值节点 $x_i=0,\pm\frac{1}{2},\pm 1$，求 $f(x)=|x|$ 在 $[-1,1]$ 上的拉格朗日插值多项式.

解 将 $x_i=0,\pm\frac{1}{2},\pm 1, y_i=0,\frac{1}{2},1$ 代入拉格朗日插值公式，则

$$P(x)=\frac{x\left(x-\frac{1}{2}\right)(x^2-1)}{\left(-\frac{1}{2}\right)(-1)\cdot\frac{1}{2}\left(-\frac{3}{2}\right)}\cdot\frac{1}{2}+\frac{x\left(x+\frac{1}{2}\right)(x^2-1)}{\frac{1}{2}\cdot 1\cdot\frac{3}{2}\left(-\frac{1}{2}\right)}\cdot\frac{1}{2}+$$

$$\frac{x(x-1)\left(x^2-\frac{1}{4}\right)}{(-1)\left(-\frac{1}{2}\right)\left(-\frac{3}{2}\right)(-2)}\cdot 1+\frac{x(x+1)\left(x^2-\frac{1}{4}\right)}{1\cdot\frac{3}{2}\cdot\frac{1}{2}\cdot 2}\cdot 1$$

$$=\frac{x^2}{3}(7-4x^2)(|x|\leqslant 1).$$

习题 3126—3126 拉格朗日插值多项式的应用

【3126】 求 $y(x)$ 的拉格朗日插值多项式，并近似计算 $\int_0^2 y(x)\,dx$，其中

x	0	0.5	1	1.5	2
$y(x)$	5	4.5	3	2.5	5

解 $y(x)\approx\frac{(x-0.5)(x-1)(x-1.5)(x-2)}{(-0.5)(-1)(-1.5)(-2)}\cdot 5+\frac{x(x-1)(x-1.5)(x-2)}{0.5\cdot(-0.5)\cdot(-1)\cdot(-1.5)}\cdot 4.5+$

$$\frac{x(x-0.5)(x-1.5)(x-2)}{1\cdot 0.5(-0.5)\cdot(-1)}\cdot 3+\frac{x(x-0.5)(x-1)(x-2)}{1.5\cdot 1\cdot 0.5\cdot(-0.5)}\cdot 2.5+$$

$$\frac{x(x-0.5)(x-1)(x-1.5)}{2\cdot 1.5\cdot 1\cdot 0.5}\cdot 5$$

$$=\left(\frac{10}{3}x^4-\frac{50}{3}x^3+\frac{87.5}{3}x^2-\frac{62.5}{3}x+5\right)+(-12x^4+54x^3-78x^2+36x)+$$

$$(12x^4-48x^3+57x^2-18x)+\left(-\frac{20}{3}x^4+\frac{70}{3}x^3-\frac{70}{3}x^2+\frac{20}{3}x\right)+$$

$$\left(\frac{10}{3}x^4-10x^3+\frac{27.5}{3}x^2-2.5x\right)$$

$$=\frac{8}{3}x^3-6x^2+\frac{4}{3}x+5,$$

故

$$\int_0^2 y(x)\,dx\approx\int_0^2\left(\frac{8}{3}x^3-6x^2+\frac{4}{3}x+5\right)dx=\left(\frac{2}{3}x^4-2x^3+\frac{2}{3}x^2+5x\right)\Big|_0^2=\frac{22}{3}.$$

知识点 2 伯恩斯坦多项式

设 $f(x)$ 在$[0,1]$上连续,则伯恩斯坦多项式

$$B_n(x)=\sum_{i=0}^{n}f\left(\frac{i}{n}\right)C_n^i x^i(1-x)^{n-i}$$

当 $n\to\infty$ 时一致收敛于 $f(x)$.

习题 3127—3130 求函数的伯恩斯坦多项式

【3127】 设 $f(x)x,x^2,x^3$,求$[0,1]$的伯恩斯坦多项式 $B_n(x)$.

解 设 $f(x)=x$,则伯恩斯坦多项式为

$$B_n(x)=\sum_{k=0}^{n}\frac{k}{n}C_n^k x^k(1-x)^{n-k}=x\sum_{k=0}^{n-1}C_{n-1}^k x^k(1-x)^{n-k-1}=x.$$

设 $f(x)=x^2$,则伯恩斯坦多项式为

$$B_n(x)=\sum_{k=0}^{n}\frac{k^2}{n^2}C_n^k x^k(1-x)^{n-k}=\frac{1^2}{n^2}C_n^1x(1-x)^{n-1}+\frac{2^2}{n^2}C_n^2x^2(1-x)^{n-2}+\frac{3^2}{n^2}C_n^3x^3(1-x)^{n-3}+\cdots+$$

$$\frac{(n-1)^2}{n^2}C_n^{n-1}x^{n-1}(1-x)+\frac{n^2}{n^2}C_n^nx^n$$

$$=\frac{1}{n}x(1-x)^{n-1}+\frac{2(n-1)}{n}x^2(1-x)^{n-2}+\frac{3}{n}\ \frac{(n-1)(n-2)}{2!}x^3(1-x)^{n-3}+\cdots+$$

$$\frac{n-1}{n}\cdot\frac{(n-1)!}{(n-2)!}x^{n-1}(1-x)+x^n$$

$$=\frac{1}{n}(C_{n-1}^0+C_{n-1}^1)x(1-x)^{n-1}+\frac{2}{n}(C_{n-1}^1+C_{n-1}^2)x^2(1-x)^{n-2}+$$

$$\frac{3}{n}(C_{n-1}^2+C_{n-1}^3)x^n(1-x)^{n-3}+\cdots+\frac{n-1}{n}(C_{n-1}^{n-2}+C_{n-1}^{n-1})x^{n-1}(1-x)+x^n-$$

$$\left[\frac{1}{n}C_{n-1}^1x(1-x)^{n-1}+\frac{2}{n}C_{n-1}^2x^2(1-x)^{n-2}+\cdots+\frac{n-1}{n}C_{n-1}^{n-1}x^{n-1}(1-x)\right]$$

$$=\sum_{k=0}^{n}C_n^k\frac{k}{n}x^k(1-x)^{n-k}-\frac{n-1}{n}x(1-x)\sum_{k=0}^{n-2}C_{n-2}^kx^k(1-x)^{n-k-2}$$

$$=x-\frac{n-1}{n}x(1-x)=x^2+\frac{x(1-x)}{n}.$$

设 $f(x)=x^3$,则伯恩斯坦多项式为

$$B_n(x)=\sum_{k=0}^{n}\frac{k^3}{n^3}C_n^kx^k(1-x)^{n-k}$$

$$=\frac{1^2}{n^2}C_{n-1}^0x(1-x)^{n-1}+\frac{2^2}{n^2}C_{n-1}^1x^2(1-x)^{n-2}+\cdots+\frac{(n-1)^2}{n^2}C_{n-1}^{n-2}x^{n-1}(1-x)+x^n$$

$$=\frac{1^2}{n^2}(C_{n-1}^0+C_{n-1}^1)x(1-x)^{n-1}+\frac{2^2}{n^2}(C_{n-1}^1+C_{n-1}^2)x^2(1-x)^{n-2}+\cdots+$$

$$\frac{(n-1)^2}{n^2}(C_{n-1}^{n-2}+C_{n-1}^{n-1})x^{n-1}(1-x)+x^n-$$

$$\left[\frac{1^2}{n^2}C_{n-1}^1x(1-x)^{n-1}+\frac{2^2}{n^2}C_{n-1}^2x^2(1-x)^{n-2}+\cdots+\frac{(n-1)^2}{n^2}C_{n-1}^{n-1}x^{n-1}(1-x)\right]$$

$$=\sum_{k=0}^{n}\frac{k^2}{n^2}C_n^kx^k(1-x)^{n-k}-\frac{(n-1)(n-2)}{n^2}x(1-x)\cdot$$

$$\left[\frac{1}{n-2}C_{n-2}^{0}(1-x)^{n-2}+\frac{2}{n-2}C_{n-2}^{1}x(1-x)^{n-3}+\cdots+\frac{n-1}{n-2}C_{n-2}^{n-2}x^{n-2}\right]$$

$$=x^{2}+\frac{x(1-x)}{n}-\frac{(n-1)(n-2)}{n^{2}}x(1-x)\ \frac{1}{n-2}\left[\sum_{k=0}^{n-2}\frac{k}{n-2}C_{n-2}^{k}x^{k}(1-x)^{n-k-2}+\right.$$

$$\left.\sum_{k=0}^{n-2}C_{n-2}^{k}x^{k}(1-x)^{n-2-k}\right]$$

$$=x^{2}+\frac{x(1-x)}{n}-\frac{(n-1)(n-2)x(1-x)}{n^{2}}\left[\frac{x}{n-2}\sum_{k=0}^{n-3}C_{n-3}^{k}x^{k}(1-x)^{n-3-k}+1\right]$$

$$=x^{2}+\frac{x(1-x)}{n}-\frac{(n-1)(n-2)x(1-x)}{n^{2}}\left(\frac{x}{n-2}+1\right)$$

$$=\left(1-\frac{1}{n}\right)\left(1-\frac{2}{n}\right)x^{3}+\frac{3}{n}\left(1-\frac{1}{n}\right)x^{2}+\frac{1}{n^{2}}x.$$

【3128】 对于在闭区间$[a,b]$上的已知函数 $f(x)$，求伯恩斯坦多项式 $B_n(x)$.

解 令 $a+(b-a)y=x$，则 $a\leqslant x\leqslant b$ 时，$0\leqslant y\leqslant 1$，从而

$$y=\frac{x-a}{b-a},1-y=\frac{b-x}{b-a},f(x)=f(a+(b-a)y).$$

故 $f(x)$ 在$[a,b]$上的伯恩斯坦多项式为

$$B_n(x)=\sum_{k=0}^{n}f\left[a+(b-a)\ \frac{k}{n}\right]C_n^k\ \frac{(x-a)^k(b-x)^{n-k}}{(b-a)^n}.$$

【3129】 设 $f(x)=e^{kx}(a\leqslant x\leqslant b)$，求伯恩斯坦多项式 $B_n(x)$.

解 $$B_n(x)=\sum_{j=0}^{n}e^{k\left(a+(b-a)\frac{j}{n}\right)}C_n^j\ \frac{(x-a)^j(b-x)^{n-j}}{(b-a)^n}$$

$$=\frac{e^{ka}}{(b-a)^n}\sum_{j=0}^{n}e^{k\frac{(b-a)j}{n}}C_n^j(x-a)^j(b-x)^{n-j}=\frac{e^{ka}}{(b-a)^n}\left[e^{\frac{b-a}{n}k}(x-a)+(b-x)\right]^n$$

$$=e^{ka}\left[e^{\frac{b-a}{n}k}\ \frac{x-a}{b-a}+\frac{b-x}{b-a}\right]^n=e^{ka}\left[\left(e^{\frac{b-a}{n}k}-1\right)\frac{x-a}{b-a}+\frac{b-x+x-a}{b-a}\right]^n$$

$$=e^{ka}\left[1+\left(e^{\frac{b-a}{n}k}-1\right)\frac{x-a}{b-a}\right]^n.$$

【3130】 设 $f(x)=\cos x,-\frac{\pi}{2}\leqslant x\leqslant\frac{\pi}{2}$，求 $B_n(x)$.

解 $$\cos x=\frac{1}{2}(e^{ix}+e^{-ix}),\qquad ①$$

利用 3129 题的结果(在其中令 $a=-\frac{\pi}{2},b=\frac{\pi}{2}$，并分别令 $k=i$ 和 $k=-i$)，得 e^{ix} 在$\left[-\frac{\pi}{2},\frac{\pi}{2}\right]$上的伯恩斯坦多项式为 $B_n^{(1)}(x)$，e^{-ix} 在$\left[-\frac{\pi}{2},\frac{\pi}{2}\right]$上的伯恩斯坦多项式为 $B_n^{(2)}(x)$，则

$$B_n^{(1)}(x)=e^{-\frac{\pi}{2}i}\left[1+\left(e^{\frac{i\pi}{n}}-1\right)\left(\frac{x+\frac{\pi}{2}}{\pi}\right)\right]^n,B_n^{(2)}(x)=e^{\frac{\pi}{2}i}\left[1+\left(e^{-\frac{i\pi}{n}}-1\right)\left(\frac{x+\frac{\pi}{2}}{\pi}\right)\right]^n.$$

故

$$B_n^{(1)}(x)=e^{-\frac{\pi i}{2}}\left\{e^{\frac{\pi i}{2n}}\left[e^{-\frac{\pi i}{2n}}+\left(e^{\frac{\pi i}{2n}}-e^{-\frac{\pi i}{2n}}\right)\left(\frac{x}{\pi}+\frac{1}{2}\right)\right]\right\}^n$$

$$=e^{-\frac{\pi i}{2}}e^{\frac{\pi i}{2}}\left[\cos\frac{\pi}{2n}-i\sin\frac{\pi}{2n}+2i\sin\frac{\pi}{2n}\left(\frac{x}{\pi}+\frac{1}{2}\right)\right]^n=\left(\cos\frac{\pi}{2n}+i\frac{2x}{\pi}\sin\frac{\pi}{2n}\right)^n,$$

同理可得 $B_n^{(2)}(x)=\left(\cos\frac{\pi}{2n}-i\frac{2x}{\pi}\sin\frac{\pi}{2n}\right)^n$.

从而 $\cos x$ 在$\left[-\frac{\pi}{2},\frac{\pi}{2}\right]$上的伯恩斯坦多项式为

$$B_n(x)=\frac{1}{2}[B_n^{(1)}(x)+B_n^{(2)}(x)]=\frac{1}{2}\left[\left(\cos\frac{\pi}{2n}+\mathrm{i}\frac{2x}{\pi}\sin\frac{\pi}{2n}\right)^n+\left(\cos\frac{\pi}{2n}-\mathrm{i}\frac{2x}{\pi}\sin\frac{\pi}{2n}\right)^n\right].$$

注 应当指出,也可不利用 ① 式以及 3129 题的结果,而利用 3128 题的结果直接写出 $\cos x$ 在$\left[-\frac{\pi}{2},\frac{\pi}{2}\right]$上的伯恩斯坦多项式为

$$B_n(x)=\sum_{k=0}^{n}\cos\left(-\frac{\pi}{2}+\frac{k\pi}{n}\right)C_n^k\frac{\left(x+\frac{\pi}{2}\right)^k\left(\frac{\pi}{2}-x\right)^{n-k}}{\pi^n}$$
$$=\sum_{k=0}^{n}\sin\frac{k\pi}{n}C_n^k\frac{(\pi+2x)^k(\pi-2x)^{n-k}}{(2\pi)^n}.$$

这是 $B_n(x)$ 的另一表示式.

习题 3131—3135 利用多项式逼近函数

【3131】 求 $f(x)=\frac{|x|+x}{2}$ 在$[-1,1]$上的伯恩斯坦多项式 $B_4(x)$. 作 $y=\frac{|x|+x}{2}$ 和 $y=B_4(x)$ 的函数图像.

解 利用 3128 题的结果,易得

$$B_4(x)=\sum_{k=0}^{4}f\left(-1+\frac{k}{2}\right)C_4^k\frac{(x+1)^k(1-x)^{4-k}}{2^4}$$
$$=\frac{1}{2}C_4^3\frac{(x+1)^3(1-x)}{2^4}+1\cdot C_4^4\frac{(x+1)^4}{2^4}=\frac{1}{8}(1-x)(1+x)^3+\frac{1}{16}(1+x)^4.$$

函数 $y=\frac{|x|+x}{2}$ 和 $y=B_4(x)$ 的图像如图 5.9 所示.

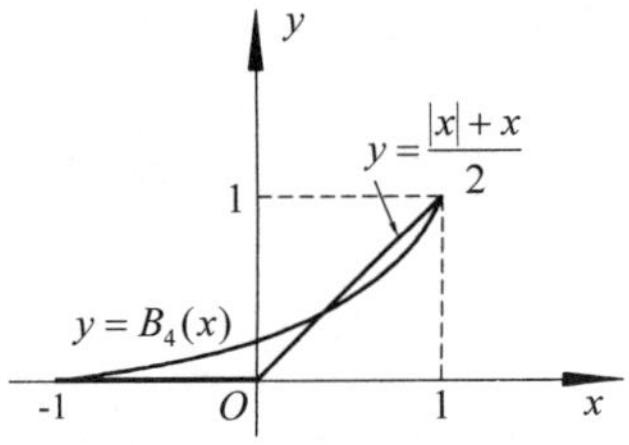

图 5.9

注 $B_4(x)=\frac{1}{8}(1-x)(1+x)^3+\frac{1}{16}(1+x)^4, B_4(-1)=0, B_4(1)=1, B_4(0)=\frac{3}{16}$.

$B_4'(x)=\frac{(1+x)^2}{4}(2-x), B_4'(-1)=0$. 当 $x\in(-1,1)$ 时, $B_4'(x)>0$,故图像上升.

$B_4''(x)=\frac{3}{4}(1-x^2)\geqslant 0$,故图像上凹.

【3132】 求函数 $f(x)=|x|\ (-1\leqslant x\leqslant 1)$ 的偶数次伯恩斯坦多项式.

解 利用 3128 题的结果,即得

$$B_{2n}(x)=\sum_{k=0}^{2n}\left|-1+\frac{k}{n}\right|C_{2n}^k\frac{(x+1)^k(1-x)^{2n-k}}{2^{2n}}$$

$$=\frac{1}{2^{2n}}\Big[\sum_{k=0}^{n}\frac{n-k}{n}C_{2n}^{k}(x+1)^{k}(1-x)^{2n-k}+\sum_{k=n+1}^{2n}\frac{k-n}{n}C_{2n}^{k}(x+1)^{k}(1-x)^{2n-k}\Big]$$

$$=\Big(\frac{1-x^2}{4}\Big)^n\Big[\sum_{k=0}^{n}\frac{n-k}{n}C_{2n}^{k}\Big(\frac{1-x}{1+x}\Big)^{n-k}+\sum_{k=n+1}^{2n}\frac{k-n}{n}C_{2n}^{k}\Big(\frac{1-x}{1+x}\Big)^{n-k}\Big]$$

$$=\Big(\frac{1-x^2}{4}\Big)^n\Big[\sum_{k=0}^{n}\frac{k}{n}C_{2n}^{n-k}\Big(\frac{1-x}{1+x}\Big)^{k}+\sum_{k=1}^{n}\frac{k}{n}C_{2n}^{n+k}\Big(\frac{1-x}{1+x}\Big)^{-k}\Big]$$

$$=\Big(\frac{1-x^2}{4}\Big)^n\Big[\sum_{k=1}^{n}\frac{k}{n}C_{2n}^{n-k}\Big(\frac{1-x}{1+x}\Big)^{k}+\sum_{k-1}^{n}\frac{k}{n}C_{2n}^{n+k}\Big(\frac{1+x}{1-x}\Big)^{k}\Big].$$

由 $C_{2n}^{n-k}=C_{2n}^{n+k}$，则

$$B_{2n}(x)=\frac{1}{n}\Big(\frac{1-x^2}{4}\Big)^n\sum_{k=1}^{n}\Big\{kC_{2n}^{n-k}\Big[\Big(\frac{1+x}{1-x}\Big)^{k}+\Big(\frac{1-x}{1+x}\Big)^{k}\Big]\Big\}.$$

【3133】 证明：$\forall x\in[-1,1]$，$|x|=\lim\limits_{n\to\infty}P_n(x)$，其中

$$P_n(x)=1-\frac{1-x^2}{2}-\sum_{i=2}^{n}\frac{1\cdot 3\cdots(2i-3)}{2\cdot 4\cdots(2i)}(1-x^2)^i.$$

证 $|x|=\sqrt{x^2}=\sqrt{1-t}$，其中 $t=1-x^2$. 函数 $\sqrt{1-t}$ 按幂级数展开为

$$\sqrt{1-t}=1+\frac{1}{2}(-t)+\sum_{n=2}^{\infty}\frac{\frac{1}{2}\Big(\frac{1}{2}-1\Big)\cdots\Big(\frac{1}{2}-n+1\Big)}{n!}(-t)^n$$

$$=1-\frac{t}{2}+\sum_{n=2}^{\infty}\frac{(-1)(-3)\cdots(-2n+3)}{n!2^n}(-1)^n t^n$$

$$=1-\frac{t}{2}+\sum_{n=2}^{\infty}\frac{1\cdot 3\cdots(2n-3)}{2\cdot 4\cdots(2n)}(-1)^{2n-1}t^n$$

$$=1-\frac{t}{2}-\sum_{n=2}^{\infty}\frac{(2n-3)!!}{(2n)!!}t^n(-1<t<1). \quad ①$$

当 $t=\pm 1$ 时，记

$$\sum_{n=2}^{\infty}\frac{(2n-3)!!}{(2n)!!}(\pm 1)^n=\sum_{n=2}^{\infty}a_n.$$

由于

$$\lim_{n\to\infty}n\Big(\frac{|a_n|}{|a_{n+1}|}-1\Big)=\lim_{n\to\infty}n\Big(\frac{2n+2}{2n-1}-1\Big)=\frac{3}{2}>1,$$

故由拉贝判别法可知级数 $\sum\limits_{n=2}^{\infty}|a_n|$ 收敛，从而 $\sum\limits_{n=2}^{\infty}a_n$ 收敛. 因此，由幂级数的阿贝尔定理知，① 式当 $t=\pm 1$ 时也成立，即有

$$\sqrt{1-t}=1-\frac{t}{2}-\sum_{n=2}^{\infty}\frac{(2n-3)!!}{(2n)!!}t^n(-1\leqslant t\leqslant 1). \quad ②$$

将 $t=1-x^2$ 代入，则

$$|x|=1-\frac{1-x^2}{2}-\sum_{n=2}^{\infty}\frac{(2n-3)!!}{(2n)!!}(1-x^2)^n=\lim_{n\to\infty}P_n(x)(-1\leqslant x\leqslant 1). \quad ③$$

注 由幂级数的性质知，② 式右端的级数在 $t\in[0,1]$ 上一致收敛（在 $[-1,1]$ 上一致收敛），故 ③ 式中的级数在 $[-1,1]$ 上一致收敛. 因此，当 $n\to\infty$ 时，$\{P_n(x)\}$ 在 $[-1,1]$ 上一致收敛于 $|x|$.

【3134】 设 $f(x)$ 在 $[-\pi,\pi]$ 上连续，a_n,b_n 是傅里叶系数. 证明：费耶尔三角多项式

$$\sigma_n(x)=\frac{a_0}{2}+\sum_{i=1}^{n-1}\Big(1-\frac{i}{n}\Big)(a_i\cos ix+b_i\sin ix)$$

在 $(-\pi,\pi)$ 上一致收敛于 $f(x)$.

证 首先指出,本题结论有误. 在现有条件下,只能证明:$\forall\eta>0$,$\{\sigma_n(x)\}$ 在 $[-\pi+\eta,\pi-\eta]$ 上一致收敛于 $f(x)$,不能推出 $\{\sigma_n(x)\}$ 在 $(-\pi,\pi)$ 上一致收敛于 $f(x)$. 若 $f(-\pi)=f(\pi)$,则 $\{\sigma_n(x)\}$ 在 $[-\pi,\pi]$ 上一致收敛于 $f(x)$.

证明如下.

首先,将 $f(x)$ 延拓到 $\mathbf{R}$ 上,延拓后的函数仍记为 $f(x)$,记 $S_n(x)$ 表示 $f(x)$ 傅里叶级数的部分和,则

$$S_n(x)=\frac{a_0}{2}+\sum_{m=1}^{n}(a_m\cos mx+b_m\sin mx)=\frac{1}{\pi}\int_{-\pi}^{\pi}f(u)\left[\frac{1}{2}+\sum_{m=1}^{n}\cos m(u-x)\right]du.$$

将 n 个等式

$$2\sin\frac{v}{2}\cos mv=\sin\left(m+\frac{1}{2}\right)v-\sin\left(m-\frac{1}{2}\right)v(m=1,2,\cdots,n)$$

相加得

$$\frac{1}{2}+\sum_{m=1}^{n}\cos mv=\frac{\sin(2n+1)\frac{v}{2}}{2\sin\frac{v}{2}}.$$

从而作代换 $u-x=t$,有

$$S_n(x)=\frac{1}{\pi}\int_{-\pi}^{\pi}f(u)\frac{\sin(2n+1)\frac{u-x}{2}}{2\sin\frac{u-x}{2}}du=\frac{1}{\pi}\int_{-\pi-x}^{\pi-x}f(x+t)\frac{\sin\left(n+\frac{1}{2}\right)t}{2\sin\frac{t}{2}}dt.$$

由于周期为 2π 的函数 $F(u)$ 在长为 2π 的闭区间 $[\lambda,\lambda+2\pi]$ 上的积分 $\int_{\lambda}^{\lambda+2\pi}F(u)du$ 与 λ 无关,故上式右端的积分 $\int_{-\pi-x}^{\pi-x}$ 可换为 $\int_{-\pi}^{\pi}$. 由此,再将 $\int_{-\pi}^{\pi}$ 表为 $\int_{-\pi}^{0}+\int_{0}^{\pi}$,并在 $\int_{-\pi}^{0}$ 中作代换 $t=-s$,即得表达式

$$S_n(x)=\frac{1}{\pi}\int_{0}^{\pi}[f(x+t)+f(x-t)]\frac{\sin\left(n+\frac{1}{2}\right)t}{2\sin\frac{t}{2}}dt.$$

显然 $\sigma_n(x)=\frac{1}{n}\sum_{k=0}^{n-1}S_k(x)$,故

$$\sigma_n(x)=\frac{1}{n\pi}\int_{0}^{\pi}[f(x+t)+f(x-t)]\frac{\sum_{k=0}^{n-1}\sin\left(k+\frac{1}{2}\right)t}{2\sin\frac{t}{2}}dt.$$

由于

$$2\sin\frac{t}{2}\sum_{k=0}^{n-1}\sin\left(k+\frac{1}{2}\right)t=\sum_{k=0}^{n-1}[\cos kt-\cos(k+1)t]=1-\cos nt=2\sin^2\frac{nt}{2},$$

故

$$\sigma_n(x)=\frac{1}{2n\pi}\int_{0}^{\pi}[f(x+t)+f(x-t)]\left(\frac{\sin\frac{nt}{2}}{\sin\frac{t}{2}}\right)^2dt. \qquad ①$$

特别在 ① 式中,令 $f(x)\equiv 1$,则 $S_n(x)\equiv 1$. 从而 $\sigma_n(x)\equiv 1$. 故

$$1=\frac{1}{n\pi}\int_{0}^{\pi}\left(\frac{\sin\frac{nt}{2}}{\sin\frac{t}{2}}\right)^2dt. \qquad ②$$

① 式减去 ② 式乘 $f(x)$,得

$$\sigma_n(x)-f(x)=\frac{1}{2n\pi}\int_0^{\pi}[f(x+t)-f(x)+f(x-t)-f(x)]\left(\frac{\sin\frac{nt}{2}}{\sin\frac{t}{2}}\right)^2\mathrm{d}t. \quad ③$$

由 ③ 式证明下述两个结论:

(ⅰ) $\forall\eta>0$, $\{\sigma_n(x)\}$ 在 $[-\pi+\eta,\pi-\eta]$ 上一致收敛于 $f(x)$.

(ⅱ) 若 $f(-\pi)=f(\pi)$,则 $\{\sigma_n(x)\}$ 在 $[-\pi,\pi]$ 上一致收敛于 $f(x)$.

先证(ⅰ). 设 $\eta>0$. $f(x)$ 在 $(-\infty,+\infty)$ 上有界,故 $\exists M>0$,使得 $|f(x)|\leqslant M$.

由延拓函数在 $x=\pm\pi$ 处不一定连续,但在 $(-\pi,\pi)$ 上连续,故在 $\left[-\pi+\frac{\eta}{2},\pi-\frac{\eta}{2}\right]$ 上一致连续,则 $\forall\varepsilon>0$, $\exists\delta>0$, $\forall x',x''\in\left[-\pi+\frac{\eta}{2},\pi-\frac{\eta}{2}\right]$,当 $|x'-x''|\leqslant\delta$,则 $|f(x')-f(x'')|<\frac{\varepsilon}{2}$. 令 $\tau=\min\left\{\delta,\frac{\eta}{2}\right\}$. 根据 ③ 式,有

$$\begin{aligned}&\sigma_n(x)-f(x)\\&=\frac{1}{2n\pi}\int_0^{\tau}[f(x+t)-f(x)+f(x-t)-f(x)]\left(\frac{\sin\frac{nt}{2}}{\sin\frac{t}{2}}\right)^2\mathrm{d}t+\frac{1}{2n\pi}\int_{\tau}^{\pi}[f(x+t)+f(x-t)-2f(x)]\left(\frac{\sin\frac{nt}{2}}{\sin\frac{t}{2}}\right)^2\mathrm{d}t\\&=I_1+I_2.\end{aligned} \quad ④$$

当 $0\leqslant t\leqslant\tau$, $-\pi+\eta\leqslant x\leqslant\pi-\eta$ 时,有 $x+t\in\left[-\pi+\frac{\eta}{2},\pi-\frac{\eta}{2}\right]$, $x-t\in\left[-\pi+\frac{\eta}{2},\pi-\frac{\eta}{2}\right]$,从而

$$|f(x+t)-f(x)|<\frac{\varepsilon}{2},\ |f(x-t)-f(x)|<\frac{\varepsilon}{2}.$$

因此由 ② 式,当 $-\pi+\eta\leqslant x\leqslant\pi-\eta$ 时,有

$$\begin{aligned}|I_1|&\leqslant\frac{1}{2n\pi}\int_0^{\tau}[|f(x+t)-f(x)|+|f(x-t)-f(x)|]\left(\frac{\sin\frac{nt}{2}}{\sin\frac{t}{2}}\right)^2\mathrm{d}t\\&<\frac{\varepsilon}{2}\cdot\frac{1}{n\pi}\int_0^{\tau}\left(\frac{\sin\frac{nt}{2}}{\sin\frac{t}{2}}\right)^2\mathrm{d}t<\frac{\varepsilon}{2}.\end{aligned} \quad ⑤$$

另一方面,当 $\tau\leqslant x\leqslant\pi$ 时, $\left(\frac{\sin\frac{n}{2}t}{\sin\frac{t}{2}}\right)^2\leqslant\frac{1}{\sin^2\frac{\tau}{2}}$. $\forall x\in\mathbf{R}$,

$$|I_2|\leqslant\frac{1}{2n\pi}\cdot\frac{1}{\sin^2\frac{\tau}{2}}\int_{\tau}^{\pi}4M\mathrm{d}t<\frac{2M}{n\sin^2\frac{\tau}{2}}. \quad ⑥$$

由 ④⑤⑥ 诸式可知:当 $-\pi+\eta\leqslant x\leqslant\pi-\eta$ 时,有

$$|\sigma_u(x)-f(x)|<\frac{\varepsilon}{2}+\frac{2M}{n\sin^2\frac{\tau}{2}}(n\in\mathbf{N}_+).$$

令 $N=\left[\frac{4M}{\varepsilon\sin^2\frac{\tau}{2}}\right]+1$,当 $n>N$ 时, $\forall x\in[-\pi+\eta,\pi-\eta]$,恒有

$$|\sigma_n(x)-f(x)|<\frac{\varepsilon}{2}+\frac{\varepsilon}{2}=\varepsilon.$$

由此可知，$\{\sigma_n(x)\}$ 在 $[-\pi+\eta,\pi-\eta]$ 上一致收敛于 $f(x)$.

再证(ⅱ)，设连续函数 $f(x)$ 满足 $f(-\pi)=f(\pi)$，则延拓后函数 $f(x)$ 在 $\mathbf{R}$ 上连续，故在 $[-2\pi,2\pi]$ 上一致连续. $\forall\varepsilon>0,\exists\tau>0,\forall x',x''\in[-2\pi,2\pi]$，当 $|x'-x''|\leqslant\tau$ 时，

$$|f(x')-f(x'')|<\frac{\varepsilon}{2}.$$

以下的证明和(ⅰ)对应部分类似. 首先，对刚才确定的 τ，写出 ④ 式.

当 $0\leqslant t\leqslant\tau,-\pi\leqslant x\leqslant\pi$ 时，有 $x+t\in[-2\pi,2\pi],x-t\in[-2\pi,2\pi]$，故

$$|f(x+t)-f(x)|<\frac{\varepsilon}{2},\ |f(x-t)-f(x)|<\frac{\varepsilon}{2}.$$

从而，当 $-\pi\leqslant x\leqslant\pi$ 时，⑤ 式成立. 同理 ⑥ 式成立. 当 $n>N$ 时，$\forall x\in[-\pi,\pi]$，恒有

$$|\sigma_n(x)-f(x)|<\varepsilon,$$

故 $\{\sigma_n(x)\}$ 在 $[-\pi,\pi]$ 上一致收敛于 $f(x)$.

最后，举例说明，若 $f(-\pi)\neq f(\pi)$，则不能推出 $\{\sigma_n(x)\}$ 在 $(-\pi,\pi)$ 内一致收敛于 $f(x)$. 例如，设

$$f(x)=x(-\pi\leqslant x\leqslant\pi),$$

则 $\{\sigma_n(x)\}$ 在 $(-\pi,\pi)$ 内不一致收敛于 $f(x)$. 反证法，设 $\{\sigma_n(x)\}$ 在 $(-\pi,\pi)$ 内一致收敛于 $f(x)$，由傅里叶级数的收敛性定理(即狄利克雷定理)，

$$\lim_{n\to\infty}S_n(x)=S(x)(-\pi\leqslant x\leqslant\pi), \tag{7}$$

这里

$$S(x)=\begin{cases}x, & -\pi<x<\pi,\\ \dfrac{f(-\pi+0)+f(\pi-0)}{2}, & x=\pm\pi.\end{cases}$$

故 $S(x)$ 在 $x=\pm\pi$ 处不连续，但另一方面，根据 ⑦ 式，利用 73 题的结果知，

$$\lim_{n\to\infty}\sigma_n(x)=S(x)(-\pi\leqslant x\leqslant\pi), \tag{8}$$

且 $\{\sigma_n(x)\}$ 在 $(-\pi,\pi)$ 内一致收敛于 $S(x)$，故 $\{\sigma_n(x)\}$ 在 $[-\pi,\pi]$ 上一致收敛于 $S(x)$. 由 $\sigma_n(x)$ 连续，则 $S(x)$ 连续，与 $S(x)$ 在 $x=\pm\pi$ 处不连续矛盾. 故 $\{\sigma_n(x)\}$ 在 $(-\pi,\pi)$ 内不一致收敛于 $f(x)$.

【3135】 设 $f(x)=|x|(-\pi\leqslant x\leqslant\pi)$，求费耶尔多项式 $\sigma_{2n-1}(x)$.

解 由 $f(x)=f(-x)$，故

$$b_n=0(n=1,2,\cdots),a_0=\frac{2}{\pi}\int_0^{\pi}x\mathrm{d}x=\pi,$$

$$a_n=\frac{2}{\pi}\int_0^{\pi}x\cos nx\mathrm{d}x=\frac{2}{n^2\pi}[(-1)^n-1](n=1,2,\cdots).$$

由 $a_{2k}=0,a_{2k-1}=-\dfrac{4}{(2k-1)^2\pi}(k=1,2,\cdots)$，则

$$\begin{aligned}\sigma_{2n-1}&=\frac{\pi}{2}+\sum_{i=1}^{2n-2}\left(1-\frac{i}{2n-1}\right)a_i\cos ix\\&=\frac{\pi}{2}+\sum_{k=1}^{n-1}\left(1-\frac{2k-1}{2n-1}\right)\left[-\frac{4}{(2k-1)^2\pi}\right]\cos(2k-1)x\\&=\frac{\pi}{2}-\frac{8}{\pi}\sum_{k=1}^{n-1}\frac{n-k}{2n-1}\frac{\cos(2k-1)x}{(2k-1)^2}.\end{aligned}$$

过关检测

过关检测题

1.(2024 合肥工业大学)判断数项级数$\sum\limits_{n=1}^{\infty}(-1)^n\ln\left(1+\dfrac{1}{n}\right)$是否收敛,如果收敛,判断是条件收敛还是绝对收敛.

2.(2024 北京师范大学)判断级数$\sum\limits_{n=2}^{\infty}\ln\left[1+\dfrac{(-1)^n}{n^p}\right]$的敛散性,$p>0$.

3.(2024 南京师范大学)讨论级数$\sum\limits_{n=1}^{\infty}\dfrac{(-\alpha)^n n!}{n^n}$,$\alpha>0$的敛散性;若收敛说明是条件收敛还是绝对收敛.

4.(2024 华中师范大学) 设级数$\sum\limits_{n=1}^{\infty}a_n$ 收敛,且$\sum\limits_{n=1}^{\infty}(b_{n+1}-b_n)$ 绝对收敛.

(1) 叙述阿贝尔变换,并求$\sum\limits_{n=1}^{\infty}a_nb_n$ 的部分和.

(2) 证明:数列$\{b_n\}$ 收敛.

(3) 证明:$\sum\limits_{n=1}^{\infty}a_nb_n$ 收敛.

5.(2024 华东师范大学) 讨论$\sum\limits_{n=1}^{\infty}\dfrac{(-1)^{n-1}}{[n+(-1)^{n-1}]^p}(p>0)$ 的敛散性.(收敛时需指明是绝对收敛还是条件收敛)

6.(2024 东北师范大学) 设$\{a_n\}$ 是正的单调递增序列,证明:

(1) 当数列$\{a_n\}$ 有界时,级数$\sum\limits_{n=1}^{\infty}\left(1-\dfrac{a_n}{a_{n+1}}\right)$收敛;

(2) 当数列$\{a_n\}$ 无界时,级数$\sum\limits_{n=1}^{\infty}\left(1-\dfrac{a_n}{a_{n+1}}\right)$发散.

7.(2024 陕西师范大学)求幂级数$\sum_{n=1}^{\infty}\frac{\ln(n+1)}{n}x^n$的收敛域.

8.(2024 复旦大学)函数项级数$\sum_{n=1}^{\infty}\frac{(-1)^n}{n^n\sqrt{n}}\left(\frac{x}{2x+1}\right)^n$的收敛域为__________.

9.(2024 合肥工业大学)求幂级数$\sum_{n=0}^{\infty}(n+2)(n+1)x^n$的收敛域及和函数.

10.(2024 首都师范大学) 设函数项级数$\sum_{n=2}^{\infty}\frac{xe^{-nx}}{\ln n}$.

(1) 求函数项级数的收敛区间.

(2) 设 $a>0$,证明:函数项级数在$[a,+\infty)$上一致收敛.

11.(2024 山东大学) 讨论函数项级数$\sum_{n=1}^{\infty}\frac{x+(-1)^n\cdot n}{x^2+n^2}$的条件收敛域、绝对收敛域、一致收敛域.

12.(2024 华中师范大学) 设$\{x_n\}$为$(0,1)$上各项互异的数列,试讨论函数项级数$\sum_{n=1}^{\infty}\frac{\mathrm{sgn}(x-x_n)}{2^n}$在$(0,1)$上的一致收敛性及极限函数的连续性.

13.(2024 复旦大学) 讨论函数项级数 $f(x)=\sum_{n=1}^{\infty}x^{a}\mathrm{e}^{-\sqrt{n}x}$ 关于 x 在$[0,+\infty)$ 上的连续性.

14.(2024 南开大学) 求函数项级数$\sum_{n=1}^{\infty}n(n+1)\left(\frac{x-1}{x}\right)^{n}$ 的收敛域及和函数.

15.(2024 华南师范大学) 证明:函数项级数$\sum_{n=1}^{\infty}\frac{nx}{1+n^{5}x^{2}}$ 在$[0,+\infty)$ 上一致收敛.

16.（2024 南开大学）设$\sum_{n=1}^{\infty}a_n$是一个收敛的正项级数，令$f(x)=\sum_{n=1}^{\infty}a_n|\sin nx|$，已知$f(x)$在$(-\infty,+\infty)$上满足利普希茨条件，即存在常数$L>0$，使得对$\forall x,y\in(-\infty,+\infty)$，均有$|f(x)-f(y)|\leqslant L|x-y|$. 证明：级数$\sum_{n=1}^{\infty}na_n$收敛.

17.（2024 中国人民大学）证明：$\sum_{n=1}^{\infty}\frac{x^n}{1-x^{2n}}(1-x)\sin nx$在$\left(\frac{1}{2},1\right)$上一致收敛.

18.（2024 华中师范大学）将函数$f(x)=\sin x(x\in[0,\pi])$展开成余弦级数.

19.(2024 中国人民大学)设 $n\in\mathbf{N}_+$,$T_n(x)=\dfrac{\alpha_0}{2}+\sum\limits_{k=1}^{n}(\alpha_k\cos kx+\beta_k\sin kx)$,证明:

$$\max_{-\pi\leqslant x\leqslant\pi}|T'_n(x)|\leqslant n^2\max_{-\pi\leqslant x\leqslant\pi}|T_n(x)|.$$

20.(2024 中国科学技术大学)证明:设 $f(x)\in\mathbf{R}[-\pi,\pi]$,且是以 2π 为周期的函数,其傅里叶级数 $f(x)\sim\dfrac{a_0}{2}+\sum\limits_{n=1}^{\infty}(a_n\cos nx+b_n\sin nx)$ 对 $\forall[a,b]\in[-\pi,\pi]$,有

$$\int_a^b f(x)\mathrm{d}x=\int_a^b\frac{a_0}{2}\mathrm{d}x+\sum_{n=1}^{\infty}\int_a^b(a_n\cos nx+b_n\sin nx)\mathrm{d}x.$$

21.(2024 湘潭大学)将 $f(x)=x^2$ 在$[0,2\pi]$上进行傅里叶展开.

22.（2024 厦门大学）(1) 展开 $f(x)=\begin{cases}-\dfrac{\pi}{4}, & x\in[-\pi,0),\\ \dfrac{\pi}{4}, & x\in[0,\pi)\end{cases}$ 为傅立叶级数.

(2) 求 $\sum\limits_{n=1}^{\infty}\dfrac{1}{(2n-1)^2}$.

23.（2024 华东师范大学）设 $f(x)$ 是 $\mathbf{R}$ 上以 2π 为周期的连续函数，以 a_n,b_n 为其傅里叶级数的系数，求 $F(x)=\dfrac{1}{\pi}\int_{-\pi}^{\pi}f(t)f(x+t)\mathrm{d}t$ 的傅里叶系数(用 a_n,b_n 表示).

答案解析

1.**解** 收敛,条件收敛.因为

$$\lim_{n\to\infty}\frac{\ln\frac{n+1}{n}}{\frac{1}{n}}=\lim_{n\to\infty}\frac{\ln\left(1+\frac{1}{n}\right)}{\frac{1}{n}}=1,$$

而$\sum\limits_{n=1}^{\infty}\frac{1}{n}$发散,可知$\sum\limits_{n=1}^{\infty}\left|(-1)^n\ln\frac{n+1}{n}\right|$发散.而原级数为交错级数,且

$$u_n=\ln\left(1+\frac{1}{n}\right)>\ln\left(1+\frac{1}{n+1}\right)=u_{n+1},\lim_{n\to\infty}u_n=0.$$

根据莱布尼茨判别法知原级数收敛,且为条件收敛.

2.**解** $\ln\left(1+\frac{(-1)^n}{n^p}\right)=\frac{(-1)^n}{n^p}-\left(\frac{1}{2n^{2p}}+o\left(\frac{1}{n^{2p}}\right)\right).$

令$u_n=\frac{(-1)^n}{n^p},v_n=\frac{1}{2n^{2p}}+o\left(\frac{1}{n^{2p}}\right)\sim\frac{1}{2n^{2p}},\sum\limits_{n=2}^{\infty}v_n$与$\sum\limits_{n=2}^{\infty}\frac{1}{n^{2p}}$同敛散.

$$\sum_{n=2}^{\infty}\ln\left(1+\frac{(-1)^n}{n^p}\right)=\sum_{n=2}^{\infty}u_n-\sum_{n=2}^{\infty}v_n.$$

(1) 当$p>1$时,$\sum\limits_{n=2}^{\infty}u_n$和$\sum\limits_{n=2}^{\infty}v_n$都绝对收敛,则原级数绝对收敛.

(2) 当$\frac{1}{2}<p\leqslant 1$时,$\sum\limits_{n=2}^{\infty}u_n$条件收敛,$\sum\limits_{n=2}^{\infty}v_n$绝对收敛,则原级数条件收敛.

(3) 当$0<p\leqslant\frac{1}{2}$时,$\sum\limits_{n=2}^{\infty}u_n$收敛,而$\sum\limits_{n=2}^{\infty}v_n$发散,则原级数发散.

3.**解** 因为$\sum\limits_{n=1}^{\infty}\frac{(-\alpha)^n n!}{n^n}=\sum\limits_{n=1}^{\infty}(-1)^n\frac{\alpha^n n!}{n^n}$且$\sum\limits_{n=1}^{\infty}\left|(-1)^n\frac{\alpha^n n!}{n^n}\right|=\sum\limits_{n=1}^{\infty}\frac{\alpha^n n!}{n^n}$.令$a_n=\frac{\alpha^n n!}{n^n}$,利用重要极限,继续计算级数的收敛半径,

$$\lim_{n\to\infty}\left|\frac{a_{n+1}}{a_n}\right|=\lim_{n\to\infty}\frac{\frac{\alpha^{n+1}\cdot(n+1)!}{(n+1)^{n+1}}}{\frac{\alpha^n n!}{n^n}}=\alpha\lim_{n\to\infty}\frac{n^n}{(n+1)^n}=\alpha\lim_{n\to\infty}\left(\frac{n}{n+1}\right)^n$$

$$=\alpha\lim_{n\to\infty}\left(1-\frac{1}{n+1}\right)^n=\frac{\alpha}{\mathrm{e}}.$$

(ⅰ) 当$\alpha<\mathrm{e}$时,$\sum\limits_{n=1}^{\infty}\frac{\alpha^n n!}{n^n}$收敛,所以$\sum\limits_{n=1}^{\infty}(-1)^n\frac{\alpha^n n!}{n^n}$收敛.

(ⅱ) 当$\alpha\geqslant\mathrm{e}$时,$\frac{\alpha^n n!}{n^n}\geqslant\frac{\mathrm{e}^n n!}{n^n}$,由$\left(1+\frac{1}{n}\right)^n<\mathrm{e}$可知,

$$\frac{2}{1}<\mathrm{e},\frac{3^2}{2^2}<\mathrm{e},\cdots,\frac{(n+1)^n}{n^n}<\mathrm{e}.$$

将以上各式两边不等号同向相乘,可得

$$\frac{2}{1}\cdot\frac{3^2}{2^2}\cdots\cdot\frac{(n+1)^n}{n^n}=\frac{(n+1)^n}{n!}<\mathrm{e}^n,$$

即$\dfrac{n^n}{n!}<\mathrm{e}^n$,从而$\dfrac{\mathrm{e}^n\cdot n^n}{n!}>1$,可知$\lim\limits_{n\to\infty}\dfrac{\mathrm{e}^n\cdot n^n}{n!}\neq 0$.

故$\lim\limits_{n\to\infty}\dfrac{\alpha^n\cdot n^n}{n!}\neq 0$,所以$\lim\limits_{n\to\infty}\dfrac{(-\alpha)^n\cdot n^n}{n!}\neq 0$.所以,级数$\sum\limits_{n=1}^{\infty}\dfrac{(-\alpha)^n n!}{n^n}$发散.

4.**解** (1) 阿贝尔变换:设$\{a_n\}$,$\{b_n\}$为两个数列,且$A_n=\sum\limits_{k=1}^{n}a_k$,则有

$$\sum_{k=1}^{n}a_kb_k=A_nb_n+\sum_{k=1}^{n-1}A_k(b_k-b_{k+1}).$$

(2) 因为$\sum\limits_{n=1}^{\infty}(b_{n+1}-b_n)$绝对收敛,故$\sum\limits_{n=1}^{\infty}(b_{n+1}-b_n)$收敛.所以极限

$$\lim_{n\to\infty}\sum_{k=1}^{n}(b_{k+1}-b_k)=\lim_{n\to\infty}(b_{n+1}-b_1)\text{ 存在,进而}\lim_{n\to\infty}b_n\text{ 存在,即数列}\{b_n\}\text{ 收敛.}$$

(3) 对 $\forall\varepsilon>0$,因$\sum\limits_{n=1}^{\infty}a_n$收敛,$\sum\limits_{n=1}^{\infty}(b_{n+1}-b_n)$绝对收敛,则

$$\exists M_1>0,\sum_{k=n+1}^{n+p-1}|b_k-b_{k+1}|\leqslant M_1,$$

由(2)可知$\{b_n\}$收敛.$\exists M_2>0$,$|b_{n+p}|\leqslant M_2$,并由柯西收敛准则可知

$$|A_k|=\left|\sum_{i=n+1}^{n+k}a_i\right|\leqslant\frac{\varepsilon}{2M_1},\ |A_{n+p}|\leqslant\frac{\varepsilon}{2M_2}.$$

所以

$$\begin{aligned}\left|\sum_{k=n+1}^{n+p}a_kb_k\right|&=\left|\sum_{k=n+1}^{n+p-1}A_k(b_k-b_{k+1})+A_{n+p}b_{n+p}\right|\\&\leqslant\frac{\varepsilon}{2M_1}\sum_{k=n+1}^{n+p-1}|b_k-b_{k+1}|+\frac{\varepsilon}{2M_2}|b_{n+p}|\\&<\frac{\varepsilon}{2}+\frac{\varepsilon}{2}=\varepsilon.\end{aligned}$$

由柯西收敛准则即证$\sum\limits_{n=1}^{\infty}a_nb_n$收敛.

5.**解** 由泰勒公式可知:当$n\to\infty$时,有

$$\frac{(-1)^{n-1}}{[n+(-1)^{n-1}]^p}=\frac{(-1)^{n-1}}{n^p}\cdot\left(1+\frac{(-1)^{n-1}}{n}\right)^{-p}=\frac{(-1)^{n-1}}{n^p}-\frac{p}{n^{p+1}}+o\left(\frac{1}{n^{p+1}}\right).$$

由比较判别法不难得出:当$p>1$时,原级数绝对收敛;当$0<p\leqslant 1$时,原级数条件收敛.

6.**证** (1) 若$\{a_n\}$有界.则$\lim\limits_{n\to+\infty}a_n=a$存在.故

$$S_n=\sum_{k=1}^{n}\frac{a_{k+1}-a_k}{a_1}=\frac{a_{n+1}-a_1}{a_1}\to\frac{a-a_1}{a_1}.$$

因此,$\sum\limits_{k=1}^{n}\dfrac{a_{k+1}-a_k}{a_1}$收敛,而$0<1-\dfrac{a_n}{a_{n+1}}<\dfrac{a_{n+1}-a_n}{a_1}$.

故由正项级数比较判别法可知,级数$\sum\limits_{n=1}^{\infty}\left(1-\dfrac{a_n}{a_{n+1}}\right)$收敛.

(2) 若$\{a_n\}$无界时.则当$n\to\infty$时,$a_n\to+\infty$,由于

$$\sum_{k=n}^{n+p}\left(1-\frac{a_k}{a_{k+1}}\right)=\sum_{k=n}^{n+p}\left(\frac{a_{k+1}-a_k}{a_{k+1}}\right)>\sum_{k=n}^{n+p}\left(\frac{a_{k+1}-a_k}{a_{n+p+1}}\right)=\frac{a_{n+p+1}-a_n}{a_{n+p+1}}=1-\frac{a_n}{a_{n+p+1}}.$$

无论 n 多大，总能选到更大的 p，使得 $\frac{a_n}{a_{n+p+1}}<\frac{1}{2}$，于是

$$\sum_{k=n}^{n+p}\left(1-\frac{a_k}{a_{k+1}}\right)>1-\frac{a_n}{a_{n+p+1}}=\frac{1}{2}.$$

由柯西收敛准则的否定形式可知级数 $\sum_{n=1}^{\infty}\left(1-\frac{a_n}{a_{n+1}}\right)$ 发散.

7. **解** $\rho=\lim_{n\to\infty}\left|\frac{a_{n+1}}{a_n}\right|=\lim_{n\to\infty}\frac{n\ln(n+2)}{(n+1)\ln(n+1)}=1$，收敛半径为 $R=1$.

当 $x=1$ 时，得正项级数 $\sum_{n=1}^{\infty}\frac{\ln(n+1)}{n}$，由于 $\frac{\ln(n+1)}{n}>\frac{1}{n}(n\geqslant 2)$，而 $\sum_{n=1}^{\infty}\frac{1}{n}$ 发散，故 $\sum_{n=1}^{\infty}\frac{\ln(n+1)}{n}$ 发散.

当 $x=-1$ 时，得交错级数 $\sum_{n=1}^{\infty}(-1)^n\frac{\ln(n+1)}{n}$，由莱布尼茨判别法知，级数收敛.

所以原级数的收敛域为 $[-1,1)$.

8. **解** 令 $t=\frac{x}{2x+1}$，考虑辅助幂级数 $\sum_{n=1}^{\infty}\frac{(-1)^n}{n\sqrt[n]{n}}t^n$. 因 $\lim_{n\to\infty}\sqrt[n]{\frac{1}{n\sqrt[n]{n}}}=\lim_{n\to\infty}e^{-\left(\frac{1}{n}+\frac{1}{n^2}\right)\ln n}=1$，故辅助幂级数的收敛半径 $R=1$. 当 $t=1$ 时，辅助幂级数为 $\sum_{n=1}^{\infty}\frac{(-1)^n}{n\sqrt[n]{n}}$. 因 $\sum_{n=1}^{\infty}\frac{(-1)^n}{n}$ 收敛，且 $\frac{1}{\sqrt[n]{n}}$ 单调有界，所以辅助幂级数收敛；当 $t=-1$ 时，辅助幂级数为 $\sum_{n=1}^{\infty}\frac{1}{n\sqrt[n]{n}}$. 这是正项级数，因为 $\frac{1}{n\sqrt[n]{n}}\sim\frac{1}{n}(n\to\infty)$，所以辅助幂级数发散. 综上所述，辅助幂级数的收敛域为 $-1<t\leqslant 1$，因此原级数的收敛域为 $-1<\frac{x}{2x+1}\leqslant 1$. 解得 $x>-\frac{1}{3}$ 或 $x\leqslant -1$，即原级数的收敛域为 $\left\{x\mid x>-\frac{1}{3}，或\ x\leqslant -1\right\}$.

9. **解** 由 $\lim_{n\to\infty}\frac{(n+2)(n+3)}{(n+1)(n+2)}=1$ 可知其收敛半径为 1，又因为当 $x=1$ 或 $x=-1$ 时均发散，该幂级数的收敛域为 $(-1,1)$. 其和函数为

$$\sum_{n=0}^{\infty}(n+1)(n+2)x^n=\left(\sum_{n=0}^{\infty}(n+2)x^{n+1}\right)'=\left(\left(\sum_{n=0}^{\infty}x^{n+2}\right)'\right)'=\left(\left(\frac{x^2}{1-x}\right)'\right)'$$
$$=\frac{2}{(1-x)^3}.$$

10. **解** (1) 令 $a_n(x)=\frac{xe^{-nx}}{\ln n}$，则令

$$\rho=\lim_{n\to\infty}\left|\frac{a_{n+1}(x)}{a_n(x)}\right|=\lim_{n\to\infty}\left|\frac{\dfrac{xe^{-(n+1)x}}{\ln(n+1)}}{\dfrac{xe^{-nx}}{\ln n}}\right|=e^{-x}<1.$$

解得 $x>0$. 当 $x=0$ 时，有 $\sum_{n=2}^{\infty}\frac{xe^{-nx}}{\ln n}=0$，收敛. 所以 $\sum_{n=2}^{\infty}\frac{xe^{-nx}}{\ln n}$ 的收敛区间为 $[0,+\infty)$.

(2) 令 $a_n(x)=\dfrac{xe^{-nx}}{\ln n}$,令$a'_n(x)=\dfrac{e^{-nx}}{\ln n}(1-nx)=0$. 解得 $x=\dfrac{1}{n}$.

当 $0<x<\dfrac{1}{n}$ 时,$a_n(x)=\dfrac{xe^{-nx}}{\ln n}$ 单调递增. 当 $x>\dfrac{1}{n}$ 时,$a_n(x)=\dfrac{xe^{-nx}}{\ln n}$ 单调递减.

当 $n\to+\infty$ 时,$x=\dfrac{1}{n}<a$ 成立,则当 n 充分大时,成立

$$\max_{x\in[a,+\infty)}a_n(x)=\max_{x\in[a,+\infty)}\left\{\frac{xe^{-nx}}{\ln n}\right\}=\frac{a}{e^{an}\ln n}<\frac{a}{e^{an}}.$$

而$\sum\limits_{n=2}^{\infty}\dfrac{a}{e^{an}}$ 收敛,由 M 判别法可知当 $a>0$ 时,函数项级数在$[a,+\infty)$ 上一致收敛.

11. **解** 对 $\forall x\in(-\infty,+\infty)$,$\sum\limits_{n=1}^{\infty}\dfrac{x}{x^2+n^2}$ 显然收敛. $\sum\limits_{n=1}^{\infty}\dfrac{n\cdot(-1)^n}{x^2+n^2}$ 可按狄利克雷判别法知收敛,且

$$\left|\frac{x+n\cdot(-1)^n}{x^2+n^2}\right|>\frac{n-|x|}{x^2+n^2}(n>|x|).$$

$\sum\limits_{n=1}^{\infty}\dfrac{n-|x|}{x^2+n^2}$ 发散,则$\sum\limits_{n=1}^{\infty}\left|\dfrac{x+n\cdot(-1)^n}{x^2+n^2}\right|$ 也发散,故原级数在$(-\infty,+\infty)$ 上条件收敛.

再考察一致收敛性. 对$\sum\limits_{n=1}^{\infty}\dfrac{x}{x^2+n^2}$,因为

$$\sup_{x\in(-\infty,+\infty)}|S_{2n}(x)-S_n(x)|\geqslant|S_{2n}(n)-S_n(n)|\geqslant n\cdot\frac{n}{5n^2}=\frac{1}{5},$$

故$\sum\limits_{n=1}^{\infty}\dfrac{x}{x^2+n^2}$ 在$(-\infty,+\infty)$ 内非一致收敛.

利用一致收敛的狄利克雷判别法可知$\sum\limits_{n=1}^{\infty}\dfrac{n\cdot(-1)^n}{x^2+n^2}$ 在$(-\infty,+\infty)$ 内一致收敛,故原级数在$(-\infty,+\infty)$ 内非一致收敛.

在$[-A,A]$ 上$\sum\limits_{n=1}^{\infty}\dfrac{x}{x^2+n^2}$ 显然一致收敛,故对 $\forall A>0$,原级数在$[-A,A]$ 上必一致收敛.

12. **解** (1) 记 $S(x)=\sum\limits_{n=1}^{\infty}\dfrac{\operatorname{sgn}(x-x_n)}{2^n}$,由于$\left|\dfrac{\operatorname{sgn}(x-x_n)}{2^n}\right|\leqslant\dfrac{1}{2^n}$ 且$\sum\limits_{n=1}^{\infty}\dfrac{1}{2^n}$ 收敛. 由 M 判别法可知,$\sum\limits_{n=1}^{\infty}\dfrac{\operatorname{sgn}(x-x_n)}{2^n}$ 在$(0,1)$ 内一致收敛.

(2)(ⅰ) 当 $x_0\neq x_i(i=1,2,\cdots)$ 时,$\dfrac{\operatorname{sgn}(x-x_n)}{2^n}$ 在 x_0 处连续. 所以根据连续性定理可知 $S(x)$ 在 x_0 处连续.

(ⅱ) 对 $\forall x_k(k=1,2,\cdots)$,由于 $S(x)=\sum\limits_{n\neq k}^{\infty}\dfrac{\operatorname{sgn}(x-x_n)}{2^n}+\dfrac{\operatorname{sgn}(x-x_k)}{2^k}$. 由 M 判别法可知$\sum\limits_{n\neq k}^{\infty}\dfrac{\operatorname{sgn}(x-x_n)}{2^n}$ 在 $x=x_k$ 处连续. 但是$\dfrac{\operatorname{sgn}(x-x_k)}{2^k}$ 在 $x=x_k$ 处不连续,所以 $S(x)$ 在 x_k 处不连续.

13. **解** 显然,当 $x_0>0$,$\sum\limits_{n=1}^{\infty}x^{\alpha}e^{-\sqrt{n}x}$ 在 x_0 附近一致收敛,因此连续,问题的关键是 $x\to0^+$.

一方面有

$$\sum_{n=1}^{\infty}e^{-\sqrt{n}x}\leqslant\sum_{n=1}^{\infty}\int_{n-1}^{n}e^{-\sqrt{y}x}\,dy=\int_{0}^{+\infty}e^{-\sqrt{y}x}\,dy=\frac{2}{x^2}.$$

另一方面有

$$\sum_{n=1}^{\infty}e^{-\sqrt{n}x}\geqslant\sum_{n=1}^{\infty}\int_{n}^{n+1}e^{-\sqrt{y}x}\,dy=\int_{1}^{\infty}e^{-\sqrt{y}x}\,dy=\frac{2e^{-x}(x+1)}{x^2}.$$

又 $\lim\limits_{x\to0^+}x^2\sum\limits_{n=1}^{\infty}e^{-\sqrt{n}x}=2$，故 $a>2$ 时函数在$[0,+\infty)$ 连续，$a\leqslant2$ 时函数在 $x=0$ 不连续但是在 $x>0$ 连续.

14. **解** 易知幂级数 $f(x)=\sum\limits_{n=1}^{\infty}n(n+1)x^n$ 的收敛域为$(-1,1)$，

$$-1<\frac{x-1}{x}<1\Rightarrow x>\frac{1}{2}\cdot\int_0^x f(t)\,dt=\sum_{n=1}^{\infty}nx^{n+1}=x^2\Big(\sum_{n=1}^{\infty}x^n\Big)'=\frac{x^2}{(1-x)^2},$$

所以 $f(x)=\dfrac{2x}{(1-x)^3}$，从而

$$\sum_{n=1}^{\infty}n(n+1)\left(\frac{x-1}{x}\right)^n=\frac{2\,\dfrac{x-1}{x}}{\left(1-\dfrac{x-1}{x}\right)^3}=2x^2(x-1),x>\frac{1}{2}.$$

15. **证** 由基本不等式，对任意的 $x>0$ 且 $1+n^5x^2\geqslant2\sqrt{n^5x^2}$，有

$$\frac{nx}{1+n^5x^2}\leqslant\frac{nx}{2\sqrt{n^5x^2}}=\frac{1}{2n^{\frac{3}{2}}}.$$

这表明$\max\limits_{x>0}\left\{\dfrac{nx}{1+n^5x^2}\right\}=\dfrac{1}{2n^{\frac{3}{2}}}$，且$\sum\limits_{n=1}^{\infty}\dfrac{1}{2n^{\frac{3}{2}}}$ 收敛. 所以$\sum\limits_{n=1}^{\infty}\dfrac{nx}{1+n^5x^2}$ 在$[0,+\infty)$ 一致收敛.

16. **证** 由于$\sum\limits_{n=1}^{\infty}a_n$ 是一个收敛的正项级数，且 $a_n\,|\sin nx|\leqslant a_n$，故$\sum\limits_{n=1}^{\infty}a_n\,|\sin nx|$ 关于 $x\in(-\infty,+\infty)$ 一致收敛.

又 $\forall n\geqslant1,a_n\,|\sin nx|$ 在$(-\infty,+\infty)$ 上连续，故 $f(x)$ 在$(-\infty,+\infty)$ 上连续，则 $f(0)=\sum\limits_{n=1}^{\infty}a_n\,|\sin(n\cdot0)|=0$. 由题意，令 $y=0$，则 $\forall x\neq0,\dfrac{|f(x)|}{|x|}\leqslant L$.

于是对 $\forall x\neq0,\forall n\geqslant1$，

$$\begin{aligned}\sum_{k=1}^{n}ka_k\frac{|\sin kx|}{|kx|}&=\frac{\sum\limits_{k=1}^{n}a_k\,|\sin kx|}{|x|}\\&\leqslant\frac{\sum\limits_{n=1}^{\infty}a_n\,|\sin nx|}{|x|}=\frac{|f(x)|}{|x|}\leqslant L.\end{aligned}$$

上式左右同时令 $x\to0$，得$\sum\limits_{k=1}^{n}ka_k\leqslant L$，即正项级数$\sum\limits_{n=1}^{\infty}na_n$ 的前 n 项和有界，从而$\sum\limits_{n=1}^{\infty}na_n$ 收敛.

17. **证** $\forall n\in\mathbf{N}_+,\forall x\in\left(\dfrac{1}{2},1\right)$，有

$$\sum_{k=1}^{n}\sin kx=\frac{1}{2\sin\frac{x}{2}}\sum_{k=1}^{n}2\sin\frac{x}{2}\sin kx=\frac{1}{2\sin\frac{x}{2}}\sum_{k=1}^{n}\left[\cos\left(k-\frac{1}{2}\right)x-\cos\left(k+\frac{1}{2}\right)x\right]$$

$$=\frac{\cos\frac{x}{2}-\cos\left(n+\frac{1}{2}\right)x}{2\sin\frac{x}{2}},$$

$$\left|\sum_{k=1}^{n}\sin kx\right|\leqslant\frac{\left|\cos\frac{x}{2}\right|+\left|\cos\left(n+\frac{1}{2}\right)x\right|}{2\sin\frac{1}{4}}\leqslant\frac{2}{2\sin\frac{1}{4}}=\frac{1}{\sin\frac{1}{4}},$$

$$0\leqslant\frac{x^n}{1-x^{2n}}(1-x)=\frac{x^n}{1+x+\cdots+x^{2n-1}}=\frac{x^n}{2n}\cdot\frac{1}{\frac{1+x+\cdots+x^{2n-1}}{2n}}$$

$$\leqslant\frac{x^n}{2n}\cdot\frac{1}{\sqrt[2n]{x^{0+1+\cdots+(2n-1)}}}=\frac{\sqrt{x}}{2n}\leqslant\frac{1}{2n}\to 0,$$

$$\frac{x^n}{1-x^{2n}}(1-x)\rightrightarrows 0(n\to\infty).$$

$\forall x\in\left(\frac{1}{2},1\right)$，有$\left\{\frac{x^n}{1-x^{2n}}(1-x)\right\}$严格单调递减，由狄利克雷判别法，知

$\sum_{n=1}^{\infty}\frac{x^n}{1-x^{2n}}(1-x)\sin nx$ 在$\left(\frac{1}{2},1\right)$上一致收敛，证毕.

18. **解**　进行偶延拓：一个周期内分段函数为 $F(x)=\begin{cases}\sin x, & x\in(0,\pi],\\ -\sin x, x\in[-\pi,0].\end{cases}$ 然后将此函数延拓为以 2π 为周期的函数. 计算傅里叶系数，由于 $F(x)$ 为偶函数，则 $b_n=0, n=0,1,2,\cdots$.

$$a_n=\frac{2}{\pi}\int_0^{\pi}f(x)\cos(nx)\mathrm{d}x=\frac{2}{\pi}\int_0^{\pi}\sin x\cos(nx)\mathrm{d}x$$

$$=\frac{2}{\pi}\int_0^{\pi}\frac{1}{2}[\sin(n+1)x-\sin(n-1)x]\mathrm{d}x$$

$$=\frac{1}{\pi}\int_0^{\pi}\sin(n+1)x\mathrm{d}x-\frac{1}{\pi}\int_0^{\pi}\sin(n-1)x\mathrm{d}x$$

$$=\frac{1}{\pi}\left(-\frac{\cos(n+1)x}{n+1}\Big|_0^{\pi}\right)-\frac{1}{\pi}\left(-\frac{\cos(n-1)x}{n-1}\Big|_0^{\pi}\right)$$

$$=\frac{1}{\pi}\left(\frac{1-\cos(n-1)\pi}{1-n}+\frac{1-\cos(n+1)\pi}{n+1}\right).$$

注意到，当 $n=2k$ 时，有

$$a_{2k}=\frac{1}{\pi}\left(\frac{1-\cos(2k-1)\pi}{1-2k}+\frac{1-\cos(2k+1)\pi}{2k+1}\right)$$

$$=\frac{2}{\pi}\left(\frac{1}{1-2k}+\frac{1}{1+2k}\right)=\frac{4}{\pi}\cdot\frac{1}{1-4k^2}.$$

当 $n=2k-1$ 时，有 $a_{2k-1}=\frac{1}{\pi}\left(\frac{1-\cos(2k-2)\pi}{2-2k}+\frac{1-\cos(2k)\pi}{2k}\right)=0$. 故余弦级数为

$$f(x)=\sin x\sim\frac{a_0}{2}+\sum_{n=0}^{\infty}a_n\cos(nx)$$

$$=\frac{a_0}{2}+\sum_{k=0}^{\infty}a_{2k}\cos(2kx)+\sum_{k=0}^{\infty}a_{2k-1}\cos((2k-1)x)$$

$$=\frac{2}{\pi}+\frac{4}{\pi}\sum_{k=0}^{\infty}\frac{1}{1-4k^2}\cos 2kx, x\in[0,\pi].$$

19. **证** 记 $\max\limits_{-\pi\leqslant x\leqslant\pi}|T_n(x)|=M$. $\alpha_1=\beta_1=0$ 时，有 $T_1(x)\equiv\frac{\alpha_0}{2}$，从而 $T'_1(x)\equiv 0$，故

$$\max_{-\pi\leqslant x\leqslant\pi}|T'_1(x)|=0\leqslant\frac{|\alpha_0|}{2}=M.$$

α_1,β_1 不全为零时，有 $T_1(x)=\frac{\alpha_0}{2}+(\alpha_1^2+\beta_1^2)^{\frac{1}{2}}\sin(x+\theta_1)$，这里 $\theta_1=\arccos\frac{\beta_1}{(\alpha_1^2+\beta_1^2)^{\frac{1}{2}}}$.

$$T'_1(x)=(\alpha_1^2+\beta_1^2)^{\frac{1}{2}}\cos(x+\theta_1),$$

$$\max_{-\pi\leqslant x\leqslant\pi}|T'_1(x)|=(\alpha_1^2+\beta_1^2)^{\frac{1}{2}}\leqslant\frac{|\alpha_0|}{2}+(\alpha_1^2+\beta_1^2)^{\frac{1}{2}}=M.$$

$n\geqslant 2$ 时，有

$$a_0=\frac{1}{\pi}\int_{-\pi}^{\pi}T_n(x)\mathrm{d}x=\frac{1}{\pi}\int_{-\pi}^{\pi}\left[\frac{\alpha_0}{2}+\sum_{k=1}^{n}(\alpha_k\cos kx+\beta_k\sin kx)\right]\mathrm{d}x=\alpha_0,$$

$$a_m=\frac{1}{\pi}\int_{-\pi}^{\pi}T_n(x)\cos mx\,\mathrm{d}x$$

$$=\frac{1}{\pi}\int_{-\pi}^{\pi}\left[\frac{\alpha_0}{2}\cos mx+\sum_{k=1}^{n}(\alpha_k\cos kx\cos mx+\beta_k\sin kx\cos mx)\right]\mathrm{d}x$$

$$=\begin{cases}\frac{1}{\pi}\int_{-\pi}^{\pi}\alpha_m\cos^2 mx\,\mathrm{d}x=\alpha_m, & 1\leqslant m\leqslant n,\\ 0, & m\geqslant n+1\end{cases}$$

$$b_m=\frac{1}{\pi}\int_{-\pi}^{\pi}T_n(x)\sin mx\,\mathrm{d}x$$

$$=\frac{1}{\pi}\int_{-\pi}^{\pi}\left[\frac{\alpha_0}{2}\sin mx+\sum_{k=1}^{n}(\alpha_k\cos kx\sin mx+\beta_k\sin kx\sin mx)\right]\mathrm{d}x$$

$$=\begin{cases}\frac{1}{\pi}\int_{-\pi}^{\pi}\beta_m\sin^2 mx\,\mathrm{d}x=\beta_m, & 1\leqslant m\leqslant n,\\ 0, & m\geqslant n+1.\end{cases}$$

$$\frac{\alpha_0^2}{2}+\sum_{k=1}^{n}(\alpha_k^2+\beta_k^2)=\frac{a_0^2}{2}+\sum_{k=1}^{\infty}(a_k^2+b_k^2)\leqslant\frac{1}{\pi}\int_{-\pi}^{\pi}T_n^2(x)\mathrm{d}x.$$

从而

$$|T'_n(x)|=\left|\sum_{k=1}^{n}k(-\alpha_k\sin kx+\beta_k\cos kx)\right|\leqslant\sum_{k=1}^{n}k\,|-\alpha_k\sin kx+\beta_k\cos kx|$$

$$\leqslant\sum_{k=1}^{n}k(\alpha_k^2+\beta_k^2)^{\frac{1}{2}}(\sin^2 kx+\cos^2 kx)^{\frac{1}{2}}$$

$$=\sum_{k=1}^{n}k(\alpha_k^2+\beta_k^2)^{\frac{1}{2}}\leqslant n\sum_{k=1}^{n}(\alpha_k^2+\beta_k^2)^{\frac{1}{2}}\leqslant n\left(\sum_{k=1}^{n}1^2\right)^{\frac{1}{2}}\left[\sum_{k=1}^{n}(\alpha_k^2+\beta_k^2)\right]^{\frac{1}{2}}$$

$$=n\sqrt{n}\left[\sum_{k=1}^{n}(\alpha_k^2+\beta_k^2)\right]^{\frac{1}{2}}\leqslant n\sqrt{n}\left[\frac{\alpha_0^2}{2}+\sum_{k=1}^{n}(\alpha_k^2+\beta_k^2)\right]^{\frac{1}{2}}$$

$$\leqslant n\sqrt{n}\left(\frac{1}{\pi}\int_{-\pi}^{\pi}T_n^2(x)\mathrm{d}x\right)^{\frac{1}{2}}\leqslant Mn\sqrt{2n}\leqslant Mn^2.$$

故 $\max\limits_{-\pi\leqslant x\leqslant\pi}|T'_n(x)|\leqslant Mn^2$，证毕.

20. **证** 任取周期为 2π 的可积函数 $g(x)$，设其傅里叶系数为 α_n,β_n. 根据推广的帕塞瓦尔等式，得

$$\frac{1}{\pi}\int_{-\pi}^{\pi}f(x)g(x)\mathrm{d}x=\frac{a_0\alpha_0}{2}+\sum_{n=1}^{\infty}(a_n\alpha_n+b_n\beta_n)$$

$$=\frac{a_0}{2}\frac{1}{\pi}\int_{-\pi}^{\pi}g(x)\mathrm{d}x+\sum_{n=1}^{\infty}\left(a_n\frac{1}{\pi}\int_{-\pi}^{\pi}g(x)\cos nx\mathrm{d}x+b_n\frac{1}{\pi}\int_{-\pi}^{\pi}g(x)\sin nx\mathrm{d}x\right).$$

所以

$$\int_{-\pi}^{\pi}f(x)g(x)\mathrm{d}x=\int_{-\pi}^{\pi}\frac{a_0}{2}g(x)\mathrm{d}x+\sum_{n=1}^{\infty}\int_{-\pi}^{\pi}g(x)(a_n\cos nx+b_n\sin nx)\mathrm{d}x.$$

特别地，取 $g(x)=\begin{cases}1, & x\in[a,b],\\ 0, & x\in[-\pi,\pi]\backslash[a,b],\end{cases}$ 则

$$\int_a^b f(x)\mathrm{d}x=\int_a^b\frac{a_0}{2}\mathrm{d}x+\sum_{n=1}^{\infty}\int_a^b(a_n\cos nx+b_n\sin nx)\mathrm{d}x.$$

21. **解** 为保证端点处也展开为傅里叶级数，将 $f(x)$ 拓展为周期为 4π 的偶函数，则

$$b_n=0,a_0=\frac{1}{\pi}\int_0^{2\pi}x^2\mathrm{d}x=\frac{8\pi^2}{3},a_n=\frac{1}{\pi}\int_0^{2\pi}x^2\cos\frac{nx}{2}\mathrm{d}x=\frac{16(-1)^n}{n^2},n=1,2,\cdots.$$

由于 $f(x)$ 在$[0,2\pi]$ 连续，故由狄利克雷收敛定理知，

$$f(x)=x^2=\frac{4\pi^2}{3}+\sum_{n=1}^{\infty}(-1)^n\frac{16}{n^2}\cos\frac{nx}{2},x\in[0,2\pi].$$

22. **解** (1) 计算傅里叶系数：$a_n=0,n=0,1,2,\cdots,$

$$b_n=\frac{1}{\pi}\int_{-\pi}^{\pi}f(x)\sin nx\mathrm{d}x=\frac{2}{\pi}\int_0^{\pi}\frac{\pi}{4}\sin nx\mathrm{d}x=\frac{1}{2}\int_0^{\pi}\sin nx\mathrm{d}x$$

$$=\frac{1}{2}\left(-\frac{1}{n}\cos nx\Big|_0^{\pi}\right)=-\frac{1}{2n}[(-1)^n-1]=\frac{1-(-1)^n}{2n},$$

所以 $f(x)\sim\sum\limits_{n=1}^{\infty}\dfrac{\sin(2n-1)x}{2n-1},x\in[-\pi,\pi).$

(2) 利用帕塞瓦尔恒等式可知

$$\sum_{n=1}^{\infty}\frac{1}{(2n-1)^2}=\frac{1}{\pi}\int_{-\pi}^{\pi}f^2(x)\mathrm{d}x=\frac{1}{\pi}\int_{-\pi}^{0}\left(-\frac{\pi}{4}\right)^2\mathrm{d}x+\frac{1}{\pi}\int_0^{\pi}\left(\frac{\pi}{4}\right)^2\mathrm{d}x=\frac{\pi^2}{8}.$$

23. **解** 先验证 $F(x)$ 为以 2π 为周期的函数：

$$F(x+2\pi)=\frac{1}{\pi}\int_{-\pi}^{\pi}f(t)f(x+2\pi+t)\mathrm{d}t=\frac{1}{\pi}\int_{-\pi}^{\pi}f(t)f(x+t)\mathrm{d}t=F(x).$$

记 $F(x)$ 的傅里叶系数为 A_0,A_n,B_n，利用傅里叶系数计算公式可知

$$A_0=\frac{1}{\pi}\int_{-\pi}^{\pi}F(x)\mathrm{d}x=\frac{1}{\pi^2}\int_{-\pi}^{\pi}\mathrm{d}x\int_{-\pi}^{\pi}f(t)f(x+t)\mathrm{d}t=\frac{1}{\pi^2}\int_{-\pi}^{\pi}\mathrm{d}x\int_{-\pi}^{\pi}f(t)f(x+t)\mathrm{d}t$$

$$=\frac{1}{\pi^2}\int_{-\pi}^{\pi}f(t)\mathrm{d}t\int_{-\pi}^{\pi}f(x+t)\mathrm{d}x.$$

令 $x+t=u$，则 $\mathrm{d}x=\mathrm{d}u$，且由 $f(x)$ 的周期性可知

$$A_0=\frac{1}{\pi^2}\int_{-\pi}^{\pi}f(t)\mathrm{d}t\int_{-\pi}^{\pi}f(x+t)\mathrm{d}x=\frac{1}{\pi^2}\int_{-\pi}^{\pi}f(t)\mathrm{d}t\int_{-\pi+t}^{\pi+t}f(u)\mathrm{d}u$$

$$=\frac{1}{\pi^2}\int_{-\pi}^{\pi}f(t)\mathrm{d}t\int_{-\pi}^{\pi}f(u)\mathrm{d}u=\frac{1}{\pi^2}\left[\int_{-\pi}^{\pi}f(u)\mathrm{d}u\right]^2=\frac{1}{\pi^2}\cdot\pi^2\cdot a_0^2=a_0^2,$$

$$A_n=\frac{1}{\pi}\int_{-\pi}^{\pi}F(x)\cdot\cos nx\,\mathrm{d}x=\frac{1}{\pi^2}\int_{-\pi}^{\pi}\cos nx\,\mathrm{d}x\int_{-\pi}^{\pi}f(t)f(x+t)\,\mathrm{d}t$$

$$=\frac{1}{\pi^2}\int_{-\pi}^{\pi}f(t)\,\mathrm{d}t\int_{-\pi}^{\pi}f(x+t)\cos nx\,\mathrm{d}x=\frac{1}{\pi^2}\int_{-\pi}^{\pi}f(t)\,\mathrm{d}t\int_{-\pi+t}^{\pi+t}f(u)\cos(n(u-t))\,\mathrm{d}u$$

$$=\frac{1}{\pi^2}\int_{-\pi}^{\pi}f(t)\,\mathrm{d}t\int_{-\pi+t}^{\pi+t}f(u)(\cos nu\cos nt+\sin nu\sin nt)\,\mathrm{d}u$$

$$=\frac{1}{\pi^2}\int_{-\pi}^{\pi}f(t)\cos nt\,\mathrm{d}t\int_{-\pi+t}^{\pi+t}f(u)\cos nu\,\mathrm{d}u+\frac{1}{\pi^2}\int_{-\pi}^{\pi}f(t)\sin nt\,\mathrm{d}t\int_{-\pi+t}^{\pi+t}f(u)\sin nu\,\mathrm{d}u$$

$$=\frac{1}{\pi}\int_{-\pi}^{\pi}[a_nf(t)\cos nt+b_nf(t)\sin nt]\,\mathrm{d}t$$

$$=a_n^2+b_n^2,$$

$$B_n=\frac{1}{\pi}\int_{-\pi}^{\pi}F(x)\cdot\sin nx\,\mathrm{d}x=\frac{1}{\pi^2}\int_{-\pi}^{\pi}\sin nx\,\mathrm{d}x\int_{-\pi}^{\pi}f(t)f(x+t)\,\mathrm{d}t$$

$$=\frac{1}{\pi^2}\int_{-\pi}^{\pi}f(t)\,\mathrm{d}t\int_{-\pi}^{\pi}f(x+t)\sin nx\,\mathrm{d}x$$

$$=\frac{1}{\pi^2}\int_{-\pi}^{\pi}f(t)\,\mathrm{d}t\int_{-\pi+t}^{\pi+t}f(u)\sin(n(u-t))\,\mathrm{d}u$$

$$=\frac{1}{\pi^2}\int_{-\pi}^{\pi}f(t)\,\mathrm{d}t\int_{-\pi+t}^{\pi+t}f(u)(\sin nu\cos nt-\cos nu\sin nt)\,\mathrm{d}u$$

$$=\frac{1}{\pi^2}\int_{-\pi}^{\pi}f(t)\cos nt\,\mathrm{d}t\int_{-\pi+t}^{\pi+t}f(u)\sin nu\,\mathrm{d}u-\frac{1}{\pi^2}\int_{-\pi}^{\pi}f(t)\sin nt\,\mathrm{d}t\int_{-\pi+t}^{\pi+t}f(u)\cos nu\,\mathrm{d}u$$

$$=\frac{1}{\pi}\int_{-\pi}^{\pi}[b_nf(t)\cos nt-a_nf(t)\sin nt]\,\mathrm{d}t=a_nb_n-b_na_n=0.$$

由于 $f(x)$ 是 $\mathbf{R}$ 上以 2π 为周期的连续函数，且 $B_n=0,n=1,2,3,\cdots$，所以

$$F(x)=\frac{A_0}{2}+\sum_{n=1}^{\infty}A_n\cos nx=\frac{a_0^2}{2}+\sum_{n=1}^{\infty}(a_n^2+b_n^2)\cos nx.$$